食品表示管理士検定公式テキスト

新版第2版

いのちを守る食品表示

監修：一般社団法人 全国スーパーマーケット協会
著者：武末髙裕　山口廣治

中央法規

はじめに

　アレルギー表示が施行されてから今年で18年目を迎えました。しかし、残念ながら国内でのアレルギー表示違反による事故がいまだに後を絶ちません。そのような中、食物アレルギーの広がりとそれによる苦痛を少しでも解消するため、食品に関わるすべての人々が知恵を出し合い、また努力して具体的で効果的な対策を講ずべくところにきていると思われます。

　本書を執筆した当初（初版：平成15（2003）年11月1日）は、食品関連事業者にとり、重要な食品表示の情報とはなにか？を筆者なりに模索・検討してきました。そんな時、一人の身近なアレルギー専門医の言葉がこの疑問の解決の糸口を与えてくれたのです。

　「医者として望むことは、食品による被害がでたとき、速やかに原因が絞り込めるための食品成分の正確な情報がほしい！」

　つまり、専門医が治療をする上で、食品表示だけが食品の手がかりを得られる唯一の情報になっているという事実です。

　筆者は食品開発および食品衛生を専門にしてきました。いわゆる品質管理業務です。したがって、医学的な立場でのアレルギー専門家ではありません。

　しかし、一人も食物アレルギーによる被害を出さないために、食品に従事するものとして最大限の努力をしたいと考えました。

　今回、改訂版の機会をいただき、「食品摂取時の安全性の確保」に係る表示事項、つまり『いのちを守る食品表示』として、アレルギー表示はもとより、期限表示、保存方法、添加物表示、遺伝子組換え表示、コンタミネーション表示、使用上の注意喚起文、……そして景品表示法、製造物責任法等々、多くの法令の中から、食品に関わる人々にとって、「これだけは正しくきちんと覚えてほしい」とお願いしたい内容を筆者なりにまとめてみました。

　また、武末髙裕氏には「選択の機会の確保」に係る表示として、生鮮食品および加工食品の表示の仕組みや個別の表示、栄養成分表示、有機食品の表示、等々をまとめていただきました。

　食物アレルギーに関することについては、アレルギーの仕組みなど表示とは直接関係ない内容も記載しています。繰り返しますが、筆者は医学的な専門家ではありません。したがって、医学的なアレルギーの専門家諸氏には不満な部

分もあろうかと思います。しかし、食品を「いのちの源（みなもと）」という視点でみたとき、食品の品質管理に従事するものとして食品を手にする消費者の不安を少しでも解消させ、表示違反による事故を未然に防ぐための努力は当然のことと考えます。

その理由は、生産者、製造業者、加工業社、流通業者、輸入業者、販売業者、消費者の健全な関係は「安全な食品」に「安心な表示」がされてこそ成立するからです。本書の内容は問題提議のたたき台として考えていただければ幸いです。

本書を発刊するにあたって一般社団法人全国スーパーマーケット協会の横山清会長、三浦正樹専務理事、島原康浩事務局長、協会スタッフの皆さんにはこの本が生まれる執筆の機会をいただきました。会員企業様からは基礎情報である膨大な食品表示ラベルを提供していただきました。

また、初版執筆当時（平成15（2003）年）には、米アレルギー研究会からはアレルギーの実態という貴重な情報を提供していただきました。長谷川クリニックの長谷川院長には医学的見地から原稿の校正だけではなく、寄稿もしていただきました。独立行政法人農業・生物系特定産業技術研究機構中央農業研究センター稲育研究室長の（故）三浦清之氏、北海道道立中央農業試験場の柳原哲司氏には米育種の専門的立場から米成分とアレルギーの関係性について貴重なご意見をいただきました。北海道開発局次長の三野耕治氏には執筆テーマを高く評価していただきました。株式会社千野米穀店代表取締役の徳永善也氏には米アレルギーに関係する商品流通の現状のお話をいただきました。

平成27（2015）年4月1日、消費者基本法に基づき消費者の利益を尊重するために食品表示法が施行されました。いうまでもなく食品表示を適正に行うことは食品関連事業者の義務です。それは消費者に対して、日々、健全な食生活を提供する責任があるからです。

生鮮食品はすでに猶予期間を終え、2020年3月31日の加工食品および添加物の表示の猶予期間終了後は食品表示法の本格的な運用となります。今後は食品表示と食品関連事業者に対する社会の眼は益々厳しさを増していきます。そもそも、食品表示関連法規は国民と食品関連事業者を繋ぐ、信頼の絆であり、国と食品関連事業者および国民との三者契約に基づくもの、ということを再認識すべきです。

この本が皆さんのお役に立ち、活用され、食品表示が正しく行われることを願ってやみません。

平成31（2019）年4月

山口　廣治

食品表示管理士検定（初級／中級／上級）の概要

主催：一般社団法人全国スーパーマーケット協会

■試験の内容

1. **開催スケジュール**：
   年1回（初級のみ年2回）
   ※詳細な日程については、下記のS検（スーパーマーケット検定）HPを参照

2. **試験時間**：各級ともに100分（ガイダンス含む）

3. **内容・合格基準**
   - **上級** 食品表示に関する法律その他を熟知し、表示の読み取り・作成だけではなく、製造工程の情報などから表示の不備を指摘し、改善できる。
   - **中級** 食品表示応用能力の判定。食品表示に関する法律およびその他の関連法規に関する網羅的・体系的な知識習得を完了し、食品の表示ラベルの読み取りだけではなく、作成が正確にできる。
   - **初級** 食品表示基礎能力の判定。食品表示に関する法律の基礎知識を有し、食品の一括表示ラベルの内容を読み取る力がある。

   ※各級ともに100点満点中80点以上
   ※検定の内容は食品スーパーマーケット従業員をはじめ、全ての食品関連事業者向け
   ※中級は初級資格保持者のみ、上級は中級資格保持者のみ受験可能

4. **受験地**：札幌、仙台、東京、名古屋、大阪、福岡、企業内
   ※受験回により開催地が異なります。

5. **受験料**：
   上級　協会会員　11,389円（＋税）・非会員　22,778円（＋税）
   中級　協会会員　 9,537円（＋税）・非会員　19,074円（＋税）
   初級　協会会員　 7,593円（＋税）・非会員　15,185円（＋税）
   ※受験料は予告なく変更することがあります。

■資格の更新

- 食品表示管理士検定では、頻繁に改正が行われる食品表示関連法規に対応するため、合格者（資格保持者）に対し、2年に一度の更新を行うことが資格の継続要件となっています。
- 資格の更新には、①指定の更新講習会に参加する、②レポート課題を提出する、のいずれかが必要です。

上記内容は平成31年3月現在のものです。
試験日などの詳細は全国スーパーマーケット協会S検（スーパーマーケット検定）HPを参照してください。
http://www.s-kentei.com

もくじ

第1章 食品表示に関する法律　　（山口）

1. 食品表示法　2
  1）はじめに　2
  2）食品表示法の全体像　2
    （1）食品表示法の概要　2
    （2）食品表示法の目的　3
    （3）食品表示法の対象食品　4
    （4）食品表示法の対象者　4
    （5）食品表示法の基本理念　5
    （6）食品表示基準の策定　6
    （7）食品表示法における主な表示責任　7
    （8）義務表示と推奨表示と任意表示の法的責任　10
  3）表示の基本的ルール　11

2. 食品安全基本法と食品表示関連法規　14
  1）食品安全基本法　14
  2）JAS法　15
  3）食品衛生法　16
  4）景品表示法　16
  5）健康増進法（旧：栄養改善法）　17
  6）計量法　17
  7）牛の個体識別のための情報の管理及び伝達に関する特別措置法（牛トレーサビリティ法）　17
  8）米穀等の取引等に係る情報の記録及び産地情報の伝達に関する法律（米トレーサビリティ法）　18
  9）その他の法令　18
    （1）製造所固有記号制度　18
    （2）製造物責任法（PL法）　18
    （3）不正競争防止法　19
    （4）酒税法、酒類業組合法　19
    （5）医薬品医療機器等法（旧：薬事法）　19

第2章 生鮮食品の表示のしくみ　（武末）

1．生鮮食品の表示の仕方　22
1）表示しなければいけない生鮮食品　22
（1）食品表示法で表示が一本化された生鮮食品　24
2）誰が表示しなければいけないのか　24
3）どのような表示をすればいいのか　25
（1）ばら売りの生鮮食品は立て札などを利用する　25
（2）容器包装に入れて生鮮食品を販売する　26
4）表示の基本ルール　26
（1）必ず表示する名称と原産地　27
（2）保存方法や使用方法、内容量などの表示ルール　29
（3）個別的義務表示のある生鮮食品　30
（4）してはいけない表示　31
（5）JASマークなどの任意表示　32
（6）生鮮食品表示のケーススタディ　32
5）生鮮食品か加工食品かの見極め　33
（1）農産物などを調整、選別したものは生鮮食品　33
（2）洗ったり、切ったり、冷凍したりしたものは生鮮食品　34
（3）生鮮食品になるケースと加工食品になるケース　34

2．農産物の表示の仕方　40
1）表示の対象となる農産物　40
（1）生鮮食品の対象となる農産物　40
（2）生鮮食品の扱いとならない農産物のケース　41
2）農産物の名称と原産地の表示ルール　42
（1）農産物の名称の表示　42
（2）農産物の原産地の表示　42
3）個別の義務表示がある農産物　43
（1）しいたけの表示　43
（2）米、豆類を密閉した容器包装に入れて販売する場合　44
（3）シアン化合物や防かび剤処理した農作物　44

3．米の表示の仕方　47
1）米の表示すべき内容　47
（1）米の名称　48
（2）原料玄米の表示　49
（3）ブレンド米のケーススタディ　51
（4）内容量、新米などの表示ルール　55
（5）ばら売りの表示　55
2）強調表示をする場合　56
（1）一括表示の枠外に記載する　56
（2）一括表示と関係ない強調表示　57
3）米トレーサビリティ法　57
（1）産地情報が義務づけられた米穀などの品目　58

（2）米トレーサビリティの対象とならないケース　58
　　（3）産地情報の伝達の仕方　59
　4）米の品種と産地　60

4．畜産物の表示の仕方　62
　1）畜産物の表示ルール　62
　　（1）表示の対象になる畜産物　62
　　（2）対面販売と事前包装、広告の表示内容　62
　　（3）対面販売の表示ルール　63
　　（4）事前に容器包装に入れた食肉の表示ルール　63
　　（5）チラシなどの広告の表示ルール　64
　2）食肉の表示に必要な項目　65
　　（1）食肉の種類、部位、用途の表示　65
　　（2）食肉の原産地の考え方　67
　　（3）量目と価格、冷凍の表示　69
　　（4）消費期限と保存方法、加工者の表示　70
　　（5）生食用食肉に関する表示　70
　3）牛の個体識別番号　72
　　（1）1頭ごとに個体識別番号が付けられる　72
　　（2）誰でもすぐに牛の素性を調べることができる　73
　4）生産情報公表JAS規格　74
　5）食肉の生鮮食品か加工食品かの見極め　74
　　（1）生鮮食品扱いの食肉　74
　　（2）加工食品扱いの食肉　74
　6）銘柄食肉の任意表示　75
　7）和牛と銘柄の関係　76
　　（1）国産牛と和牛の意味は異なる　76
　　（2）銘柄牛の意味　78
　8）豚の種類と銘柄　79
　　（1）銘柄豚　80
　　（2）黒豚の定義　80
　9）食鶏の種類と地鶏　82
　　（1）ブロイラーは品種ではない　82
　　（2）地鶏と銘柄鶏の関係　83
　　（3）特定JAS規格の地鶏肉　83

5．水産物の表示の仕方　86
　1）表示の対象となる水産物　87
　2）生鮮魚介類の名称と原産地の表示　87
　　（1）生鮮魚介類の名称　87
　　（2）原産地の表示　89
　3）個別の表示ルールがある生鮮魚介類　93
　　（1）養殖、解凍の表示　93
　　（2）切り身、刺身などの表示　94
　　（3）生かきの表示　94
　4）水産物の生鮮食品か加工食品かの見極め　95
　　（1）同じ種類の刺身　95

（2）店内処理か、処理したものを仕入れるかで表示が異なる　96
　　（3）客の求めに応じて対面販売する　97
　　（4）その他のケース　97
　　（5）水産物加工食品の原産地表示の取り扱い　97
　5）魚介類の名称のガイドライン　99
　　（1）魚介類の名称の一般ルール　99
　　（2）出世魚や季節名、地方名の取り扱い　100
　　（3）海外漁場魚介類や外来種の呼び方　102
　　（4）水産物加工食品の名称　104
　6）生産水域の範囲を定めるガイドライン　105
　　（1）生産水域名の記載方法　105
　　（2）ガイドラインで留意する事項　107
　　（3）誰がどのように実施するのか　107

第3章　加工食品の表示のしくみ　（武末）

1．加工食品を読み解く　110
　1）表示の対象となる加工食品　110
　　（1）加工食品とは何か　111
　　（2）製造、加工とは何か　113
　　（3）JAS規格における加工食品　114
　　（4）公正競争規約のある加工食品　114
　2）加工食品の表示ルール　115
　　（1）加工食品に共通した横断的義務表示　116
　　（2）個別の表示ルールのある加工食品　117
　　（3）省略できない表示、省略できる表示　119
　　（4）推奨、任意の表示項目　121
　3）加工食品はどのように表示すればよいのか　122
　　（1）一括表示ラベルの扱い　122
　　（2）加工食品の名称　123
　　（3）加工食品は原材料を表示する　125
　　（4）添加物は重量の多いものから表示　132
　　（5）消費期限、賞味期限の表示について　133
　　（6）内容量の表示　134
　　（7）保存方法の表示　136
　　（8）製造者、加工者等の表示　136
　　（9）原材料の原産地表示について　138
　　（10）輸入品の原産国名　138
　　（11）栄養成分の表示義務　139
　　（12）アレルゲンを含む特定原材料　139
　　（13）アスパルテームを含む食品　140
　　（14）国が認定する特定保健用食品　141
　　（15）機能性表示食品は届け出制　141
　　（16）遺伝子組換え食品の表示　141
　　（17）1歳未満に適用される乳児用規格適用食品　141

4）わかりやすければ省略できる一括表示 142
　　　（1）一括表示部分を省略できる場合 143
　　　（2）一括表示以外に、別途記載ができる場合 143
　　　（3）義務表示以外の内容も一括表示部分に記載可能 144
２．業者間取引の表示ルール 145
　１）業務用加工食品の表示 145
　　　（1）誰が表示義務を負うのか 145
　　　（2）業務用加工食品の範囲 145
　　　（3）業務用加工食品の表示すべき項目 146
　２）業務用生鮮食品の表示 146
　　　（1）業務用生鮮食品の範囲 146
　　　（2）業務用生鮮食品の表示すべき項目 146
　３）表示箇所と業者間取引の形態 147
　　　（1）どこに表示をすればいいのか 147
　　　（2）表示項目の文字サイズなど 147
　　　（3）業者間取引の形態によって異なる表示義務の有無 147

第4章　個別の表示ルールのある加工食品　（武末）

１．表示が個別に定められている加工食品 150
　　　（1）農産加工品 150
　　　（2）畜産加工品 158
　　　（3）水産加工品 166
　　　（4）調味料 171
　　　（5）飲料 176
　　　（6）その他の加工食品 179
２．牛乳、アイスクリーム類の表示 188
　　　（1）飲用乳 188
　　　（2）アイスクリーム類 190
３．酒類の表示のしくみ 193
　１）酒類の表示に必要な食品表示基準 193
　２）清酒やビールなど、個別の表示ルールのある酒類 194
　　　（1）清酒の製法品質表示基準 194
　　　（2）果実酒等の製法品質表示基準 196
　　　（3）ビールやウイスキーなど、表示の公正競争規約がある酒類 201

第5章　アレルギー表示　（山口）

１．食物とアレルギー 204
　１）アレルギー表示制度施行の背景 204
　２）アレルギーってなに？ 205

3）アトピー性皮膚炎とは？　206
　　4）はしかと免疫　207
　　5）Ⅰ型アレルギーの特徴　207
　　6）Ⅰ型アレルギーのしくみ　208
　　7）アレルギー反応の分類　209
　　8）食生活とアレルギー　210
　　　（1）食物アレルギーが増えた時期　210
　　　（2）食物アレルギーの増加と食生活の変化　211
　　　（3）食生活がアレルギーを引き起こす？　213
　　9）腸内細菌との関係　213
　　10）アレルゲンの種類と主な症状　215
　　11）間接的な要因によるもの　218
　　12）アレルゲンとしてのカビ・酵母　220
　　13）特定原材料等27品目由来以外の添加物について　221
　　14）仮性アレルゲンを含むもの　222
　　15）アレルギー様食中毒とは？　223
　　　（1）発症のメカニズム　223
　　　（2）予防　225
　　16）食物以外のアレルギー要因　226
　　17）世界と日本のアレルギー表示の現状と比較　228
　　18）新しいアレルギー　230

2．アレルギー表示のルール　233

　　1）アレルギー表示の目的　233
　　2）表示しなければならないもの　235
　　3）表示が省略できるもの　236
　　4）「省略できる」は「アレルゲン・フリー」とは違う！　236
　　5）アレルゲンの情報提供に免除はない　236
　　6）表示方法　237
　　　（1）一括表示様式の枠内に表示する　237
　　　（2）表示方法　237
　　7）一括表示様式の例　241
　　　（1）特定原材料等の表示例　242
　　8）微量混入（コンタミネーション）はどうするの？　245
　　　（1）微量混入（コンタミネーション）を防止するには　245
　　　（2）微量混入（コンタミネーション）についての表示はこう書く　245
　　　（3）禁止表示　247
　　9）特定原材料等を使用していない旨の表示　247
　　10）着色料で気をつけること　249
　　11）複合化禁止表示と例外規定表示　249
　　12）代替表記と拡大表記　250
　　13）「卵白」と「卵黄」について　252
　　14）特定原材料「乳」の代替表記等について　252

3．特定原材料の範囲と実際の表示 255
　1）えび 255
　2）かに 255
　3）小麦 256
　4）そば 258
　5）卵 260
　6）乳 262
　　（1）表示の定義 262
　　（2）表示方法 265
　7）落花生 267

4．準特定原材料の範囲と実際の表示 269
　1）あわび 269
　2）いか 269
　3）いくら 270
　4）オレンジ 270
　5）牛肉、豚肉、鶏肉 272
　6）さけ 274
　7）大豆 275
　8）やまいも 277
　9）りんご 278
　10）キウイフルーツ 278
　11）ごま 279
　12）カシューナッツ、くるみ、さば、もも、まつたけ、バナナ 280
　13）ゼラチン 280
　14）その他 281
　15）食品と添加物の両方の性質をもつ原材料の場合の表示 281
　16）特定原材料等の範囲に含まれないものの一例 281

5．食品添加物製剤 283
　1）見落としがちな食品添加物製剤 283
　2）食品添加物製剤とはなにか？ 284
　3）食品添加物製剤の表示方法 284
　　（1）調味料製剤 284
　　（2）乳化剤製剤 286
　　（3）酵素製剤 287
　　（4）保存料製剤 288
　　（5）日持ち向上剤 289
　　（6）強化剤製剤 291
　　（7）品質改良剤 292
　　（8）増粘、安定、ゲル化剤製剤 294
　　（9）甘味料製剤 296
　　（10）懸濁分散剤 297
　　（11）品質向上素材 298
　　（12）増粘多糖類 299

（13）酸化防止剤（鮮度保持剤）　299
　　（14）香料製剤　300
　4）製品へのアレルゲン残存量の捉え方　302
　5）注意が必要な食品原材料と添加物の表示　303
6. 食物アレルギーを起こさないためにできること！　307
　1）店舗内での調理・加工時の心得とは　307
　2）対面販売での表示の仕方　307
　3）店内パネルとリーフレット　308
　4）表示の具体例　310
　5）アレルギー表示が適切にされていない場合の措置　318
　6）消費者への対応は迅速に！　318

第6章　食品添加物の表示　（山口）

1. 食品添加物とはなにか　322
　1）食生活の変化と添加物の関わり　322
　2）食品添加物とはなにか？　324
　3）食品添加物の分類と数　325
　4）食品添加物の使用基準（ADIの捉え方）　326
　5）食品添加物の安全性の評価　328
　6）食品添加物の毒性試験　329
　　（1）一般毒性試験　330
　　（2）特殊毒性試験　330
　　（3）その他の試験　331
　7）食品衛生監視員と食品衛生管理者　331
　8）国際基準の動向　331
　9）食品添加物の定義　332
　10）食品への表示のしくみ　333
　　（1）表示しなければならないもの　334
　　（2）3通りの表示方法　334
　　（3）表示が免除されるもの　337
　11）販売用としての添加物の表示に係るルール　340
　　（1）一般消費者向けの添加物の表示　340
　　（2）業務用向けの添加物の表示に係るルール　340
2. 食品製造における食品添加物の使用例　342
　1）食品を製造するときになくてはならない添加物　342
　2）食品の品質低下によって起こる事故（食中毒等）を防ぐ添加物　352
　3）食品の品質を高める添加物　361
　4）食品の風味や外観を良くするための添加物　364
　5）食品の栄養価を維持、強化する添加物　367

3. 食品添加物の用途別解説 369
1）近年の食品衛生法施行規則に関する食品添加物の一部改正 369
  （1）平成24年の主な改正内容（物質名：用途、改正内容、施行日） 369
  （2）平成25年の主な改正内容 369
  （3）平成26年の主な改正内容 370
  （4）平成27年の主な改正内容 370
  （5）平成28年の主な改正内容 370
  （6）平成29年の主な改正内容 371
  （7）平成30年の主な改正内容 371
2）用途別解説 371
  （1）甘味料 371
  （2）着色料 377
  （3）保存料 383
  （4）増粘安定剤 386
  （5）酸化防止剤 393
  （6）発色剤 398
  （7）漂白剤 401
  （8）防かび剤（防ばい剤） 406
  （9）ガムベースおよび光沢剤 410
  （10）苦味料 413
  （11）酵素 417
  （12）酸味料、pH調整剤（水素イオン濃度調整剤） 420
  （13）乳化剤 425
  （14）調味料 430
  （15）香料 437
  （16）栄養強化剤 440
  （17）膨張剤 445
  （18）製造用剤 448
4. 判断に悩む食品添加物表示のポイント 462

第7章 期限表示と保存方法 （山口）

1. 期限表示 470
1）期限表示の意義 470
  （1）期限表示と事業者責任 470
  （2）食品の期限を設定する責任者 470
2）期限表示の設定 471
  （1）期限設定試験 472
3）注意喚起としての適切な任意表示 475
  （1）一括表示枠内の例 475
  （2）一括表示枠外もしくはポップ等の表示例 475
4）期限表示の表示方法 476
  （1）基本的なルール 476
  （2）記載するときのルール 476

- 5）様々なケースから期限表示を考える　477
  - （1）いろいろな期限表示の食品の詰め合わせの場合は？　477
  - （2）添加物および添加物製剤の期限表示は？　477
  - （3）流通過程で冷凍や解凍など、保存条件が変更された場合は？　478
  - （4）期限内の返品商品の期限は？　478
  - （5）期限を延長した2つのケースの場合は？　479
  - （6）不適切な期限表示に伴う廃棄等　479
  - （7）試験をして適正に設定された期限を超える期限表示をするとどうなる？　479
  - （8）輸入食品に表示されている消費期限や賞味期限はそのまま使用できるか？　479
  - （9）表示期限を過ぎた食品の販売は違反か？　480
  - （10）期限を過ぎた原材料を使用することについて　480
  - （11）PL法（製造物責任法）と期限表示について　480

2．保存方法　481
- 1）保存方法の表示　481
- 2）保存方法の省略　481
  - （1）保存方法が省略できる品目　482
  - （2）食塩等の保存方法の表示　482
  - （3）食品衛生法においては、食品の性質に合わせて保存方法の基準があるもの　482

第8章　遺伝子組換え食品の表示　（山口）

1．遺伝子組換え食品とは　486
- 1）遺伝子組換えとは　486
  - （1）古いバイオと新しいバイオ　487
  - （2）バイオ＝バイオテクノロジーについて　487
  - （3）遺伝子組換え技術（組換えDNA技術）について　487
  - （4）遺伝子組換え食品の安全性審査　488
- 2）遺伝子組換え表示の対象と表示ルール　488
  - （1）表示の対象　488
  - （2）遺伝子組換え表示と分別生産流通管理　488
  - （3）遺伝子組換え表示の義務と省略　490

2．表示の対象となっている加工食品　492
- 1）品目別解説　492
  - （1）大豆の加工食品　492
  - （2）とうもろこしの加工食品　493
  - （3）ばれいしょの加工食品　493
  - （4）なたねの加工食品　493
  - （5）綿実の加工食品　493
  - （6）アルファルファの加工食品　494
  - （7）てん菜の加工食品　494
  - （8）パパイヤの加工食品　494
  - （9）特定遺伝子組換え作物　494

（10）その他注意すべき事項について　495
3．新たな遺伝子組換え表示制度に係る内閣府令一部改正案の考え方　499
　1）遺伝子組換え表示制度改正案の概要　499
　2）分別生産流通管理された原材料の任意の表示例　500
　3）「遺伝子組換え不分別」の対象　500
　4）遺伝子組換え表示制度改正に係る表示切替期間の考え方　501
　5）これからについて　501
　6）今後の品種改良について　501

第9章　原料原産地表示　　　　　　　　　　（山口）

　1）原料原産地表示施行の背景　504
　2）新たな原料原産地表示のルール　505
　　（1）基本的な考え方　506
　　（2）対象となる加工食品　506
　　（3）対象原材料の原産地表示　507
　　（4）表示方法　507
　　（5）これまでの指定された個別4品目から個別5品目へ変更　518
　　（6）業務用食品　523
　　（7）猶予期間　523
　　（8）これまでの原料原産地表示の対象品目から引き続き注意が必要な加工食品　523
　3）原産国表示とは　526
　　（1）原産国の定義　526
　　（2）関税法基本通達から　526
　　（3）原産国のまとめ　526

第10章　栄養成分表示　　　　　　　　　　（武末）

　1）栄養成分表示とは何か　530
　2）栄養成分表示の読み方　530
　　（1）栄養成分の基本5項目　530
　　（2）その他に記載したい栄養成分　532
　　（3）成分名の代替表記　533
　　（4）食品単位で成分量を表示する　533
　　（5）トランス脂肪酸の情報開示の指針　534
　　（6）ゼロであっても項目を省略してはいけない　534
　　（7）表示する文字の大きさは決まっている　535
　　（8）栄養成分表示が省略できる場合　535
　3）強調表示の読み方、付け方　536
　　（1）強調表示の内容と栄養成分　536
　　（2）「うす塩味」と「塩分ひかえめ」の違い　542

第11章 保健機能食品の表示のしくみ （武末）

1. 健康増進法と食品表示基準で制度化された食品と健康　544
　1）保健機能食品とは　544
　2）病者や妊産婦向けなどの特別用途食品　544
2. 保健機能食品の表示のしくみ　546
　1）特定保健用食品　546
　　（1）特定保健用食品とは何か　546
　　（2）表示すべき内容　547
　　（3）許可表示内容と摂取上の注意事項　548
　　（4）どのような成分が関与するのか　549
　2）栄養機能食品　554
　　（1）ビタミンやミネラルなどを補う食品　555
　　（2）表示しなければいけない項目　555
　3）機能性表示食品　562
　　（1）対象は容器包装に入った加工食品および生鮮食品　562
　　（2）どうすれば機能性表示食品と表示できるのか　563
　　（3）どのような人たちを対象とする食品なのか　563
　　（4）表示すべき内容　563
　　（5）表示が禁止されている表現など　565

第12章 有機食品、特別栽培農産物の表示のしくみ （武末）

1. 有機食品の表示の仕方　568
　1）高まる有機食品への期待　568
　2）徐々に増える有機農業者　569
　3）登録認証機関の役割　569
　4）有機農産物とは何か　570
　　（1）有機農産物はどのように栽培されるのか　571
　　（2）2、3年以上かかる有機栽培の土作り　571
　　（3）一般の圃場とはっきり区分けすること　572
　　（4）収穫から出荷までの管理も必要　572
　5）有機農産物の表示方法　572
　　（1）有機農産物の名称のつけ方　572
　　（2）スーパーなどで有機農産物を販売する場合　574
　6）有機畜産物とは何か　576
　　（1）有機畜産物の対象となる家畜、家きん　576
　　（2）有機畜産物の表示の仕方　576
　　（3）有機畜産物の生産方法　577
　7）有機加工食品とは何か　578

（1）使用する原材料の 95％以上が有機原料　579
　　　（2）3つに大別される有機加工食品　579
　　　（3）使ってはいけない原材料　579
　　　（4）製造方法も規定されている　580
　8）有機加工食品の表示の仕方　580
　　　（1）使えるのは「有機」「オーガニック」　580
　　　（2）転換期間中の有機農産物を使用する場合　581
　　　（3）有機JASと紛らわしい名称をつけてはいけない　581

2．特別栽培農産物の表示の仕方　582
　1）特別栽培農産物とは何か　582
　2）特別栽培農産物の条件　583
　　　（1）ガイドラインのポイント　583
　　　（2）4つの栽培パターンがある特別栽培農産物　584
　3）どのような表示を行うのか　585
　　　（1）一括表示に記載する内容　585
　　　（2）一括表示のいろいろなパターン　587

第13章　製造物責任法と食品表示　（山口）

　1）製造物責任法（PL法）施行の背景　590
　2）食品表示と製造物責任法（PL法）の密接な関係　591
　　　（1）対象が広く責任期間も長い法律内容　591
　　　（2）製造物責任法における「責任ある表示」と「表示上の責任」　591
　3）表示上の責任主体　592
　　　（1）製造業者（加工業者）および輸入業者　593
　　　（2）表示製造業者　593
　　　（3）実質的製造業者　594
　　　（4）その他、製造物責任法に関する表示　594
　4）製造物責任の免責について　595
　　　（1）専門職員の重要性　595
　　　（2）対象となる製造業者にとっての免責について　595
　5）製造物責任法の対象食品　596
　6）対象食品の「欠陥」について　597
　7）期限表示から製造物責任法を考察する　597
　　　（1）営業者の民事責任と期限表示　597
　　　（2）期限切れの食品を販売して食中毒が発生した場合　598
　8）食品における注意・警告表示例　598

第14章　弁当や惣菜の表示　（山口）

　1）弁当や惣菜を販売するときの表示のルール　604
　2）弁当・惣菜の基本表示事項　605
　　　（1）弁当、惣菜の名称　606

（2）弁当、惣菜の内容量の表示　606
　　　（3）弁当、惣菜の期限表示　607
　3）弁当の原材料名と添加物の表示　607
　　　（1）透明でない容器弁当の場合　607
　　　（2）透明容器弁当の場合　607
　　　（3）簡素化＝省略できる「おかず」の範囲　608
　　　（4）簡素化した場合のアレルゲン表示の注意点　610
　4）複合原材料の表示　610
　　　（1）複合原材料の原材料表示が省略できるケース　611
　5）複合原材料の分割表示　611
　6）その他留意すべきポイント　612
　　　（1）弁当商品の裏面の一括表示ラベルについて　612
　　　（2）名称、原材料名、内容量等の表示事項の順番と表示ラベルの様式や枚数について　612

第15章 食品および表示に関する法律　（山口）

1．計量法（所管府省：経済産業省）　614
　1）計量法とは？　614
　　　（1）特定商品　615
　　　（2）表示規則　615
　2）特定商品の量目立ち入り検査　615
　　　（1）検査の対象　615
　　　（2）違反をするとどうなる？　616
　3）食品スーパーマーケット等における表示上の留意点　616
　　　（1）豆腐等、内容量を一定にするのが難しい製品について　616
　　　（2）「内容量を外見上容易に識別できる」について　616
　　　（3）添付のたれ、ソース、からし等の内容量表示について　617
　　　（4）個数が一定にならない製品の記載について　617
　4）正しい計量は信頼の絆　617
　5）特定商品の量目公差　617

2．景品表示法（所管府省：消費者庁（公正取引委員会））　623
　1）景品表示法とは？　623
　　　（1）景品類の提供について　623
　　　（2）誇大な、虚偽の表示宣伝について　624
　2）優良誤認となる商品表現の不当表示　625
　　　（1）著しく優良と示す不当表示（景品表示法第5条第1号）　625
　　　（2）その他の誤認されるおそれのある不当表示（告示）　626
　3）有利誤認となる取引条件の不当表示（景品表示法第5条第2号）　627
　　　（1）二重価格表示について　627
　　　（2）これまでの販売実績価格との二重価格表示について　628
　4）食品業界が自主的に設けた規約　630

（1）公正競争規約　630
　　　（2）公正競争規約の認定要件　630
　5）措置命令と罰則　631
　6）事業者が講ずべき景品類の提供及び表示の管理上の措置についての指針　632
　　　（1）景品表示法の考え方の周知・啓発の例　632
　　　（2）法令遵守の方針等の明確化の例　632
　　　（3）表示等に関する情報の共有の例　632
　　　（4）不当な表示等が明らかになった場合における迅速かつ適切な対応の例　632
　7）課徴金制度　632
　　　（1）課徴金制度の概要（一部抜粋）　633
　8）その他、景品表示法で留意すべきポイントについて　633

3．独占禁止法（所管府省：公正取引委員会）　638
　1）独占禁止法とは？　638
　2）独占禁止法に関する規制内容のポイント　638
　　　（1）私的独占の禁止（独占禁止法第3条）　638
　　　（2）不当な取引制限（カルテル等）の禁止（独占禁止法第3条）　639
　　　（3）不公正な取引方法の禁止（独占禁止法第19条）　639
　　　（4）事業者団体の規制について（独占禁止法第8条）　640
　　　（5）企業（事業者）の結合規制　640
　　　（6）独占的状態の規制　640
　3）「独占禁止法」に違反した場合の罰則規定　641
　4）「独占禁止法」における食品の不当廉売について　641
　　　（1）不当廉売表示として独占禁止法に抵触する場合　642
　5）その他のケースから独占禁止法を考える　643
　　　（1）小売店が人気商品と売れ残り商品をセットで販売した場合　643
　　　（2）小売店の販売価格を食品メーカーが指定し、守らない場合は取引を中止する等の行為　643

4．不正競争防止法（所管府省：経済産業省）　645

5．食品のマーク　646
　　　（1）農林水産省に関係する様々な食品に付与されるマーク　646
　　　（2）消費者庁に関係する様々な食品マーク　648
　　　（3）HACCPの承認に関係するマーク　650
　　　（4）公正マーク　650
　　　（5）各省にまたがる包材等に関する義務表示のリユース・リサイクルの識別表示マーク　651
　　　（6）その他、包材等に関する任意のリユース・リサイクルの識別表示マーク　653

6．営業許可と食品表示　654
　1）はじめに　654
　2）食品営業許可の分類　654
　3）営業形態と主な食品　655
　4）営業許可制度の見直しおよび営業届出制度の創設　660

7. 製造所固有記号　661
1）製造所固有記号制度のこれまで　661
2）新たな製造所固有記号制度　661
（1）製造所固有記号を使用する要件　661
（2）該当しないケースの例　663
3）事業者の応答の義務化　664
（1）問い合わせに対応するための連絡先の義務表示　664
4）製造所固有記号の届出　665
（1）製造所固有記号に使用できる文字と記載のルール　665
（2）実際に食品を製造している工場と小分け包装を行う工場が異なる場合　666
（3）経過措置期間の取り扱いについて　666
5）製造所固有記号の変更に伴う確認点　667
（1）製造所固有記号を使用しない場合の表示　667
（2）製造と加工の定義統一による「加工者」「加工所」の表示　667

8. 食品衛生法の一部改正とHACCP　668
1）HACCP方式の優位性　668
2）HACCPによる衛生管理の制度化　668
3）HACCPに沿った衛生管理に関するQ&Aからの一部抜粋　669

あとがき　671
参考文献・資料　673
参考法令等　675
索引　676
著者紹介

第 ① 章

食品表示に関する法律

1. 食品表示法

1）はじめに

　近年の輸入食品の増加や国産農産物等の輸出の推進を受け、さらには2020年の東京オリンピック・パラリンピック開催を控え、国内の食品関連事業者は積極的に品質管理（衛生と表示）技術の向上を図る必要があります。

　食品衛生については、国際的にHACCP管理が標準化する中、わが国も国際動向に合わせ、HACCP導入の推進が積極的に行われてきました。さらに、国際基準との調整も含め食品表示法の施行等、食品行政をめぐる情勢はめまぐるしく変化していますが、こうした背景には、毎年後を絶たない食品表示違反があります。

　HACCP推進と食品表示法施行の大きな目的には、消費者保護の強化があります。したがって、消費者が被害を被らないためにも今後はこれまで以上に違反事業者の責任は重く、厳しい措置がとられることとなります。

　以上を踏まえ、本章では主に食品表示法と食品関連法規について食品関連事業者が留意すべき点について、また注意してほしいポイントについて解説します。

2）食品表示法の全体像

（1）食品表示法の概要

　そもそも、食品表示は消費者の権利のもと、安全の確保と商品選択の機会の確保を保障するものです。その上で、平成21年9月に消費者庁が発足し、食品表示を一元的に所掌することとなりました。これを受けて「食品表示法」として平成25年6月28日に制定、平成27年4月1日に施行されました。

　この法律の特徴は、食品表示違反が後を絶たない中、食品の安全性確保を最優先すること、そして、消費者の商品選択に影響する重要な情報を確実にする

ことにより、不適正な表示から消費者を保護することを規定していることです。

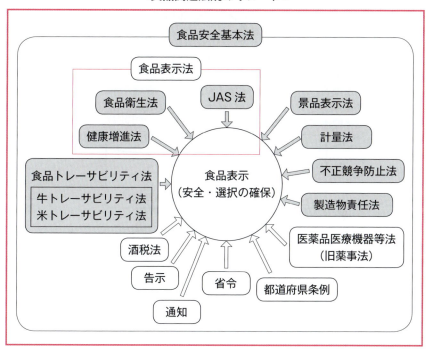

＜食品関連法規のイメージ＞

（2）食品表示法の目的

　食品表示法は、食品衛生法、JAS法（旧：農林物資の規格化及び品質表示の適正化に関する法律）、健康増進法の表示に関係する規定を統合した法律です。その目的は、「食品摂取時の<u>安全性の確保</u>」と自主的かつ合理的な「食品の<u>選択の機会の確保</u>」のために、表示の適正を確保し消費者の利益の増進を図ること、また、生産・流通の円滑化、食品の生産の振興に寄与すること、と規定されています（法第1条）。

- 食品摂取時の安全性の確保のための表示項目
  （例：アレルゲン、保存方法、消費期限、摂食時加熱の有無等）
- 食品の選択の機会の確保のための表示項目
  （例：原材料名、原産国名、原料原産地名、内容量、栄養成分表示等）

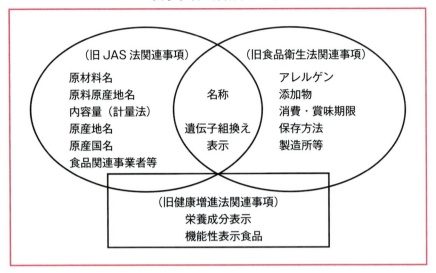

(3) 食品表示法の対象食品

　食品表示法は、安全性の確保と食品の選択の機会の確保の観点から、食品全般を対象とし表示を義務づけるものです。したがって、食品表示法は医薬品、医薬部外品、再生医療等製品、化粧品を除くすべての飲食物（酒類を含む）、添加物を対象としています。酒類は同法と酒税の保全及び酒類業組合等に関する法律（酒類業組合法）の両法で規定されます。

(4) 食品表示法の対象者

　食品表示法に規定されている「食品関連事業者」とは、食品の製造・加工・輸入・販売を業とする者が対象で、販売行為を行っている者です。したがって、作業委託を受けただけで所有権の移転のない事業者は当該事業者に該当しません。

　「食品関連事業者以外の販売者」とは、バザー、文化祭等で食品を販売する者、ボランティアで食品を無償で配布する者等が例示されています。なお、不特定または多数の者に対する販売以外の譲渡も販売に含めて規制しています（法第2条）。

設備を設けて飲食させるレストラン、食堂、喫茶店等外食事業者により食品を提供する場合、また外食事業者が製造・加工されたものを仕入れて、飲食させる場合については表示の必要はありません。

（5）食品表示法の基本理念

　消費者の安全および自主的かつ合理的な選択の機会の確保と必要な情報の提供は消費者の権利であり、消費者が自主的かつ合理的に行動できるよう自立支援すること、が理念として定められています。

　また、公正な競争の確保のため小規模の食品関連事業者の表示負担も配慮することとされています（法第3条）。

【食品表示の役割】

　食品に関する適正な表示は、消費者や関係事業者に対し、的確な情報を与え、合理的な認識や選択に資するものであり、さらには、行政機関による迅速かつ効果的な取締りのためにも不可欠なものです。食品の表示は、以下の機能を果たしています。

①消費者への情報伝達の役割

- 消費者が購入後食品を摂取する際の安全性を確保するための表示
  （例：アレルゲン、保存方法、消費期限、摂食時加熱の有無等）
- 消費者が、自主的かつ合理的に食品を選択するための表示
  （例：原材料名、原産国名、原料原産地名、内容量、栄養成分表示等）

②流通事業者等への情報伝達の役割

- 販売する際に留意すべき情報
  （例：アレルゲン、保存方法、消費期限、摂食時加熱の有無等）
- 製造者等が付けた表示により、販売者が容易に消費者に情報提供できる機能

③規格基準遵守促進の役割

- 表示させることによる事業者に対する心理的効果

（例：使用した添加物を全て表示させることで規格基準外添加物を使用することの心理的な障壁となる）
・行政当局等が規格基準遵守の確認の際に利用する情報
　　（例：表示されている添加物について、その使用量を試験して、規格基準への適合を確認する）

（6）食品表示基準の策定

　具体的な食品表示事項については「食品表示基準」によって定められます（法第4条）。食品表示基準の策定時には、従前どおり厚生労働大臣、農林水産大臣との事前協議が必要とされ、酒類の表示については財務大臣との事前協議が必要とされました。さらに、基準の制定時には、第三者の消費者委員会の意見を聴くことにより、その基準の適正性を確保することとしています。

<食品表示基準の策定方針の一部抜粋>

●消費者の求める情報提供と事業者の実行可能性のバランスを図り、双方に分かりやすい表示基準を策定する
1　原則として表示義務の対象範囲（食品、事業者等）については変更しない
・例外として、加工食品と生鮮食品の区分などを変更
2　基準は食品および事業者の分類にしたがって整序、分かりやすい項目立てとする
・食品について、「加工食品」「生鮮食品」「添加物」に区分
・食品関連事業者等について、「食品関連事業者に係る基準」「食品関連事業者以外の販売者に係る基準」に区分
3　2の区分ごとに食品の性質等に照らしできる限り共通ルールにまとめる
4　現行の栄養表示基準を、実行可能性の観点から義務化にふさわしい内容に見直す
・対象成分、対象食品、対象事業者等について規定
5　安全性に関する事項に係るルールを、より分かりやすいように見直す
・例えば、アレルギー表示のうち、特定加工食品に係る表示の見直し

参考：消費者庁

●**食品表示基準**

（食品衛生法、JAS法、健康増進法に基づく基準からの統合のイメージ）

【52基準】	食品表示基準	【5基準】
・加工食品品質表示基準 ・生鮮食品品質表示基準 ・遺伝子組換え食品品質表示基準 〈個別の品質表示基準〉 ・加工46基準（農産物漬物、ジャム、ドレッシング類等） ・生鮮3基準（しいたけ等）	〈加工食品〉 ・横断的義務表示 ・個別的義務表示 ・表示方法 ・禁止表示 〈生鮮食品〉 〈添加物〉	・食品衛生法に基づく内閣府令、乳等の内閣府令 ・乳使用の加工食品のアレルギー表示基準 ・栄養機能食品の表示基準 ・包装面積の表示省略基準
		【1基準】 ・栄養表示基準

（7）食品表示法における主な表示責任

①指示

　表示違反に対しては、表示の適正化のための表示の是正と社内体制の構築等の行政指導の指示が行われます。この指示に従わない場合は罰則を伴う命令が発令されます。特に緊急性があり、安全性に関する表示違反（アレルゲン、保存方法、消費期限、摂食時加熱の有無）の場合は、<u>業務停止命令</u>の適用の範囲となります（法第6条）。

・緊急性のある場合は回収、廃棄をさせた上で、違反表示の是正を求めます。
・是正のための必要な期間（品質管理体制の見直し等）を確保する必要がある場合は、業務停止命令がなされます。食品関連事業者は、緊急時の判断基準書の作成、初動におけるアクションプランに基づく行動規範が求められます。

②公表

　消費者への速やかな情報提供のため、食品表示基準に定められた表示事項・遵守事項に違反し、指示・命令、回収・業務の停止命令をした場合は<u>公表</u>されます。指示・公表により事業者の社会的信用が低下するため、不適正表示に対する抑止効果もあります（法第7条）。

③立入検査

これまでの立入検査は書類提出命令の規定がなかったこと、また、違反認定のために必要な質問を行う権限がなかったことから、迅速な調査のための物件提出命令権、質問調査権が新設され、さらに農林水産大臣がFAMIC（農林水産消費安全技術センター）に対し、事業者に立入検査・質問をさせる業務指示をすることが規定されました（法第8条）。

（参考）

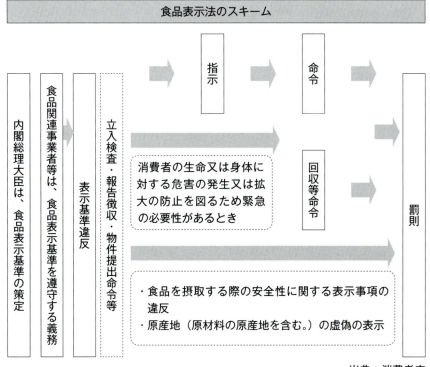

出典：消費者庁

④差止請求権

消費者契約法の第2条第4項に規定する適格消費者14団体（平成29年4月1日現在）が、不特定かつ多数の消費者の利益のために、事業者に対して直接業務改善を求めることができる差止請求権が規定されています（法第11条）。

事業者が表示違反（名称、アレルゲン、保存の方法、消費期限、原材料、添加物、栄養成分の量、原産地）について、著しく事実に相違する表示をする行為を現に行い、または行うおそれがあるときは、当該食品関連事業者に対し、行為の停止、予防または著しく事実と相違する表示を行った旨の周知、その他

必要な措置を求めることができるようにしました。

違反表示の「停止」「予防」により被害の発生の防止が図られ、表示違反行為の抑止力となります。

⑤申出制度

販売用の食品（酒類を除く）に関する表示が適正でないため一般消費者の利益が害されていると認めるときは、誰でも内閣府令・農林水産省令で定める手続に従い、その旨を内閣総理大臣または農林水産大臣に申し出て適切な措置をとるべきことを求めることができます。消費者の意見を反映させる観点から、一般消費者、個人、法人の申出により、全ての食品表示について必要な調査が行われ、表示違反が事実であれば適切な処置が行われます。従来はJAS法における品質表示に対しての規定でしたが、食品表示法では全ての食品表示に拡大されました（法第12条）。

⑥罰則

具体的な危害の発生または拡大のおそれがある表示がなされ、緊急を要するものの回収を行わなかったり、業務停止命令に違反をした場合には罰則規定がかかります。原則、食品表示法では不適切な表示（責任者）に対して、刑事罰を科しています（法第17条〜23条）。

⑦直罰規定

第6条第8項の内閣府令で定める安全性に関する表示違反（法第18条）および原産地の虚偽表示（法第19条）に対し、指示や命令という手順をとらずに直ちに罰則を科すというものです。

原産地については「故意に」など積極的に虚偽の表示をした場合に直罰の対象とすることが適当とされています。一方、安全性に関する事項については、アレルゲンの欠落等により人体に危害を及ぼす恐れがあるため、食品表示基準に従った表示がされていない場合は直罰の対象となります。

⑧法人に対する両罰規定

安全性に重大な影響を及ぼす事項について表示違反があった場合や、回収等の命令に従わなかったときに、行為者を罰するほか、法人に対しても罰金刑が科されます（両罰規定）（法第22条）。今回、景品表示法や特定商取引法と同様の罰金とされ、従来の食品衛生法の1億円以下の罰金から3億円以下の罰金に引き上げられました。

＜表示違反措置のまとめ＞

- ●食品表示基準に違反した事業者
- ・表示事項を表示し、または遵守事項を遵守すべき旨の指示・公表
- ・その指示に従わない場合は、指示に係る措置をとるべきことの命令・公表
- ・その命令に違反した場合は、個人の場合は1年以下の懲役もしくは100万円以下の罰金、または1年以下の懲役および100万円以下の罰金に、法人の場合は1億円以下の罰金
- ●食品の回収命令、業務停止命令に違反した場合
- ・命令・公表を待たずに、個人の場合は3年以下の懲役もしくは300万円以下の罰金、または3年以下の懲役および300万円以下の罰金、法人の場合は3億円以下の罰金
- ●食品を摂取する際の安全性に重要な影響を及ぼす表示事項が食品表示基準に従って表示がされていない食品を販売した場合
- ・命令・公表を待たずに、2年以下の懲役もしくは200万円以下の罰金、または2年以下の懲役および200万円以下の罰金、法人の場合は1億円以下の罰金
- ●食品表示基準において表示すべきこととされている原産地と原料原産地について虚偽の表示をした飲食料品を販売した場合
- ・命令・公表を待たずに、個人の場合は2年以下の懲役もしくは200万円以下の罰金、または2年以下の懲役および200万円以下の罰金に、法人の場合は1億円以下の罰金

(8) 義務表示と推奨表示と任意表示の法的責任

①義務表示事項

　食品表示基準で義務とされる表示事項のことで、表示基準に沿った表示がされていない場合は食品表示法に基づく行政措置の対象となります。

②推奨表示、任意表示事項

　食品表示基準では義務はありませんが、表示を行う場合には食品表示基準に沿った方法で表示します。逸脱している場合は行政措置の対象となります。行政措置上は推奨、任意の違いはありません。

③栄養成分と推奨表示事項

　栄養成分の推奨表示は義務ではないですが、国民の摂取状況、生活習慣病との関連等から消費者にとり、表示の必要性が高いと考えられるため、将来的な

表示義務化を鑑み、任意表示より優先度が高いものとして規定されています。

3）表示の基本的ルール

①共通の注意点
- 表示は容器包装を開かないでも容器もしくは包装のわかりやすく、見やすい箇所に表示します。
- 容器包装に記載してあるすべての文字情報は食品表示の対象です。
- 表示に用いる文字は日本工業規格 Z8305（1962）で規定する 8 ポイント以上の大きさで統一のとれた文字とします。
- 表示可能面積がおおむね 150c㎡ 以下の場合は 5.5 ポイント以上とします。
- 表示可能面積の定義とは、「容器包装の表面積から、表示が不可能な部分を差し引いた面積」を指しています。表示が不可能な部分とは、包装が重なった部分や、キャンディなどの「ひねり」の部分、光電管マーク等になります。

（キャンディの例）

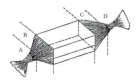

A、B、C、D は判読が困難な部分となりますので、この場合の表面積は四面体の面積の合計です（包装の表面積 − 表示不可の面積（A + B + C + D）＝ 表示可能面積（四面体面積）。
- 表示に用いる文字色はわかりやすくするため、背景と対照的な色を使います。

②一括表示様式の注意点
- 一括表示様式は横書き、縦書きのいずれも認められています。
- 一括表示様式はひらがな、かたかな、漢字の日本語で表示します。（日本国内で販売される食品の表示は、国産、輸入品ともに邦文で行わなければなりません（法第 8 条第 1 号）。
- 義務表示事項は、プライスラベルへの一括表示もしくは「原材料名は別途○○に記載」等を活用し、商品表面に記載します。
- 食品に表示をするには一括表示様式による表示が基本です。その際は「義務表示事項」が一括表示（ラベル）されていることが望ましいのですが、スー

パーマーケット等で使用されているプライスラベルも一括表示ラベルと同等程度にわかりやすく一括に表示されていれば良いとされています。
- プライスラベルで表示する際、「名称」、「原材料名」などの項目名を省略しても分かりにくくならない場合には、項目名を省略することが可能です。
- 場合により、一括表示枠は省略できます。
- 外装は中の表示が確認できるようにします。できない場合は、外装に表示を行います。

③容器包装の表示の注意点

- 通販商品でも商品毎に容器包装に表示します。義務表示事項は加工食品の容器包装に表示します。したがって、注文書やカタログで表示に代えることはできません。
- タイムサービス等の見切り品等も表示の対象です。なお、サンプル品等の試供品も適用されます。
- 食品表示法の対象となる「容器包装に入れられた」食品とは「詰」、「入」の区別をしません。したがって、計量法における密封の定義とは異なり、単なるホチキス、輪ゴム止め等によって簡易的に容器包装に閉じられた加工食品でも、「容器包装に入れられた加工食品」となり、表示が必要です。トレイだけでラップなし、渡すときに袋詰め、むき出しのまま販売等は対象外です。
- 一度貼付した容器包装の表示を訂正するために誤った表示の上から適正な表示ラベルもしくはシール等を貼付し、修正することは差し支えありません。ただし、貼付作業が周りのかたの誤解（偽装等）を生じたり、また途中ではがれたり、はがされたりして消費者等にも誤解を与えるおそれがあります。その点は十分に留意し、誤解が生じないように作業を行う、また消費者等からの問い合わせにはきちんと対応する等、事業者として適切な対応ができるように準備する必要があります。
- 表示ラベルは原則、商品の表面や側面等の見やすい箇所に表示すること、となっています。ただし、例外的にお弁当やお惣菜のようなケースもあります（「第14章　弁当や総菜の表示」参照）。

④主な事項の注意点

- 「名称」はその内容を表す一般的な名称で表示します。したがって、商品名が一般的な名称であれば名称と使用できますが、そうでなければ名称の代替表示にはなりません。また、表示基準が定められた食品群については定められた名称を記載します。

- 名称については、商品の主要面に記載することができ、この場合において、内容量についても、名称と同じ面に記載することができます。
- 原材料名は、原材料と添加物とに区分して、それぞれ原材料に占める重量の割合の高いものから順に表示するよう規定しています。複合原材料（2種類以上の原料からなるもの）は、その原材料に括弧を付して、重量の割合の多いものから記載します。
- 食品添加物は原材料に占める重量割合の多いものから順に記載します。
- 内容量については、計量法に係る特定商品は計量法に沿って記載します。内容重量（gまたはkg）、内容体積（mlまたはL）または内容数量（個数、枚数等）を表示します。
- 保存方法は、その特性に従い、「直射日光、高温多湿を避け、常温で保存すること」「10℃以下で保存すること」「-15℃以下で保存」等と目安温度も含めわかり易く記載します。
- 期限表示は食品の特性に応じて行われた試験結果に基づき、食品の品質に合わせて「消費期限」もしくは「賞味期限」を記載します。
- 製造業者等の表示は、「製造者」「加工者」「販売者（製造所固有記号）」「輸入者」等と表示します。
- 一括表示様式の事項名は「原材料」「製造元」「販売元」と記載することは可能です。

一括表示ラベル

2. 食品安全基本法と食品表示関連法規

　生鮮食品を購入し、家庭内で料理する場合は中身がわかりますが、食品スーパーマーケット等で半調理食品や調理済食品等を購入して調理し、飲食する場合は、食品の外観から中身を推し量ることはなかなかできません。そのため、消費者が食品を購入する際に中身を正しく判断できるように、国からの通達をはじめ、各法律、都道府県条例などの食品表示や品質に関する様々な厳しい規制（義務と任意）があります。

＜表示制度の概念＞

食品　／義務＼　／普及＼　品質の表示　信頼　品質の規格　適正な選択　一般消費者　適正な商品

1) 食品安全基本法

　近年の食の安全性に対する国民の関心の高まりから、新たな技術革新や開発等を含め国民の食生活をとりまく情勢の変化に対して、安全・安心を基本に的確に対応するために制定された法律です。

（概要）
- 食品の安全性の確保についての基本的理念として、国民の健康保護が最も重要であること等を明らかにした。
- リスク分析手法*を導入し、食品安全行政が統一的かつ総合的に推進することを担保します。

＊リスク分析とは、食品を通じてハザード（危害要因）を摂食することによって健康に悪い影響を及ぼす可能性がある場合、その発生を防止または抑制するための全ての過程をいいます。つまり、リスクの評価から低減のための管理過程の全てを指しています。また、リスク分析には、リスク評価、リスク管理、リスクコミュニケーションの3つの要素から成り、相互に作用し合うことで良い成果が得られるとするものです。

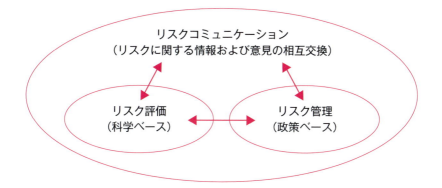

- リスク評価の実施を主な役割として、食品安全委員会が担います。
- 委員会の役割は、食品の安全性や危険性などについての判断と具体的な施策を考えます。
- 構成メンバーは、毒性学、微生物学、有機化学（化学物質）、公衆衛生学、食品の生産・流通システム、消費者意識・消費行動、情報交流の7分野の専門家で構成されます。
- 主な活動内容は、食品添加物、遺伝子組換え食品、健康食品、家畜の飼料、米の肥料、農薬の安全基準などについて検討を行い、消費者保護の必要があれば、食品の安全性、危険性についての施策の勧告を行い関係省庁はそれに従って行動します。

2）JAS法

　食品表示法施行により食品表示に関する規定は移管されましたので「農林物資の規格化及び品質表示の適正化に関する法律」から「農林物資の規格化等に関する法律」へと改称されました。飲食料品等が一定の品質や特別な生産方法で作られていることを保証するJAS規格制度について定めています。

3）食品衛生法

　平成15年4月の改正により、食品の安全性の確保のために公衆衛生の見地から必要な規則、その他の措置を講じることにより、飲食に起因する衛生上の危害の発生を防止し、もって国民の健康の保護を図ることを目的としています。具体的には食品や食品添加物、または直接食品に触れる器具および容器包装等の規格基準、営業施設の基準、検査に関する規則、表示および広告等について規定しています。

　また、平成30年6月に、HACCP（ハサップ）に沿った衛生管理の制度化や営業許可制度の見直し、営業届出制度の創設などを柱にした改正が行われました。

● **生食用食肉の表示**

　生食用食肉（牛肉、ただし内臓は除く）を取り扱う事業者は、店舗等で提供したり、販売したりする場合は消費者への注意喚起として「子ども、高齢者その他食中毒に対する抵抗力の弱い者は食肉の生食を控えるべき旨」等、わかりやすく伝達します。

4）景品表示法

　商品や取引に関連する不当な景品類や表示から消費者の利益を保護するための法律です。

　独占禁止法の特例法として広告や表示の取り締まりと公正な競争を促すために「不当景品類及び不当表示防止法」（いわゆる景品表示法）が制定されました。内容は、不当に顧客を誘引し、一般消費者による自主的かつ合理的な選択が阻害されるおそれがあると認められる表示の禁止です。具体的には、食品の品質等についての不当表示（優良誤認）と食品の価格等についての不当表示（有利誤認）があります。

● **景品表示法をもとにして業界が自主的に設けた公正競争規約**

　従来の食品表示を基本として、詳細な基準内容（イ．食品の定義　ロ．表示の基準　ハ．不当表示の基準等）をそれぞれの品目別に「公正競争規約」として規定しています。

5）健康増進法（旧：栄養改善法）

　国内における急速な高齢化傾向と疾病の変化に伴い、国民の健康増進を図るために栄養の改善と健康増進のための措置を講ずることを旨とした法律です。従来の栄養改善法を廃止して平成14年に施行されました。

　国民は健康な生活習慣の重要性に対して関心と理解を深め、生涯にわたって自らの健康状態を自覚し、健康の増進に努力することとなっています（法第2条）。具体的には、特別用途食品の表示基準、健康保持増進の効果等についての虚偽や誇大広告等の表示の禁止について規定しています。

　栄養成分表示は、従来、健康増進法に基づく栄養表示基準により任意で表示されていましたが、食品表示法に基づく食品表示基準の施行により義務化されました。

6）計量法

　消費者が食料品を購入する際、表示されている量目が正確に行われるように計量の基準を定め、正しく計量・表示を行うための法律です。政令で指定された特定商品を、重さや体積の量目で販売する際には、定められた誤差（量目公差）の範囲内で計量することが義務づけられています。また、それぞれの定められた物象の状態の量のことを「特定物象量」といいます。

7）牛の個体識別のための情報の管理及び伝達に関する特別措置法
（牛トレーサビリティ法）

　牛肉の安全性に対する信頼確保を図るため、牛の個体識別番号により一元管理するとともに、生産から流通・消費の各段階において個体識別番号が正確に伝達されるようにするための制度です。具体的には、国内で生産されているすべての牛に10けたの個体識別番号をつけて、情報管理するシステムです。また、牛肉を販売する時には、表示ラベルおよび店頭ポップ等で個体識別番号を明示して消費者に提供します。また、ふるさと納税の返礼品として牛肉を送付する際も表示の対象となります。

8）米穀等の取引等に係る情報の記録及び産地情報の伝達に関する法律
（米トレーサビリティ法）

　改正食糧法（施行：平成22年4月1日）では、用途限定米穀は「用途を示す表示をする」こと、また用途限定米穀を流通する場合は、他の米穀との区分管理とそれらを記録することが義務づけられました。これにより、問題となった食用不適米穀等の流通を防ぎ、米穀流通の適正化が図られることになりました。

　米トレーサビリティ法では、米穀事業者は米穀等の取引、事業者間の移動、廃棄等の記録の作成と保存、および原産地等の情報伝達が義務づけられました。これにより、米穀事業者は、仕入れ、保管、出荷等に関する情報をきちんと記録し、原産地の情報を事業者間および一般消費者に対して適正に伝達しなければなりません。

9）その他の法令

（1）製造所固有記号制度
　「製造所の所在地および製造者の氏名または名称」の表示を、あらかじめ消費者庁長官に届け出た製造所固有記号の表示をもって代えることができる制度が製造所固有記号制度です。

　主な目的は食品危害等、衛生上の事故等が発生した場合、国が危害の拡大を防止するために、当該製品の製造所の所在地および製造者の氏名または名称を特定するためです。

（2）製造物責任法（PL法）
　製造物の責任とは、製造物（製造、加工、輸入等）の欠陥により、消費者が損害を被った場合、直接、メーカーに対し無過失責任を負わせ、損害賠償責任を追求できるものです。

　製造業者等の損害賠償の責任を定めることで、消費者の保護を図り、もって国民生活の安定向上と国民経済の健全な発展に寄与することを目的とした法律です。

　「製造者等」は食品自体の中身もさることながら、表示にも責任を負う立場

にあります。

（3）不正競争防止法

　この法律は事業者間の公正な競争やこれに関する国際約束の的確な実施を確保するためのもので、国民経済の健全な発展に寄与することを目的としています。不正競争には、他人の商品等表示を勝手に流用したり、また誤認を招く表示をしたり、さらに類似した商品名を使用したりすること等を禁止する内容です。

（4）酒税法、酒類業組合法

　酒類は加工食品ですので、食品表示基準に基づく表示を行いますが、その他に酒税法、酒類業組合法などに基づく表示が必要となります。なお、ビール、ウイスキー、しょうちゅう（乙類）、泡盛等には公正競争規約があります。

（5）医薬品医療機器等法（旧：薬事法）

　平成 25 年に薬事法の一部改正により題名が「医薬品、医療機器等の品質、有効性及び安全性の確保等に関する法律（医薬品医療機器等法）」と変更になりました。食品と医薬品は明確に区別され、食品において、医薬品的効能を標ぼうすることは禁止されています。

【食品安全に関する機関の名称】
- FAO/WHO 合同食品添加物専門家会議（JECFA）
  FAO（国際連合食糧農業機関）と WHO（世界保健機関）の加盟国及びコーデックス委員会に対する科学的な助言機関。食品汚染物質、食品添加物、残留動物用医薬品を評価。
- 欧州食品安全機関（EFSA）
  ハザード特定からリスク判定までのリスク評価をする機関。
- 国際がん研究機関（IARC）
  世界の発がん状況の監視、発がんの原因特定、発がん物質のメカニズムの解明、発がん制御の科学的戦略の確立を目的として活動。
- コーデックス委員会
  FAO と WHO により設置された組織。農薬の最大残留基準値や食品添加物の食品中の最大濃度等の国際食品規格（コーデックス規格）等を作成。
- ドイツ連邦リスク評価研究所（BfR）
  科学的なリスク評価機関として設立。

第2章

生鮮食品の表示のしくみ

1. 生鮮食品の表示の仕方

　私たちの食生活の中心となる食材、それが生鮮食品です。毎日使う食材であり、最も身近にある食品です。

　生鮮食品の表示は旧JAS法（農林物資の規格化及び品質表示の適正化に関する法律）が改正され、平成12年7月以降、大きく変わりました。農産物、水産物、畜産物のすべての生鮮食品はどこで生産されたのか、どこでとれたのか、その原産地を表示することが義務づけられました。

　また、有機農産物、有機畜産物が定義されました。かつては有機野菜、有機栽培と名づけられた農産物が店頭に氾濫していましたが、有機と呼べない野菜にも、「有機野菜」「オーガニック」などと表示しているものがありました。

　しかし、有機JAS規格が制度化され、歯止めがかかりました。有機JASマークの付いていない青果物や牛肉などに、有機などと表示すれば、違反となります。

　生鮮食品の品質表示がより厳しくなったことで、消費者が食品を選択する目安が大きく改善されたといえます。

1）表示しなければいけない生鮮食品

　生鮮食品とは何か。食品表示基準では「加工食品及び添加物以外の食品」と定義し、農産物、水産物、畜産物の3つに分類しています。具体的な内容は次表の「生鮮食品の種類」を参照してください。

　また、平成20年4月からは、業務用生鮮食品の表示制度が設けられました。業務用生鮮食品とは「生鮮食品のうち、加工食品の原材料となるもの」と定義しています。生鮮食品のうち、業務用生鮮食品を除いたものを一般用生鮮食品と呼んでいます。

　業務用生鮮食品については「第3章　加工食品の表示のしくみ」の「2．業者間取引の表示ルール」を参照してください。

＜生鮮食品の種類＞

1 農産物（きのこ類、山菜類及びたけのこを含む。）
 (1) 米穀（収穫後調整、選別、水洗い等を行ったもの、単に切断したものおよび精麦または雑穀を混合したものを含む。）
   玄米、精米
 (2) 麦類（収穫後調整、選別、水洗い等を行ったものおよび単に切断したものを含む。）
   大麦、はだか麦、小麦、ライ麦、えん麦
 (3) 雑穀（収穫後調整、選別、水洗い等を行ったものおよび単に切断したものを含む。）
   とうもろこし、あわ、ひえ、そば、きび、もろこし、はとむぎ、その他の雑穀
 (4) 豆類（収穫後調整、選別、水洗い等を行ったものおよび単に切断したものを含み、未成熟のものを除く。）
   大豆、小豆、いんげん、えんどう、ささげ、そら豆、緑豆、落花生、その他の豆類
 (5) 野菜（収穫後調整、選別、水洗い等を行ったもの、単に切断したものおよび単に凍結させたものを含む。）
   根菜類、葉茎菜類、果菜類、香辛野菜およびつまもの類、きのこ類、山菜類、果実的野菜、その他の野菜
 (6) 果実（収穫後調整、選別、水洗い等を行ったもの、単に切断したものおよび単に凍結させたものを含む。）
   かんきつ類、仁果類、核果類、しょう果類、殻果類、熱帯性および亜熱帯性果実、その他の果実
 (7) その他の農産食品（収穫後調整、選別、水洗い等を行ったもの、単に切断したものおよび単に凍結させたものを含む。）
   糖料作物、こんにゃくいも、未加工飲料作物、香辛料原材料、他に分類されない農産食品
2 畜産物
 (1) 食肉（単に切断、薄切り等したものならびに単に冷蔵及び凍結させたものを含む。）
   牛肉、豚肉及びいのしし肉、馬肉、めん羊肉、山羊肉、うさぎ肉、家きん肉、その他の肉類
 (2) 乳
   生乳、生山羊乳、その他の乳
 (3) 食用鳥卵（殻付きのものに限る。）
   鶏卵、アヒルの卵、うずらの卵、その他の食用鳥卵
 (4) その他の畜産食品（単に切断、薄切り等したものならびに単に冷蔵及び凍結させたものを含む。）
3 水産物（ラウンド、セミドレス、ドレス、フィレー、切り身、刺身（盛り合わせたものを除く。）、むき身、単に凍結させたものおよび解凍したものならび

に生きたものを含む。)
(1) 魚類
　　淡水産魚類、さく河性さけ・ます類、にしん・いわし類、かつお・まぐろ・さば類、あじ・ぶり・しいら類、たら類、かれい・ひらめ類、すずき・たい・にべ類、その他の魚類
(2) 貝類
　　しじみ・たにし類、かき類、いたやがい類、あかがい・もがい類、はまぐり・あさり類、ばかがい類、あわび類、さざえ類、その他の貝類
(3) 水産動物類
　　いか類、たこ類、えび類、いせえび・うちわえび・ざりがに類、かに類、その他の甲かく類、うに・なまこ類、かめ類、その他の水産動物類
(4) 海産ほ乳動物類
　　鯨、いるか、その他の海産ほ乳動物類
(5) 海藻類
　　こんぶ類、わかめ類、のり類、あおさ類、寒天原草類、その他の海藻類

(1) 食品表示法で表示が一本化された生鮮食品

　生鮮食品の表示は食品表示法に基づく食品表示基準によって規定されています。食品表示基準は基本的に食品衛生法、旧JAS法、健康増進法に基づく基準を統合したものですが、生鮮食品によっては他の法令などに基づく表示が必要なケースがあります。

　例えば、食肉や鶏卵については、食肉の公正競争規約および鶏卵の公正競争規約に従って表示する必要があります。

　義務表示ではありませんが、農産物に「有機」と表示するためにはJAS法の有機JAS規格を満たさなければなりません。

　このほか、ガイドラインもあります。農林水産省は「特別栽培農産物に係る表示ガイドライン」、「生鮮魚介類の生産水域名の表示のガイドライン」などを定めています。

　肝心なことは、これらの条件に関係する生鮮食品は、それぞれの法令などで決められたルールに基づき表示しなければいけないということです。

2) 誰が表示しなければいけないのか

　食品表示法では生鮮食品の表示義務があるのは食品の販売を行う「食品関連事業者等」となっています。「食品関連事業者等」とは、食品の製造、加工、輸入を業とする者、食品の販売を業とする者、さらに前述した食品の販売をす

るすべての事業者などのことをいいます。

　具体的にはスーパーなどの小売業者はもちろん、農協、産地や市場の卸売業者、産地出荷業者、通信販売業者などがその対象です。

　生産農家の中にはグループを組織して、直接、一般消費者に生鮮食品を販売するケースがあります。この場合、ビジネスを主な目的として販売しているのであれば表示義務を負います。

　なお、食品関連事業者以外の者が容器包装に入れられた生鮮食品を販売する際にも表示を行う必要があります。食品関連事業者以外の者とは具体的には学校のバザーなどで販売する者など、販売を業としない者のことです。

　ここで言う「販売」とは不特定多数に譲渡しても販売と見なされ、必要な表示をしなければなりません。ただし、「特定かつ少数の者に対して無償で譲渡する」場合は「販売」の範囲とはなりません。

　次のような場合は生鮮食品の表示義務の対象とはなりません。

- スーパーのインストア、レストラン、食堂などで顧客に生鮮食品を直接、飲食させる場合。
- 農家や漁師などが生産したり、漁獲した生鮮食品を自ら、産地や水揚げした港などの場所で直接、消費者に販売する場合。

3）どのような表示をすればいいのか

　生鮮食品で必ず表示しなければいけないのは、名称と原産地です。ただし、生鮮食品は陳列台に野菜や果物などを載せて販売するバラ売りと、容器や包装に入れて販売する2つのケースがあります。表示すべき内容は、それぞれのケースによって異なっています。

（1）ばら売りの生鮮食品は立て札などを利用する

　すべての生鮮食品は名称と原産地を表示しなければいけません。生鮮食品を陳列台など、ばらで売る場合は、名称とどこで生産されたのか、その原産地を表示した立て札などを食品に近い場所に掲示します。

　野菜などを段ボールに入れたまま販売することもありますが、段ボールに名称と原産地が表示されていれば、表示の代わりとしてみなされます。送り状や納品書に表示がある場合も同様です。

　遺伝子組換え農産物や放射線を照射したジャガイモは、その内容を表示しなくてはいけません。

　防かび剤や防ばい剤を使用しているグレープフルーツなどはばら売りであっ

ても、これらを使っていることを陳列用容器、値札、あるいは商品名を表示した札などに表示します。

（2）容器包装に入れて生鮮食品を販売する

　容器包装に入れて生鮮食品を販売する場合は前提条件として、消費者が最も見やすい箇所に表示ラベルなどを貼らなければいけません。印刷文字の大きさは、8ポイント（1ポイント≒0.3514㎜）以上の大きさの統一のとれた活字とされています。

　また、名称と原産地のほかに、消費期限、保存方法、使用方法などや添加物を使用している場合はそれを記載しなくてはいけません。

　食肉に関しては、景品表示法に基づく公正競争規約のルールがあります。

　計量法で定められている特定商品を容器包装に入れて販売する場合は、内容量とそれを表記したものの氏名、住所を表示しなくてはいけません。生鮮食品のうち、これに該当するものは、たとえば精米、豆類、食肉、冷凍貝柱、冷凍えびなどがあります。

4）表示の基本ルール

　生鮮食品に必要な表示項目は大きく分けると、横断的義務表示と個別的義務表示の2つに区分することができます。

　横断的義務表示とは共通して表示すべき項目です。名称、原産地は必ず表示しなければなりません。このほかに必要に応じて、消費期限、保存方法、使用方法、添加物などを表示します。

　また、放射線を照射した食品、遺伝子組換え農産物、特定保健用食品、機能性表示食品、乳児用規格適用食品、計量法の特定商品に関する項目といったものに該当する生鮮食品ならば、それぞれを表示します。

　個別的義務表示があるのは、「玄米および精米」「シアン化合物を含有する豆類」「しいたけ」「あんず、おうとう、かんきつ類、キウィー、ざくろ、すもも、西洋なし、ネクタリン、バナナ、びわ、マルメロ、ももおよびりんご」「食肉」「鶏の殻付き卵」「水産物」「生かき」などがあります。

　これらの生鮮食品には横断的義務表示のほかに、個別の表示ルールにのっとった表示が必要になります。

＜横断的義務表示＞

- 名称
- 原産地
- 放射線照射に関する事項
- 特定保健用食品である旨など
- 機能性表示食品である旨など
- 遺伝子組換え農産物に関する事項
- 乳児用規格適用食品である旨
- 内容量および食品関連事業者の名称など

＜個別的義務表示のあるもの＞

- 玄米および精米
- シアン化合物を含有する豆類
- しいたけ
- あんず、おうとう、かんきつ類、キウィー、ざくろ、すもも、西洋なし、ネクタリン、バナナ、びわ、マルメロ、ももおよびりんご
- 食肉（鳥獣の生肉に限る）
- 生乳、生山羊乳および生めん羊乳
- 鶏の殻付き卵
- 水産物
- 切り身またはむき身にした魚介類
- 冷凍食品のうち、切り身またはむき身にした魚介類を凍結させたもの
- ふぐの内臓を除去し、皮をはいだものならびに切り身にしたふぐ、ふぐの精巣およびふぐの皮であって、生食用でないもの
- 切り身にしたふぐ、ふぐの精巣およびふぐの皮であって、生食用のもの
- 生かき

（1）必ず表示する名称と原産地

　生鮮食品ではばら売りであっても、容器包装に入れたものであっても、表示しなければならないのが名称と原産地です。

①名称の表示ルール

　生鮮食品の名称とは農産物、畜産物、水産物の一般的な呼び名のことです。地域によっては農作物や魚介類の呼び名が異なったりする場合があります。その地域での呼び名が一般的であれば、それを使用してかまいません。

②原産地の表示ルール

　生鮮食品の原産地の表示は農産物、畜産物、水産物によって、表示の仕方が異なります。

　国産の場合、農産物は都道府県名、畜産物は国産と、水産物は水域名または地域名を表示するのが基本です。ただし、水産物は漁獲した漁船の船籍によって国産品か輸入品になります（P.89参照）。畜産物は飼養期間がもっとも長い場所が主たる飼養地（主な飼養地）となり原産地となります（P.67参照）。このため外国で生まれた畜産物を生体で輸入し、外国よりも長く国内で育てた場合、国産品となります。

　輸入した生鮮食品は原産国名を表示します。ただし、USAのような英語などの表示は使えません。あくまで日本語でわかりやすく表示します。

　原産地表示の詳細は農産物、畜産物、水産物の各項で説明します。

ジャガイモ　北海道産

めばちまぐろ　三陸沖

＜生鮮食品の名称と原産地表示のルール＞

	名称	原産地
農産物	その内容を表す一般的な名称を記載	・国産品は都道府県名を記載（市町村名その他一般に知られている地名を原産地として記載することができる） ・輸入品は原産国名を記載（一般に知られている地名を原産地として記載することができる）
畜産物		・国産品は国産である旨を記載（主たる飼養地が属する都道府県名、市町村名その他一般に知られている地名を原産地として記載することができる） ・輸入品は原産国名
水産物		・国産品は水域名または地域名（主たる養殖場が属する都道府県名をいう）を記載。水域名の記載が困難な場合は水揚港名または水揚港が属する都道府県名を記載することができる（水域名に水揚港名または水揚港が属する都道府県名を併記することができる） ・輸入品は原産国名を記載（水域名を併記することができる）

● **重量の多いものから原産地を表示**

　同じ種類の生鮮食品であっても、原産地が異なるものを混ぜ合わせて販売する場合は、その重量の割合が多いものから順に、原産地を記載しなければなりません。例えば、牛もも肉を、アメリカ産牛肉70％、国産牛肉30％の割合で混ぜて販売する場合は、以下のような表示となります。

牛もも肉（米国産・国産）

● **原産地表示の代わりになるもの**

　生鮮食品であっても、箱などに栽培業者や飼育場の名称、住所が表示されているケースがあります。これを箱詰めのまま陳列して販売する場合は、原産地が表示されているとみなされます。

（2）保存方法や使用方法、内容量などの表示ルール

　生鮮食品を容器包装に入れて販売する場合の表示は食品表示基準に基づきますが、JAS法、計量法、公正競争規約などに関係する表示が必要になることもあります。

①保存方法や使用方法の表示

　生鮮魚介類や食肉などを容器包装に入れて販売する場合には、その保存方法や使用方法を表示します。

　保存方法とは保存する場合の温度やその条件などです。例えば、刺身の保存温度は「10℃以下」などとなります。保存条件などは食品衛生法で定められた内容に基づいて表示します。

　使用方法とは、生鮮食品を生で食べられるかどうかなどを示す内容です。例えば生かきの場合は、生食用なのか加熱用なのかを表示します。

②期限表示

　食肉、むき身や切り身の鮮魚介類などを容器包装に入れて販売する場合は、消費期限を表示しなければいけません。消費期限は年月日まで表示します。

　年月日の表示はいくつかの表示パターンがあり、例えば消費期限が平成30年10月1日までの場合は次のように表示します。

平成30年10月1日
18．10．1
2018．10．1

ただし、これらの表示が難しい場合は数字6桁、8桁も認められています。西暦の下二桁と組み合わせることもできます。

301001
181001
20181001

③内容量の表示

　計量法では、容器やラップ包装などに入れた特定商品は、その内容量とそれを表記した者の氏名、住所を表示しなければいけません。生鮮食品でこれに該当するものは、精米、豆類、食肉、冷凍えび、冷凍貝柱などがあります。

　ラップ包装とは、発泡スチロールなどのトレーに載せてフィルムなどで覆ったもので、フィルムとトレーがぴったりとくっついているものをいいます。

④放射線を照射した食品

　容器包装に入れた食品で、放射線を照射したものについては、その表示が必要になります。ジャガイモの発芽を抑えるために放射線を照射するケースがこれに当てはまります。この場合は、その旨をラベルに表示しなくてはいけません。また、放射線を照射した年月日の文字を付けてその年月日を表示します。

⑤そのほかに必要な表示

　特定保健用食品、機能性表示食品、遺伝子組換え農産物、乳児用規格適用食品に該当すればこれらを表示します。それぞれの内容については「第3章　加工食品の表示のしくみ」、「第11章　保健機能食品の表示のしくみ」などで確認してください。

（3）個別的義務表示のある生鮮食品

　生鮮食品には横断的義務表示のほかに、個別的義務表示があるものもあります。それについてここで説明しておきます。

　個別的な義務表示があるのは、「玄米および精米」「シアン化合物を含有する豆類」「しいたけ」「あんず、おうとう、かんきつ類、キウィー、ざくろ、すもも、西洋なし、ネクタリン、バナナ、びわ、マルメロ、ももおよびりんご」「食肉」「生食用牛肉」「鶏の殻付き卵」「切り身またはむき身にした魚介類で生食用のもの」「水産物」「生かき」などがあります。

　これらの生鮮食品には横断的義務表示のほかに、個別の表示ルールにのっとった表示が必要になります。具体例は農産物、畜産物、水産物の項目で説明

します。
　ここでは次の３つのケースを例としてあげます。

①殻付きの鶏卵
　殻付きの鶏卵のうちパックに詰められたものについては名称、原産地のほかに必要な表示項目があります。賞味期限、保存方法、使用方法、アレルゲン、添加物、生食用である旨、加熱加工用の場合は加熱加工用の文字、選別包装者などです。

```
名　　称     鶏卵
原 産 地     国産
賞味期限     2019. 12. 1
保存方法     10℃以下で保存
使用方法     生食の場合は、賞味期限内に使用し、賞味期限経過後、及びヒビの
             入った卵は、十分加熱調理してください。
選別包装者   (株)○○養鶏場
             ○○県○○市△町0－0－0
```

②解凍、養殖の表示
　水産物では、冷凍したものを解凍した場合は「解凍」と表示します。また、水産物のうち養殖したものは「養殖」と表示します。

```
マグロ　解凍
```

```
ハマチ　養殖
```

③生乳、生山羊乳および生めん羊乳
　生乳、生山羊乳および生めん羊乳は名称、原産地名などの表示が必要になります。名称は「生乳」、「生山羊乳」または「生めん羊乳」と表示します。生乳のうち、ジャージー種の牛から搾乳したものは「ジャージー種」など、ジャージー種の牛から搾乳した旨を表示します。

（4）してはいけない表示
　食品表示法を守ることは販売業者としては当然の義務です。偽りの表示を

行ったり、消費者を誤認させたりするような表示をしてはいけません。これに違反すると罰則が課せられます。誤認などを与えるような内容の一例を以下にあげておきます。

- 実際のものより著しく優良または有利であると消費者に思わせるような用語を使用すること。
- 名称や原産地を偽ったり、異なる原産地で生産されたものを、さも有名な原産地で生産されたかのように思わせる用語を使用すること。
- 文字、絵、写真などを使用することで、消費者に実際の商品よりもよいイメージを抱かせることなど。

（5）JASマークなどの任意表示

　生鮮食品にはJAS法によるJAS規格や農林水産省のガイドラインなどによって定められた任意の表示もあります。

　JAS規格には地鶏肉などの特定JAS規格があるほか、有機農産物の名称を使うには有機JAS規格の認証をとらなければいけません。特別栽培農産物は農薬や化学肥料の使用状況など、ガイドラインに従った表示を行います。

　これらの表示は任意ですが、表示するからにはそれぞれのルールに基づいた表示をしなければいけません。

（6）生鮮食品表示のケーススタディ

　それでは、具体的に生鮮食品の表示を考えてみましょう。スーパーの食肉売り場でスライスした国産の豚もも肉を、トレーに包装して販売する場合を想定します。

　生鮮食品で必要な表示項目は名称と原産地です。国産の豚もも肉ならば、次のようになります。

```
国産　豚もも肉
```

　食肉の場合は、保存方法、消費期限、加工者などの表示が必要です。例えば次のような表示となります。

```
保存温度　4℃以下
消費期限　2019年12月1日
加 工 者　（株）全国スーパーマーケット食肉
　　　　　東京都千代田区内神田０―０―０
```

さらに、食肉は公正競争規約が定められています。公正競争規約では100 g当たりの単価、価格などの表示が求められています。内容量は計量法に従います。

```
100 g   200 円
内容量   200 g
価　格   400 円（税別）
```

　以上の表示をまとめてみると実際に表示すべき項目は次のようになります。なお、加工日は任意の表示です。付けても付けなくてもかまいません。

```
国　　産    豚もも肉
保存温度    4℃以下
消費期限    2019年12月1日
内 容 量    200 g
単　　価    100 g当たり200円
価　　格    400円（税別）
加 工 者    （株）全国スーパーマーケット食肉
            東京都千代田区内神田0―0―0
```

5）生鮮食品か加工食品かの見極め

　食品表示基準においては「加工食品及び添加物以外の食品」が生鮮食品と定義されています。しかし店舗などの売り場では、生鮮食品なのか、加工食品なのか判断に迷う場面が多々あります。

（1）農産物などを調整、選別したものは生鮮食品

　生鮮食品か加工食品か、その見極めのポイントとなるのが、製造、加工、調整、選別の定義です。基本的には「製造」「加工」の定義に当てはまるものは加工食品であり、「調整」「選別」の定義に当てはまるものは生鮮食品とされています。

> 生鮮食品
> - 調整…一定の作為は加えるが、加工には至らないもの
> - 選別…一定の基準によって仕分け、分類すること
>
> 加工食品
> - 製造…その原料として使用したものとは本質的に異なる新たなものを作り出すこと
> - 加工…あるものを材料としてその本質は保持させつつ、新しい属性を付加すること

出典：食品表示基準Q＆A（平成27年3月30日消食表第140号）

（2）洗ったり、切ったり、冷凍したりしたものは生鮮食品

　生鮮食品とは加工していない農産物、畜産物、水産物です。ただし、調整や選別をしてもそれは加工食品にはなりません。農産物ならば、洗ったり、切断したり、冷凍したものであっても、生鮮食品です。畜産物では肉を切断したり、薄切りにしたり、ミンチにしたり、冷凍、冷蔵しても生鮮食品です。また、水産物では、内臓を取った魚や、切り身、刺身、むき身など、手を加えても生鮮食品です。もちろん冷凍、解凍は問題ありません。

（3）生鮮食品になるケースと加工食品になるケース

　前述した条件を前提にして次の表をみてください。農林水産省、厚生労働省が設置した「食品の表示に関する共同会議」の資料です。

　生鮮食品は、単に切断しただけでは加工食品にはなりません。あじのたたき、刻んだねぎは生鮮食品です。複数の異なる品種の牛であっても、牛の挽肉なら生鮮食品です。

　単に冷凍しただけのものも生鮮食品です。ただし、野菜を一度、ブランチングした後に冷凍したものは加工食品になります。

　ブランチングとは軽く熱湯処理することで、これは加工したことになります。同じように、たこをブランチングすれば、加工食品になります。生干し、軽度の撒塩など、簡単な加工をしたもの（ドライマンゴーなど）は加工食品扱いになっています。

　同種混合は、種類が同じなら、混ぜても生鮮食品扱いになります。牛のロースと牛のカルビのセットは生鮮食品です。めばちまぐろとインドまぐろの刺身の盛り合わせも、生鮮食品となるわけです。

　しかし、異種混合となると少し事情が違ってきます。異種混合とは、異なる種類の生鮮食品を混ぜた場合のことです。精米と精麦、雑穀を混ぜて販売した

場合は生鮮食品扱いになります。しかし、カットしたキャベツ、ピーマン、にんじんなどを混ぜたカット野菜ミックス、牛と豚の合挽肉、異なる魚の刺身の盛り合わせは加工食品になります。

　乾燥工程をほどこした場合は、お米は問題なく生鮮食品扱いです。大豆も同じです。ただし、干ししいたけは加工食品になります。食肉や水産物も乾燥させたり、干物にしたりすれば加工食品扱いです。

　製粉は、お米でも小麦でも加工食品となります。

　生鮮食品を加熱した場合は、農産物、畜産物、水産物のいずれも加工食品扱いとなります。

　しかし、消費者はこれらのルールに納得しているわけではありません。たとえば刺身です。単品のまぐろの刺身であれば原産地表示は必要です。ところが、まぐろとたいの刺身の盛り合わせになると加工食品扱いとなり、原産地表示をしなくてもいいわけです。

　こういった背景もあって、農林水産省は刺身の盛り合わせの原産地を表示する自主指針を設けました。法律ではありませんが、事業者は自主的に表示を行うことが望ましいとされています。

<生鮮食品の見分け方>

	米穀	農産物	畜産物	水産物
切断	○	○（刻みねぎ）	○（単一畜種の挽肉）	○（あじのたたき）
冷凍	―	○	○	○
同種混合	○（精米ブレンド）	○（赤ピーマンと黄ピーマンのミックス）	○（牛ロース＋牛カルビのセット）	○（めばちまぐろとインドまぐろの刺身盛り合わせ）
異種混合	○（精米と精麦・雑穀の混合）	×（カット野菜ミックス）	×（合挽肉）	×（刺身盛り合わせ）
乾燥	○（精米）	○（大豆） ×（干ししいたけ）	×	×
製粉	×（米粉）	×（小麦）		
加熱	×	×	×	×

注　○印が生鮮食品、×印は加工食品扱いです。

（参 考）

<生鮮食品、加工食品の具体例>

	具体例	生鮮食品	加工食品	補足説明
農産物	単品の野菜を単に切断したもの（カット野菜）	○		食品表示基準別表第2の1(5)において、野菜は「収穫後調整、選別、水洗い等を行なったもの、単に切断したもの及び単に凍結させたものを含む。」と規定されている。
	複数の野菜を切断した上で混ぜ合わせたもの（サラダミックス、炒め物ミックス）		○	複数の野菜を混ぜ合わせたものは、それ自身が1つの製品（調理された食品）であることから加工食品となる。
	オゾン水、次亜塩素酸ソーダ水による殺菌洗浄したもの	○		オゾン水、次亜塩素酸ソーダ水による殺菌洗浄は、一定の作為を加えることが、加工（新しい属性の付加）には至らないことから、生鮮食品となる。
	ブランチングした上で冷凍した野菜		○	ブランチング処理したものは、加工食品となる。
	ベビーリーフ（複数種類の幼葉を混ぜ合わせたもの）	○		ベビーリーフについては、複数種類の幼葉を混ぜ合わせたものであるものの、幼葉を摘み取った状態のまま袋詰めしており、個々の幼葉の原形が分かり、判別することができるため、生鮮食品に該当する。ただし、ベビーリーフを原形が分からないくらいに更にカットした場合は、複数の野菜を切断した上で混ぜ合わせたものと同様と考えられ、加工食品に該当する。加工食品または生鮮食品に該当するかは商品の状態により判断が必要である。
畜産物	合挽肉		○	複数の種類の家畜、家きん等の食肉を混ぜ合わせたものは、それ自体が1つの調理された食品となるので、加工食品となる。

		生鮮	加工	
	複数の部位の食肉を切断した上で調味せずに1つのパックに包装したもの	○		食品表示基準別表第2の2(1)において、食肉は、「単に切断、薄切り等したもの並びに単に冷蔵及び凍結させたものを含む。」と規定されている。また、同一の種類の食肉を混合したものは生鮮食品となる。
	複数の部位の食肉を切断した上で調味液につけて1つのパックに包装したもの		○	単に切断、薄切り等したものは生鮮食品としているが、調味した場合は本質的な新たなものを作り出すことになり、加工食品となる。
	複数の種類の食肉と野菜を切断した上で、調味せずに1つのパックに盛り合わせたもの		○	複数の種類の食肉と野菜を組み合わせたものは、それ自体が1つの調理された食品となり、加工食品となる。
	スパイスをふりかけた食肉		○	調味した場合は加工食品となる。
	たたき牛肉		○	表面をあぶったものは加工食品となる。
	焼肉のたれを混合した食肉		○	加工食品と生鮮食品を混合したものは加工食品となる。
	パン粉を付けた豚カツ用豚肉		○	表面に衣を付けているものは加工食品となる。
水産物	マグロ単品の刺身	○		食品表示基準別表第2の3において、水産物は、「ラウンド、セミドレス、ドレス、フィレー、切り身、刺身（盛り合わせたものを除く。）、むき身、単に凍結させたものおよび解凍したものならびに生きたものを含む。」と規定されている。
	マグロ単品の刺身にツマ・大葉が添えられているもの	○		マグロ単品の刺身にツマ、大葉等が添えられている場合、全体としてこれが1つの生鮮食品であり、主たる商品であるマグロについてのみ名称および原産地の表示が必要。その他の表示は不要。

複数の種類の刺身を盛り合わせたもの		○	複数の種類の刺身の盛り合わせは加工食品となる。
マグロのキハダとメバチを盛り合わせたもの	○		食品表示基準別表第2の3の「盛り合わせ」とは複数の種類を混合することであるところ、同一の種類であるか否かは、基本的には社会常識で判断すべきものであり、食品表示基準別表第2に個別具体的な種類があるか否かが1つの目安となる。別表第2に個別具体的な種類名がないものについては、別表第2の分類の基礎となった日本標準商品分類を参考にさらに判断することとなるが、キハダとメバチは同じマグロ類に分類されていることから同じ種類のものとみなす。
赤身とトロを盛り合わせたもの	○		複数の部位を混合したものであっても、「盛り合わせを除く」と規定しているので、盛り合わせに該当しないことが前提となる同一の種類の魚の各部位を混合したものは、食品表示基準別表第2の3の「盛り合わせ」に該当しないため生鮮食品となる。
尾部（および殻）のみを短時間の加熱（ブランチング）により赤変させた大正エビ		○	尾部（および殻）のみの短時間の加熱であっても、加熱したものは、加工食品となる。
短時間の加熱（ブランチング）を行い殻を開けてむき身を取り出したアサリ		○	殻を開け身を取り出すための加熱は、短時間であっても、加工食品となる。
鍋セット		○	魚または食肉と野菜の組合せは加工食品となる。
蒸しダコ		○	蒸したものは加工食品となる。
塩蔵ワカメを塩抜きしたもの		○	塩蔵したものは加工食品であり、それを塩抜きしたものも加工食品

				となる。
	身を取り出し、開き、内臓を除いた上で冷凍した赤貝のむき身	○		生の赤貝から身を取り出し、開き、内臓を除去して冷凍したものは、生鮮食品となる。
	１種類の魚のカマや身アラの詰め合わせ	○		同一の種類の魚の各部位を詰め合わせたものは、生鮮食品となる。

出典：いのちを守る食品表示別冊『食品表示法解説 2016』新日本スーパーマーケット協会（2016）

2. 農産物の表示の仕方

　青果販売店、スーパーなどの青果物コーナーには国産の野菜、輸入野菜や果物など、多種多様な品種の農産物があふれています。
　かつては、その地域でしか生産され、販売されていなかった野菜も、東京や大阪などで販売されるケースが増えました。ねぎは全国で消費されているポピュラーな野菜ですが、関東はねぶか、関西は葉ねぎといわれ、消費地域が種類によって限定されていました。しかし今では、関東でも九条ねぎのような葉ねぎがごく普通に店頭で売られるようになっています。
　外国で生産された野菜の輸入も増えています。キャベツ、ほうれんそう、ブロッコリーなど、多くの野菜が海外から入っています。
　農産物の種類と産地の多様化は、ますます進んでいくと考えられています。

1）表示の対象となる農産物

　食品表示基準では、農産物の生鮮食品とは、収穫した後に選別し、汚れを洗い流すなどを行ったもの、又は単に切断したものなどと規定しています。ねぎや大根の泥を洗い流したり、葉を切り落としたりするなどの作業がありますが、これらを行っても生鮮食品です。
　野菜などを殺菌するために、オゾン水や次亜塩素酸ソーダ水などで処理する場合がありますが、こういった処理を施した農産物も生鮮食品です。

（1）生鮮食品の対象となる農産物

　生鮮食品の対象となっているのは、米穀、麦類、雑穀、豆類、野菜、果実、その他の農産食品です。
　野菜は根菜類、葉茎菜類、果菜類、香辛野菜、つまもの類、きのこ類、山菜類、果実的野菜などに分けられています。根菜類とは大根、かぶ、ごぼう、にんじん、さといも、ながいもなど、主に根に栄養分をたくわえて生長した野菜です。葉茎菜類とは、ねぎ、たまねぎ、にんにく、白菜、キャベツ、ブロッコ

リー、カリフラワー、ほうれんそうなどです。果菜類とは、なす、トマト、とうがらし、きゅうり、かぼちゃ、とうがん、いんげんまめ、とうもろこしなどです。香辛野菜は辛みや香りの強い野菜で、しそ、みょうが、せり、さんしょう、おおば、わさびなどがあります。つまもの類はべにたで、おおたで、かいわれ、エシャロットなどがあります。

果実的野菜はすいか、メロン、いちごです。

果実は、かんきつ類、仁果類、核果類、しょう果（漿果）類、殻果類、熱帯性及び亜熱帯性果実などに分けられています。かんきつ類とはみかん、オレンジ、グレープフルーツなどのことです。仁果類とはなしやりんごなどのことです。核果類とはあんず、さくらんぼ、ネクタリン、ざくろ、ももなど、しょう果類はぶどう、殻果類は栗、アーモンドなどがあります。

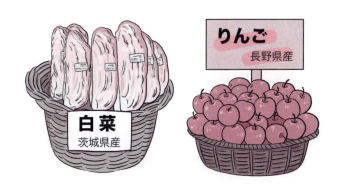

＜店頭での原産地表示の表示例＞

（2）生鮮食品の扱いとならない農産物のケース

　農産物であっても、その処理の仕方によっては生鮮食品に当てはまらないケースがあります。

①複数の野菜や果物をカットして混ぜ合わせたもの

　複数の野菜をカットして容器包装に入れたサラダミックス、炒め物ミックスなどは、調理された食品とみなされるため、加工食品扱いとなります。複数の果物をカットして入れたものも、同様です。これを処理したものを仕入れて販売すると加工食品で必要な表示をしなければいけません。

　ただし、スーパーの店内などで作ったサラダミックスや炒め物ミックスなど

は、店内で販売する場合においては一部の表示事項を省略することができます。

<野菜をカットした食品の分類>

	単品の野菜を切断 （カット野菜）	複数の野菜を切断した上で混合 （サラダミックス、炒め物ミックス）
処理後のものを仕入れて販売	生鮮食品 ・名称および原産地を表示	加工食品 ・すべての表示事項
店内で処理して販売	生鮮食品 ・名称および原産地を表示	加工食品 ・一部の表示事項を省略可 　（具体的な表示方法はP.604＜表示のポイント＞参照）

②ブランチングをした野菜

　野菜によっては軽く熱湯などをかけて、短時間で熱処理したものがあります。これをブランチングと呼び、加工食品扱いとなります。

　ブランチング処理した後に冷凍した野菜がありますが、これも加工食品とみなされます。単に野菜を冷凍したものは生鮮食品扱いです。

2）農産物の名称と原産地の表示ルール

　名称と原産地は、すべての農産物で表示しなくてはいけません。

（1）農産物の名称の表示

　農産物は、その内容を表す一般的な名称を表示します。地域によっては野菜などの呼び名が違う場合がありますが、その場合は、その地域で一般的に使用されているものであれば、表示することができます。

（2）農産物の原産地の表示

　農産物の原産地は、国内産と外国産に分けられます。

①国内産の農産物

　国内産の農産物は、都道府県名を記載します。都道府県名の代わりに市町村名、地域名で表示することも可能です。丹波や土佐などの古い国名や、信州、甲州などの旧国名の別称を使用してもかまいません。房総や屋久島なども地名

として表示が可能です。

```
キャベツ　愛知産
```

②外国産の農産物

　輸入された農産物については、原産国名を記載します。なお、一般に知られている地名を原産地として記載することも可能です。

　食品表示基準では、わかりやすい日本語をもって表記することが前提となっています。たとえばアメリカを USA や US とは表示できません。あくまで消費者がわかりやすい日本語で表記します。

　原産国名の例を次にあげておきます。

```
米国またはアメリカもしくはアメリカ合衆国
豪州またはオーストラリア
中国または中華人民共和国
```

③原産地が異なる農産物を混ぜて販売する場合

　同じ種類の農産物であっても、原産地が異なるものを混ぜ合わせて販売する場合は、その重量の割合が多いものから順に、原産地を記載しなければなりません。

3）個別の義務表示がある農産物

　農産物の種類などによっては個別的な表示を行う必要があります。次のケースでは、名称と原産地以外にも表示しなければならない項目があります。

（1）しいたけの表示

　しいたけは栽培方法によってその品質が異なることが多く、消費者から、栽培方法の表示が求められていました。

　栽培方法には原木栽培、菌床栽培があります。原木栽培はクヌギ、コナラなどの原木に種菌を植え付け、栽培する方法です。菌床栽培は、おが屑にふすま、ぬか類、水などを混ぜてブロック状などに固めた培地に、種菌を植え付けて栽培する方法です。

必要な表示項目は名称、原産地のほかに、栽培方法です。具体的には以下のようになります。

- 原木栽培のしいたけは「原木」と記載。
- 菌床栽培のしいたけは「菌床」と記載。
- 原木栽培および菌床栽培によるしいたけを混合したものは、栽培方法の重量の多い順に「原木・菌床」または「菌床・原木」と記載。

(2) 米、豆類を密閉した容器包装に入れて販売する場合

米、豆類は計量法の特定商品となっています。これらを袋詰め、密閉したラップ包装などに入れて販売する場合は、「内容量」とそれを表記したものの「氏名、住所」を記載しなくてはいけません。

米については「玄米および精米」の項で説明します。

(3) シアン化合物や防かび剤処理した農作物

容器包装に入れたシアン化合物を含有する豆類、防かび剤で処理したあんず、おうとう、かんきつ類などは個別の表示項目が設けられています。

①シアン化合物を含有する豆類の表示

シアン（青酸）化合物を含有する豆類は、名称などのほかにシアン化合物を含有していることを表示する必要があります。原則、豆類はシアン（青酸）化合物が検出されてはいけません。ただし、バター豆、ホワイト豆、サルタニ豆、サルタピア豆、ペギア豆、ライマ豆については、元来、シアン化合物が含まれているため、生あんの原料のみに使用を限定しています。生あんの製造も、シアン化合物が残らないように細かく基準が定められています。したがって、シアン化合物を含有する豆類は流通および加工工程の管理上の観点から期限表示ではなく、輸入年月日を表示することになっています。使用方法は食品衛生法に定められた使用基準に合う方法を表示します。

- アレルゲン（特定原材料に由来する添加物を含むものに限る）
- 輸入年月日
- 添加物
- 加工所（または輸入業者）の所在地および加工者（または輸入業者）の氏名または名称
- 使用方法

②あんず、おうとう、かんきつ類などの表示

「あんず、おうとう、かんきつ類、キウィー、ざくろ、すもも、西洋なし、ネクタリン、バナナ、びわ、マルメロ、ももおよびりんご」については、以下の表示項目が定められています。

> - アレルゲン（特定原材料に由来する添加物を含むものに限る）
> - 保存方法
> - 消費期限または賞味期限
> - 添加物
> - 加工所の所在地および加工者の氏名または名称

なお、防ばい剤または防かび剤として使用される添加物以外の添加物は省略できます。言い換えると、イマザリルやフルジオキソニルといった防かび剤または防ばい剤を使った場合はそれを表示しなければいけません。ばら売りなどの場合でも立て札などで表示する必要があります。

保存方法は常温で保存できる以外に特別な条件がなければ、省略することができます。消費期限または賞味期限も省略可能です。例えば、次のような表示になります。

> グレープフルーツ
> アメリカ産
> 防かび剤（イマザリル、オルトフェニルフェノールを使用）

③主な防かび剤、防ばい剤の種類

主な防かび剤、防ばい剤には次のようなものがあります。

●イマザリル
みかんをのぞくかんきつ類やバナナに使います。処理液に浸したり、スプレーで吹き付けます。

●オルトフェニルフェノール（OPP）
かんきつ類にのみ使われます。果実の表面に散布又は塗布して使用します。

●ジフェニル（DP）
グレープフルーツ、レモン、オレンジ類にのみ使われます。揮発しやすいため、塗布した紙を果物の入った箱に入れて、かびの発生を防ぎます。ビフェニルともいいます。

● **チアベンダゾール(TBZ)**
　かんきつ類とバナナに使います。処理液に浸したり、スプレーで吹き付けます。

● **フルジオキソニル**
　フルジオキソニルは海外ではぶどうや野菜類の農薬として登録されています。収穫した青果物に使用すると防かび剤としての効果があります。

<防かび剤、防ばい剤の種類>

- アゾキシストロビン
- イマザリル
- オルトフェニルフェノール
- オルトフェニルフェノールナトリウム
- ジフェニル
- チアベンダゾール
- ピリメタニル
- フルジオキソニル

<防かび剤処理したグレープフルーツの表示例>

3. 米の表示の仕方

　米ほど、一般の消費者にとって見分けの難しい生鮮食品はありません。アジアで広く栽培される粒の長い長粒米ぐらいなら見分けがつきますが、国内産の米となると、そうはいきません。

　国内産は中粒米ですが、どれも同じような姿形をしています。品種はコシヒカリ、あきたこまち、ササニシキなど、たくさんあります。米を見ただけでコシヒカリであると、判断できるのはよほどの専門家だけです。一般の消費者が見分けるのはほとんど不可能です。言い換えるなら、消費者が米を選択するよりどころは食品表示しかありません。それだけに、正しい、偽りのない表示が求められます。

1） 米の表示すべき内容

　米は生鮮食品です。米の名称、原産地の表示は必須となりますが、このほかに「玄米および精米」に規定された個別的義務表示があります。

　容器包装に入った米は「玄米および精米」の規定に従って表示する必要があり、次にかかげる項目を米を入れた袋などに「一括表示」します。

- 名称
- 原料玄米の産地、品種、産年および使用割合（単一原料米はその旨の表示、それ以外にあっては複数原料米などの表示）
- 内容量
- 精米年月日
- 販売業者等の氏名または名称、住所および電話番号

　具体的には次のような表示パターンが見られます。

名　　称	精　米		
原料玄米	産地	品　種	産年
	単一原料米 福岡県	コシヒカリ	30年産
内　容　量	5kg		
精米年月日	30. 10. 1		
販　売　者	○○米穀株式会社 □□県○○市△△▽▽　×－× TEL ○○○（△△△）××××		

　この表示によれば、この米は平成30年に生産された福岡県産の単一原料米のコシヒカリです。精米したのは平成30年10月1日です。
　以下、詳しい内容を説明していきます。

（1）米の名称

　米の名称は、「玄米」「うるち精米」（うるちを省略しても可）「もち精米」「胚芽精米」のいずれかを用います。
　一般的に私たちが毎日食べている米はうるち米のことです。これを「精米」、または「うるち精米」と呼びます。「もち精米」はもち米のことです。「玄米」は精白される前の米です。「胚芽精米」という米もあります。

<米の用語解説>

- 原料玄米……原料となる玄米のことです。
- 玄　　米……もみ殻を取り除いた米です。
- 精　　米……玄米の表面についたヌカの部分を取り除いて精白した米。「精米」といった場合は、うるち米のことを指します。一般的に私たちが食べるお米はいわゆる「うるち米」です。アミロースを多く含んでいるのが特徴です。
- もち精米……精米のうち、でんぷんにアミロース成分を含んでいないもの。米のでんぷんは、アミロースとアミロペクチンの2つのタイプがあります。アミロースが少なく、アミロペクチンが多い米ほど粘りが出てきます。「もち米」はアミロペクチンが100％のために、あの特徴的な粘りがあるわけです。
- 胚芽精米……お米の中にある胚芽と呼ばれる部分にはビタミンなどの栄養素が含まれています。精米するときに、胚芽の部分を残したものが胚芽米です。うるち精米のうち、胚芽を含む精米が80％以上ある場合にのみ、胚芽精米と表示できます。

（2）原料玄米の表示

　原料玄米の表示欄には産地、品種、産年、使用割合の４つの項目があります。これら４項目が米の表示のポイントです。ただし、容器包装への表示はすべての項目を記載する場合もあれば、一部しか表示されないこともあります。なぜなら、原料玄米には米の産地や品種、産年が証明されている米と、その検査証明を受けていない未検査米があるからです。

①産地、品種、産年が証明された米

　米の産地、品種、産年の証明は農産物検査法という法律に従って行われます。この検査を経たものを証明米（検査米）と呼んでいます。

　検査、証明は国内産の米については、一般財団法人日本穀物検定協会やその他の検査機関があります。外国産の米は、輸出国の公的な機関によって証明を受けることができます。アメリカの連邦穀物検査局、中国の国家輸入商品検験局、タイ国貿易取引委員会などがあります。

　産地、品種、産年がすべて同じ米で、そのことが証明された証明米だけを使用したものは、「単一原料米」の表示と、産地、品種、産年のいわゆる「３点セット」の表示が義務づけられています。この場合、使用割合欄と使用割合の表示は不要です。

名　　称	精　米		
原料玄米	産　地	品　種	産　年
	単一原料米 北海道	ななつぼし	30年産
内容量	5kg		
精米年月日	30.10.1		
販売者	○○米穀株式会社 ○○県○○市○○○○　○-○ TEL ○○○（△△△）○○○○		

②証明を受けていない未検査米

　産地、品種、産年のいずれの証明も受けていない米もあります。これを未検査米といいます。また、一部の項目だけ証明されている米もあります。これらは「複数原料米」などと表示し、国産の場合は国内産と、外国産の場合は原産国名を表示し、その使用割合を「○割」と記載します。

名　　　称	精　米			
原料玄米	産　地	品　種	産　年	使用割合
	複数原料米 国内産			10割
内　容　量	5kg			
精米年月日	30. 10. 1			
販　売　者	○○米穀株式会社 □□県○○市△△▽▽　×－× TEL ○○○（△△△）××××			

③産地、品種、産年、使用割合の意味

　原料玄米の欄にある産地、品種、産年、使用割合は、次のような内容を表示します。

●**産地**

　単一原料米の産地は国産品の場合は、都道府県名、市町村名、その他一般に知られている地名を表示します。輸入品は原産国名、または一般に知られている地名を表示します。ただし、海外の地名は、国名とともに「アメリカ・カリフォルニア」などと表示します。

　複数原料米は国産品なら国内産と、輸入品は原産国名を表示します。複数原料米であっても、産地が証明されている証明米であれば、その産地を表示できます。未検査米は「産地未検査」と記載すれば産地の表示が可能です。この場合、地名の後に括弧を付けて「産地未検査」とします。例えば「岩手県（産地未検査）」です。

●**品種**

　コシヒカリ、あきたこまち、ひとめぼれのように、米の品種を表示します。産地品種銘柄は農産物検査法によって定められています。品種が証明されていない米に、品種名を入れることはできません。

●**産年**

　米が生産された年を表示します。「30年産」とあれば平成30年に生産されたものです。産年は一括表示の枠外に記載することもできます。その場合、一括表示の欄には、産年を表示した場所を「反対面下部に記載」というように、表示しなければいけません。

　産年が証明されていない米は、産年を表示することはできません。

●**使用割合**

　原料玄米の使用割合です。例えば「8割」などのように「割」の単位を使い

ます。割であっても、小数点以下も表示します。例えば75％は「7.5割」とします。

単一原料米は使用割合の項目がありません。産地、品種、産年が同じものしか入っていないので、使用割合は不要です。

複数原料米は該当する原料玄米の使用割合と、その割合が多い順に記載します。

（3）ブレンド米のケーススタディ

複数の米を混ぜて販売する場合は、「複数原料米」「混合米」「ブレンド米」「ミックス米」「産地ミックス米」「品種ミックス米」などと原料玄米の欄に表示します。

ブレンド米は品種が異なる米が混じったものというイメージがありますが、いろいろな組み合わせがあります。産地、品種、産年のうち、1つだけでも異なる米が混じっていれば、ブレンド米です。国内産の複数銘柄の米を混ぜたもの、国内産と外国産を混ぜたものもブレンド米です。証明米と未検査米をブレンドしたものもあります。

ブレンド米にはいろいろなケースが考えられますが、原料玄米の欄には必ず「ブレンド米」「複数原料米」などと表示し、それぞれの米の使用割合を表示しなければいけません。

産地や品種が証明された米がブレンドされているものは、括弧を付けて産地などを表示することができますが、これらは任意表示です。

①国内産と外国産のブレンド米

国内産の米と外国産の米を混ぜた複数原料米もあります。この場合は国内産と外国産の使用割合を表示しなくてはいけません。例えば国内産8割、アメリカ産2割の米をブレンドしたものなら、使用割合の多い順に表示します。

名　　称	精　米			
原料玄米	産　地	品　種	産　年	使用割合
	複数原料米 　[国内産 　 アメリカ産			8割 2割
内　容　量	5kg			
精米年月日	30.10.1			
販　売　者	○○米穀株式会社 ○○県○○市○○○○－○ TEL ○○○（○○○）○○○○			

②一部の証明だけされた米のブレンド米

　次のケースは、国内産のブレンド米です。茨城県産、福島県産、新潟県産のコシヒカリを合わせると8割になります。残り2割は、特に表示していませんが、問題ありません。なぜなら複数原料米であること、およびそれが国内産であって、その使用割合が10割であることを表示しているからです。最低限必要な義務表示は満たしています。

　精米年月日は「反対面下部に記載」となっています。

名　　称	精　米			
原料玄米	産　地	品　種	産　年	使用割合
	ブレンド米 国内産			10割
	┌茨城県	コシヒカリ	30年産	6割
	｜福島県	コシヒカリ	30年産	1割
	└新潟県	コシヒカリ	30年産	1割
内容量	5kg			
精米年月日	反対面下部に記載			
販売者	○○米穀株式会社 ○○県○○市○○○○-○ TEL ○○○（○○○）○○○○			

③産地証明米と産地未検査米

　産地が証明されていない未検査米であっても、米穀等の取引等に係る情報の記録及び産地情報の伝達に関する法律（米トレーサビリティ法）に基づいて産地の表示ができます。ただし、産地の後に括弧を付けて「産地未検査」と記載しなければいけません。

　次のケースは、証明米の宮城県産6割と未検査米の秋田県産4割が入った複数原料米のケースです。未検査米として表示すると次のようになります。

＜産地未検査米の表示例①＞

名　称	産　地	品　種	産　年	使用割合
原料玄米	複数原料米 国内産 ┌宮城県 └未検査米	コシヒカリ	30年産	10割 6割 4割

　産地名を表示する場合は「秋田県（産地未検査）　4割」とします。なお、産地未検査と表示する場合は、消費者にその意味を正確に伝えるための注意喚

起を積極的に行うことが奨励されています。

<産地未検査米の表示例②>

名　　称	産　　地	品　　種	産　年	使用割合
原料玄米	複数原料米 　国内産 　〔宮城県 　〔秋田県（産地未検査）	 コシヒカリ 	 30年産 	10割 〔6割〕 〔4割〕

※　「産地未検査」とは農産物検査法等による産地の証明を受けていない米穀のことです。

次の例は原料玄米に国内産と輸入品を含んだ複数原料米の表示例です。アメリカ産が8割、国内産が2割の比率で混合されています。このケースでは産地が証明されたカリフォルニア州の米が7割、アメリカ産が1割という割合で入っていることになります。

なお、海外の産地を表示する場合は国名を入れる必要があります。ただし、このケースのように国名が重複するような場合は、括弧内の国名を省略し、「カリフォルニア州」の表示でも問題ありません。

<産地未検査米の表示例③>

名　　称	精　　米			
原料玄米	産　地	品　種	産　年	使用割合
	複数原料米 　アメリカ産 　（アメリカ・カリフォルニア州） 　国内産 　（千葉県	 コシヒカリ	 30年産 30年産	8割 　〔7割〕 2割 　〔2割〕
内　容　量	5kg			
精米年月日	30.11.1			
販　売　者	全国スーパーマーケット米穀株式会社 東京都千代田区内神田0－0－0 電話番号　03（0000）0000			

④ 雑穀などを混合した米の表示

雑穀や精麦などを米に混ぜて容器包装に入れたものは、玄米の本質が変わらなければ、食品表示基準に従って表示を行います。例えば、次のようなケースです。

```
米と精麦を混合したもの
米と雑穀を混合したもの
米と精麦、雑穀を混合したもの
米とビタミン強化米を混合したもの
米と発芽玄米を混合したもの
```

　精麦、雑穀（あわ、ひえなど）、ビタミン強化米、発芽玄米などは「製品の玄米に混入された」ものであり、原料玄米には当たりません。したがって、これらは内容量の欄に表示します。
　具体的には内容量の後に括弧を付けて、混合した精麦、ビタミン強化米などの名称とその重量を表示します。例えば、次のようになります。

<精麦とあわを混合したケース>

名　　　称	精　　　米			
原料玄米	産　地	品　種	産　年	使用割合
	複数原料米 国内産 　新潟県 　千葉県	 コシヒカリ コシヒカリ	 30年産 30年産	10割 　8割 　2割
内　容　量	500g（精麦50g、あわ50g）			
精米年月日	30. 11. 1			
販　売　者	全国スーパーマーケット米穀株式会社 東京都千代田区内神田０－０－０ 電話番号　03（0000）0000			

　次のケースは、あきたこまちの単一原料米にビタミン強化米を混合した場合の表示例です。原料玄米欄は単一原料米と同様の表示になります。

<ビタミン強化米を混合したケース>

名　　　称	精　　　米		
原料玄米	産　地	品　種	産　年
	単一原料米 秋田県	あきたこまち	30年産
内　容　量	5kg（ビタミン強化米50g）		
精米年月日	30. 11. 1		
販　売　者	全国スーパーマーケット米穀株式会社 東京都千代田区内神田０－０－０ 電話番号　03（0000）0000		

（4）内容量、新米などの表示ルール

原料玄米のほかにも、内容量、精米年月日、販売者などの表示が必要です。

①内容量

内容量は計量法に基づいて、グラム、あるいはキログラム単位で表示します。

ビタミン強化米などを混ぜたものは、内容量の後に括弧を付けて、混合したものの名称とその重量を記載しなければなりません。混合物が複数の場合は、重量の多いものから順に記載します。

②精米年月日

原料玄米を精白した年月日を表します。精米年月日は次のような表記が可能です。

　平成 30 年 10 月 1 日
　30. 10. 1
　2018. 10. 1
　18. 10. 1

ブレンド米など、異なる米を混ぜた場合は、米を精白した時期が異なるケースがあります。その場合は、最も古い精米年月日を表示しなければいけません。

玄米は調製年月日と表示します。外国産の米で精米年月日や調製年月日がはっきりしないものは、輸入年月日と表示します。

精米年月日を一括表示の枠外に記載することもできます。この場合は、一括表示の精米年月日の欄に「反対面下部に記載」などと記載した箇所を示します。

③販売業者等の氏名または名称、住所および電話番号

米の表示義務を負っているのは、米を一般消費者に販売するすべての販売業者です。通信販売業者もその中に含まれます。また、生産者グループが直接、消費者グループに販売する場合も、表示義務の対象となります。

（5）ばら売りの表示

米をばら売りする場合は、名称と原産地を立て札などで表示します。品種や、いつ生産された米なのか（産年）は立て札などに表示できますが、その内容が証明されていることをあわせて記載することが望ましいとなっています。

2）強調表示をする場合

　日本人には米に対する根強い銘柄志向があります。新潟県の魚沼でとれる、いわゆる「魚沼コシヒカリ」はその代表格といえるでしょう。袋詰めされた米には、「コシヒカリ」「新米」などの文字が躍っています。こうした強調表示は任意の表示です。ただし、表示する場合はルールがあります。

（1）一括表示の枠外に記載する

　強調表示とは、食品表示基準を示した一括表示の枠外に記載する内容のことです。一括表示と関連する場合の強調表示には、次のようなルールがあります。

- 強調表示は、一括表示の内容と矛盾してはいけません。例えば原料玄米が「国内産」としか表示されていないのに、「新潟県産コシヒカリ」の産地品種銘柄を強調する表示はできません。これは虚偽の表示となり、違反です。
- 「新米」の表示ができるのは、米が生産された年の12月31日までに袋詰めなどをしたものに限ります。この期日を越えているのに「新米」と表示することはできません。
- 未検査米は、その「産地、品種、産年」の表示をしてはいけません。
- 複数原料米に含まれている米で、使用割合が50％以上の産地や品種などが証明されているものは、産地などを強調表示できます。この場合は、複数原料米の文字を産地などの文字と同程度以上の大きさで表示しなければいけま

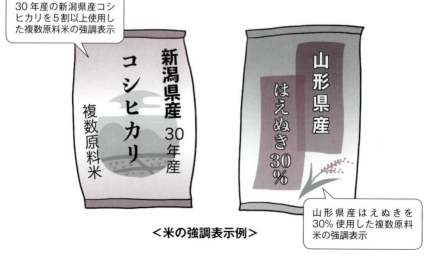

＜米の強調表示例＞

せん。
- 原則として重量が50％未満のものは産地などが証明されていても強調表示はできません。ただし、その使用割合を一緒に表示すれば産地などを強調表示できます。使用割合は産地などの文字と同程度以上の大きさにする必要があります。

（2）一括表示と関係ない強調表示

　一括表示と関係ない強調表示もあります。ただし、こちらも認められる表示と、認められない表示があります。次のようなケースは強調表示が認められています。

- 低温保管米、氷温米…低い温度で米を保管すると、古くなっても品質が落ちにくい利点があります。
- もみ貯蔵米…もみ殻のままで貯蔵しておくと、米の品質が落ちにくい利点があります。
- 無洗米…無洗米は、洗わずにそのまま炊飯器に入れて炊くことのできる米です。その定義はまだ明確にはなっていませんが、強調表示として認められています。

　逆に認められない強調表示は次のとおりです。

日本で一番おいしい
安全、安心

3）米トレーサビリティ法

　米や米の加工食品をめぐるトラブルが起こった場合、米の流通ルートを素早く特定するために米トレーサビリティ法が施行されました。生産から販売まで、どのような取引があったのか、各業者はその取引情報を記録、作成し、保存しなければいけません。また、消費者や取引先に対しては、米の産地情報を提供します。
　ここでは消費者に対する産地情報の提供について、米の加工食品もあわせて説明していきます。

（1）産地情報が義務づけられた米穀などの品目

　米トレーサビリティ法の対象になっているのは米穀等です。「米穀等」とは次表のような飲食料品が対象となります。これらについては産地情報の表示が義務づけられています。

＜対象品目＞

米穀	もみ、玄米、精米、砕米
主要食糧に該当するもの	米粉、米穀をひき割りしたもの、ミール、米粉調整品（もち粉調整品を含む）、米菓生地、米こうじ等
米飯類	各種弁当、各種おにぎり、ライスバーガー、赤飯、おこわ、米飯を調理したもの、包装米飯、発芽玄米、乾燥米飯類等の米飯類（いずれも、冷凍食品、レトルト食品および缶詰類を含む） （注）米飯類とは、いわゆる「白めし」のほか、おかゆ、寿司、チャーハン、オムライス、カレーライス、ドリアなどご飯として提供される料理。
米加工食品	もち、だんご、米菓、清酒、単式蒸留しょうちゅう、みりん

（2）米トレーサビリティの対象とならないケース

　米トレーサビリティ法は産地情報を消費者に提供することが大きな目的の1つですが、適用を除外される場合があります。例えば、次のようなケースです。

- 容器包装に入れた玄米、精米などは、食品表示基準の「玄米及び精米」に基づき産地の表示が義務づけられています。したがって、これらは米トレーサビリティ法の対象外です。
- もちは原料原産地表示が必要な加工食品です。ただし、もちの重量に占めるもち米の割合が50％以上のものが対象です。50％未満のもちはその範囲には含まれません。
  ただし、もち米の割合が50％未満のもちでも、米トレーサビリティ法の対象になるものがあり、その場合は産地情報を表示する必要があります。
- 米ぬかは加工食品であって米穀ではありません。したがって、米トレーサビリティ法の対象外です。
- 米穀等であっても、用途が飼料、燃料のバイオエタノールなど、非食用に使われるものは適用を除外されます。

（3）産地情報の伝達の仕方

産地情報は商品の容器包装などに直接記載する方法、インターネットや電話などで伝達する方法があります。

①直接、商品に産地情報を記載する

産地が国内の場合は「国内産」「国産」と表示します。国内の場合は都道府県名、市町村名、一般に知られた地名でも表示できます。

外国産の場合は国名を表示します。海外の地域名を表示したい場合は、国名の後に「アメリカ・カリフォルニア産」などと地域名を表示します。

産地が２つ以上ある場合は、原材料に占める重量の多い産地から順に表示します。例えば、「群馬県、千葉県」とします。産地が３つ以上の場合は、原材料に占める重量の多い順に産地を２つ以上表示し、残りは「その他」と記載してもかまいません。

国産と外国産の原材料を混ぜて使用している場合は、国単位でカウントします。産地が２か国ならば、例えば「国産、アメリカ産」と記載して、３か国以上の場合は２つ以上の国名を表示し、残りは「その他」と記載してもかまいません。その場合は「国産、アメリカ産、その他」となります。

産地情報の記載は一括表示枠の中、あるいは枠外でもかまいません。

<一括表示枠の産地表示例>

名　　称	米菓子
原材料名	うるち米（国産、アメリカ産、その他）、食塩／調味料（アミノ酸）
内　容　量	200ｇ
賞味期限	枠外下部に記載
保存方法	開封後は直射日光、高温多湿を避けて保存してください。
製　造　者	(株)全国スーパーマーケット菓子 東京都千代田区内神田０－０－０

なお、一般消費者にばら売りするなど、対面販売で行う場合でも産地情報を伝える必要があります。この場合は、立て札などで伝えます。

②インターネットなどの利用

インターネットや電話などでの情報伝達を可能にする場合は、商品の容器包

装などに、Webアドレス、お客様相談窓口などの電話番号を明確に記載する必要があります。

4）米の品種と産地

　農林水産省は毎年、都道府県ごとに米の産地品種銘柄を見直し、指定しています。産地品種銘柄に指定されていない米は、産地・品種の検査を受けることができません。つまり、原料玄米の欄に産地・品種の表示ができないわけです。

　お米には様々な品種がありますが、どの銘柄に生産者の人気があるのか。公益社団法人米穀安定供給確保支援機構がまとめた「平成29年産水稲の品種別作付動向について」によれば、作付割合の多い順に、「コシヒカリ」「ひとめぼれ」「ヒノヒカリ」「あきたこまち」「ななつぼし」でした。これら上位の5品種で全国の約65％を占めています。

<道府県別作付上位品種>

道府県	主な品種		
北海道	ななつぼし	ゆめぴりか	きらら397
青　森	まっしぐら	つがるロマン	青天の霹靂
岩　手	ひとめぼれ	あきたこまち	いわてっこ
宮　城	ひとめぼれ	つや姫	ササニシキ
秋　田	あきたこまち	ひとめぼれ	めんこいな
山　形	はえぬき	つや姫	ひとめぼれ
福　島	コシヒカリ	ひとめぼれ	天のつぶ
茨　城	コシヒカリ	あきたこまち	あさひの夢
栃　木	コシヒカリ	あさひの夢	とちぎの星
群　馬	あさひの夢	コシヒカリ	ひとめぼれ
埼　玉	コシヒカリ	彩のかがやき	彩のきずな
千　葉	コシヒカリ	ふさこがね	ふさおとめ
神奈川	キヌヒカリ	はるみ	さとじまん
新　潟	コシヒカリ	こしいぶき	ゆきん子舞
富　山	コシヒカリ	てんたかく	てんこもり
石　川	コシヒカリ	ゆめみづほ	能登ひかり
福　井	コシヒカリ	ハナエチゼン	あきさかり
山　梨	コシヒカリ	ヒノヒカリ	あさひの夢
長　野	コシヒカリ	あきたこまち	風さやか
岐　阜	ハツシモ	コシヒカリ	あさひの夢
静　岡	コシヒカリ	あいちのかおり	きぬむすめ
愛　知	あいちのかおり	コシヒカリ	ミネアサヒ
三　重	コシヒカリ	キヌヒカリ	みえのゆめ

滋　賀	コシヒカリ	キヌヒカリ	日本晴
京　都	コシヒカリ	キヌヒカリ	ヒノヒカリ
大　阪	ヒノヒカリ	きぬむすめ	キヌヒカリ
兵　庫	コシヒカリ	ヒノヒカリ	キヌヒカリ
奈　良	ヒノヒカリ	ひとめぼれ	コシヒカリ
和歌山	キヌヒカリ	きぬむすめ	コシヒカリ
鳥　取	コシヒカリ	きぬむすめ	ひとめぼれ
島　根	コシヒカリ	きぬむすめ	つや姫
岡　山	アケボノ	ヒノヒカリ	あきたこまち
広　島	コシヒカリ	ヒノヒカリ	あきろまん
山　口	コシヒカリ	ヒノヒカリ	ひとめぼれ
徳　島	コシヒカリ	キヌヒカリ	ヒノヒカリ
香　川	コシヒカリ	ヒノヒカリ	おいでまい
愛　媛	コシヒカリ	ヒノヒカリ	あきたこまち
高　知	コシヒカリ	ヒノヒカリ	にこまる
福　岡	夢つくし	ヒノヒカリ	元気つくし
佐　賀	夢しずく	ヒノヒカリ	さがびより
長　崎	ヒノヒカリ	にこまる	コシヒカリ
熊　本	ヒノヒカリ	森のくまさん	コシヒカリ
大　分	ヒノヒカリ	ひとめぼれ	コシヒカリ
宮　崎	ヒノヒカリ	コシヒカリ	おてんとそだち
鹿児島	ヒノヒカリ	コシヒカリ	あきほなみ
沖　縄	ひとめぼれ	ちゅらひかり	ミルキーサマー

米穀安定供給確保支援機構「平成29年産 水稲の品種別作付動向について」より

4. 畜産物の表示の仕方

　生鮮食品における畜産物は牛や豚、鶏などが該当します。他の生鮮食品と同様にその名称と原産地を表示することが義務づけられています。しかし、食肉の表示は農産物や水産物と比べて、表示項目が多岐にわたっています。それが特徴ともいえます。

1）畜産物の表示ルール

　食肉の表示はもちろん食品表示基準に従います。しかし、例えば保存方法などの内容に関しては食品衛生法に基づいた表示を行わなければなりません。
　例えば生食用牛肉については食品衛生法に基づく規格基準と表示基準があり、これらの内容に従った表示が食品表示基準でも義務づけられています。食肉の公正競争規約は食用となる獣鳥の生肉を対象にしています（海獣は対象外）。牛トレーサビリティ法もあります。
　食肉の表示で知るべきことは多々あるのです。

（1）表示の対象になる畜産物

　食肉は、牛、豚、馬、ヒツジ、鶏など、その種類は多様です。
　食品表示基準の対象となるのは、牛、豚、鶏、馬などの食肉で、単に切断、薄切りなどにしたもの、冷蔵、冷凍したものも含みます。また、鶏の卵などの食用鳥卵は殻付きのものに限り、その対象となります。これらはその名称と原産地を表示しなければいけません。

（2）対面販売と事前包装、広告の表示内容

　食肉の表示は他の生鮮食品に比べると、食肉の公正競争規約があるため、表示しなければならない項目が多いのが特徴です。
　表示すべき内容は、陳列した食肉を消費者の求めに応じて量り売りをする場合と、事前にパッケージなどの容器包装に入れて販売する場合とでは異なりま

す。食肉の公正競争規約は新聞の折り込みチラシなど、広告の表示内容も規定しています。

（3）対面販売の表示ルール

　食肉を量り売りする場合は、陳列した食肉ごとに表示カードを使って、その内容を記載します。表示カードに記載する内容は、次の項目です。このうち、名称と原産地は食品表示基準にのっとります。

- 食肉の種類・部位
- 原産地
- 量目・販売価格（100ｇ当たりの単価）
- 冷凍・解凍肉の場合はそれを表示
- 牛の個体識別番号または荷口番号（荷口番号を表示する場合は連絡先・電話番号なども表示）

　表示カードの大きさや文字は公正競争規約で決まっています。表示カードのサイズは縦55㎜、横90㎜以上。衛生上問題のない材質を使わなくてはいけません。文字の大きさは42ポイント以上の肉太文字で記載します。

```
米国産牛肩ロース切り落とし

    100g  200 円
```

(42ポイント実寸)

（4）事前に容器包装に入れた食肉の表示ルール

　事前に包装された食肉を販売する場合は、表示カードの内容に加えて、販売価格、消費期限、保存方法、加工（包装）所の所在地、加工者の名称などが必要になります。使う文字は8ポイント以上となっています。

- 食肉の種類・部位
- 原産地
- 冷凍・解凍肉の場合はその表示
- 100ｇ当たりの価格

- 量目・販売価格
- 消費期限・賞味期限・保存方法
- 加工（包装）所の所在地・加工者の氏名または名称
- 牛の個体識別番号または荷口番号（荷口番号を表示する場合は連絡先・電話番号なども表示）

（5）チラシなどの広告の表示ルール

　食肉の公正競争規約では、新聞の折り込みチラシなどで食肉を販売する場合、その広告内容についてもルール化しています。

　新聞チラシなどで広告する場合、すべての内容を表示することはスペース上、難しいことがあります。そこで必要最低限の表示内容として、食肉の種類、部位または用途や形態、100g当たりの単価を定めています。

　ただし、これらの表示項目は必要最低限です。スペースなどがある場合は、原産地名など、できるだけ消費者にわかりやすいように、表示項目を追加してもかまいません。

- 食肉の種類
- 部位または用途や形態
- 100g当たりの単価

2）食肉の表示に必要な項目

　食肉の量り売りの場合、表示項目はそれほど多くはありません。しかし、事前に容器包装に入れて販売すると一気に増えます。
　とりわけ国産牛肉は公正競争規約のほかに、牛の個体識別のための情報の管理及び伝達に関する特別措置法（牛トレーサビリティ法）で定められた10桁の個体識別番号も表示しなくてはいけません。ここでは、それぞれの項目について説明します。

（1）食肉の種類、部位、用途の表示

　食品表示基準では生鮮食品は一般的な名称を表示します。しかし、公正競争規約では種類と部位とを組み合わせたものを品名とします。
　食肉の種類の名称は、牛は牛、牛肉、ビーフ、豚は豚、豚肉、ポークと表示します。鶏などもすべて決まっています。
　部位は、牛や豚ならロース、ヒレ、鶏なら手羽など、食肉のどの部分の肉をカットしたものかを指します。部位の名称は農林水産省が定めた牛肉小売品質基準、豚肉小売品質基準、食鶏小売規格に基づいています。例えば、種類が牛肉、部位がサーロインの場合は「牛肉サーロイン」、豚のヒレなら「豚ヒレ」となります。
　種類と部位に、用途を加えて品名としてもかまいません。食肉の用途は、しゃぶしゃぶ用、カレー用など、調理の方法を意味します。例えば牛肉サーロイン・ステーキ用、豚ヒレ・一口カツ用などがそれに当たります。
　食肉には、内臓を貼り合わせた成型肉と呼ばれるものがあります。これは「成型肉」と表示します。例えば牛の横隔膜は「牛ハラミ」、あるいは「牛サガリ」と表示します。

<食肉の種類>

牛	牛、牛肉。ビーフも可能です。
豚	豚、豚肉。ポークも可能です。
鶏	鶏または鶏肉。チキンも可能です。生後3か月未満の鶏は「若どり」と記載します。
羊	めん羊、羊、羊肉、ラム、マトン。ラムは生後1年未満の羊。マトンは生後1年以上の羊のことです。
馬	馬、馬肉。ただし漢字を使用します。したがって、さくら肉は使え

	ません。
その他の食肉	うさぎ、いのしし、アヒル、うずら、その他の食肉はそれぞれの名称が決まっています。

<食肉の部位>

種類	牛	豚	鶏
部位	牛ネック　牛かた 牛かたロース 牛リブロース 牛サーロイン 牛ばら　牛もも 牛そともも　牛らんぷ 牛ヒレ　牛スネ 牛ホホニク（ツラミ） 牛タン　牛ハツ 牛レバー　牛ハラミ 牛サガリ（ハラミ） 牛ミノ　牛センマイ 牛ギアラ（アカセンマイ） 牛ショウチョウ 牛シマチョウ　牛テール	豚ネック　豚かた 豚かたロース 豚ロース　豚ばら 豚もも　豚そともも 豚ヒレ　豚カシラニク 豚タン　豚ハツ 豚レバー　豚ガツ 豚ショウチョウ 豚ダイチョウ 豚コブクロ 豚トンソク	丸どり　手羽もと 手羽さき　手羽なか 骨つきむね 手羽もとつきむね肉 骨つきもも 骨つきうわもも 骨つきしたもも むね肉　特製むね肉 もも肉　特製もも肉 正肉　特製正肉　ささみ ささみ（すじなし） こにく　かわ　あぶら もつ　きも きも（血ぬき） すなぎも すなぎも（すじなし） がら　なんこつ

<食肉の用途>

種類	牛	豚	鶏
用途	牛ステーキ用 牛スキヤキ用 牛バターヤキ用 牛カルビ用　牛小間切 牛煮込み用 牛切り落とし 牛挽肉 牛豚挽肉（牛豚合挽）	豚肉カレー用 豚一口カツ用 豚肉切身　豚小間切 豚煮込み用 豚切り落とし 豚挽肉 豚牛挽肉（豚牛合挽）	やきとり用　からあげ用 すきやき用　水だき用 チキンカツ用 チキンライス用 チキンチャップ用 親子丼用　小間切 ぶつ切り　切りみ　挽肉

（2）食肉の原産地の考え方

　食肉の原産地は、国産ならば国産、輸入品なら原産国を表示します。ただし、海外から生きたまま家畜などを輸入した場合は、条件により国産もしくは外国産になります。

①国産は国産、輸入品は原産国名を表示

　国産の場合は「国産」、または主たる飼養地が属する都道府県名、市町村名、その他一般的に知られる地名を表示します。
　輸入品の場合は原産国名を表示します。

②国産か輸入品かの違い

　海外で生まれた牛などを、国内に生体で輸入した場合は、最も長く飼養した場所（主な飼養地・主たる飼養地）が原産地となります。
　例えば、オーストラリアで12か月飼養した牛を輸入し、国内で18か月飼養してから、と畜したものは国産となります。

<国産のケース①>

オーストラリア12か月	国内18か月

　3か国以上で飼養した場合も考え方は同じです。例えばA国で10か月間飼養され、B国で8か月間飼養された牛を輸入し、さらに国内で12か月飼養してから、と畜したとします。この場合、国産となります。

<国産のケース②>

A国10か月	B国8か月	国内12か月

　逆に外国で飼養した期間のほうが国内で飼養した期間よりも長い場合は、外国産となります。この場合は必ず原産国名を表示します。

<オーストラリア産のケース>

オーストラリア18か月	国内12か月

③国産でも産地名を表示する場合

　国産という表示以外に、群馬、栃木などの産地名を表示したい場合であっても、飼養期間がポイントになります。例えば、飼養地が2か所にまたがる場合、最も飼養期間が長い場所が原産地となります。次のケースでは飼養期間は三重県のほうが長いので、三重県産となります。

<三重県産のケース>

兵庫県12か月	三重県18か月

④複数の原産地の食肉を混ぜた表示

　複数の原産地の食肉を混ぜた場合は、重量の割合が多いものから順に「米国産・国産」のように原産地を表示します。

⑤輸入品の表記

　輸入食肉は、必ず原産国名を表示しなくてはいけません。原産国名の表示は、次のような表示パターンがあります。

- アメリカ牛
- 米国産牛肉
- 鶏肉（中国産）

　なお、アルファベットの表記、例えばUSAなどは認められていません。また、海外の産地だけを表示すると、一般の消費者にどの国のことかわからないことがありますので、国名を表記した上で、産地を書きます。

⑥銘柄食肉と産地

　銘柄食肉の中には、産地名をつけたものがあります。この場合は、国産品の表示を省略することができます。松阪牛、神戸ビーフ、近江牛、鹿児島黒豚などがそれに当たります。

　しかし、銘柄の示す産地と主な飼養地が必ず一致するとは限りません。このため、銘柄とは別に主たる飼養地を表示しなければいけません。ただし、銘柄に冠された地名が主たる飼養地と一致する場合には、銘柄に冠されたその地名をもって、食品表示基準における原産地表示とみなします。

⑦和牛や黒豚など、特色ある食肉の表示

「和牛」や「黒豚」など特色のある食肉は、これらを強調する任意表示が積極的に行われています。しかし、これらの語句は国産のイメージがあり、消費者に誤解されやすいとの指摘がありました。このため食肉の表示に関する検討会は食肉の特色を任意表示する場合の指針として「和牛等特色ある食肉の表示に関するガイドライン」（平成19年3月）をまとめました。ポイントは各項目で説明します。

（3）量目と価格、冷凍の表示

量目（内容量）や価格も食肉の選択にとって重要な表示の1つです。

量目とは、容器包装、食肉のつけ油を除いた重さのことです。重さの単位はグラムを使います。100g当たりの価格と販売価格を表示するのが原則です。

①量目と価格の表示

量り売りの場合は、表示カードに100g当たりの販売価格を表示します。その他に、1切、1枚、1個、1羽、1本といった単位での価格も表示できます。例えば、ステーキなら「1枚1000円」といった表示です。この場合でも、100g当たりの価格を併記します。

事前に容器包装に入れた食肉は、内容量と100g当たりの単価、それに販売価格を表示ラベルに記載しなければいけません。100g当たりの単価を記載できない場合は、下札、置札に表示することもできます。下札のサイズは、縦128㎜、横182㎜以上、置札は縦55㎜、横90㎜以上と決まっています。使用する文字は42ポイント以上の肉太文字です。

```
米国産牛サーロイン・ステーキ用
     100 g・330 円
  300 g・1パック　990 円
```

②冷凍の表示

冷凍した食肉には、「冷凍」または「フローズン」と表示します。冷凍した食肉を解凍したものには「解凍品」、凍結した鶏の食肉は「凍結品」、解凍した鶏は「解凍品」と表示します。

（4）消費期限と保存方法、加工者の表示

　容器包装に入れた食肉は、消費期限、賞味期限、保存方法などを記載します。

　消費期限とは、定められた方法で保存すれば、食品衛生上問題がないと認められる期間のことです。品質が短期間のうちに悪くなりやすいため、なるべく早く消費すべき食品につけられます。賞味期限は消費期限に比べて品質が劣化しにくいものに表示します。

　食肉の保存方法は「4℃で保存」などと表示します。保存温度や消費期限の設定は、一般社団法人日本食肉加工協会などが定めた「期限表示のための試験方法ガイドライン」より行うことができます。

　食肉の表示ラベルに「加工日」を記載することがあります。加工日は任意の表示なので、記載しなくても問題ありません。

　加工者とは、食肉を容器包装に入れる作業を行う者です。スーパーで食肉を容器包装に入れる作業を行った場合、スーパーの名称、住所を表示します。

（5）生食用食肉に関する表示

　食用の生肉を食べたことによる集団食中毒事件の発生がきっかけとなり、食品衛生法に基づく生食用食肉に関する規格基準ならびに表示基準が平成23年10月から施行されました。規格基準では生食用食肉の成分規格、加工基準、保存基準、調理基準が定められています。

　これらの規格・基準に合わない場合は、生食用食肉の加工・調理、店舗などでの提供、販売はできません。なお、表示基準は、食品表示法に基づく食品表示基準の制定により廃止され、現在は食品表示基準に規定されています。

①義務表示がある生食用の牛肉

　対象となるのは牛の食肉（ただし内臓は除きます）です。いわゆるユッケ、タルタルステーキ、牛刺し、牛タタキが含まれます。これらを食材として調理し、販売される総菜もその範囲に含まれます。なお、ステーキは対象には入っていません。

②生食用食肉の表示ルール

　生食用食肉は義務化された内容を表示しなければいけません。表示内容は容器包装に入れない場合と、容器包装に入れた場合とでは異なります。

●飲食店などで容器包装に入れずに販売する場合

　容器包装に入れずに生食用食肉を店舗や飲食店などで販売する場合は次の2

つの項目を表示します。これらの内容は店舗や飲食店などの見やすいところに表示しなければいけません。

- 生食には食中毒リスクがあること。
- 子どもや高齢者、食中毒に対する抵抗力が弱い人たちは生食を控えるべきとの内容。

● **容器包装に入れて販売する場合**
　容器包装に入れた生食用食肉については、食肉の一般的な表示事項のほかに、次のような内容を追加して表示します。

- 生食用であること。
- とさつ、解体を行ったと畜場の名称（またはと畜番号）と、その都道府県名。輸入品は原産国名。
- 生食用食肉の加工を行った食肉処理場の名前と、その都道府県名。輸入品は原産国名。
- 一般的に食肉の生食は食中毒のリスクがあること。
- 子ども、高齢者、食中毒に対する抵抗力の弱い人たちは食肉の生食を控えるべき旨。

<国産品の生食用食肉表示例>

名　　称	生食用牛もも肉
原材料名	牛肉（○○県産）
内容量	500ｇ
消費期限	○○○○年○○月○○日
保存方法	4℃以下で保存してください
と　畜　場 （加熱殺菌）	全国スーパーマーケット食肉センター（東京都）
加工施設	全国スーパーマーケット食肉卸売り市場（東京都）
加　工　者	全国スーパーマーケット畜産株式会社　東京工場 東京都千代田区内神田０－０－０

※一般的に食肉の生食は食中毒のリスクがあります。子ども、高齢者、食中毒に対する抵抗力の弱い方は、食肉の生食をお控えください。

3）牛の個体識別番号

　食肉の表示のうち、牛肉には特別な法律が設けられました。平成15年6月に成立した牛トレーサビリティ法です。
　もともとは、BSE（牛海綿状脳症）が国内で発生したのを受けて、その広がりを防止するために考えられた法律です。しかし、偽ブランド牛や、食肉の表示などにまつわる虚偽の表示の防止にも、大いに役立つものとなりました。

（1）1頭ごとに個体識別番号が付けられる

　牛トレーサビリティ法は牛が生まれて、消費されるまでの流通過程を1頭ごとに管理するシステムです。国内で生まれた牛や輸入された牛は、すべて農林水産省に届け出なければいけません。それに基づいて、1頭ごとに10桁からなる個体識別番号が付けられ、コンピュータに記録されます。
　登録された牛の両耳には、個体識別番号が書かれた耳標が取り付けられます。耳標は牛がと畜されるまでの間、取り外すことはできません。途中で牛がすり替えられたりすることを防ぐためです。
　と畜され、解体された牛肉を卸業者や小売店に販売する際には、販売者は個体識別番号を常に表示しなくてはいけません。
　スーパーや小売店でも、個体識別番号の表示が義務づけられます。消費者に牛肉を販売する場合には、その容器や包装に個体識別番号を記載したラベルを添付しなければいけません。量り売りの場合は、店頭ボードや表示カードに個体識別番号を表示します。
　牛トレーサビリティ法には罰則規定もあります。耳標を別なものとすり替えたり、個体識別番号を偽ったりすると、罪に問われることになります。小売店で個体識別番号のない牛肉が売られていれば、それは法律違反となります。

```
国産牛サーロイン・ステーキ用
個体識別番号・0987654321
消費期限    加工年月日    保存温度
19.11.12   19.11.10    4℃以下
```

　法律の対象となるのは国産牛肉です。海外から輸入される牛肉には適用されません。

では、生きたままの牛を輸入した場合はどうなるのでしょうか。生きたままの牛を輸入した場合、飼養した期間が最も長い場所が原産地となります。輸入した生体牛でも「国産」の条件に当てはまれば、牛トレーサビリティ法の対象となります。

(2) 誰でもすぐに牛の素性を調べることができる

　すべての牛の個体識別番号は、独立行政法人家畜改良センターが管理します。消費者はインターネットを使って、家畜改良センターが運営する牛の個体識別情報検索サービス（http://www.id.nlbc.go.jp）にアクセスすれば、自分が買った牛肉の素性を知ることができます。

　操作の方法は簡単です。検索画面に調べたい牛の個体識別番号の10桁の数字を入力すると、その牛の生年月日や品種、飼養地などの情報が表示されます。

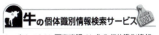

　　　出典　独立行政法人家畜改良センター・個体識別情報検索サービス
　　　　　　（http://www.id.nlbc.go.jp）

4）生産情報公表 JAS 規格

　生産情報公表 JAS 規格も設けられました。食品の生産者、品種、出荷日などの生産記録を管理する制度です。対象となる畜産物は牛肉、豚肉です。国産、輸入品を問いません。ただし、あくまで任意の表示です。

　この制度を利用できるのは第三者機関から認証を受けた生産者や小分け業者に限ります。認証された生産者は、品種、性別、生年月日、飼養地などのほかに、使った飼料や動物用医薬品の名称も記録し、管理しなければいけません。市場へ出荷するときには、生産情報の公表の方法、生産情報公表 JAS マークなどのほかに、豚肉と一部の牛肉には個体識別番号を表示します。

　加工業者や流通業者は食肉を小分けして販売しますが、その場合は生産情報公表 JAS マークを再添付しなければいけません。その作業ができるのは認証された小分け業者だけです。

　消費者は購入した食肉の素性を、個体識別番号やロット番号を使って、店頭で表示される情報、インターネット、ファクシミリなどで入手することができます。

5）食肉の生鮮食品か加工食品かの見極め

　食肉についても、それを処理する場所、販売方法などによって、生鮮食品か、加工食品かに分かれることになります。

（1）生鮮食品扱いの食肉

　次のケースは生鮮食品の扱いになります。
- 単品の食肉を切断し、複数の部位をスライスして盛り合わせた焼き肉セットを、他の場所から仕入れて、販売した場合。
- 単品の食肉を切断し、複数の部位をスライスして盛り合わせた焼き肉セットを、店内で作って販売した場合。

（2）加工食品扱いの食肉

　次のケースは加工食品の扱いになります。
- 異なる種類の食肉を切断、薄切りにして盛り合わせた混合焼き肉セットになったものを、仕入れて販売した場合。加工食品ですから、名称、原材料名、消費期限などを表示します。

- 牛と豚の合挽肉を販売した場合。異なる種類の肉を混ぜた合挽肉は、加工食品です。しかし、店内で処理して、直接、消費者に販売する場合は、食品表示法の対象外となり、表示する必要はありません。
- 調味料や香辛料などで味つけした焼き肉、パン粉を付けたトンカツ用豚肉などを販売した場合。

6）銘柄食肉の任意表示

　消費者の高級品志向もあって、牛、豚、鶏などの銘柄食肉（ブランド食肉）に対する要求はさらに高まっています。同時に、銘柄をめぐる様々な問題が起こりました。銘柄がついている食肉のほうが、消費者に対するアピールが強いと考えられているからです。

　銘柄食肉とは何か。法律では特に定義されていません。銘柄は誰が認定し、誰がつけるのか、曖昧な状況にありました。

　こうした背景もあって、公益社団法人中央畜産会は、産地やブランド食肉に関するガイドラインを設けています。

　次にその主な内容をあげています。

●生産者・出荷側のガイドライン
- 運営組織を作る
　　銘柄食肉を生産する生産者などは管理運営のための明確な組織を作る必要があります。連絡場所、責任者を明確にし、消費者などの問い合わせにきちんと対応できる体制を整えることが前提です。ただし、法人である必要はありません。
- 銘柄食肉の規約を作る
　　食肉の種類やその品種について、生産地域はどこまでを指すのか、また銘柄食肉の出荷月齢や、体重の目安、与える飼料の内容を定めておく必要もあります。特に品種については、どのような品種を組み合わせるのか、その系統名をはっきり明示しておくことが望ましいとなっています。
- 表示マークの規約を作る
　　銘柄を表示するマークやその表示方法について定める必要があります。銘柄の表示マークは誰が与えるのかも定める必要があります。

●食肉販売店でのガイドライン
　食肉を販売する小売店に対しても、次のようなガイドラインがあります。
- 産地などで決められた銘柄の名称を使うこと。
- 銘柄食肉の産地はカード、シール、ラベルなどを使って対象となる食肉ごと

- 銘柄食肉をショーケースなどに展示する場合は、他の食肉とはっきり区分けできるように、個別にプライスカード、カード、シールなどで表示すること。
- 表示内容を証明する仕入れ伝票などの資料を用意すること。

以上の内容はガイドラインの一部です。各地の銘柄食肉を運営する組織は、これらのガイドラインに基づいて、独自に定義づけを行っています。

銘柄食肉はあくまで自主的な基準です。しかし銘柄を偽って表示した場合は、不当表示として摘発されます。

7）和牛と銘柄の関係

日本では、食肉のブランド神話が確立しています。特に牛の場合、神戸ビーフは美味しい、松阪牛はうまいといったことが日常的にいわれています。値段は一般の牛肉よりも高いのが普通ですが、それでも売れるところに、日本人のブランド志向があらわれています。海外からの観光客などにも日本のブランド牛の話は広まり、ますます人気となっています。

その一方、和牛をめぐるトラブルも起こっています。その原因は銘柄牛の中には和牛を使っているものもあるからです。そのため、混乱が生じています。

ここでは表示の視点から、和牛と銘柄牛（ブランド牛）の説明をしていきます。

（1）国産牛と和牛の意味は異なる

国産牛と和牛。言葉だけだとどちらも同じように思えますが、両者は異なります。

国内で生まれ育った牛をと畜したものは国産です。また、海外から輸入した生体牛を国内で育てた場合であっても、飼養した場所の中で国内の飼養期間が最も長ければ、国産牛となります。

しかし、和牛は国産を意味するわけではありません。

①和牛の定義と任意表示

食肉の公正競争規約によれば、和牛とは黒毛和種、褐毛和種、日本短角種、無角和種の4つの品種、ならびにこれらの品種を交配させた交雑種などとなっています。産地は定義されていません。

＜和牛と表示できる品種＞

(1) 黒毛和種
(2) 褐毛和種
(3) 日本短角種
(4) 無角和種
(5) (1)～(4)の品種間の交配による交雑種
(6) (5)と(1)～(5)の交配による交雑種

　しかし、和牛は国産をイメージしやすく、和牛とシールなどに表示されていると外国産を国産と消費者が誤認しやすいとの指摘がなされていました。そこで「和牛等特色ある食肉の表示に関するガイドライン」によって、特色のある食肉を強調、任意表示する場合の指針がまとめられました。それによれば「和牛」をシールや掲示などで表示する場合は、品種の定義を満たしていること。ならびに国内で出生し、国内で飼養された牛であることを証明できることが要件となっています。「WAGYU」「わぎゅう」「ワギュウ」の表示も同様です。以上はガイドラインですが、スーパーなどの販売店ではこの要件を満たすよう、求められています。

②和牛の表示ルール

　食肉の公正競争規約に指定されている牛の品種であれば、和牛と表示できます。

　他の品種と交配していない和牛は「和牛」、または「和牛」の後に品種名を入れます。

　黒毛和種、褐毛和種、日本短角種、無角和種の交配で生まれた牛の肉は、「和牛」のあとに「和牛間交雑種」または交配した品種の組み合わせを併記します。

＜表示例　品種の意味＞

表示例	品種の意味
和牛	
和牛（和牛間交雑種）	
和牛（黒毛和種）	黒毛和種同士を交配した牛の肉
和牛（黒毛和種×褐毛和種）	黒毛和種と褐毛和種を交配した牛の肉

　和牛の品種をわかりやすくするために黒毛和種を「黒」のように、品種名を短縮した表示もできます。

<**品種名の短縮形**>

黒毛和種	→	黒
褐毛和種	→	褐
日本短角種	→	短
無角和種	→	無

<**短縮形を使った和牛の表示例**>

和牛（黒×褐）	黒毛和種と褐毛和種を交配させた牛の肉
和牛（和牛間交雑×黒）	4品種のいずれかを交配した牛と、黒毛和種を交配した牛の肉

<**和牛の品種と特徴**>

和牛の品種	特徴など
黒毛和種 （くろげわしゅ）	もともとは使役のために使われた牛ですが、和牛のうち9割が黒毛和種といわれるほど代表的なものとなりました。肉質がよく、松阪牛、神戸ビーフ、近江牛といった銘柄牛はこの品種を使っています。兵庫県の但馬牛も黒毛和種ですが銘柄牛ではありません。神戸ビーフや松阪牛などは、但馬牛が素牛となって育てられた銘柄牛です。
褐毛和種 （かつもうわしゅ）	体毛が褐色で、赤牛とも呼ばれています。熊本の牛に外国品種のデボンがかけ合わされ、さらに交配が進み、品種として固定されました。熊本、高知、静岡、宮城県などで生産されています。銘柄牛としては土佐牛や肥後牛がこれに当たります。
日本短角種 （にほんたんかくしゅ）	主に東北地方で育てられています。在来の牛にショートホーンを交配させて生まれました。認定されたのは昭和32年と最も新しい和牛です。十和田和牛、いわいずみ短角和牛があります。
無角和種 （むかくわしゅ）	その名のとおり、角がありません。在来種とスコットランドの品種であるアバディーン・アンガスを交配したものが山口県で育てられ、その後、改良されて昭和19年に品種として認定されました。全身が黒く、銘柄牛としては山口県の無角和牛があります。

（2）銘柄牛の意味

　日本には様々な銘柄牛があります。近江牛、松阪牛、米沢牛、神戸ビーフなどが知られています。

　銘柄牛には和牛の4品種を使うものが多くありますが、ホルスタイン種のよ

うな外国種と黒毛和種などをかけ合わせたものもあります。銘柄牛は必ずしも和牛ではありません。

　銘柄牛を扱う産地などでは、銘柄をつけるにあたって独自の定義を設けています。もっとも、銘柄牛の定義をすべての銘柄牛を扱う団体がはっきりと決めているかというと、そうでもありません。曖昧な定義が存在しているのも確かです。

8）豚の種類と銘柄

　日本で流通している豚の品種には、大ヨークシャー種、バークシャー種、ランドレース種、デュロック種、ハンプシャー種などがよく知られています。これらの豚を交雑させて生肉用の豚を生産し、市場に出荷されます。

品　　種	特　　徴
大ヨークシャー種	その名のとおり大型で、白い豚です。ベーコンなどの加工品に向いています。他の品種とかけ合わせる交雑用として主に使われています。ヨークシャー種はその大きさによって、大、中、小の3タイプがあります。以前は中ヨークシャー種が日本では広く使われていましたが、現在では激減しています。
バークシャー種	いわゆる黒豚です。全体が黒い毛で覆われていますが、鼻先、尻尾、4本の足首は白く、六白黒豚ともいわれています。成豚で200〜250kg程度と、他の豚に比べると小振りです。
ランドレース種	大ヨークシャー種とデンマークの在来品種をかけ合わせて生まれました。成長が早いのが特徴です。
デュロック種	アメリカ生まれの品種。体毛が赤味を帯びているのが特徴です。
ハンプシャー種	アメリカが原産の品種です。全体は黒毛ですが、前足から背中にかけて白毛で覆われているのが特徴です。他の品種とかけ合わせる交雑用として主に使われています。

(1) 銘柄豚

　鹿児島黒豚、神奈川県の高座豚など、日本には多くの銘柄豚があります。銘柄豚も虚偽の表示をすれば、不当表示となって罰せられます。
　例えば、鹿児島黒豚は鹿児島県が独自の定義を設け、商標として登録しています。
- 日本種豚登録協会が定めたバークシャー種（純粋種）であること。
- さつまいもを10～20％加えた餌を60日間以上与えること。
- 鹿児島県黒豚生産者協議会の会員が鹿児島県内で生産し、育てたもの。

(2) 黒豚の定義

　豚の中でも人気の高いのが黒豚です。黒豚の品種はバークシャー純粋種です。身体全体は黒い毛で覆われていますが、鼻先と尻尾、それに4本の足首は白いため、六白黒豚とも呼ばれています。
　かつて、食肉販売店などでは「黒豚」と表示された豚肉があちこちにみられました。しかし、バークシャー種とほかの品種をかけ合わせた豚も黒豚と表示するなど、消費者を混乱させていました。黒豚の定義が曖昧だったためです。
　そこで、農林水産省は黒豚表示の在り方について検討し、「食肉小売品質基準」（畜産局長通達）として黒豚を定義し、平成11年9月1日から適用しています。黒豚は次のように定義されました。

<黒豚の定義>

> 黒豚とは純粋バークシャー種同士の交配から生まれた豚をいい、この豚肉のみについて黒豚（肉）と表示できる。

　バークシャー純粋種以外の豚に「黒豚」の表示を行うと、不当表示になります。
　全国食肉公正取引協議会は、黒豚の「黒」という文字を表示の中に入れる場合、それが認められるケースと、消費者に混乱をきたすケースを、次表のように定めています。
　なお「和牛等特色ある食肉の表示に関するガイドライン」では「黒豚」の語句をシールや掲示などで強調、任意表示する場合はかごしま黒豚、鹿児島県産黒豚、米国産黒豚、黒豚（アメリカ産）などのように、必ず原産地を併記するよう求めています。

＜黒豚の表示＞

	「黒豚」の使用	「黒」の文字の使用	「バークシャー」の表示	その他	説明文での表現
認められる表示		・地名の場合の黒○豚（地名が「黒川」の場合）	・バークシャー50 ・豚肉（バークシャー種50） ・○○豚（バークシャー種50％） ・豚肉（バーク50） ・ハーフバークシャー	・豚（交雑種） ・豚肉（ハーフ50） ・豚50ハーフ ・三元豚	・バークシャーの血統が50％入っています ・半分はバークシャーが入っています ・バークシャー種を50％交配 ・50％以上バークシャー種を使用
認められない表示	・交雑種黒豚 ・ハーフ黒豚 ・混血豚 ・雑種黒豚 ・三元黒豚 ・クロス黒豚 ・F1黒豚 ・黒豚1/2 ・○○豚（黒豚50％） ・○○豚（黒豚血統割合50％） ・○○黒豚（黒豚血統割合50％）	・黒い豚 ・黒味豚 ・黒美味豚 ・黒鮮豚 ・黒毛豚 ・三元黒毛豚 ・豚（黒系） ・豚（黒ちゃん）	・豚（バークシャー） ・○○バークシャー ・○○バークエース （バークシャー純粋種と誤認されるため不可）		・黒豚の血を引く〜 ・黒豚のおいしさを引き継いだ〜 ・父親は黒豚 ・父親はバークシャー ・雄はバークシャーを使っています ・黒豚を交配した〜 ・バークシャーを交配した〜 ・黒豚（バークシャー）を使用 ・バークシャー種（黒豚）を使用 ・黒豚の血統が50％入って

認められない表示					・います ・黒豚（バークシャー種）を50％交配 ・「この商品は、黒豚とランドレースをかけ合せたものです」 ・「50％以上バークシャー種を使用、バークシャー種とは品質のよい黒豚のことです」

9）食鶏の種類と地鶏

　農林水産省は「食鶏の取引の改善合理化、流通の円滑化及び適正な価格形成を図ることを目的」として、食鶏取引規格および食鶏小売規格を定めています。

　表示については食鶏小売規格が関係します。食鶏小売規格によれば「小売店において食鶏を小売りする際には、この小売規格に定める種類及び部位を表示する」としています。

　部位名は具体的には「むね肉」「特製むね」「もも肉」「手羽もと」「手羽さき」などです。詳しくは食鶏小売規格を参照してください。

　「食品表示基準Q&A」では部位名の表示規定がないため、部位名を表示しなくても違反とはならないとしています。ただし、正しくない部位名をつけることは認められません。

（1）ブロイラーは品種ではない

　鶏にはブロイラー（broiler）、銘柄鶏、地鶏、在来種など様々な言葉があります。ブロイラーは品種ではありません。アメリカで決められている食鳥の規格の1つで、焼き肉用の若鶏のことを指しています。一方、日本ではブロイラーと呼ぶ鶏はふ化後3か月未満の食用の若鶏を指します。

　ブロイラーの品種は、外国種の白色ロック、白色コーニッシュ、ロードアイランドレッドなどがあります。これらをかけ合わせてブロイラー用の鶏を育て

ますが、主流は白色ロックと白色コーニッシュをかけ合わせたものです。国内で食べられている鶏は圧倒的にブロイラーです。

問題なのは在来種、銘柄鶏、地鶏の関係です。

（2）地鶏と銘柄鶏の関係

　銘柄鶏の「比内鶏は美味しい」という声を聞きます。しかし、比内鶏は国の天然記念物に指定されており、一般の市場には流通していません。では、美味しいといって食べている比内鶏とは何でしょうか。私たちが一般に食べている比内鶏とは、比内鶏とロードアイランドレッドをかけ合わせた秋田比内地鶏と呼ばれる一代雑種です。比内鶏、ロードアイランドレッドはともに在来種と呼ばれています。

　そもそも、在来種や地鶏とは何でしょうか。さらに銘柄鶏もあります。これらの定義は専門家や業界団体によって異なっていました。

　しかし、平成11年7月に地鶏肉の特定JAS規格ができたことで、在来種と地鶏は一応、定義づけされました。業界団体の一般社団法人日本食鳥協会は地鶏と銘柄鶏の自主的なガイドラインを定めていましたが、現在は特定JAS規格の地鶏肉の定義を踏襲しています。

　地鶏肉の特定JAS規格はあくまで任意の表示であり、すべての食鶏に強制力があるわけではありません。しかし「食品表示基準Q＆A」によれば、「地鶏」を名称や原材料名などへ表示する場合は、地鶏肉の特定JAS規格に適合した鶏肉などを使用することが望ましいとしています。

（3）特定JAS規格の地鶏肉

　特定JAS規格で定めた地鶏肉はかなり厳密になっています。地鶏とは、在来種の血統が50％以上入って、ふ化から75日間以上飼育するなどの条件が定められています。在来種は「明治時代までに国内で成立し、又は導入され定着した」鶏の品種としています。比内鶏、名古屋種といわれるものがその代表ですが、38の品種を在来種と指定しています。これらの条件を満たし、なおかつ認証されれば特定JAS規格の地鶏肉として表示することができます。

<特定JAS規格の地鶏肉の条件>

- 素びなは、在来種由来血液百分率が50％以上のものであって、出生の証明ができるものを使用していること。
- ふ化日から75日以上飼育していること。
- 28日齢以上平飼いで飼育していること。
- 28日齢以降1㎡当たり10羽以下で飼育していること。

＜在来種＞

会津地鶏、伊勢地鶏、岩手地鶏、インギー鶏、烏骨鶏（うこっけい）、鶉矮鶏（うずらちゃぼ）、ウタイチャーン、エーコク、横斑（おうはん）プリマスロック、沖縄髯地鶏（おきなわひげじどり）、尾長鶏（おながどり）、河内奴鶏（かわちやっこ）、雁鶏（がんどり）、岐阜地鶏、熊本種、久連子鶏（くれこどり）、黒柏鶏（くろかしわ）、コーチン、声良鶏（こえよし）、薩摩鶏、佐渡髯地鶏（さどひげじどり）、地頭鶏（じとっこ）、芝鶏（しばっとり）、軍鶏（しゃも）、小国鶏（しょうこく）、矮鶏（ちゃぼ）、東天紅鶏（とうてんこう）、蜀鶏（とうまる）、土佐九斤（とさくきん）、土佐地鶏、対馬地鶏、名古屋種、比内鶏（ひないどり）、三河種、蓑曳矮鶏（みのひきちゃぼ）、蓑曳鶏（みのひき）、宮地鶏（みやじどり）、ロードアイランドレッド

＜用語の意味＞

- 素びな…在来種由来血液百分率が50％以上のものであって、出生の証明（在来種からの系譜、在来種由来血液百分率及びふ化日の証明をいう）ができるものを使用していること。
- 在来種由来血液百分率…在来種を100％、在来種でない品種を0％とし、交配した品種にあっては両親のそれぞれの在来種由来血液百分率の2分の1の値を合計した値をいう。
- 平飼い…鶏舎内又は屋外において、鶏が床面又は地面を自由に運動できるようにして飼育する飼育方法をいう。
- 放し飼い…平飼いのうち、日中屋外において飼育する飼育方法をいう。

特定JAS規格の認証を受けた地鶏肉には、特定JASマークのほかに、名称、組み合わせた在来種、飼育方法、飼育期間などの表示が義務づけられます。

名称は、地鶏肉、地鶏とします。もともと地鶏が入っている名称ならば、例えば「比内地鶏」でもかまいません。

鶏の組合せは、父鶏、母鶏が由来する在来種の一般的な名称を記載します。飼育方法は平飼いで、28日齢以降に放飼いしたものは「放飼い」と表示できます。飼育期間は、例えば75日、75日以上、あるいは75日〜90日などと表示します。

特定JAS規格の認証を受けた地鶏肉は、「阿波尾鶏（あわおどり）」（徳島県）、「奥美濃古地鶏（おくみのこじどり）」（岐阜県）、「紀州鶏」（和歌山県）、「播州地どり」（兵庫県）、「はかた地どり」（福岡県）などがあります。

<特定JAS規格の地鶏肉の表示項目>

- 名称
- 組合せ
- 飼育期間
- 飼育方法
- 内容量
- 消費期限または賞味期限
- 保存方法
- 生産者の氏名または名称および住所

5. 水産物の表示の仕方

　日本の生鮮魚介類の市場は、近年、様変わりしています。国内で生産される魚介類は減っていますが、海外からいろいろな魚介類が輸入されています。その結果、市場に出回る魚介類の種類は以前よりも増えました。
　天然物に代わって養殖ものの増加も目立ちます。はまち、ひらめ、たい、ふぐなど多くの魚が養殖され、出荷されています。
　えび、かつお、まぐろ、さけ、ますなど、海外から輸入される魚介類も数多くあります。近海もの、輸入、養殖、冷凍品など、魚介類を取り巻く環境は複雑に変化しています。こうした市場の変化に対応するため、平成12年7月以降、農産物、畜産物と同じように、すべての魚介類について、原産地の表示が義務づけられました。

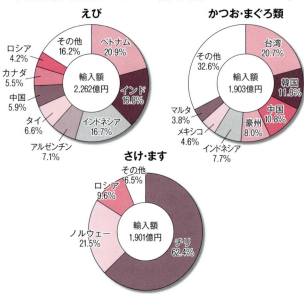

（出典：農林水産物輸出入概況　2014年）

1) 表示の対象となる水産物

　生鮮食品における水産物とは、生鮮魚介類のことです。このなかには鯨、いるかなどのほ乳動物類も含まれています。冷凍した魚介類も、その対象としています。

　生鮮魚介類といっても、魚を一尾まるごと販売することもあれば、内臓を取り除き、切り身、さらには刺身といった形で販売されることもあります。

　食品表示基準では、生鮮魚介類に次のような作業を行っても生鮮食品扱いとしています。

<生鮮食品扱いになる水産物の作業内容>

- 「ラウンド、セミドレス、ドレス、フィレー、切り身、刺身（盛り合わせたものを除く）、むき身、単に冷凍及び解凍したもの並びに生きたものを含む」
- ラウンドとは、丸ごと1尾売る際のような、魚体そのもののことです。
- セミドレスは、魚体からえら、内臓を除いたものです。
- ドレスは、魚体から頭、内臓を取り除いたものです。
- フィレーは、魚体から頭、内臓、はらす、中骨およびヒレを除いたものです（ただし、細切したものを除く）。

2) 生鮮魚介類の名称と原産地の表示

　生鮮魚介類も他の生鮮食品と同じように、その名称と原産地を表示しなくてはいけません。

（1）生鮮魚介類の名称

　生鮮魚介類の名称は、原則として標準和名（種名）を使用します。標準和名とは、日本魚類学会、日本貝類学会、日本甲殻類学会が分類する日本全国の標準となる和名のことです。

　では、標準和名がない魚介類は、どうするのでしょうか。海外から輸入された魚介類には標準和名のないものが多くあります。この場合は、広く一般に使用されている和名、原産国での名称、市場などで使われる取引名、学名など、その時々に応じて名称を記載できます。しかし、それも消費者にはわかりにくい状況を生んでいます。

　そこで、農林水産省は平成15年3月より「魚介類の名称のガイドライン」の運用を始めました。現在は、食品表示基準Q＆Aの別添「魚介類の名称の

ガイドライン」に規定されています。その内容については、本項の「5）魚介類の名称のガイドライン」を参照してください。

①名称の一般的なルール

　魚介類の名称は、品目ではなく標準和名で表示することが必要です。例えば、いかなら、やりいか、けんさきいか、あかいか、するめいか等、あじは、まあじ、むろあじ、しまあじ等、まぐろは、くろまぐろ、みなみまぐろ、めばち等の標準和名で表示します。

<魚介類の品目と標準和名>

品目	標準和名	品目	標準和名	品目	標準和名
いか	やりいか けんさきいか あかいか するめいか あおりいか こういか ほたるいか 等	あじ	まあじ むろあじ しまあじ ぎんがめあじ 等	かれい	まこがれい いしがれい おひょう からすがれい まがれい くろがれい 等
		いわし	まいわし かたくちいわし うるめいわし	さけます	べにざけ さけ ぎんざけ ますのすけ にじます からふとます いわな 等
えび	いせえび ぼたんえび くるまえび しばえび さくらえび 等	ぶり	かんぱち ひらまさ ぶり 等		
		たい	まだい くろだい きだい ちだい いしだい 等		
まぐろ	くろまぐろ みなみまぐろ びんなが めばち きはだ 等			かに	たらばがに べにずわいがに けがに がざみ 等
		たら	すけとうだら まだら 等	さば	まさば ごまさば
かじき	まかじき めかじき しろかじき 等	貝類	まがき ホタテ貝 さざえ くろあわび あかがい はまぐり	[輸入 水産物]	からふとししゃも アメリカナマズ アカダラ ホキ アラスカメヌケ ナイルアカメ
ひらめ	ひらめ				
たこ	いいだこ まだこ みずだこ				

	等		いがい 等		シルバー 等
鯨	みんくくじら つちくじら ばんどういるか 等				

　その他に、あなご、キングサーモン、あんこう、すけそうだら、ひらあじ、いとより、シマホッケ、甘えび、ムール貝、わたりがに等は広く一般に使用されている和名になります。

②地方名、成長魚、季節名などの取り扱い

　生鮮魚介類の名称は地域によって独特の言い方があるものや、標準和名のない外来種もあります。これらの名称についても食品表示基準 Q&A の別添「魚介類の名称のガイドライン」に規定されています。このガイドラインに従って表示すれば問題ありません。詳細は「5）魚介類の名称のガイドライン」を参照してください。

（2）原産地の表示

　原産地の表示は野菜や畜産物と違って、水産物はかなり面倒です。なぜなら、魚は1か所の水域にいるだけでなく、さんま、かつおなどのように回遊する魚もいるからです。また、国産品か輸入品かの区別も厄介です。漁船の国籍が日本ならば、たとえアフリカ沖でとったとしても、その魚は国産と表示できるからです。

①国産品の産地表示
●生産した水域名を表示する

　国産品の水産物は、魚介類をとった水域名を表示します。これが基本的なルールです。狭い水域にいる魚なら、その水域名は特定できます。例えば、相模湾でとれたまあじならば、次のようになります。

まあじ　相模湾

　一方、魚は1か所にとどまっているものばかりではありません。かつお、さんまのように回遊する魚もいます。広範囲に回遊するような魚は、北海道沖、千葉・茨城沖、豊後水道周辺、あるいは、太平洋、インド洋、南太平洋などの

水域名を表示します。

```
いわし　鹿児島県沖
```

● **水域名の特定が難しい場合**
　魚によっては、水域名を特定するのが難しいケースもあります。その場合は、魚を水揚げした港の名前、又は水揚げ港のある都道府県名をつけてもかまいません。しかし、この表示では、どこでとれた魚なのか消費者にはわかりません。できるだけ、水域名は書くべきでしょう。

```
さんま　銚子
```

```
かつお　千葉
```

● **水域名と水揚げ港などを併記する**
　以上のルールにかかわらず、水域名に、水揚げした港の名前、または水揚げした港が属する都道府県名を併記することもできます。三陸沖で獲れたさんまを、千葉県の銚子港で水揚げした場合は、次のように表示できます。

```
さんま　三陸沖（銚子）
```

```
さんま　三陸沖（千葉）
```

　消費者にとっては、水域名と水揚げ港の名前が記載されているのが、最もわかりやすい表示といえます。なお、「近海」「遠洋」という言葉は水域名として使えません。

● **養殖ものは養殖した場所**
　養殖の場合は、養殖場のある都道府県名を表示し、あわせて「養殖」と表示しなくてはいけません。

```
はまち　愛媛産　養殖
```

　水域名や都道府県名を表示するのが水産物の原産地の原則ですが、自治体に

よっては商標や安全証紙などを貼るケースがあります。これらのシールに都道府県名が表示してあれば、原産地表示の代わりとして使うことができます。

②輸入品の表示

輸入品については原産国名を表示します。原産国名に水域名を併記することもできます。

```
ブラックタイガー　オーストラリア産
```

●公海上で魚をとった場合

では、原産国とは何でしょうか。水産物の場合、世界税関機構（WCO）の協定があります。それによれば、魚介類をとった水域の属する国が原産国、または魚介類をとった漁船が属する国（船籍）が原産国となります。

例えば韓国船籍が太平洋で漁獲しためばちまぐろを、静岡県の清水港に水揚げすると、原産国は韓国となります。しかし、同じ水域で、日本船籍が漁獲しためばちまぐろを、清水港に水揚げすると国産となります。つまり漁船が属する国によって、国産か輸入品かの違いが生じるわけです。

```
＜韓国船籍がとった場合＞
めばちまぐろ　韓国産
＜日本船籍がとった場合＞
めばちまぐろ　太平洋
```

漁獲した後に、原産国から別の国へ送って、魚介類を選別・仕分けしたり、包装したり、切断したり、あるいは輸送や保存のために乾燥、冷凍、塩漬けなどの作業を行うケースがあります。仮に、その国を経由して、輸入した場合であっても、漁獲した国が原産国です。例えば、韓国から輸出されたあさりを、日本国内で出荷調整や砂抜きのために、一時的に蓄養しても、原産国は韓国です。

③生産した水域名のルール

国産の生鮮魚介類は、生産した水域を表示するのが原則です。水揚げした港の名前や、水揚げした港が属する都道府県名を表示できるのは、水域名の特定が難しい場合に限られています。

では、生産した水域とはどのように規定しているのか、その点がはっきりし

ていませんでした。そこで農林水産省の水産物表示検討会は「生鮮魚介類の生産水域名の表示のガイドライン」を、平成15年6月に公表しました。その内容については、「（6）生産水域の範囲を定めるガイドライン」を参照してください。

④東日本太平洋側の水域名の表示方法について

　水産庁は東日本太平洋側で漁獲された生鮮水産物について、水域名を明確に表示することを奨励し、通知しています。具体的には「東日本太平洋における生産水域名の表示方法について」（平成23年10月5日付け水産庁加工流通課長名文書）にならって表示することが基本となります。

　この文書では、東日本太平洋側の水域を北海道・青森沖から房総沖まで6水域に分け、さらに本土から沖合200海里以遠を日本太平洋沖合北部として、合計7つの水域に分けています。

　表示の方法は生鮮水産物が回遊性魚種なのか、沿岸性魚種なのかによって異なります。

　回遊性魚種は7つの水域のどこで漁獲されたかで表示します。例えば三陸北部沖ならば「三陸北部沖」とします。

　沿岸性魚種は県名に「沖」の文字をつけて「○○県沖」と表示します。○○にはその水域の操業に関する権限をもつ県知事の県名がつきます。いずれの県の沖合なのか、はっきりしない場合は回遊性魚種と同じ水域名の表示方法で行います。

<回遊性魚種の東日本太平洋側における水域名>

北海道・青森県沖太平洋、三陸北部沖、三陸南部沖、福島県沖、日立・鹿島沖、房総沖、日本太平洋沖合北部

なお、回遊性魚種は以下の魚です。これら以外の魚は沿岸性魚種になります。

<回遊性魚種>

ネズミザメ、ヨシキリザメ、アオザメ、いわし類、サケ・マス類、サンマ、ブリ、マアジ、カジキ類、サバ類、カツオ、マグロ類、スルメイカ、ヤリイカ、アカイカ

<生産した水域名の表示ルール>

	水域名が特定できる場合	水域の特定が難しい場合		養殖の場合	船の国籍
国産	魚をとった水域名 例：釧路沖 例：南太平洋	魚の水揚げ港名 例：石巻	水揚げ港のある都道府県名 例：宮城	都道府県名（水域名も併記できる） 例：広島	日本船籍なら国産
	水域名のほか、水揚げ港または、その港が属する都道府県名を併記できる。 例：釧路沖(気仙沼) 例：釧路沖(宮城)				
外国産	原産国名（原産国名と水域名の併記もできる） 例：アメリカ、台湾 例：台湾（南太平洋）				外国船籍なら船の属する国

3）個別の表示ルールがある生鮮魚介類

　食品表示基準では生鮮魚介類の名称と原産地の表示が義務づけられています。これら以外にも個別の表示ルールをもつ生鮮魚介類があります。これらの生鮮魚介類を容器包装に入れて販売する場合は名称、原産地のほかに、期限表示、保存方法などの表示も併せて行う必要があります。

（1）養殖、解凍の表示

　養殖の生鮮魚介類は日本の食卓に普通に登場しています。はまち、たい、ひらめ、ふぐ、えび、などその種類も多様です。これらの養殖ものは「養殖」と表示しなくてはいけません。
　冷凍された生鮮魚介類を解凍したものは「解凍」と表示する必要があります。
　例えば、容器包装に入れた刺身用のめばちまぐろ（解凍品）は、次のような表示をします。
（養殖の定義）
　　幼魚等を重量の増加または品質の向上を図ることを目的として、出荷するまでの間、給餌することにより育成すること。

```
┌─────────────────────────────────────────────────┐
│          めばちまぐろ（刺身用）三陸産              │
│                                      （解凍）    │
│          消費期限　19.10.22　保存温度 10℃以下    │
│                         加工年月日　19.10.21     │
│       100g当たり　358 円            615 円       │
│          （単価）         （値段）               │
│          内容量 172g                             │
│            （g）                                 │
│     全国スーパーマーケットストア　加工元・㈱全国スーパーマーケット水産 │
│                              東京都千代田区神田０－０－０ │
└─────────────────────────────────────────────────┘
```

（2）切り身、刺身などの表示

　切り身またはむき身にした魚介類（生かきおよびふぐを除く）で、生食用のもの（凍結させたものを除く）は、アレルゲン、保存の方法、消費期限または賞味期限、添加物、加工所の所在地および加工者の氏名または名称、さらに「生食用」「刺身用」などの生食用である旨を表示します。まぐろなど、同一種類の生鮮魚介類の刺身の盛り合わせなどはこうした表示を行います。

　切り身またはむき身にした魚介類（生かきを除く）を凍結させたものは、前述した生食用と同様の表示のほかに、冷凍食品である旨を表示します。

　ふぐの内臓を除去し、皮をはいだものならびに切り身にしたふぐ、ふぐの精巣およびふぐの皮であって、生食用でないものは、処理年月日、処理事業者の氏名または名称および住所、原料ふぐの種類、漁獲水域名を表示します。ふぐの種類は標準和名を記載します。

　切り身にしたふぐ、ふぐの精巣およびふぐの皮であって、生食用のものは、アレルゲン、保存の方法、消費期限または賞味期限、添加物、加工所の所在地および加工者の氏名または名称、加工年月日、原料ふぐの種類、漁獲水域名、凍結させたものは生食用であるかないかの別、凍結させていないものは生食用の旨を表示します。

（3）生かきの表示

　生かきは、アレルゲン、保存の方法、消費期限または賞味期限、添加物、加工所の所在地および加工者の氏名または名称、生食用であるかないかの別、生食用のかきは採取された水域を表示します。

　生食用以外のかきについては、「加熱調理用」「加熱加工用」「加熱用」など、

加熱しなければならないことを明確に表示する必要があります。

```
名　　称    生かき（生食用）
消費期限    2019. 10. 7
採取海域    宮城県海域
保存方法    10℃以下で保存してください
内 容 量    100g
加 工 者    （株）全国スーパーマーケット水産
所 在 地    東京都千代田区神田０―０―０
```

4）水産物の生鮮食品か加工食品かの見極め

　食品表示基準はすべての生鮮魚介類、冷凍魚介類を対象としています。しかし、生鮮魚介類であっても加工食品扱いになるものがあります。例えば、異なる種類の刺身の盛り合わせは加工食品扱いとなります。以下、生鮮食品扱いと加工食品扱いの違いを説明していきます。

(1) 同じ種類の刺身

　同じ種類の刺身は、店内で処理したものであれ、仕入れて販売するものであれ、魚の名称と原産地を表示します。するめいかの刺身、めばちまぐろの刺身など、単一の種類の刺身であれば、魚の名称と原産地の表示をします。魚をサクで売る場合も同じです。

```
　　　　　　生めばちまぐろ・中とろ　 三陸沖
消費期限    2019. 10. 1
保存温度    10℃以下
製 造 者    （株）全国スーパーマーケット水産
　　　　　　東京都千代田区神田０―０―０
```

　同じまぐろでも、めばちまぐろ、きはだまぐろを盛り合わせた刺身もあります。まぐろという同じ種類の魚の刺身ですから生鮮食品です。それぞれの名称と原産地を、重量の多いほうから順に表示します。まぐろの異なる部位、たとえば赤身やトロを盛り合わせたまぐろの刺身も単一の種類の魚ですから、原産地の表示を行います。

なお、まぐろなど単品の刺身につけるツマ、大葉などの名称、原産地の表示は不要です。主たる商品はまぐろであり、その名称と原産地の表示があればいいからです。

（2）店内処理か、処理したものを仕入れるかで表示が異なる

　まぐろやたいなど、異なる種類の魚介類を盛り合わせた刺身、魚介類の入った鍋物セットは、食品表示基準では加工食品扱いになります。ただし、店内で作ったものか、仕入れて販売するのかで、表示は異なります。

①店内で作って容器包装に入れて販売する

　店内で異なる種類の刺身の盛り合わせを作り、容器包装に入れて消費者に直接、販売する場合は加工食品です。

　しかし、加工食品であっても、店内で作って直接消費者に販売した場合は、表示する必要はありません。したがって、魚の名称、原産地の表示は不要となります。

```
名　　称　盛り合わせ２盛（刺身）
消費期限　19.10.1
保存温度　10℃以下
製造者　（株）全国スーパーマーケット水産
　　　　東京都千代田区神田０―０―０
```

②他の場所で作ったものを仕入れて店内で販売する

　他の場所で作った容器に入れた刺身の盛り合わせを仕入れて、店舗で販売する場合は、加工食品となります。この場合は、名称、原材料名、添加物、消費期限、保存方法、製造業者の氏名、住所などを表示します。

　なお、加工食品は内容量の表示が必要ですが、刺身は外見からその量が判断できるため、省略することができます。

```
名　　称　刺身の盛り合わせ
原材料名　めばちまぐろ、まだい、はまち、ゆでダコ（たこ、食塩）／酸化防止
　　　　　剤（エリソルビン酸Na、ビタミンC）
消費期限　19.10.1
保存方法　10℃以下
製造者　（株）全国スーパーマーケット水産
```

東京都千代田区神田０―０―０

（3）客の求めに応じて対面販売する

店舗内で客の求めに応じて刺身を作り、対面販売する場合は、食品表示法の対象外となり、何も表示せずに販売することができます。対面販売では、消費者から求められればすぐに商品の情報を伝えることができるため、表示は省略できるという考え方があるからです。

（4）その他のケース

生鮮魚介類を販売している現場では、様々な魚介類が入ってきます。中には生鮮食品なのか、加工食品なのか、判断しにくいケースもあります。食品表示基準Q＆Aでは、次のように、それぞれ判断しています。

● **生鮮食品と判断するもの**
- 身を取り出し、開き、内臓を除いた上で、冷凍した赤貝のむき身
- 赤身とトロを盛り合わせたもの　→　食品表示基準別表第２の３の「盛り合わせ」に該当しないため生鮮食品になります。
- １種類の魚のカマや身アラの詰め合わせ　→　複数の部位の組み合わせであっても、同じ種類の魚を詰め合わせたものは生鮮食品になります。

● **加工食品と判断するもの**
- 尾部及び殻だけを短時間で加熱（ブランチング）し、赤色に変化させた大正えび　→　短時間でも加熱すると加工食品です。
- ブランチングし、殻を開けて身を取り出したあさり　→　身を取り出すためであっても、加熱すれば加工食品です。
- 鍋セット　→　魚、食肉、野菜などを組み合わせた食品は加工食品です。
- 蒸しダコ　→　蒸すと、加工食品になります。
- 塩蔵わかめを塩抜きしたもの　→　塩蔵したわかめ、乾燥わかめは加工食品であり、塩抜きしても加工食品です。

（5）水産物加工食品の原産地表示の取り扱い

刺身盛り合わせは加工食品です。したがって、原産地表示は不要です。しかし、水産物表示検討会は自主指針を設けて、刺身盛り合わせの原産地表示を推奨しています。

①刺身の盛り合わせの原産地をボードで掲示する

　自主指針の対象は容器包装に入れた刺身の盛り合わせです。方法は刺身の盛り合わせに使われている魚介類の原産地などをボードやパネルを使って、売り場に掲示します。例えば原材料が次の８種（みなみまぐろ（豪州産、養殖、解凍）、めばちまぐろ（インド洋産、焼津港、解凍）、かんぱち（鹿児島県沖産）、まだい（三重県沖産）、ぶり（宮崎県産、養殖）、ひらめ（大分県産、養殖）、あおりいか（タイ産、解凍）、甘えび（デンマーク産、解凍））の刺身の盛り合わせの場合は、次のような掲示の仕方があります。

<刺身盛り合わせの原産地表示例>

```
今日の刺身盛り合わせは次の原材料を使用しています。
　　　　みなみまぐろ：豪州、養殖、解凍
　　　　めばちまぐろ：国産、解凍
　　　　かんぱち：国産
　　　　ま　だ　い：国産
　　　　ぶ　　　り：国産、養殖
　　　　ひ　ら　め：国産、養殖
　　　　あおりいか：タイ、解凍
　　　　甘　え　び：デンマーク、解凍
　※上記以外の原材料が入荷する場合がありますの
　　で、詳しくは売り場係員までお尋ね下さい。
```

<国産物と輸入物に分けて表示するボード>

```
今日の刺身盛り合わせは次の原材料を使用しています。
　国産物：めばちまぐろ（解凍）、かんぱち、まだい、
　　　　　ぶり（養殖）、ひらめ（養殖）
　輸入物：みなみまぐろ（豪州、養殖、解凍）、甘えび
　　　　　（デンマーク、解凍）、あおりいか（タイ、解凍）
　※上記以外の原材料が入荷する場合がありますの
　　で、詳しくは売り場係員までお尋ね下さい。
```

<任意で生産水域（地域）名を表示するボード>

今日の刺身盛り合わせは次の原材料を使用しています。

品　名	原　産　地	養殖	解凍
みなみまぐろ	豪州	○	○
めばちまぐろ	インド洋（焼津港）		○
かんぱち	鹿児島県沖		
まだい	三重県沖		
ぶり	宮崎県	○	
ひらめ	大分県	○	
あおりいか	タイ		○
甘えび	デンマーク		○

※上記以外の原材料が入荷する場合がありますので、詳しくは売り場係員までお尋ね下さい。

②原料原産地の表示が義務づけられている水産物加工食品

　生鮮食品には原産地の表示が義務づけられていますが、加工食品でも原材料の原産地を表示しなければいけないものがあります。例えば、かつお削りぶし、うなぎ加工品、塩さんま、あじの開きなどです。

　詳しくは「第9章　原料原産地表示」を参照してください。

5）魚介類の名称のガイドライン

　前述したように魚介類の名称は標準和名を使うのがルールです。しかし、実際には、地域や季節によって魚の呼び方が違うこともあります。外来種の中には、市場で名前がつけられ、それが通称名として使われる状況もあります。

　これらについては食品表示基準Q＆Aの別添「魚介類の名称のガイドライン」に規定されています。ガイドラインですから法的拘束力はありません。しかし小売店ではできるだけ、このガイドラインに沿った名称を心がけるべきでしょう。

　ここでは、「魚介類の名称のガイドライン」の生鮮魚介類に関して、説明します。

（1）魚介類の名称の一般ルール

　魚介類の名称のガイドラインでは、魚介類の名称は原則として「魚介類の種

毎の名称の表示」「複数の魚介類の総称の表示」「標準和名がない種の名称の表示」の３つのルールを提示しています。

①魚介類の種毎の名称の表示
　名称は基本的に標準和名を表示しますが、一般的に使われる和名がある場合はそれを表示してもよいとされています。例えば、標準和名は「キアンコウ」ですが、一般的には「アンコウ」のほうが使われています。標準和名「ホッコクアカエビ」は一般的にはアマエビ、ナンバンエビで通っています。従って、これらを表示してもいいということです。

②複数の魚介類の総称の表示
　同じ種であっても、品質の差が判然としなかったり、種名の表示が難しかったりする魚介類があります。こうした魚介類はその内容を的確に表し、一般に理解される名称を表示します。例えば、ハマグリ、チョウセンハマグリ、シナハマグリは標準和名ですが、これらはすべてハマグリと表示してもかまいません。

③標準和名がない種の名称の表示
　標準和名がない種については、広く一般的に使用されている和名、原産国での名称、通常の取引名などをもとに、最も的確に表している、一般に理解されている名称を表示します。例えば学名「サーディン」はイワシのことですから、イワシと表示します。

（2）出世魚や季節名、地方名の取り扱い
　魚介類には、出世魚、季節名、地方名、ブランド名などもあります。これらは次のように取り扱います。

①成長名の取り扱い
　魚の中には成長するに従って、名前が変わるものがあります。いわゆる出世魚です。例えば、ぶりは、成長するに従って「ワカシ→イナダ→ワラサ→ブリ」となります。これは東京での呼び方であり、大阪では「ツバス→ハマチ→メジロ→ブリ」です。
　また、さけは母川に回帰する前の未成熟なものはケイジと呼ばれています。これらの名称を使うことができます。

②季節名の取り扱い

　季節によってその名称が変わる魚もいます。さけは秋から冬にかけて、産卵のために海から川に戻ってきます。この頃のさけは脂がのって美味しいことで知られています。秋頃に産卵のために沿岸に回遊してくるものをアキアジと呼びます。春から初夏にかけて沿岸に回遊してきたものはトキシラズといいます。これらの名称は使ってもかまいません。

③地方名の取り扱い

　地方によって独特の名称をもつ魚もあります。イボダイのことは、兵庫や広島などの瀬戸内海ではクラゲウオ、東京や静岡ではエボダイ、関西ではウボゼとも呼びます。カンパチは、西日本ではアカハナ、アカバナともいいます。他の魚介類にも多くの地方名があります。

　地方名が理解できる地域ではこれを記載することができます。地方名のある魚を他の地域で販売する場合は、地方名とともに一般的な和名を併記してください。

<地方名のある水産物の例>

標準和名	地方名（対象地域）
キダイ	ハナダイ（神奈川）
チダイ	ハナダイ（小名浜、小湊）
スルメイカ	マイカ（三陸、北海道）
コウイカ	マイカ（瀬戸内海）
マアナゴ	ハモ（北海道、東北、山陰）
クロダイ	チヌ（西日本）
イボダイ	シズ・ボウゼ（関西）

④ブランド名

　魚にもブランドがあります。さばでは大分県の豊後水道でとれる関さばが有名です。豊後水道の早い流れで身が締まって、なおかつ丸々太ったまさばを、佐賀関の市場では関さばと名をつけて、出荷しています。

　越前がには福井県でとれるズワイガニの愛称です。明石ダコは兵庫県明石市と淡路島の近辺でとれるマダコです。

　ブランド名は食品表示基準における魚介類の一般名称としては使えません。しかし、任意のブランド名として使用することは認めています。

<ブランド名のある水産物の例>

ブランド名	魚介類の名称（標準和名）
関さば	マサバ
越前がに	ズワイガニ
明石ダコ	マダコ

⑤ハイブリッド名

　最近は、バイオテクノロジーなどの技術が進み、魚の世界でも異なる種や異なる属の間の魚同士をかけ合わせた交雑種を、人為的に作ることが可能になりました。

　例えば、ブリヒラがあります。近畿大学が開発したもので、ブリとヒラマサをかけ合わせて作った交雑種（ハイブリッド種）です。

　こうした交雑種は、必ず、販売名称の後に「交雑種である」などと併記します。

（3）海外漁場魚介類や外来種の呼び方

　最もルール化を求められていたのは、海外漁場でとれた一部の魚や外来種の名称です。市場でよく見かける「ギンムツ」はいかにもありそうな名称ですが、ギンムツと呼ばれる名前の魚はいません。店頭などでギンムツと表示されている魚はメロです。メロは原産国のチリの名称ですが、むつとは種類が異なる魚です。味がむつに似ていることから、このような呼び名がついたといわれています。

　シシャモは日本でしかとれない固有の魚です。ところが一般的にシシャモと称して売られる魚の多くは、カラフトシシャモと呼ばれる魚種で、主にノルウェーから輸入されています。

　チリアワビという名前で売られている貝もあります。これはロコガイのことで、南米のチリやペルーでとれるアクキガイ科の巻き貝です。和名はアワビモドキです。

　大事なことは消費者に高級魚などと間違うような、優良誤認を生じさせない配慮が必要ということです。ガイドラインでは、「海外漁場魚介類及び外来種の名称例」をリスト化しています。和名があればそれを使うか、和名に代わる一般的名称を使います。

　次のリストは、海外漁場の魚介類、外来種のうち「使用しないこととする名称」があげられているものをピックアップしました。

<魚類>

標準和名（種名）	和名に代わる一般的名称	使用しないこととする名称
カラフトシシャモ		シシャモ
マジェランアイナメ	メロ（取引名） オオクチ	ギンムツ ムツ
ライギョダマシ	メロ（取引名）	ギンムツ ムツ
キングクリップ		アマダイ
アメリカナマズ	チャネルキャットフィッシュ（英名）	シミズダイ カワフグ
ナイルアカメ	ナイルパーチ（英名）	スズキ、シロスズキ
スギ		クロカンパチ、トロカンパチ
シルバー	シルバーワレフー（英名）、ギンヒラス、ギンワレフー	オキブリ
シロヒラス	ホワイトワレフー（英名）	オキブリ、ギンヒラス
オキヒラス	ブルーワレフー（英名）、ワレフー	オキブリ、ギンヒラス

注　空欄は名称がないことを意味します。

<貝類>

標準和名（種名）	和名に代わる一般的名称	使用しないこととする名称
アワビモドキ	ロコガイ（原産国チリでの名称）	チリアワビ
チョウセンボラ	ツブ、バイ	サザエ
アカニシ		サザエ
	アメリカイタヤガイ、ベイ・スキャロップ（英名）	ホタテガイ
	ムラサキイタヤガイ、パープリッシュ・スキャロップ（英名）	ホタテガイ
	マゼランツキヒガイ、ディープ・シー・スキャロップ（英名）	ホタテガイ
	アメリカウバガイ	ウバガイ

	アトランティック・サーフクラム（英名） カナダホッキガイ	ホッキガイ
ナガウバガイ	カナダホッキガイ	ウバガイ ホッキガイ
	ホンビノスガイ	ハマグリ

注　空欄は名称がないことを意味します。

（4）水産物加工食品の名称

　魚介類の名称のガイドラインにおいては生鮮魚介類だけでなく、水産物加工食品の名称にも言及しています。ここではそのポイントだけ解説します。

①水産物加工食品の原材料名（一般ルール）

　水産物加工品の原材料としての水産物は、一般的に知られている名称を付けることとなっています。また、干物など、加工度が低い魚介類は魚介類の名称のルールに準じて原材料名を表示するとしています。

水産物加工食品の名称	原材料名
かれい干物	むしがれい
さけ粕漬け	べにざけ、酒粕、みりん、…
塩蔵さけ	しろさけ、食塩

②水産物加工食品のブランド名

　水産物加工食品にもブランド名はありますが、食品表示基準においてはブランド名の表示は認められていません。しかし、任意の表示としてブランド名を使うことは問題はありません。その場合でも、不当表示や食品表示基準の禁止事項に触れるような用語を使用することはできません。

水産物加工食品のブランド名	水産加工物食品の名称	原材料名
静岡産鰻蒲焼き	鰻蒲焼き	うなぎ
関あじ一夜干し	あじ一夜干し	まあじ

6）生産水域の範囲を定めるガイドライン

　国産の生鮮魚介類は、生産した水域名を原産地とすることが基本です。水域名を特定するのが難しい場合は、水揚げ港、あるいは水揚げ港のある都道府県名を記載することになっています。しかし、これはあくまで例外規定にすぎません。

　原則は水域名の記載です。しかし、どのように水域名を定めるのか明確な規定はありませんでした。

　このため、水揚げ港のある都道府県名を表示するケースが大半でした。同じ水域で漁獲されても、水揚げ港によって、都道府県名の表示が異なることがありました。都道府県名で表示すると、それは水揚げした港のある場所なのか、それともその漁獲を行った沖合である水域を示すのか、消費者には判断がつきません。

　水産庁は「生鮮魚介類の生産水域名の表示のガイドライン」を公表し、生産水域名の表示の推進、指導を行っています。

（1）生産水域名の記載方法

　生産水域名は、漁業の実態に合わせて、実際の水域名を表示します。また、消費者に理解しやすい水域名で記載することとしました。

①日本の周辺の水域名

　日本の周辺でとれたものは、次の3つの方法で表示します。

●一般に知られている地名と沖（近海、地先、沿岸など）の水域名を併記する方法

> 例：青森県沖、香川県沖、大分県沖、銚子沖、下田沖、明石沖、北陸沖、三陸沖、東北沖太平洋、山陰沖、四国沖など

●一般に知られている個別水域の名称

<海洋の場合>

> 例：陸奥湾、富山湾、伊勢湾、相模湾、有明海、八代海、紀伊水道、豊後水道、周防灘、遠州灘、熊野灘、玄界灘、津軽海峡、対馬海峡など

<内水面（湖沼、河川など）の場合>

> 例：琵琶湖、浜名湖、サロマ湖、猪苗代湖、宍道湖、石狩川、利根川、信濃川、大井川、紀ノ川、吉野川、筑後川など

● 日本の漁獲統計海区に準じた水域名

> 例：北海道沖（あるいは、北海道沖太平洋、北海道沖日本海、オホーツク海）
> 　　日本太平洋北部
> 　　日本太平洋中部
> 　　日本太平洋南部
> 　　日本海北部
> 　　日本海西部
> 　　東シナ海（沖縄県沖）
> 　　瀬戸内海

　なお、さんまのように広域な漁場を移動しながら漁獲し、漁獲物を水域ごとに区分せずに一括して船上保管し、水揚げを行うケースがあります。この場合は、実際の漁獲水域を表す漁獲統計海区よりも広範な水域名を記載することができるとしています。

> 例：日本海、北日本太平洋など

②世界の水域名

　世界の水域でとれた場合は、次の３つの表示方法があります。

● 「FAO 漁獲統計海区」（FAO Fishing Area）の水域名

　それぞれの漁獲の実態に応じて、次に掲げる水域名のうち、実際の生産水域を表し、かつ一般に理解される水域名を記載します。

> 北極海、北西大西洋、北東大西洋、中西大西洋、中東大西洋、地中海及び黒海、南西大西洋、南東大西洋、西インド洋、東インド洋、北西太平洋、北東太平洋、中西太平洋、中東太平洋、南西太平洋、南東太平洋、南極洋

● 国名と沖（水域、近海）の水域を表す名称

　該当する国の領海又は排他的経済水域の海域で生産されたものに限ります。

ニュージーランド沖、ペルー沖など

● **一般に知られている個別水域名**

地中海、黒海、黄海、オホーツク海など

（2）ガイドラインで留意する事項

なお、ガイドラインでは次のような留意事項をあげています。

①広域な漁場で操業する漁業種類の水域名

広域な漁場を移動しながら漁獲し、漁獲物を水域ごとに区分せずに一括して船上保管や水揚げを行う場合は、実際の漁獲水域を表し、かつFAO漁獲統計海区や日本の漁獲統計海区よりも広範な水域名を記載することができるとしています。

日本海、インド洋、北太平洋

②国際的な漁獲証明制度の対象となっている魚種の水域名

国際漁業管理機関による漁獲証明制度の対象となっている、メロ、冷凍めばちまぐろ、冷凍みなみまぐろ、冷凍くろまぐろについては、それらの漁獲証明制度の水域区分に準じた水域名を記載することができるとなっています。

メロはCCAMLR（南極海洋生物資源保存委員会）、冷凍めばちまぐろはIOTC（インド洋まぐろ類委員会）、冷凍みなみまぐろはCCSBT（みなみまぐろ保存委員会）、冷凍くろまぐろはICCAT（大西洋まぐろ類保存国際委員会）が、それぞれ管理しています。

冷凍くろまぐろの場合、ICCATの漁獲水域名は、例えば次のようになります。

冷凍くろまぐろ→太平洋、インド洋、地中海、大西洋

（3）誰がどのように実施するのか

あくまで食品表示基準に基づいて、本ガイドラインは運用されます。

①国産水産物
　国産水産物については、生産水域名を表示する際はこのガイドラインに沿って、生産水域名を表示することになります。この際、生産水域名に水揚げ港名、または水揚げ港が属する都道府県名を併記することはできます。

②輸入水産物
　輸入水産物については、表示義務である原産国名の記載とあわせて、このガイドラインに沿った生産水域名の併記（任意表示）を推進します。

③消費者にわかりやすく伝えること
　生産者、卸売・仲買業者等の小売販売業者以外の販売業者は、生産水域名を外箱などの包装容器、送り状、伝票等の書類に記載し、販売先に伝達します。
　また、小売販売業者は、生産水域名を包装容器や商品に近接した場所に、掲示などによって表示します。売り場に生産水域を示す図を掲示するなど、消費者にわかりやすい表示を行ってください。

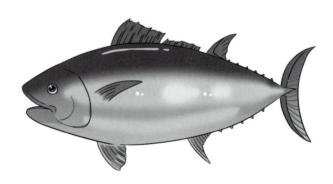

第3章

加工食品の表示のしくみ

1. 加工食品を読み解く

　現代の食生活を支えているのは加工食品といっても言い過ぎではありません。もともと、加工食品は食品を長持ちさせたり、調理や手を加えずにすぐに食べられるようにしたり、食品の持ち運びを簡単にするなどの目的がありました。
　しかし、インスタント食品やレトルト食品など、加工食品のもつ利便性が現代生活にマッチし、食の主役となったのです。
　その一方で、食品が原因によって起こるアレルギーで、加工食品の原材料、添加物に対する消費者の目は厳しくなりました。遺伝子組換えで生まれた農作物にも消費者は厳しい目を向けています。
　いったい、加工食品にはどのような材料が使われているのか。こうした声を受けて、平成13年4月からすべての加工食品に原材料などの表示が義務づけられました。さらに、食品衛生法の改正、アレルギー食品の表示、遺伝子組換え農産物を使った加工食品の表示が義務づけられました。
　加工食品の表示はこれまで複数の法律によって規定されてきました。しかし食品表示法が施行され、食品表示基準が策定されたことで、加工食品の表示が統合されました。

1) 表示の対象となる加工食品

　加工食品とはどんな食品のことでしょうか。缶詰やレトルト食品、インスタント食品、お菓子などは、加工食品だろうと想像がつきます。
　では、次の食品のうち、食品表示法における加工食品はどれでしょうか。これらはいずれも事前に容器包装に入れたもので、消費者が直接、購入していくものとします。
・牛と豚の合挽肉
・まぐろとたいの刺身の盛り合わせ
・塩蔵さば

- 干ししいたけ
- 精米

答えは、精米以外はすべて加工食品です。精米は生鮮食品です。

（1）加工食品とは何か

そもそも加工食品とは何でしょうか。食品表示基準では加工食品とは「製造または加工された食品」と定義されています。具体的には野菜や精肉、鮮魚を始めとする生鮮食品などを原料として、調味や加熱などをしたものです。

加工食品は一般用と業務用に分かれています。一般用加工食品は一般の消費者に販売されるものをいいます。これに対して業務用加工食品は「加工食品のうち、消費者に販売される形態となっているもの以外のものをいう」としています。

<食品表示基準が規定する加工食品>

1　麦類
　　精麦
2　粉類
　　米粉、小麦粉、雑穀粉、豆粉、いも粉、調製穀粉、その他の粉類
3　でん粉
　　小麦でん粉、とうもろこしでん粉、甘しょでん粉、ばれいしょでん粉、タピオカでん粉、サゴでん粉、その他のでん粉
4　野菜加工品
　　野菜缶・瓶詰、トマト加工品、きのこ類加工品、塩蔵野菜（漬物を除く）、野菜漬物、野菜冷凍食品、乾燥野菜、野菜つくだ煮、その他の野菜加工品
5　果実加工品
　　果実缶・瓶詰、ジャム・マーマレード及び果実バター、果実漬物、乾燥果実、果実冷凍食品、その他の果実加工品
6　茶、コーヒー及びココアの調製品
　　茶、コーヒー製品、ココア製品
7　香辛料
　　ブラックペッパー、ホワイトペッパー、レッドペッパー、シナモン（桂皮）、クローブ（丁子）、ナツメグ（肉ずく）、サフラン、ローレル（月桂葉）、パプリカ、オールスパイス（百味こしょう）、さんしょう、カレー粉、からし粉、わさび粉、しょうが、その他の香辛料
8　めん・パン類
　　めん類、パン類
9　穀類加工品
　　アルファー化穀類、米加工品、オートミール、パン粉、ふ、麦茶、その他の穀類加工品

10 菓子類
　　ビスケット類、焼き菓子、米菓、油菓子、和生菓子、洋生菓子、半生菓子、和干菓子、キャンデー類、チョコレート類、チューインガム、砂糖漬菓子、スナック菓子、冷菓、その他の菓子類
11 豆類の調製品
　　あん、煮豆、豆腐・油揚げ類、ゆば、凍り豆腐、納豆、きなこ、ピーナッツ製品、いり豆、その他の豆類調製品
12 砂糖類
　　砂糖、糖蜜、糖類
13 その他の農産加工食品
　　こんにゃく、その他1から12までに分類されない農産加工食品
14 食肉製品
　　加工食肉製品、鳥獣肉の缶・瓶詰、加工鳥獣肉冷凍食品、その他の食肉製品
15 酪農製品
　　牛乳、加工乳、乳飲料、練乳及び濃縮乳、粉乳、発酵乳及び乳酸菌飲料、バター、チーズ、アイスクリーム類、その他の酪農製品
16 加工卵製品
　　鶏卵の加工製品、その他の加工卵製品
17 その他の畜産加工食品
　　蜂蜜、その他14から16までに分類されない畜産加工食品
18 加工魚介類
　　素干魚介類、塩干魚介類、煮干魚介類、塩蔵魚介類、缶詰魚介類、加工水産物冷凍食品、練り製品、その他の加工魚介類
19 加工海藻類
　　こんぶ、こんぶ加工品、干のり、のり加工品、干わかめ類、干ひじき、干あらめ、寒天、その他の加工海藻類
20 その他の水産加工食品
　　18及び19に分類されない水産加工食品
21 調味料及びスープ
　　食塩、みそ、しょうゆ、ソース、食酢、調味料関連製品、スープ、その他の調味料及びスープ
22 食用油脂
　　食用植物油脂、食用動物油脂、食用加工油脂
23 調理食品
　　調理冷凍食品、チルド食品、レトルトパウチ食品、弁当、そうざい、その他の調理食品
24 その他の加工食品
　　イースト、植物性たんぱく及び調味植物性たんぱく、麦芽及び麦芽抽出物並びに麦芽シロップ、粉末ジュース、その他21から23までに分類されない加工食品
25 飲料等
　　飲料水、清涼飲料、酒類、氷、その他の飲料

（2）製造、加工とは何か

「製造又は加工された食品」が加工食品です。では、製造、加工とはどういう意味なのでしょうか。食品表示基準Q&Aでは次のように定義しています。
- 「製造」とは、その原料として使用したものとは本質的に異なる新たな物を作り出すこと。
- 「加工」とは、あるものを材料としてその本質は保持させつつ、新しい属性を付加すること。

もう少し説明すると、加工とは「新しい属性を付加する行為をいい、加工行為を行う前後で比較して、本質的な変更を施さない行為」となっています。

次の表にある行為が「加工」とされています。ちなみに、これら「加工」以外の行為が「製造」と理解してください。

<「加工」の具体例>

			具体例（単一の行為）
加工	形態の変更	切断	加工食品の単なる切断（ハムの塊をスライス、など）
		整形	加工食品の大きさを整える（ブロックのベーコンの大きさと形を整えるなど）。
		選別	加工食品を選別（煮干を大きさで選別など）
		破砕	生鮮食品や加工食品を粉末（粉状にしたもの）ではなく、少し砕く行為（挽き割り大豆、コーングリッツなど）
		混合	異なる種類の生鮮食品や加工食品の混合（キャベツとレタスの野菜ミックス、あられと落花生の混合（柿ピー）など）
	容器包装の変更	盛り合わせ	複数の異なる種類の生鮮食品を盛り合わせること（マグロとサーモンの刺身盛り合わせ、など） ※盛り合わせたA、Bは別々に食する。
			生鮮食品や加工食品（異なる種類）の盛り合わせ（マグロとゆでダコの盛り合わせ、など）
		小分け	加工食品を小分け包装する（うなぎ蒲焼きをバルクで仕入れ小分けする、など）。
	加塩		既に塩味のついた加工食品を加塩する（塩鮭甘口に振り塩をし塩鮭辛口にする、塩蔵わかめに塩を加えるなど）。
	骨取り		原型のまま除骨のみ行う（塩サバの骨とりなど）。

表面をあぶる	生鮮食品の表面だけあぶる行為（牛肉のタタキ、カツオのタタキなど）
冷凍	単に加工食品を冷凍したもの（凍り豆腐、寒天、冷凍食品等の製造行為に該当するものを除く。）
解凍	自然解凍等により、単に冷凍食品を冷蔵もしくは常温の状態まで解凍したもの（冷凍ゆでだこを解凍する。）
結着防止	固まらないように植物性油脂を塗布（レーズンへの植物性油脂の塗布）

（3）JAS 規格における加工食品

　食品表示法との関係で注意したいのは JAS 法です。JAS 法には品質の格付けのための JAS 規格があります。

　JAS 規格は任意表示ですが、加工食品などを作る事業者が自主的に申請し、認められた場合にのみ与えられます。飲食料に関係する JAS 規格には一般 JAS 規格のほかに、特定 JAS 規格、有機 JAS 規格、生産情報公表 JAS 規格、定温管理流通 JAS 規格があります。

　JAS 規格の認証を受けていない食品に JAS マークや特定 JAS マークを付ければ、違反となり、処罰されます。もちろん JAS 規格の認証食品であっても、食品表示基準で定められた表示を行う必要があります。

＜ JAS 法の法体系＞

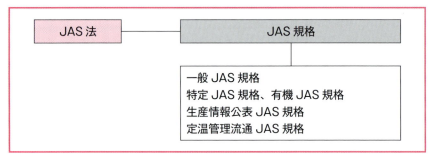

（4）公正競争規約のある加工食品

　加工食品には公正競争規約が定められたものがあります。表示に関する公正競争規約は、食品については 34、酒類が 7 つあります（平成 31 年 1 月現在）。

　公正競争規約とは、不当景品類及び不当表示防止法（景品表示法）に基づき、各食品業界の団体が商品の表示や広告などについて、自主的に定めたルールで

す。公正競争規約は各業界団体が設立する公正取引協議会が作ります。例えば、チーズ公正取引協議会、全国チョコレート業公正取引協議会など、食品ごとに設立されています。

業界の自主的なルールですが、公正取引協議会に加盟している事業者は当然、守らなければいけません。

<公正競争規約のある食品、酒類の業種>

分　　野	業　　種
食品一般	飲用牛乳、発酵乳・乳酸菌飲料、ナチュラルチーズ・プロセスチーズ・チーズフード、アイスクリーム類・氷菓 はちみつ類、ローヤルゼリー 辛子めんたいこ食品、削りぶし 食品缶詰 ビスケット類、チョコレート類、チョコレート利用食品、チューインガム 果実飲料等、コーヒー飲料等、レギュラーコーヒー・インスタントコーヒー 観光土産品 ハム・ソーセージ類 トマト加工品、粉わさび、生めん類、豆乳類、マーガリン類、包装食パン、即席めん類、凍豆腐 みそ、ドレッシング類、しょうゆ、食酢、もろみ酢、食用塩 食肉、鶏卵
酒類	ビール、輸入ビール、ウイスキー、輸入ウイスキー、単式蒸留しょうちゅう、泡盛、酒類小売業

（平成31年1月現在）

2）加工食品の表示ルール

ここからは加工食品の表示はどのようなルールにのっとってなされているのか、その具体的な方法を説明していきます。

必ず表示しなければならない項目は義務表示と呼んでいます。義務表示のうち、加工食品全般に共通して表示すべきものは横断的義務表示。もうひとつ、個別の加工食品に限定的に義務づけられている表示項目もあります。これを個別的義務表示といいます。

（1）加工食品に共通した横断的義務表示

　加工食品の横断的義務表示はいくつもあります。具体的には、名称、保存の方法、消費期限または賞味期限、原材料名、添加物に関する事項、栄養成分の量および熱量、内容量、食品関連事業者の氏名または名称および住所などがあります。

　このほかに、一定の要件に当てはまる加工食品に義務付けられた表示もあります。例えば、アレルギーの原因となるアレルゲン、遺伝子組換え食品、原料原産地名、原産国名などです。これらの要件に当てはまる原料などを使っていれば、それぞれを表示しなくてはなりません。

　なお、名称、原材料名、内容量、賞味期限などの横断的な表示事項であっても、加工食品によっては個別の表示方法が規定されているものもあります。

　以上をまとめて、加工食品の横断的義務表示とよんでいます。

＜横断的義務表示の項目＞

- 名称
- 保存の方法
- 消費期限または賞味期限
- 原材料名
- 添加物
- 内容量または固形量および内容総量
- 栄養成分の量および熱量
- 食品関連事業者の氏名または名称および住所
- 製造所または加工所の所在地および製造者または加工者の氏名または名称
- アレルゲン
- L－フェニルアラニン化合物を含む旨
- 特定保健用食品に関する事項
- 機能性表示食品に関する事項
- 遺伝子組換え食品に関する事項
- 乳児用規格適用食品である旨
- 原料原産地名
- 原産国名（輸入品）

＜加工食品の表示例＞

名称	うなぎ蒲焼き
原材料名	うなぎ（国産）、しょうゆ（大豆・小麦を含む）、砂糖、ぶどう糖果糖液糖、発酵調味料（米、米こうじ、酒、砂糖、食塩）、水あめ

添加物	加工デンプン、調味料（アミノ酸等）、着色料（カラメル、アナトー）、増粘多糖類
内容量	2尾
賞味期限	2019年10月1日
保存方法	10℃以下で保存してください
加工者	（株）全国スーパーマーケット水産 東京都千代田区内神田0－0－0

（2）個別の表示ルールのある加工食品

　加工食品の中には、個別の食品に限定して義務付ける表示項目や表示の方式、表示内容などがあります。旧JAS法の個別品質表示基準、食品衛生法の「乳及び乳製品の成分規格等に関する省令」などを食品表示基準の個別の義務表示として統合、整理しています。これらに該当する加工食品はその名称、表示の方法、表示方式などを個々に規定しています。

<個別的な表示方式などがある加工食品>

農産物缶詰および農産物瓶詰
トマト加工品
乾しいたけ
農産物漬物
野菜冷凍食品
ジャム類
乾めん類
即席めん
マカロニ類
パン類
凍り豆腐

ハム類
プレスハム
混合プレスハム
ソーセージ
混合ソーセージ
ベーコン類
畜産物缶詰および畜産物瓶詰
食肉（異種混合など）

食肉製品
チルドハンバーグステーキ
チルドミートボール
鶏の液卵

煮干魚類
魚肉ハムおよび魚肉ソーセージ
特殊包装かまぼこ
削りぶし
うに加工品
うにあえもの
うなぎ加工品（輸入品以外のものに限る）
乾燥わかめ
塩蔵わかめ
生かき（調味した生がきなど）
ゆでがに
ふぐを原材料とするふぐ加工品（軽度の撒塩を行ったものを除く）
鯨肉製品
切り身またはむき身にした魚介類であって、生食用のもの（異種混合など）

みそ
しょうゆ
ウスターソース類
ドレッシングおよびドレッシングタイプ調味料
食酢
風味調味料

乾燥スープ
食用植物油脂
マーガリン類
調理冷凍食品（冷凍フライ類、冷凍しゅうまい、冷凍ぎょうざ、冷凍春巻、冷凍ハンバーグステーキ、冷凍ミートボール、冷凍フィッシュハンバーグ、冷凍フィッシュボール、冷凍米飯類および冷凍めん類に限る）
チルドぎょうざ類
調理食品缶詰および調理食品瓶詰
冷凍食品
容器包装詰加圧加熱殺菌食品
レトルトパウチ食品（植物性たんぱく食品（コンビーフスタイル）を除く）
容器包装に密封された常温で流通する食品
缶詰の食品

> 機能性表示食品
>
> 炭酸飲料
> 果実飲料
> 豆乳類
> にんじんジュースおよびにんじんミックスジュース
> 水のみを原料とする清涼飲料水
> 冷凍果実飲料
>
> 乳
> 乳製品
> 乳または乳製品を主要原料とする食品

（3）省略できない表示、省略できる表示

　加工食品には数多くの表示項目があります。しかし表示のためのラベルやスペースには限りがあります。そこで条件によっては省略可能な表示もあります。

　逆に、どんなに表示スペースが狭くても省略できない項目もあります。これらの中から代表的なケースをここではとりあげました。

①名称と食品関連事業者

　名称、食品関連事業者の氏名または名称および住所は省略できません。

　表示責任者を表示しなくてもよい場合には、製造所または加工所の所在地（輸入品の場合は輸入業者の営業所所在地）および製造者または加工者の氏名または名称（輸入者は輸入業者の氏名または名称）も省略できません。

②容器包装の表示可能面積で異なる省略の判断基準

　容器包装の面積が基準よりも狭い場合は省略が可能な場合もあります。しかし表示項目によっては省略できないものもあります。

　容器包装の表示可能面積がおおむね 30cm^2 以下の場合、次の表示項目が省略できます。

<省略可能な表示項目>

原材料名、添加物、内容量または固形量および内容総量、栄養成分の量および熱量、製造所または加工所の所在地および製造者または加工者の氏名または名称、遺伝子組換え食品に関する事項、乳児用規格適用食品である旨、原料原産地名、原産国名

表示可能面積がおおむね 30cm² 以下の場合であっても、安全性に関する表示事項は省略できません。したがって、以下の項目は必ず表示する必要があります。

<必ず表示すべき項目>

> 名称、保存方法、消費期限または賞味期限、アレルゲン、L－フェニルアラニン化合物を含む旨、食品関連事業者の氏名または名称および住所

③消費期限または賞味期限、保存方法

でん粉、チューインガム、冷菓、砂糖、アイスクリーム類、食塩およびうま味調味料、酒類、飲料水および清涼飲料水、氷は保存の方法、消費期限または賞味期限は省略できます。

常温で保存すること以外にその保存の方法に関し留意すべきことがないものは、牛乳、乳飲料を除いて保存の方法を省略できます。これらの加工食品はその特性から長期間の保存に耐え得るものとの前提で省略できるとなっています。

ただし、常温で保存する場合であって、直射日光を避けなければならないものは省略できません。

④内容量は外見で判断できるものは省略可能

例えば、通常の刺身の盛り合わせの場合、何切れあるかは外見から判断できます。このように「内容量を外見上容易に識別できるもの」に該当すれば、内容量の表示の省略が可能です。ただし、計量法で定めた特定商品、特定保健用食品および機能性表示食品は除きます。

⑤容易に乳児用規格適用食品と分かるもの

乳児用規格適用食品であることが容易に判別できる加工食品には、乳児用規格適用食品である旨の表示を省略できます。この対象となる食品には、「粉乳」および「液状乳」があります。

以上で分かるように、「ただし」という文言が何度も出て来ます。すなわち、条件によって省略できるケース、できないケースがあることを知っておいてください。

（4）推奨、任意の表示項目

　加工食品には義務表示のほかに、推奨表示、任意表示があります。推奨、任意ですから義務ではありません。しかし推奨、任意であっても表示する場合には食品表示基準にのっとって行う必要があります。このルールに違反すれば行政措置の対象になります。

①推奨表示

　推奨表示として食品表示基準にあげられているのは次の2つです。
・飽和脂肪酸の量
・食物繊維の量

　飽和脂肪酸はLDLコレステロール。いわゆる悪玉コレステロールです。多量に摂取すると心疾患などの原因になります。一般的に脂質とは、油脂や脂肪酸、グリセリン、コレステロールなどをあわせた総称です。

　食物繊維は生活習慣病などを防ぐために有効なものとして、摂取することが奨励されています。

　食品表示基準では、これらの推奨表示は「積極的に推進するよう努めなければならない」となっています。

　アレルギー食品の特定原材料に準ずる20品目も通知によって積極的に表示することが望ましいとされています。すなわち推奨表示とは積極的に表示することを奨励されている項目、と考えてください。特定原材料に準ずる20品目は人によってはアレルギー反応を起こすリスクがあります。そういった意味から、これらアレルゲンを積極的に表示することを奨励しているわけです。

②任意表示

　任意表示には次のような項目があげられています。
・特色のある原材料等に関する事項
・ナトリウムの量（ナトリウム塩を添加していない食品の容器包装に表示される場合に限る）
・栄養機能食品に係る栄養成分の機能
・栄養成分の補給ができる旨
・栄養成分または熱量の適切な摂取ができる旨
・糖類（単糖類または二糖類であって、糖アルコールでないものに限る）を添加していない旨
・ナトリウム塩を添加していない旨

3）加工食品はどのように表示すればよいのか

それでは、加工食品で表示すべき項目の説明をしましょう。

前述したとおり、加工食品で表示すべき項目は名称、原材料、添加物、消費期限または賞味期限、内容量、保存方法、栄養成分の量および熱量、製造者等の氏名、住所などがあります。このほかにも遺伝子組換え食品、アレルゲンを含む食品があるなら、これらを表示しなければいけません。使用した原材料の重量割合が最も高い原材料の原産地表示も必要です。

（1）一括表示ラベルの扱い

加工食品の名称、賞味期限など、表示しなければならない項目（義務表示）は、容器包装に定められた様式で、一括して表示すること（一括表示）が基本となっています。

しかし、場合によっては一括表示枠以外にも記載できます。

①一括表示に使う文字の大きさ

表示に記載する文字は、8ポイント以上の活字で、大きさの統一のとれたサイズにすること。また、文字の色、枠の色は背景と対照的な色にして見やすくしなければいけません。ただし、表示可能な面積がおおむね150cm²以下の場合は5.5ポイント以上の活字を使うことが認められています。

②表示事項が省略できる場合

加工食品では、名称、原材料、消費期限または賞味期限、内容量、保存方法、製造者などの名称・住所を表示する義務があります。ただし、次のようなケースでは、義務表示の内容を省略することができます。

<加工食品の表示事項が省略できるケース>

省略できるケース	原材料名	賞味期限または消費期限	保存方法	内容量
容器、容器包装の面積が30cm²以下のもの	○			○

原材料が1種類の場合（缶詰、食肉製品を除く）	○				
内容量を外見上容易に識別できるもの					○
品質の変化が極めて少ないもの（でん粉、チューインガム、冷菓、砂糖、アイスクリーム類、食塩・うまみ調味料、飲料水・清涼飲料水、氷）		○		○（うま味調味料を除く）	
常温で保存できるもの			○		

注　○が省略できる項目です。

（2）加工食品の名称

加工食品の名称は一括表示部分に一般的な名称を記載することが原則です。

①名称に代えて品名、種類別名で表示

加工食品は一般的な名称の代わりに、品名、種類別または種類別名称と記載することもできます。

- 名称を使った例　　　名称　マヨネーズ

- 品名を使った例　　　品名　食用調合油

- 種類別を使った例　　種類別　発酵乳

　ただし、個別の表示方式などをもつ加工食品では、名称などが定義されたものもあります。例えば、トマト加工品と呼んでいいのは、トマトジュース、トマトミックスジュース、トマトケチャップ、トマトソース、チリソース、トマト果汁飲料、固形トマト、トマトピューレおよびトマトペーストに限ると定義されています。

　また、トマトジュースの定義もなされています。

＜トマトジュースの定義＞

1　トマトを破砕して搾汁し、または裏ごしし、皮、種子等を除去したもの（以下「トマトの搾汁」という）またはこれに食塩を加えたもの
2　濃縮トマトを希釈して搾汁の状態に戻したものまたはこれに食塩を加えたもの

この定義に当てはまらないものを、トマトジュースと名づけることはできません。

②一括表示で名称が省略できる場合

　加工食品は一般的な名称を一括表示部分に記載するのが原則です。しかし、商品の主要面に名称が見やすく記載されている場合は、一括表示部分での表示を省略することができます。主要面とは「商品名が記載されている面」のことです。
　以下、どのようなケースで省略できるのか具体的に解説していきます。

●商品名が一般名称と同じである場合

　商品名が一般名称を使用している場合には、一括表示部分の名称は省略できます。
　たとえば、商品名が「ポテトチップス」の場合は一般的名称でもあるので、省略できます。

```
△△味のポテトチップス→省略可能
```

　一方、「ポテチ」は一般名称とはいえず、一括表示部分の名称は省略できません。

```
△△味のポテチ　　　　→省略不可
```

●商品名と一般名称を併記する場合

　商品名が一般名称でなくとも、商品名の近くに一般名称を併記すれば、一括表示部分の名称の省略ができます。
　ただし、併記する一般名称の文字が商品名と同じくらい目立つように記載されていることが条件です。一般的名称を商品名に比べて著しく小さく表示すると、消費者が誤認するおそれがあるため、一括表示部分の名称の省略は認められません。
　以下のサンプルは省略が認められるケースです。

```
　　　　＜主要面＞
ポテチ○○（スナック菓子）
```

　主要面に「スナック菓子」と一般名称が記載されているので、一括表示部分

の名称の項目が省略できます。

```
原材料名   ばれいしょ（北海道）、植物油、食塩、唐辛子／調味料（アミノ酸等）、
         （一部に大豆を含む）
内 容 量   150g
賞味期限   欄外の右下部に記載。
保存方法   直射日光、高温、多湿を避けて保管してください。
製 造 者   (株) 全国スーパーマーケット菓子
         東京都千代田区内神田０―０―０
```

（3）加工食品は原材料を表示する

　加工食品には多くの原材料を使用するものがあります。これら原材料の中身を明らかにすることは消費者にとって非常に重要なことです。

　なぜなら、アレルギー食品を食べてはいけない消費者や、遺伝子組換え食品を食べたくない消費者は数多くいるからです。逆に、有機農産物を積極的に食べたいという消費者も多くいます。安全性などの観点からも、原材料の素性を明らかにするのが原材料表示の役割なのです。

①原材料表示の原則

　原材料の表示にはいくつかのルールがあります。
・原材料は、原材料名の欄にその一般的な名称を記載します。原材料が大豆なら大豆と書きます。
・原材料は原材料に占める重量の割合が多い順番に名称を記載します。
・原材料名の欄に添加物を表示することもできます。順番は原材料を先に表示し、その後に添加物を表示します。ただし、原材料の後にスラッシュの記号、改行などによって原材料と添加物をはっきり区分します。
・一般的に、アレルゲンを含む特定原材料を原材料とする加工食品および特定原材料に由来する添加物を含む食品については、原材料名の直後に括弧をつけて表示する、個別表示が原則です。ただし、例外的に一括表示も認められています。

②１種類の原材料しか使っていない場合は省略できる

　加工食品で原材料を１種類しか使っていない場合は、原材料名を省略することができます。パッケージに入れたご飯は加工食品ですが、原材料に米しか使っていなければ、原材料名は省略できます。

1種類の原材料と添加物を使っている場合は、最低でも2種類の材料を使っていることになります。

ただし、添加物が栄養強化の目的で添加するもの、加工助剤やキャリーオーバーなどの場合は表示する必要はありません。

③複合原材料はその内容も表示する

加工食品の原材料の中には、複合原材料と呼ばれるものがあります。これは「2種類以上の原材料からなる食材」のことです。すでに加工された製品を新たに製造する製品の原材料として使用するものをいい、しょうゆ、ステーキ用の調味料、弁当の具などがそれに当たります。

④複合原材料の表示のルール

複合原材料の表示は、複合原材料の名称の後に括弧を付けて、それを構成する原材料を重量の占める割合が大きい順に、一般的な名称で記載していきます。ただし、原材料が3種類以上ある複合原材料の場合は、全体に占める重量の割合が3位以下であって、かつ、その割合が5％未満の原材料は「その他」と記載できます。

なお、このルールは複合原材料についてのみ適用されます。製品自体の原材料表示については3位以下、かつ5％未満の原材料であっても省略することはできません。

⑤複合原材料の中身の表示を省略できる場合

複合原材料が、製品の原材料全体に占める重量の割合が5％未満の場合、または複合原材料の名称からその原材料が明らかな場合は、複合原材料の中身の記載を省略することができます。次の例は複合原材料であるマヨネーズを使用した場合です。

原材料名	○、△、マヨネーズ（卵を含む）

⑥複合原材料を分割表示できる場合

複合原材料は分割表示することもできます。ただし、2つの条件のどちらかを満たした場合に限ります。ひとつは複合原材料（中間加工原料）を使用した場合であって、消費者がその内容を理解できない複合原材料の名称の場合です。

もうひとつの条件は、中間加工原料を使用した場合であって、複数の原材料を単に混合しただけで、消費者に対して中間加工原料に関する情報を提供するメリットが少ない場合です。
　例えば小麦粉、ココア調製品、バター、鶏卵、膨張剤を使って製造したクッキーを想定します。複合原材料のココア調整品の原材料は砂糖、ココアパウダー、アーモンドパウダー、食塩です。これを分割表示すると、次のようになります。

| 原材料名 | 小麦粉（国内製造）、バター、砂糖、鶏卵、ココアパウダー、アーモンドパウダー、食塩／膨張剤 |

　以上ですが、「その他」の表示や省略できるケースであっても、食品衛生法由来のアレルギー表示、ならびに添加物は省略できません。
　では、具体的に複合原材料の表示を見てみましょう。例えば「ごまあえ」では、原材料の配合割合は次のようになっています。

```
いんげん：60%   ←第1位
にんじん：22%   ←第2位
ご　ま　：10%   ←第3位
しょうゆ：4%    ←第4位
砂　糖　：3%    ←第5位
調　味　料（アミノ酸等）
```

　この場合、ごまの重量は第3位ですが、全体の10%あります。一方、しょうゆ、砂糖の各重量は第3位以下で、なおかつ5％未満です。したがって、しょうゆ、砂糖は「その他」と表示できます。

| 原材料名 | …、ごまあえ（いんげん、にんじん、ごま、その他）、…／調味料（アミノ酸等）、（一部に小麦・大豆を含む） |

⑦ 原材料の別称

　原材料は一般的な名称を記載するとなっていますが、中には他の名称を使うことが許されているものもあります。例えば、大豆油やなたね油などの食用油脂は「植物油」「植物油脂」など、うずらやダチョウなどの家きん肉は「鳥肉」、すけとうだらなどの魚類は「魚」「魚肉」、みょうが、しそなどの香辛野菜、つ

まもの類は「香草」などと表示できることもあります。
　ここでは、他の名称が使える原材料名とその内容を説明していきます。

【植物油脂、動物油脂などの表示】

　食用油脂は、植物油脂、動物油脂、加工油脂などと表示することができます。
　植物油脂は大豆、菜種などを原料にして作られる精製油、サラダ油などがあります。原料を搾って油を取り出し、残った油分はヘキサンという溶剤を使って、脂分などを分離し、さらに不純物を除去、精製して作ります。これが精製油ですが、さらに精製度を高めたものがサラダ油となります。
　動物油脂は固形状の精製ラードがあります。ラードの主な原料は豚の脂ですが、100％豚の脂を使ったものを純製ラードといいます。豚油に牛油、大豆油など他の油分を加えたものが調製ラードです。豚脂以外の動物油脂を使っている場合は食用動物油脂、大豆油のような植物油を使っているものは植物油脂、硬化油などは食用精製加工油脂といいます。
　加工油脂はショートニング、マーガリンのことです。ショートニングはパンを作るときに加える油分として知られています。中身はラードとほぼ同じです。

【魚、魚肉の表示】

　特定の種類の魚の名称を表示していない魚類や魚肉は、魚または魚肉と表示できます。ちくわの原材料にぐち、えそ、はも、たらを使っていても、魚、または魚肉と表示できます。

【鳥肉の表示】

　家きんは、肉や卵をとるために飼育されている鳥のことです。うずらやダチョウも飼育などが目的であるなら家きんです。特定の家きんの名称を表示していない場合は、鳥肉と表示できます。

【ぶどう糖の表示】

　無水結晶ぶどう糖、含水結晶ぶどう糖、全糖ぶどう糖は、ぶどう糖と表示できます。これらは甘味の原料などに使われます。
　でん粉を酵素や酸を使って分解し糖液（ぶどう糖）を作ります。一般的には糖液をそのまま乾燥させて粉にしたものが、ぶどう糖です。糖液から結晶水を除いたものが無水結晶ぶどう糖、結晶水を含んだものが含水結晶ぶどう糖です。

【異性化液糖の表示】

でん粉から作ったぶどう糖を酵素で分解すると果糖ができます。果糖とぶどう糖を混ぜた液体が異性化液糖で、甘さは砂糖と同じくらいあります。果糖の割合によってその呼び方は変わります。果糖の量が50％未満のものはぶどう糖果糖液糖、果糖が50％以上90％未満の場合は果糖ぶどう糖液糖、90％以上あるものは高果糖液糖と呼びます。これらは異性化液糖と表示できます。

【砂糖混合異性化液糖の表示】

砂糖はさとうきびやてん菜を煮詰めて結晶化したもので、化学的にいえば、ぶどう糖と果糖が結合したものです。甘味の度合いは「ぶどう糖→砂糖→果糖」の順に強くなっていきます。

砂糖混合ぶどう糖果糖液糖は、ぶどう糖果糖液糖に砂糖を混ぜたもの。砂糖混合高果糖液糖は、高果糖液糖に砂糖を混ぜたものです。これらを砂糖混合異性化液糖、または砂糖・異性化液糖と表示できるわけです。

【香辛料、混合香辛料の表示】

こしょうやガラムマサラのような香辛料を複数使っている場合は、その使用量が全体の2％以下なら、香辛料または混合香辛料と表示できます。ただし、「こしょうなど香辛料」というような、特定の香辛料を強調する表示はできません。

【香草、混合香草の表示】

みょうが、しそなどの香辛野菜、つまもの類などは、原材料に占める割合が2％以下なら、香草または混合香草と表示できます。

【糖果の表示】

糖液を浸透させた果実は糖果と表示できます。ただし、原材料に占める重さの割合が10％以下のものに限ります。

【弁当の表示】

弁当の副食物は、外観からその原材料が何か明らかな場合は、「おかず」と表示できます。外観から見てわかる、とは具体的には次のようなケースです。

- 外見から一見してわかるもの。たとえば鶏の照り焼、焼鮭、目玉焼き、筑前煮、ポテトサラダなど。フライや天ぷらは衣におおわれ、内部までわからないので省略できません。しかし、形から明らかに判断できるエビフライのよ

うなものは省略できます。
- 弁当の名称で、主要なおかずになっているもの。メンチカツ弁当、ロースカツ弁当など。
- 商品の表面にシール等で内容物を明らかにしているもの。

<加工食品の原材料の区分と名称>

区　　分	名　　称
食用油脂	「植物油」「植物脂」もしくは「植物油脂」。「動物油」「動物脂」もしくは「動物油脂」または「加工油」「加工脂」もしくは「加工油脂」
でん粉	でん粉
魚類および魚肉（特定の種類の魚類の名称を表示していない場合に限る）	魚または魚肉
家きん肉（食肉製品を除き、特定の種類の家きんの名称を表示していない場合に限る）	鳥肉
無水結晶ぶどう糖、含水結晶ぶどう糖および全糖ぶどう糖	ぶどう糖
ぶどう糖果糖液糖、果糖ぶどう糖液糖および高果糖液糖	異性化液糖
砂糖混合ぶどう糖果糖液糖、砂糖混合果糖ぶどう糖液糖および砂糖混合高果糖液糖	砂糖混合異性化液糖または砂糖・異性化液糖
香辛料および香辛料エキス（既存添加物名簿（平成8年厚生省告示第120号）に掲げる食品添加物に該当するものを除き、原材料に占める重量の割合が2％以下のものに限る）	香辛料または混合香辛料
香辛野菜およびつまもの類ならびにその加工品（原材料に占める重量の割合が2％以下のものに限る）	香草または混合香草
糖液をしん透させた果実（原材料に占める重量の割合が10％以下のものに限る）	糖果
弁当に含まれる副食物（外観からその原材料が明らかな「おかず」に限る）	おかず

【おかずと省略できるもの】

　鶏の照り焼、焼鮭、目玉焼き、筑前煮、ポテトサラダ、メンチカツ弁当、ロースカツ弁当、形で判別できるエビフライ、衣を通して中身が見える野菜の天ぷら。

⑧特色のある原材料の表示

　特色のある原材料を使っている場合はその内容を一括表示の原材料名に記載することができます。特色のある原材料とは、特定の原産地のもの、有機農産物、有機畜産物、有機加工食品などがあります。

　これらは原材料名の後に括弧を付けて、特色ある原材料を記載します。記載する場合は、その原材料の重量の使用割合を「％」あるいは「割」で表示します。100％使用している場合は使用割合の表示を省略できます。

　例えば青森県産のりんごを原料とした果汁を79％使っている場合は次のようになります。

```
リンゴ果汁（青森県79％）
```

　割の単位でも表示できます。この場合はパーセントの数値を四捨五入ではなく、切り捨てで表示します。

```
リンゴ果汁（青森県7割）
```

　もし青森県産が100％ならば以下になります。

```
リンゴ果汁（青森県）
```

　やむをえぬ事情、たとえば季節によって使用割合が変わる食品は、「○○％以上」「○○割以上」のように幅をもたせた表示もできます。その場合は変動する数値の下限を表示します。例えば青森県産のりんごの使用割合が60〜80％の場合は次のとおりとなります。

```
リンゴ果汁（青森県60％以上）
```

　なお、特色のある原材料の範囲は食品表示基準Q＆Aに具体的なケースがあります。以下に、その一部を抜粋します。

＜特色のある原材料の例＞

① 特定の原産地のもの
 ・国産大豆絹豆腐　・トルコ産ヘーゼルナッツ使用　・十勝産小豆使用
 ・国内産山ごぼう使用　・三陸産わかめを使用　等
② 有機農産物、有機畜産物および有機加工食品
 ・有機小麦粉使用　・有機栽培こんにゃくいもから自社生産
 ・有機牛肉使用　等
③ 非遺伝子組換えのもの等
 （注：遺伝子組換え食品に関する事項の規定に基づき表示することが必要です）
④ 特定の製造地のもの
 ・群馬県で精製されたこんにゃく粉入り
 ・北海道で製造されたバターを使用　等
⑤ 特別な栽培方法により生産された農産物
 ・特別栽培ねぎ入り　・栽培期間中農薬不使用のにんじん使用　等
⑥ 品種名等
 ・とちおとめ使用　・コシヒカリ入り　・本まぐろ入り　等
⑦ 銘柄名、ブランド名、商品名
 ・宇治茶使用　・松阪牛使用　・越前がに入り
 ・市販されている商品の商品名○○を「○○使用」　等

（4）添加物は重量の多いものから表示

　添加物は食品衛生法によれば「食品の製造の過程において又は食品の加工若しくは保存の目的で、食品に添加、混和、浸潤その他の方法によって使用する物」と定義されています。

　もともと添加物は食品の脇役でした。しかし保存はもちろん、味、色、香り、形、品質の劣化防止など、添加物なくして現代の加工食品は成り立ちません。

　基本的な表示のルールは次のようになります。

・添加物は添加物の欄に、その重量の割合の多いものから順番に表示
・原材料名と添加物は明確に区分し、表示は原材料名、添加物の順序が一般的であり、これが望ましい。

　ただし添加物の欄を設けずに、原材料名欄に原材料名と添加物の間を記号（スラッシュなど）で区分して表示したり、あるいは原材料名の後に改行して、添加物を表示することで区分したりする方法もあります。

　次の表はイチゴジャムの原材料名、添加物の表示例です。ゲル化剤、酸化防止剤は添加物の用途名です。

＜原材料名と添加物を別欄で表示した例＞

原材料名	いちご（国産）、砂糖
添加物	ゲル化剤（ペクチン）、酸化防止剤（ビタミンC）

＜原材料名と添加物をスラッシュで区切った例＞

原材料名	いちご（国産）、砂糖／ゲル化剤（ペクチン）、酸化防止剤（ビタミンC）

＜原材料名の後に改行して添加物を表示した例＞

原材料名	いちご（国産）、砂糖 ゲル化剤（ペクチン）、酸化防止剤（ビタミンC）

（5）消費期限、賞味期限の表示について

　加工食品は保存性にすぐれていますが、食品が食べられる期限には限度があります。これを定めているのが食品の期限表示です。多くの消費者が、食品を購入するときに真っ先に期限表示を確かめます。

　加工食品の期限表示は、弁当や惣菜などのように早く傷みやすいものには消費期限がつけられます。消費期限に当てはまらないものは、賞味期限とします。

①消費期限

　消費期限は開封する前の状態で、定められた方法で保存すれば、食品衛生上、問題がないと認められる期間のことです。弁当、調理パン、惣菜、生菓子類、食肉など、急速に劣化しやすい食品が対象です。期限は年月日で表示します。

　　平成30年10月4日
　　30.10.04
　　2018.10.4
　　18.10.4

②賞味期限

　消費期限の対象にならない加工食品は賞味期限を使います。スナック菓子、即席めん類、缶詰、牛乳、乳製品のような、品質の劣化が比較的穏やかな食品に表示します。賞味期限は食品を製造してから3か月以内のものについては年月日まで表示します。

　　平成30年12月4日

30.12.04
2018.12.4
18.12.4

製造してから賞味期限が3か月を超えるものは、年月を表示します。

平成31年4月
3104
2019.4
19.4

③消費期限、賞味期限とロット番号などの併記

消費期限、賞味期限に製品のロット番号、工場記号、その他の記号を次のように併記することもできます。

消費期限　2020年10月4日　+ABC
賞味期限　2020.10.4　LOT A63
賞味期限　20.10.4／+ABC　A63

<賞味期限と消費期限の定義>

用　語	定　　義
賞味期限	定められた方法により保存した場合において、期待されるすべての品質の保持が十分に可能であると認められる期限を示す年月日をいう。ただし、当該期限を超えた場合であっても、これらの品質が保持されていることがあるものとする。
消費期限	定められた方法により保存した場合において、腐敗、変敗その他の品質の劣化に伴い安全性を欠くこととなるおそれがないと認められる期限を示す年月日をいう。

④返品商品の再出荷について

　期限表示は運用上、知っておくべきことがあります。1つは返品商品の扱いです。返品された商品を再包装して再出荷することは原則として認められません。ただし、やむをえず再度出荷する場合は、返品前の保存状態、品質劣化がほとんどないといった条件を満たしている場合に限り認められます。しかし、この場合でも出荷時につけた期限（日時）を延長することは認められません。

（6）内容量の表示

　容器包装に密封された加工食品のうち、計量法の特定商品になっているものもあります。あん・煮豆・きなこ・ピーナッツ製品の豆類、はるさめ、米粉、

小麦粉、その他の粉類、でんぷん、缶詰や瓶詰された野菜加工品（ただし、漬け物以外の塩蔵野菜を除く）、トマト加工品などです。

これらの特定商品の内容量はそのルールに従って、グラムやリットル単位で表示しなければいけません。

①内容量の単位をつける

特定商品以外の加工食品はグラム、キログラム、あるいはミリリットル、リットルの単位を使って記載します。枚数や個数で表せるものは、2枚、3個といったように表示します。

缶詰や瓶詰などは内容量の代わりに固形量、内容総量を使います。

```
品　　名　　いわしみりん干
原材料名　　片口いわし（国産）、砂糖、ごま、塩、
　　　　　　でん粉
内 容 量　　4枚
賞味期限　　枠外下部に記載
保存方法　　要冷蔵（10℃以下で保存）
製 造 者　　（株）全国スーパーマーケット水産
　　　　　　東京都千代田区0―0―0
```

②内容量が一括表示で省略できる場合

内容量は一括表示部分に記載するのが基本です。しかし、商品の主要面の目立つ場所に「〇〇 mg」「〇〇 ml」とわかりやすく内容量が表示されていれば、一括表示部分の内容量は省略できます。また、内容量という項目名ごと省略することもできます。

なお、主要面に内容量を表示する場合は「mg」「ml」などの単位を明記しなければいけません。

内容総量、固形量などは内容量と同じルールが適用されます。商品の主要面に名称とともに内容総量、固形量などがはっきりと表示されていれば、一括表示部分での記載は省略できます。

ただし、以下のような場合は一括表示部分での内容量の省略はできません。
- 内容量が袋の隅など、目立たず、見にくい箇所に記載されている場合。
- 主要面に表示されている商品名が一般的名称でない場合は、内容量が主要面に記載されていても、一括表示部分での内容量の省略はできません。この場合は一括表示部分に商品の名称とともに内容量の記載が必要です。

第3章　加工食品の表示のしくみ

<名称、内容量の省略可否のケース>

主要面への記載	一括表示部分への記載省略の可否 （省略可は○、不可は×）	
	名　称	内容量
名称＋内容量を主要面に記載	○	○
名称のみ主要面に記載	○	×
内容量のみ主要面に記載（商品名が名称に代えることができない場合も同じ）	×	×

　加工食品のうち、刺身の盛り合わせのように、容器の外から簡単に判断できるものは、内容量を省略することができます。

（7）保存方法の表示

　保存方法は、「直射日光を避けて、常温で保存」「10℃以下で保存すること」などと表示します。缶詰など常温で保存する以外に特別、注意すべきことがない加工食品は保存方法を省略することができます。
　でんぷん、チューインガム、冷菓、砂糖、アイスクリーム類、食塩、氷などは、長期間にわたって品質の劣化が少ないため、保存方法が省略できます。

（8）製造者、加工者等の表示

　加工食品は製造者、加工者といった事業者がこれらの行為を行います。では、製造者、加工者とは誰のことを指すのでしょうか。食品表示基準Q&Aによれば、「製造」行為を行った者は「製造者」、「加工」行為のみを行った者は「加工者」となります。
　しかし加工食品の場合、製造と加工を同じ事業者で行う場合、または複数の事業者が製造する場合もあります。これらの表示では次のようなルールがあります。
・一連の工程を同一事業者が行った場合
　　例えば、牛肉を焼いて（製造）、カット（加工）の一連の工程を同じ事業者が行った場合は、その事業者が「製造者」に当たります。
・それぞれの工程を別々の事業者が行った場合
　　牛肉を焼いた（製造）事業者は「製造者」ですが、その焼いた牛肉を別の事業者がカット（加工）した場合、カットした事業者は「加工者」となります。

製造と加工にどのように事業者が関わっているのか。それによって表示が異なるわけです。

①食品関連事業者は表示責任者を記載

　加工食品の表示責任者は製造者、加工者、輸入業者、販売業者といった食品関連事業者です。従って表示責任者が製造業者なら「製造者」、加工者は「加工者」、輸入業者なら「輸入者」、販売業者が表示を行った場合は「販売者」とします。

　例えば販売者の（株）全国スーパーマーケットが表示責任者なら、「食品関連事業者」の項目は次のようになります。

```
販売者　（株）全国スーパーマーケット
```

　ただし、製造業者、加工者、輸入業者の合意があれば、販売者が代わって表示を行うことも可能です。この場合、項目名は「販売者」となります。

＜製造者を枠外に記載＞

```
販売者　（株）全国スーパーマーケット
　　　　〒100-0000　東京都千代田区内神田0―0―0
サービスセンター　03―0000―0000

製造者　（株）全国スーパーマーケット製造
　　　　〒100-0000　東京都千代田区内神田△―△―△
```

＜製造者を枠内に記載＞

```
販売者　（株）全国スーパーマーケット
　　　　〒100-0000　東京都千代田区内神田0―0―0
サービスセンター　03―0000―0000
製造者　（株）全国スーパーマーケット製造
　　　　〒100-0000　東京都千代田区内神田△―△―△
```

②表示責任を負う者が複数いる場合

　製品の表示内容に責任をもつ者が複数いる場合には、そのすべての者を一括表示部分に記載しなければいけません。

　当然、どの事業者がどの表示内容の責任を負うのかを明確にし、消費者からの問い合わせに対処できる態勢をとる必要があります。

③製造所固有記号の取り扱い

　原則として同一の製品を２つ以上の製造所で製造している場合は、製造所固有記号の表示を記載することで、製造所の所在地および製造者の氏名または名称の表示に代えることができます。

　具体的には製造者など、表示責任者の氏名、名称のあとに「＋」の記号をつけ、その後にアルファベットなどの製造所固有記号を記載します。

```
製造者　株式会社全国スーパーマーケット製造　＋ＡＫ
　　　　〒100-0000　東京都千代田区内神田△─△─△
```

　製造所固有記号を使用した場合は、あわせて次のような内容を表示しなければなりません。
・製造所の所在地または製造者の氏名もしくは名称の情報の提供を求められたときに回答する者の連絡先
・製造所固有記号が表す製造所の所在地および製造者の氏名または名称を表示したウェブサイトのアドレス（２次元コードなども含む）
・当該製品を製造している全ての製造所の所在地または製造者の氏名もしくは名称および製造所固有記号

　以上です。要するに、消費者が加工食品の情報をすぐに問い合わせられる仕組みを用意しておくことが、製造所固有記号の前提にあるというわけです。

（9）原材料の原産地表示について

　「第9章　原料原産地表示」参照。

（10）輸入品の原産国名

　輸入品は原産国名を記載する必要があります。ここでいう「輸入品」とは以下のようなものを指します。
・容器包装され、そのままの形態で消費者に販売される製品（製品輸入）
・バルクの状態で輸入されたものを国内で小分けし容器包装した製品
・製品輸入されたものを、国内で詰め合わせた製品
・その他、輸入された製品について、国内で「商品の内容について実質的な変更をもたらす行為」が施されていない製品

　なお、製品の原産国とは、景品表示法では「その商品の内容について実質的な変更をもたらす行為が行われた国」のことです。以下の行為はそれには含まれません。

①商品にラベルを付け、その他表示を施すこと
②商品を容器に詰め、または包装をすること
③商品を単に詰め合わせ、または組み合わせること
④簡単な部品の組み立てをすること

　さらに、関税法基本通達では次の行為は原産国の変更をもたらす行為には含まれません。
⑤単なる切断
⑥輸送または保存のための乾燥、冷凍、塩水漬け、その他これに類する行為
⑦単なる混合

　以上のことから、①〜⑦の行為を国内で行っても「実質的な変更をもたらす行為が行われた国」を原産国として表示します。

(11) 栄養成分の表示義務

　栄養成分表示は食品表示法において義務表示となりました。原則としてすべての加工食品および添加物に栄養成分を表示しなければなりません。

　表示すべき栄養成分はエネルギー、たんぱく質、脂質、炭水化物、ナトリウム（「食塩相当量」で表示）です。

　なお、ナトリウム塩を添加していない食品の場合はナトリウムの量を表示することもできます（任意）。この場合の表示はナトリウムの後に、括弧をつけて「食塩相当量○g」と表示する必要があります。

　この他に、推奨表示として飽和脂肪酸、食物繊維、任意表示として糖類、糖質、コレステロール、ビタミン・ミネラル類が表示できます。

＜栄養成分表示／1袋（100g当たり）＞

エネルギー	536kcal
たんぱく質	16.0g
脂質	30.7g
炭水化物	48.8g
ナトリウム	378mg
（食塩相当量	1.0g）

※ナトリウム塩を添加していない場合の表示。

　なお、小規模事業者、小規模企業、業務用食品を販売する事業者、食品関連事業者以外の販売者は栄養成分表示をしなくてもよいとされています。

(12) アレルゲンを含む特定原材料

　食品のアレルギー表示は非常に重要です。アレルギーの原因となる特定原材

料を含む加工食品および添加物はアレルゲンを表示しなければなりません。

表示方法は、加工食品に特定原材料が使われている場合は原材料名の直後に括弧をつけて、該当する特定原材料名を記載します。この表示方法を「個別表示」と呼んでいます。アレルゲンの表示は原則として個別表示を行います。

ただし、容器包装の表示可能面積などが小さく、制約がある場合などは例外的に、一括表示（原材料の直後にまとめて括弧書きする）も認めるとなっています。

特定原材料に由来する添加物を含む食品は、当該添加物を含む旨及び当該食品に含まれる添加物が当該特定原材料に由来する旨を、原則として添加物の物質名の直後に括弧をつけて表示しなければなりません。

特定原材料はえび、かに、小麦、そば、卵、乳、落花生の7品目（平成31年3月現在）です。このほかに、特定原材料に準ずる20品目を推奨表示としています。

＜アレルギーの個別表示例＞

原材料名	マヨネーズ（卵を含む）

＜特定原材料に準ずる20品目は推奨表示＞

いくら、キウイフルーツ、くるみ、大豆、バナナ、やまいも、カシューナッツ、もも、ごま、さば、さけ、いか、鶏肉、りんご、まつたけ、あわび、オレンジ、牛肉、ゼラチン、豚肉

(13) アスパルテームを含む食品

人工甘味料のアスパルテームを含む食品は、人によっては有害であるとされるため「L-フェニルアラニン化合物を含む旨」が義務表示となっています。具体的には「L-フェニルアラニン化合物を含む」と表示します。例えば次のような表示となります。甘味料は用途名です。

添加物	甘味料（アスパルテーム・L-フェニルアラニン化合物を含む）

「L-フェニルアラニン化合物を含む旨」の表示は、表示可能面積がおおむね30cm^{2}以下であっても省略はできません。

ただし、表示可能面積がおおむね30cm^{2}以下で、なおかつ文字数が多くて表示が難しい場合は、「L-フェニルアラニン化合物を含む」の文言を次のように表示することができます。

・添加物を表示する場合…アスパルテーム（フェニルアラニン）
・添加物を省略する場合…フェニルアラニンを含む

（14）国が認定する特定保健用食品

　特定保健用食品は国の保健機能食品制度の食品のひとつで、いわゆる「トクホ」と称されています。健康増進法に基づいて「特別の用途」のひとつである「特定の保健の用途」の内容を表示することについて、消費者庁長官が許可した食品にのみ付けられる名称です。

　「特定の保健の用途の表示」とは具体的には「お腹の調子を整える」「コレステロールの吸収を抑える」といった、健康の維持、増進に役立つことを指しています。その内容が科学的であり、安全性や効果に問題がないか、国が審査を行い、許可した食品について表示が可能になります。

（15）機能性表示食品は届け出制

　機能性表示食品も保健機能食品制度の食品のひとつです。一見すると特定保健用食品と似ているような仕組みですが、大きな違いがあります。特定保健用食品は国が許可した食品に表示できますが、機能性表示食品は届け出制によるものです。

　事業者の責任において科学的なデータ、根拠をもって、製品の販売の60日前までに消費者庁長官に届け出れば表示が可能になります。

（16）遺伝子組換え食品の表示

　遺伝子組み換え食品表示の対象となっているのは、それが安全と認められている遺伝子組み換え農産物、ならびにこれらを主な原材料とした加工食品です。表示の対象となっているのは8つの農産物および、その加工食品33食品群です。

＜表示義務のある遺伝子組換え農産物＞

大豆（枝豆および大豆もやしを含む。）、とうもろこし、ばれいしょ、なたね、綿実、アルファルファ、てん菜、パパイヤ

（17）1歳未満に適用される乳児用規格適用食品

　乳児用規格適用食品は義務表示です。厚生労働省は食品中の放射性物質の基準値を規定していますが、1歳未満の乳幼児には一般食品よりも低い基準値を設定しています。しかし一般の消費者にとって、外見からだけでは乳児用食品

の規格基準が適用されている食品（以下、乳児用規格適用食品）かどうか、判断するのは難しいのが現状です。

そこで食品表示基準では厚生労働省の規格基準を踏まえて、乳児用食品に係る表示基準を策定しました。

具体的には、乳児用規格適用食品は「乳児用規格適用食品」の文字またはその旨を的確に示す文言を表示しなければなりません。

食品表示基準Q&Aでは次のような表示例をあげています。参照するとわかりますが、「適用」という文言がすべてに入っています。「適用」の文言が必要なのです。

・乳児用規格適用食品
・本品は（食品衛生法に基づく）乳児用食品の規格基準が適用される食品です。
・乳児用食品の規格基準が適用される食品です。
・本品は乳児用規格適用食品です。
・乳児用規格適用食品です。
・乳児用規格適用

なお、乳児用規格適用食品であることが容易に判別できるものは、乳児用規格適用食品である旨の表示を省略できます。具体的には「粉乳」および「液状乳」があります。

4）わかりやすければ省略できる一括表示

加工食品の名称、賞味期限など、表示しなければならない項目（義務表示）は、容器包装に定められた様式で、一括して表示すること（一括表示）が基本です。

＜プライスラベルのケース＞

```
            紅鮭（北海道産）
原 材 料  紅鮭、食塩
          正味量（g）      100g 当たり
          △△            △円
          加工日          価格（円）
          00.00.00        ○○○
          消費期限
          00.00.00
保存温度   ××℃以下
加 工 者  （株）全国スーパーマーケット魚
```

> 東京都千代田区神田０―０―０

　ただし、価格などを表示するプライスラベルのように、消費者にとって一括表示と同じくらいわかりやすい表示であれば、一括表示部分での表示を省略することができます。
　どのような条件なら一括表示も省略できるのかを見てみましょう。

（1）一括表示部分を省略できる場合

　食品表示基準では、一括表示部分を省略できるのは、次のようなケースに限られます。

> - スーパー、販売店で加工食品を小分けするなどの際に、プライスラベルに一括してわかりやすく表示する場合
> - 菓子類など、容器包装の形態に合わせ、工夫して表示する場合

　商品の包装などの形態によっては、一括表示の項目の順番の変更など、より消費者にわかりやすい表示の工夫を行うこともできます。具体的には、以下のような内容です。

> - 表示順序を変更して表示すること。
> - 表示項目の名称を同じ意味とすぐにわかるような項目名で記載すること。
> - 表示項目と項目に区切り線を入れて記載すること。

（2）一括表示以外に、別途記載ができる場合

　義務表示のうち、原材料名、原料原産地名、内容量、消費期限または賞味期限、保存方法は、一括表示部分に記載するのが難しい場合には、他の箇所に記載することができます。
　その場合はどこに記載されているのか、別途記載の箇所を一括表示部分に記載しなければいけません。
　ただし、次の点に注意する必要があります。

> - 一括表示部分に、別途記載の箇所を「商品表面上部に記載」「本面右下に記載」など、消費者にわかるように記載しておくこと。
> - 別途記載の項目が複数になった場合には、なるべく記載箇所をまとめて表示す

ること。
- 別途記載する内容は背景色と対照的な色や大きな文字サイズなどで表示し、消費者にわかりやすくすること。

（3）義務表示以外の内容も一括表示部分に記載可能

　義務表示ではない事項であっても、消費者の商品選択にプラスになるような内容ならば、一括表示枠内に記載することも認められています。たとえば、製造者等に関する電話番号、FAX番号、メールアドレスやホームページアドレスは義務表示ではありません。しかし、一括表示部分に表示することは可能です。

2. 業者間取引の表示ルール

　業者間で取引される業務用に使う加工食品や生鮮食品の表示は平成20年4月から義務づけられました。
　加工食品の原材料供給者と製造業者との間の取引は信頼関係を前提に行われてきました。しかし、平成19年に起こった牛ミンチ事件によって、最終製品の表示の正確性を確保できない事態となったのです。
　その結果、原材料供給者、製造業者、販売業者などが、食に関する正確な情報を共有し、最終製品に正確な情報を表示するための方法として、業者間取引の表示が義務化されました。

1） 業務用加工食品の表示

　業者間取引の表示義務がある製品は、業務用加工食品と業務用生鮮食品です。ここでは業務用加工食品について解説します。

（1）誰が表示義務を負うのか
　食品関連事業者が業務用加工食品を販売する時には、食品表示基準に基づいて必要な事項を表示しなければいけません。

（2）業務用加工食品の範囲
　業務用加工食品とは、一般消費者に販売される形になっているもの以外の加工食品のことです。例えばコロッケのケースを見てみましょう。
　コロッケを作るのに必要なものとして、牛豚の合挽肉があります。これに塩、こしょうなどを混ぜることで調味した牛豚の合挽肉ができます。調味した牛豚の合挽肉にジャガイモなどを混ぜてコロッケの種を作る。次に、コロッケの種に衣をつける。これを揚げたモノがコロッケです。
　揚げたコロッケを最終製品として一般消費者に販売した場合、牛豚の合挽肉、調味した牛豚の合挽肉、コロッケの種、衣をつけたコロッケの種。以上の

すべてが業務用加工食品となります。

（3）業務用加工食品の表示すべき項目

業務用加工食品において、製造業者等が表示すべき主な項目は次の通りです。

- 名称
- 保存の方法
- 消費期限または賞味期限
- 原材料名
- 添加物
- 食品関連事業者の氏名または名称および住所
- 製造所または加工所の所在地および製造者または加工者の氏名または名称
- アレルゲン
- L-フェニルアラニン化合物を含む旨
- 乳児用規格適用食品である旨
- 原料原産地名
- 原産国名

海外から製品を輸入し、その後、実質的な変更がされずに販売されるものは「原産国名」が必要になります。

この他に、計量法などに関係するものがあれば、必要な項目は当然、表示しなくてはいけません。

2）業務用生鮮食品の表示

（1）業務用生鮮食品の範囲

生鮮食品のうち、加工食品の原材料となるものを業務用生鮮食品といいます。
例えば、あじの開きに使うまあじは業務用生鮮食品となります。一方、生鮮食品の形のまま流通し、そのままスーパーなどで一般の消費者に販売されるものは、通常の生鮮食品となります。

（2）業務用生鮮食品の表示すべき項目

業務用生鮮食品で表示義務のある項目は原則として、名称、原産地など次表の通りです。

- 名称
- 原産地
- 放射線照射に関する事項
- 乳児用規格適用食品である旨
- 基準別表第24の中欄に掲げる表示事項（一部事項を除く）

※「基準別表第24の中欄に掲げる表示事項」とは保存の方法、アレルゲン、消費期限または賞味期限など、食品衛生法由来のもの。

3）表示箇所と業者間取引の形態

　ここでは業務用加工食品、業務用生鮮食品ともに共通する表示の箇所と業者間取引の形態による表示義務の有無について解説します。

（1）どこに表示をすればいいのか

　業務用加工食品、業務用生鮮食品のいずれの場合も、業者間取引で必要な表示は、容器包装の見やすい箇所、送り状、納品書等または規格書等にしなければなりません。

　また、送り状、納品書類等は表示の根拠となるものであり、これらは整備して、保存するよう努めなければなりません。保存期間はおおむね3年が目安となっています。

（2）表示項目の文字サイズなど

　表示内容に関する文字の規定は、一括表示、活字の大きさ、文字の色などは、特に決められていません。取引を行う業者が正しく情報を理解できるものなら問題ありません。

（3）業者間取引の形態によって異なる表示義務の有無

　業者間取引といっても、様々な形態があり、その取引の形態によって表示義務がある場合と、表示義務のない場合があります。次に主だった取引ケースをあげています。

●表示義務のある業者間取引の形態
- グループ企業間の取引
  　同じグループ企業の間で行う取引は業者間取引になるため、表示義務があります。
- 加工や包装などの一部を他社へ委託する

加工や包装などの一部の工程を他社へ委託した場合は、委託元と委託先の間では業者間取引となるため、表示義務があります。
- 卸売業者との取引
　　製造などの行為がある、なしにかかわらず、卸売業者は表示義務の対象になります。

●表示義務の対象とならない取引形態
- インストアでの加工食品
　　食品表示法では外食レストラン、インストアでの加工食品については、表示の対象としていません。したがって、業者間取引の表示も基本的には対象にはなりません。ただし、インストアで加工した食品を他の事業者に販売した場合で、なおかつ業務用加工食品の範囲に当てはまるものは表示義務があります。
- 同一企業内での取引
　　同一企業内における取引は表示義務の対象にはなりません。
- 単なる製品の流通や保管の委託
　　運搬費用を支払い、製品の運送だけを委託された輸送業者や、製品の保管だけの業務を委託された事業者については表示義務の対象外です。
- 帳簿上のみの取引
　　卸売問屋であっても、帳簿上のみの取引（帳合業者）は業者間取引の対象にはなりません。
- 輸入手続き代行業者
　　輸入手続きの代行だけを行う事業者は業者間取引の対象外であり、表示義務はありません。

第 4 章

個別の表示ルールのある加工食品

1. 表示が個別に定められている加工食品

　加工食品の一般的な表示ルールはすでに説明しました。しかし、加工食品のなかには個別の表示のルールをもつものがあります。旧JAS法では、個別の品質表示基準としてまとめられていましたが、食品表示法および食品表示基準ができたことで、これらは統合されました。

　食品表示基準では、個別の加工食品について、個別の加工食品の定義（別表第3）、加工食品の名称制限（別表第5）、加工食品の個別的表示事項（別表第19）、加工食品の様式および表示の方式（別表第20）、表示禁止事項（別表第22）において、それぞれのルールが設けられています。

　以下に、個別の加工食品ごとに、主な内容を説明していきます。これ以上のより詳しい内容を知りたい場合は食品表示基準にあるそれぞれの別表を確認してください。

（1）農産加工品
①農産物缶詰および農産物瓶詰
●製品のポイント

　農産物の缶詰、瓶詰は、農産物またはその加工品に充てん液を加えたもの、または加えないで、缶や瓶に密封し加熱殺菌処理したものをいいます。加工品は調味したものも含まれます。また、フルーツみつ豆に配合する場合の寒天も対象になります。

<農産物缶詰・瓶詰の具体例>

たけのこ缶詰・瓶詰、アスパラガス缶詰・瓶詰、スイートコーン缶詰・瓶詰、グリンピース缶詰・瓶詰、あずき缶詰・瓶詰、大豆缶詰・瓶詰、マッシュルーム缶詰・瓶詰、えのきたけ缶詰・瓶詰、なめこ缶詰・瓶詰、みかん缶詰・瓶詰、もも缶詰・瓶詰、なし缶詰・瓶詰、パインアップル缶詰・瓶詰、くり缶詰・瓶詰、アップルソース缶詰・瓶詰、フルーツカクテル缶詰・瓶詰、混合農産物缶詰・瓶詰、フルーツみつ豆缶詰・瓶詰

● **表示のポイント**

表示すべき項目は、名称、形状、大きさ、基部の太さ、粒の大きさ、果肉の大きさ、果粒の大きさ、内容個数、原材料名、使用上の注意です。1種類の農産物のみを瓶や缶に詰めたものは、名称などのほかに、形状を表示しなければいけません。ただし、れんこん、たけのこ、アスパラガス、スイートコーン、なめこ、マッシュルーム、果実（くり、ぎんなんを除きます）のいずれかの場合に限ります。なお、内容物の形が外からでも確認できる瓶詰は形状を表示する必要はありません。

● **名称のポイント**

名称は農産物の場合と、農産物の加工品（精米を含みます）では異なります。農産物は一般的な名称を表示し、並びに使っている農産物が1種類か2種類以上なのか、充てん液などの組み合わせで表示します。

農産物が1種類の場合は一般的な名称の後に「・」を付けて「充てん液の名称」を続けます。たとえば「たけのこ・水煮」となります。充てん液が入っていなければ「ドライパック」とします。

2種類以上の場合は、フルーツカクテルは「フルーツカクテル」と表示します。それ以外の農産物は果物や野菜によって、「2種混合果実」「3種混合野菜」「混合農産物」などとし、その後に充てん液の名称などを記載します。たとえば、みかん、ももがシロップづけのものなら、「2種混合果実・シロップ」です。

充てん液の名称は「水づけ」「シラップづけ」「果汁づけ」など他にもいろいろあります。

農産物の加工品、または農産物の加工品に農産物が入ったものは、「フルーツみつ豆」「くり甘露煮」「ゆであずき」「赤飯」など、一般的な名称をつけます。

② トマト加工品

●製品のポイント
　トマト加工品には、トマトジュース、トマトミックスジュース、トマトケチャップ、トマトソース、チリソース、トマト果汁飲料、固形トマト、トマトピューレ、トマトペーストがあります。

●名称のポイント
　名称はそれぞれ「トマトジュース」「トマトミックスジュース」「トマトケチャップ」「トマトソース」「チリソース」「トマト果汁飲料」「トマトピューレ」「トマトペースト」です。濃縮トマトを希釈して作ったトマトジュースは、「トマトジュース（濃縮トマト還元）」と記載します。

　固形トマトの名称は、中に充てんしている液体で変わります。充てん液を加えていないもの（ドライパック）は、「トマト・ドライパック」、充てん液として、トマトジュース、トマトピューレ、トマトペースト、水を加えたものは、それぞれ「トマト・ジュースづけ」「トマト・ピューレづけ」「トマト・ペーストづけ」「トマト・水煮」となります。

　野菜類が入ったものは、名称の後に括弧を付けて「野菜入り」、皮付きのものは名称の後に括弧を付けて「皮付き」と記載します。

●形状のポイント
　固形トマトは全形で入っていれば「全形」です。ほかに「２つ割り」「４つ割り」「立方形」「輪切り」「くさび形」「不定形」などがあります。

●原材料名のポイント
　トマトジュース、トマトケチャップ、トマトソース、チリソース、トマトピューレおよびトマトペーストの場合は、トマト、トマトの搾汁および濃縮トマトは「トマト」と記載し、食酢は「醸造酢」および「合成酢」に分けて記載します。醸造酢は「醸造酢」の文字の後に括弧を付けて、「米酢、りんご酢」などと、一般的な名称を記載できます。醸造酢が１種類の場合は「醸造酢」の文字、括弧を省略できます。

　トマトミックスジュースの場合は、使った原料がトマトジュースなら「トマトジュース」、濃縮トマトを希釈したものは「トマトジュース（濃縮トマト還元）」と記載します。野菜を搾汁したものや濃縮したものは、「野菜ジュース」として、その文字の後に括弧を付けて、「セルリー（濃縮還元）」「にんじん」「パセリ（粉末還元）」などと記載します。

　トマト果汁飲料および固形トマトの場合は、トマトは「トマト」、トマトジュースは「トマトジュース」、トマトピューレは「トマトピューレ」、トマトペーストは「トマトペースト」などと記載します。

● その他のポイント

　トマトピューレ、トマトペーストは、濃縮したトマトの度合いを「トマトを裏ごしして、およそ３倍に濃縮してあります」などと記載しなければいけません。

　濃縮トマトを希釈して製造したトマトジュースは、商品名の近いところに、「濃縮トマト還元」と記載しなければいけません。

　「生」「フレッシュ」「天然」「自然」などを意味する用語はつかえません。

③乾しいたけ
● 名称のポイント

　名称を見ると、乾しいたけの形がわかります。「乾しいたけ」とあればカサと柄がついた乾しいたけの形そのままのもの、「乾しいたけ（スライス）」は薄切り、「乾しいたけ（どんこ）」はカサが７分開きにならないうちに採ったもののことで、重さで70％以上「どんこ」が入っているもの、「乾しいたけ（こうしん）」はカサが７分開きになってから採ったもので、重さで70％以上入っています。

● 原材料名のポイント

　栽培方法によって、「しいたけ（原木）」「しいたけ（菌床）」「しいたけ（原木・菌床）」と記載しなければいけません。「原木」は原木に種菌を植えて栽培したもの、「菌床」はおが屑にふすまなどをまぜた培地に、種菌を植えて栽培したものです。

　「原木・菌床」とあれば、原木栽培のしいたけが多いことを意味します。

● その他のポイント

　輸入した乾しいたけを日本で選別、包装したものには、商品名に近い箇所に、「○○乾しいたけ」と、○○に原産国名を記載します。国産品と輸入品を混ぜて包装したものは、その重量が多い順に原産国名を記載しなければいけません。例えば「中国・国産混合乾しいたけ」となります。

④ジャム類
● 名称のポイント

　名称に「いちごジャム」「りんごジャム」などとあれば、１種類の果実などを使用したもの、２種類以上を使ったものは「ミックスジャム」です。

　「マーマレード」とあれば、かんきつ類の果実を原料にしたもので、皮が残っているのがわかるものです。「ゼリー」は果実などの搾汁を原料にしたものです。

　「いちご（プレザーブスタイル）」とあれば、いちごが全形か、２つ割りの果

実が入っているジャムのことです。ほかに、プレザーブスタイルといえば、いちご以外のベリー類は全形の果実、ベリー類以外の果実などを原料とするものは5mm以上の厚さの果肉などが入っていて、なおかつ原形が残っているものをいいます。

● **原材料名のポイント**

原材料が果実なら「いちご」「りんご」「なつみかん」などとします。2種類以上の果実だけを使ったものは「果実（いちご、りんご）」などと記載します。2種類以上のかんきつ類を使ったマーマレードは果実の代わりに「かんきつ類」と記載できます。同じく2種類以上の野菜のみを使ったものなら「野菜」の後に括弧を付けて、その名称を入れます。

⑤乾めん類
● **名称のポイント**

乾めん類とは小麦粉やそば粉などを練り合わせてめん状にし、乾かしたものです。乾めん類のうち、そば粉を使用したものが「干しそば」です。干しそばには「手延べ干しそば」があります。干しそば以外のものは「干しめん」です。

名称は、手延べそば以外の干しそばは「干しそば」「そば」、手延べ干しそばは「手延べ干しそば」「手延べそば」と記載します。手延べ干しめん以外の干しめんは「干しめん」、手延べ干しめんは「手延べ干しめん」となります。

ただし、めんの太さや形によって表示を変えることができます。たとえば干しめんのうち長径が1.7mm以上のものは、「干しうどん」または「うどん」と記載できます。手延べ干しめんの場合は別に形やサイズのルールがあります。

干しめんの分類と名称は次の表で確認してください。

<干しめんの名称と分類>

干しめんの名称		サイズ、形など
干しうどん、うどん		長径が1.7mm以上のもの
干しひやむぎ、ひやむぎ、細うどん		長径を1.3mm以上1.7mm未満に成形したもの
干しそうめん、そうめん		長径を1.3mm未満に成形したもの
干しひらめん、ひらめん、きしめん、ひもかわ		幅を4.5mm以上、厚さを2.0mm未満の帯状に成形したもの
手延べ干しめん	手延べうどん	長径が1.7mm以上の丸棒状または帯状に成形したもの

	手延べひやむぎ、手延べそうめん	長径が 1.7㎜未満の丸棒状に成形したもの
	手延べひらめん、手延べきしめん、手延べひもかわ	幅を 4.5㎜以上、厚さ 2.0㎜未満の帯状に成形したもの

●原材料名のポイント

　干しそばは、そば粉や小麦粉などが原料です。干しうどん、干しひらめん、ひやむぎ、そうめんなどは小麦粉などを原料にしています。

　調味料、やくみが付いたものは、「めん」「添付調味料」「やくみ」と記載し、その後に括弧を付けて原材料名を記載します。たとえば「めん（小麦粉、そば粉、やまのいも、食塩、海藻）」「添付調味料（しょうゆ、砂糖、かつおぶし、みりん）」などとします。

名　　称	干しそば
原材料名	めん（小麦粉（国内製造）、そば粉、やまのいも、食塩、海藻）、添付調味料（しょうゆ、砂糖、かつおぶし、みりん）

●その他のポイント

　めんのゆで方など、調理方法を記載しなければいけません。調理方法を一括で表示するのが難しいときは、他の箇所に記載できます。ただし、その箇所を調理方法の欄に記載する必要があります。

　製めんした地域名を表示したい場合は、商品名の近いところに「製めん地・〇〇」と、14ポイント以上の大きな活字で記載しなければいけません。そば粉の配合割合が 30％未満の干しそばは、その配合割合を「20％」「２割」などと表示する義務があります。

⑥即席めん

●名称のポイント

　即席めんは小麦粉またはそば粉が主原料であり、これに食塩またはかんすいなどを加え練り合わせ、製めんしたもので、添付調味料、調味料で味つけし、簡単に調理できるものです。

　名称には、その内容を表す一般的な名称を記載します。即席めんのうち、めんを蒸したり、ゆでたりし、有機酸溶液中で処理した後に加熱殺菌したものは「生タイプ即席めん」となります。

● **原材料名のポイント**

使用した原材料はめん、添付調味料の順で記載します。原材料名は、めんは「めん」、油処理で乾燥したものは「油揚げめん」の文字の後に括弧を付けて「小麦粉」「そば粉」など、一般的な名称を記載します。

添付調味料は「鶏肉エキス」「しょうゆ」などと記載します。

● **その他のポイント**

容器を加熱するものは「調理中及び調理直後は、容器に直接手を触れないこと」などと、容器を加熱しないものは「やけどに注意」などと記載します。そば粉を使っているもので、そば粉の配合割合が30％未満のものは「そば」の用語を表示してはいけません。

⑦マカロニ類

● **名称のポイント**

名称は「マカロニ類」です。このうち2.5mm以上の太さの管状などにしたものは「マカロニ」、1.2mm以上の太さの棒状のもの、又は2.5mm未満の太さの管状のものは「スパゲッティ」、1.2mm未満の太さの棒状のものは「バーミセリー」、平たい帯状のものは「ヌードル」と記載することができます。

● **原材料名のポイント**

原料の小麦粉は「デュラム小麦のセモリナ」「デュラム小麦粉」「強力小麦のファリナ」「強力小麦粉」などと記載します。その他、卵、トマト、ほうれんそう、食塩、大豆粉、小麦グルテンなど、使ったものを表示します。

● **その他のポイント**

調理方法を記載すること。

即席の用語は使えません。製品100g当たりの原材料の固形分に、卵なら4g以上、野菜なら3g以上含まれていれば、「卵」「ほうれんそう」などの名称が、表示できます。

> **一口メモ**
>
> デュラム小麦はスパゲッティなどに使われる小麦です。セモリナ（semolina）はデュラム小麦を粗挽きしたものに使います。ファリナ（farina）は穀粉の意味です。

⑧ パン類
●名称のポイント
　名称には「食パン」「菓子パン」などがあります。パン生地を食パン型に入れて焼いたのが「食パン」です。「菓子パン」は、パン生地にあん、クリームなどを包み込んで焼いたものなどがあります。

　パン生地をそのまま焼いたもののうち、食パン以外のものは、その他のパンとして「パン」と表示されています。干しぶどうや野菜などを入れたパン生地もあります。ちなみにパン類は水分が10％以上のものです。

●原材料名のポイント
　主な原材料は小麦粉、穀類です。ほかにイーストフード、乳化剤、ショートニングなども使われます。イーストフードはパン生地を発酵させるイースト菌の栄養となるものです。

⑨ 無菌充填豆腐
●製品のポイント
　連続流動式の加熱殺菌機で殺菌した豆乳に、殺菌または除菌された凝固剤を添加して、容器包装に無菌的に充填した後加熱凝固させたもの。

●表示のポイント
　「常温保存可能品」と常温での保存が可能である旨を表示します。

　また、常温で保存した場合における賞味期限である旨の文字を冠したその年月日を表示します。

⑩ 凍り豆腐
●名称のポイント
　名称は「凍り豆腐」です。「こうや豆腐」「しみ豆腐」と記載することもできます。豆腐の形によって、さいの目、細切り、粉末、割れたものなどがあります。これらは「凍り豆腐」の名称の後に括弧を付けて「凍り豆腐（さいの目）」などとします。ただし、中身が見える容器や包装の場合は形状の記載を省略できます。調味料が添付されているものは「凍り豆腐（調味料付き）」とします。

●原材料名のポイント
　食品添加物以外の原材料は「丸大豆」です。調味料が付いているものは、「凍り豆腐（丸大豆）、添付調味料（砂糖、食塩、粉末しょうゆ、肉エキス、かつおエキス、スモークフレーバー、でん粉）」などと、分けて記載します。

●その他のポイント
　調理方法を記載すること。

（2）畜産加工品

①ハム類
●名称のポイント
　名称には、「骨付きハム」「ボンレスハム」「ロースハム」「ショルダーハム」「ベリーハム」「ラックスハム」があります。このうち、ブロック、スライスしたものは、「ボンレスハム（ブロック）」「ボンレスハム（スライス）」などと記載します。

　ただし、ここでいうハム類は、食料缶詰、食料瓶詰め、レトルトパウチ食品に入らないものです。

●原材料名のポイント
　同じハム類でも名称が違うのは原料肉が違っているからです。骨付きハムとボンレスハムは「豚もも肉」、ロースハムは「豚ロース肉」、ショルダーハムは「豚肩肉」、ベリーハムは「豚ばら肉」、ラックスハムは「豚肩肉」「豚ロース肉」「豚もも肉」のいずれかを使います。

●その他のポイント
　商品名に近い箇所か、商品名に「非加熱食肉製品」「特定加熱食肉製品」「加熱食肉製品」のいずれかを記載します。

　加熱食肉製品は、加熱食肉製品（包装後加熱）か、加熱食肉製品（包装前加熱）かのどちらかを表示します。容器包装に入れてから加熱殺菌したものか、加熱殺菌した後から容器包装に入れたのかを示しています。

　保存温度も記載しなければいけません。例えば加熱食肉製品は10℃以下で、ローストビーフ（特定加熱食肉製品）や生ハム（非加熱食肉製品）は4℃以下となります。

　非加熱食肉製品と特定加熱食肉製品には、水分活性が「0.95未満」などと表示してあります。

②プレスハム
●名称のポイント
　名称は「プレスハム」です。ブロック、スライスしたものは、「プレスハム（ブロック）」「プレスハム（スライス）」と記載します。

●原材料名のポイント
　プレスハムは、豚肉、牛肉、馬肉、めん羊肉などの畜肉、家きん肉（鶏など）が原料肉です。製法は肉塊を塩漬けします。これを「塩漬（えんせき）」といいます。この

肉をケーシング（筒状の包装）に充てんしたものを燻煙して、お湯で煮立てるなどして作ります。

原材料名は「肉塊」として、その後に括弧を付けて、使用した食肉の種類を表記してあります。例えば「肉塊（豚肉、牛肉、馬肉、鶏肉）」のように、重量の多いものから順に表示されています。

つなぎを使用している場合は、「つなぎ（牛肉、豚肉、馬肉、でん粉、小麦）」などと、つなぎの原材料名を表示します。

でん粉含有率は「でん粉含有率」の表示項目をたてて、「○○％」と表示します。ただし、3％以下の場合は表示を省略できます。

● **その他のポイント**

プレスハムは「加熱食肉製品」なので、商品名の近くか、商品名に、その表示が必要です。また、容器包装に入れてから加熱したものか、加熱してから容器包装に入れたのかを記載しなければいけません。

③混合プレスハム
● **名称のポイント**

名称は「混合プレスハム」です。ブロック、スライスしたものは、「混合プレスハム」の後に括弧を付けて「ブロック」「スライス」とします。

● **原材料名のポイント**

混合プレスハムの肉塊は、豚肉、牛肉、馬肉、めん羊肉、山羊肉、家兎肉（か

一口メモ

食肉製品は処理や加熱の方法などによって、乾燥食肉製品、非加熱食肉製品、特定加熱食肉製品、加熱食肉製品に分けられます。

乾燥食肉製品は食肉を乾燥させたもので、サラミやビーフジャーキーがあります。非加熱食肉製品は食肉を塩漬けして乾燥させたものですが、加熱殺菌（63℃で30分間）していません。製品としては生ハムや生ベーコンがあります。ローストビーフのような特定加熱食肉製品は63℃で30分間、加熱します。

加熱食肉製品は上記のいずれにも入らないものです。製造工程の途中で熱処理しているのでそのまま食べられます。ハムやソーセージなどがあります。

とにく）、家きん肉、魚肉（鯨の肉を含む）などを原料としています。プレスハムとの違いは、魚肉を使っている点です。ただし、魚肉の割合が50％を超えると魚肉ハムになります。

原料の肉塊は、「肉塊」として、その後に括弧を付けて「豚肉」「牛肉」「馬肉」「マトン」「山羊肉」「うさぎ肉」「鶏肉」「鯨」「まぐろ」「かじき」などと記載します。

つなぎを使っている場合は、「つなぎ」の文字の後に括弧を付けて、「豚肉」「牛肉」「馬肉」「マトン」「山羊肉」「うさぎ肉」「たら」「でん粉」「小麦粉」「コーンミール」「植物性たんぱく」「乳たんぱく」などと記載します。

でん粉含有率は「でん粉含有率」の項目をたてて、「○○％」と記載します。ただし、3％以下は省略できます。

● その他のポイント

「加熱食肉製品」であることを、商品名か、商品名に近いところに記載します。また、容器包装に入れてから加熱したものか、加熱してから容器包装に入れたのかを記載しなければいけません。

④ソーセージ
● 名称のポイント

名称には、「ボロニアソーセージ」「フランクフルトソーセージ」「ウインナーソーセージ」「リオナソーセージ」「レバーソーセージ」「レバーペースト」「クックドソーセージ」「加圧加熱ソーセージ」「無塩漬ソーセージ」があります。ソーセージと一口にいってもたくさんの名称があります。

これら以外にも名称のつけ方があります。

豚肉のみを使用したボロニアソーセージ、フランクフルトソーセージ、ウインナーソーセージは、それぞれ「ポークソーセージ（ボロニア）」「ポークソーセージ（フランクフルト）」「ポークソーセージ（ウインナー）」と記載します。

豚肉、牛肉のみを使用したセミドライソーセージ、ドライソーセージは、それぞれ「ソフトサラミソーセージ」「サラミソーセージ」と記載しなくてはいけません。

「加圧加熱ソーセージ」は120℃で4分間、加圧加熱したソーセージのことです。「無塩漬ソーセージ」は原料の肉を塩漬けしていないものです。処理の方法による名称のつけ方です。したがって、ソーセージの名称と組み合わせた使い方もあります。

加圧加熱ソーセージであって、ボロニアソーセージ、フランクフルトソーセージ、ウインナーソーセージ、リオナソーセージに当たるものは、「加圧加

熱ボロニアソーセージ」などと記載します。

同様に、無塩漬ソーセージに当たるものは、「無塩漬フランクフルトソーセージ」などとなります。

1種類の家畜もしくは家きん、またはこれに同種類の原料臓器類を使用し、原料魚肉類を加えていないボロニアソーセージなどは、それぞれ「○○ソーセージ（ボロニア）」「○○ソーセージ（フランクフルト）」「○○ソーセージ（ウインナー）」と記載できます。○○は「ポーク」「ビーフ」「チキン」など、食肉の種類です。

ブロック、スライスしたものは、それぞれ名称の後に括弧を付けて、「ブロック」「スライス」と記載しなければいけません。

●原材料名のポイント

原料の肉は、畜肉、家きん、家兎およびこれらの臓器、魚肉を使います。ただし、魚肉の割合は15％未満と決まっています。

使用した畜肉、種もの、結着材料が、2種類以上の原材料を使っている場合は、「畜肉」「種もの」「結着材料」の後に括弧を付けて、それぞれ「豚肉、牛肉」「グリンピース、パプリカ」「でん粉、小麦粉」などの原材料名を記載します。

魚肉は、「魚肉」の文字の後に括弧を付けて「たら、まぐろ」などと記載します。

●その他のポイント

でん粉含有率、殺菌方法（120℃で4分間加熱など）、pH（4.6以上5.1未満など）、水分活性（0.93未満など）を記載しなくてはいけません。なお、でん粉含有率が5％以下の場合は省略できます。

セミドライソーセージは非加熱食肉製品か加熱食肉製品かを、商品名に近いところか、商品名に記載しなければいけません。ドライソーセージは「乾燥食肉製品」と記載します。乾燥食肉製品は常温で保存できるものですが、涼しい場所で保存する必要があります。

⑤混合ソーセージ

●名称のポイント

名称は「混合ソーセージ」です。加圧加熱ソーセージの場合は「加圧加熱混合ソーセージ」となります。スライス、ブロックされたものは、「混合ソーセージ（スライス）」などと記載します。

●原材料名のポイント

混合ソーセージは、魚肉と鯨肉の原材料に占める重さが15％以上50％未満となっています。原材料名の表示は基本的にソーセージと同じ扱いですので、

そちらを参照してください。
● **その他のポイント**

でん粉含有率、殺菌方法（120℃で4分間加熱など）が必要です。でん粉含有率は5％以下の場合は省略できます。

⑥ベーコン類
● **名称のポイント**

ベーコン類は、使う豚肉の部位によって「ベーコン」「ロースベーコン」「ショルダーベーコン」と記載します。薄切りにしたものは、名称の後に括弧を付けて「スライス」とします。

● **原材料名のポイント**

原料肉は、ベーコンは「豚ばら肉」、ロースベーコンは「豚ロース肉」、ショルダーベーコンは「豚肩肉」と記載します。

● **その他のポイント**

水分活性は「0.95未満」などと記載します。非加熱食肉製品、特定加熱食肉製品、加熱食肉製品の別を、商品名の近いところか、商品名に記載しなくてはいけません。

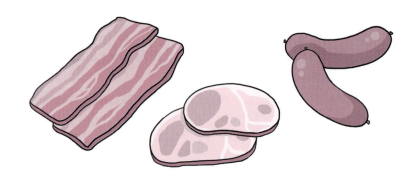

⑦畜産物缶詰および畜産物瓶詰
● **製品のポイント**

畜産物缶詰及び畜産物瓶詰（以下、缶詰・瓶詰とします）は食肉や鳥卵、これらの加工品を、缶や瓶に密封して、加熱殺菌したもののことです。

種類としては、食肉、焼き鳥、ベーコン、ハム、ソーセージ、コーンドミート、コンビーフ、無塩漬コンビーフ、ランチョンミート、家きん卵水煮、その他の畜産物があります。

●名称のポイント

　食肉の瓶詰・缶詰は、使った食肉の一般的な名称の後に、調味液の種類を記載します。例えば「牛肉味付」「鶏肉水煮」などです。小肉片、ほぐし肉、ひき肉、骨付きの食肉などを詰めたものは、調味液の名称の後に括弧を付けて、それらを記載します。例えば「牛肉味付（ほぐし肉）」です。

　焼き鳥の缶詰・瓶詰の名称は「やきとり」です。くし刺しのものは、「やきとり（くしざし）」です。これらの名称の後に、使った香味がわかるように「（塩味）」などと併記します。

　ベーコンの缶詰・瓶詰は、ばら肉を使えば「ベーコン」、ロース肉は「ロースベーコン」、肩肉を使用したものは「ショルダーベーコン」と記載します。

　ハムの缶詰・瓶詰は、骨を除いたもも肉を使えば「ボンレスハム」、ロース肉なら「ロースハム」、肩肉は「ショルダーハム」、ばら肉は「ベリーハム」と記載します。

　ソーセージの缶詰・瓶詰は、使用したケーシングや太さによって「ウインナーソーセージ」「フランクフルトソーセージ」「ボロニアソーセージ」「セミドライソーセージ」「リオナソーセージ」と記載します。

<ソーセージの名称と分類>

ウインナーソーセージ	ケーシングに羊の腸を使用したもの、又は太さが20mm未満のもの。
フランクフルトソーセージ	ケーシングに豚の腸を使用したもの、又は太さが20mm以上、36mm未満のもの。
ボロニアソーセージ	ケーシングに牛の腸を使用したもの、又は太さが36mm以上。
セミドライソーセージ	食肉に豚の脂肪層を加えたものを使用し、臓器、可食部分（豚脂肪層を除く。）、魚肉及び鯨肉を加えていないものであって、水分が35％を超え55％以下のもの。
リオナソーセージ	食肉に種ものを加えたものを使用し、臓器、可食部分、魚肉及び鯨肉を加えていないもの。

　コーンドミートは食肉を塩漬けして煮たもので、ほぐしたり、味つけしたりするものもあります。このうちコンビーフは「コンビーフ」と記載。コンビーフ以外のコーンドミートは「コーンドミート」、無塩漬コンビーフは「無塩漬コンビーフ」と記載します。

　ランチョンミートの缶詰・瓶詰は「ランチョンミート」です。

家きん卵水煮の缶詰・瓶詰は、使用した卵の名称の後に、「水煮」と記載すること。
　その他の畜産物の缶詰・瓶詰のうち、食肉等（食肉、臓器及び可食部分並びにこれらの加工品）を詰めたものもあります。
　これらは食肉の名称の後に、水煮、味つけなどの調味液の種類を表示し、さらに括弧を付けて小肉、ほぐし肉などと記載します。

⑧食肉（異種混合など）
●名称のポイント
　ここでいう食肉とは骨及び臓器を含む鳥獣の生肉に限ります。名称には、鳥獣の種類（牛、馬、豚、めん羊、鶏など）、その動物名を表示します。また、どのような処理を行ったのか、例えば「タンブリング処理」「ポーションカット」と記載します。そのほかに、飲食に供する際にその全体について十分な加熱を要する旨、生食用である旨を記載する必要があります。

●その他のポイント
　食品衛生法で規定されている、生食用食肉の加工基準に適合する方法で加工が行われた施設の所在地の都道府県名、加工施設の名称、輸入品の場合は原産国名を表示します。
　一般的に食肉の生食は食中毒のリスクがあるので、その旨を表示します。生食肉は子供、高齢者その他食中毒に対する抵抗力の弱い人たちは食肉の生食を控えるべきとの表示も必要です。

⑨食肉製品
●名称のポイント
　ここで言う食肉製品とはハム、ソーセージ、ベーコン、その他これらに類するものをいいます。
　名称は原料肉名を表示します。食肉である原料については「馬」、「めん羊」、「鶏」などと、その動物名を記載し、魚肉である原料については「魚肉」の文字を記載します。

　ランチョンミートは、塩漬けした食肉や内臓などをすりつぶし、これらを練り合わせて固めたものです。

●**その他のポイント**
　殺菌温度および殺菌時間を表示します。乾燥したものは乾燥食肉製品である旨、非加熱食肉製品は非加熱食肉製品である旨、加熱食肉製品は加熱食肉製品である旨を記載します。特定加熱食肉製品なら特定加熱食肉製品である旨と水分活性の数値を記載します。

⑩ チルドハンバーグステーキ
●**名称のポイント**
　名称は「チルドハンバーグステーキ」です。ただし、牛肉のみを使用したものは「チルドハンバーグ（ビーフ）」、豚肉のみは「チルドハンバーグ（ポーク）」、鶏肉のみは「チルドハンバーグ（チキン）」となります。
●**原材料名のポイント**
　使用した食肉、つなぎ、野菜などがそれぞれ２種類以上の場合は、「食肉」「つなぎ」「野菜等」（野菜だけの場合は「野菜」）とし、それぞれの後に括弧を付けて、その種類を記載します。例えば「食肉（牛肉、豚肉）」「つなぎ（パン粉、でん粉）」「野菜（たまねぎ、にんじん）」などとなります。
●**その他のポイント**
　調理の方法を「加熱調理すること」などと記載します。

⑪ チルドミートボール
●**名称のポイント**
　名称は「チルドミートボール」です。ただし、１種類の食肉のみを使ったものは、その食肉の名称を「チルドミートボール」と併せて記載することができます。
●**原材料名のポイント**
　使用した食肉等、魚肉、つなぎ、野菜等が２種類以上の場合は、「食肉等」「魚肉」「つなぎ」「野菜等」の文字の後に括弧を付けて、「食肉等（牛肉、豚肉、牛肝臓）」「魚肉（たら、まぐろ）」「つなぎ（パン粉、でん粉）」「野菜（たまねぎ、にんじん）」などと、重量の多い順に記載します。なお、食肉のみを使用した場合は「食肉」、野菜のみを使用した場合は「野菜」と、「等」をはずします。
●**その他のポイント**
　調理の方法を「加熱調理すること」などと記載します。

⑫鶏の液卵
●製品のポイント
　鶏の液卵とは、鶏の殻付き卵から卵殻を取り除いたものをいいます。また、割卵しただけの、いわゆる液全卵ホールも含まれます。
●表示のポイント
　液卵の名称は、殺菌、未殺菌の別、凍結しているものにあってはその旨、および全卵、卵黄、卵白の別が分かるように記載する必要があります。
　殺菌した液卵については、殺菌温度および殺菌時間の記載が必要です。
　未殺菌の鶏の液卵については、飲食をする際には加熱殺菌を要するといった内容を記載します。例えば「飲食に供する際には加熱殺菌が必要です」などの文言を、枠で囲う、太字で記載するなど、使用者にはっきりそれが分かるようにします。

（3）水産加工品

①煮干魚類
●製品のポイント
　煮干魚類とは、魚を煮熟によってたんぱく質を凝固させて乾燥したものをいいます。
●名称のポイント
　名称は「煮干魚類」と記載します。次に括弧を付けて魚種名を記載することもできます。例えば「煮干魚類（まいわし）」です。
　体長がおおむね3cm以下、あるいはおおむね5cm以下のいかなごの煮干魚類は、「しらす干し」「ちりめん」などと記載できます。
●原材料名のポイント
　原材料で使用したすべての魚種名を記載しなければいけません。ただし、魚種名が3種類以上の場合は重量の多い上位2種類までを記載し、それ以外は「その他」と記載できます。
　原材料に占める重量の割合が80％以上の魚種があれば、その魚種名だけを記載して、ほかは省略することができます。
　「しらす干し」「ちりめん」はそれぞれの名称を記載できます。

②魚肉ハムおよび魚肉ソーセージ
●製品のポイント
　魚肉ハムは塩漬けした魚肉や食肉の肉片などを使います。つなぎには食肉の

ひき肉やでん粉などを使います。

　魚肉ソーセージは魚肉のひき肉やすり身と、食肉のひき肉にでん粉などを混ぜ合わせたものを使います。これらを練り合わせ魚肉といいます。これをケーシングに入れて、加熱殺菌すると普通魚肉ソーセージです。種ものを加えると、特種魚肉ソーセージとなります。

　練り合わせ魚肉に、たまねぎなどの野菜やパン粉などを混ぜて、ハンバーグ風に仕上げたものはハンバーグ風特種魚肉ソーセージといいます。

●名称のポイント

　名称は、魚肉ハムは「魚肉ハム」または「フィッシュハム」です。

　普通魚肉ソーセージは「魚肉ソーセージ」「フィッシュソーセージ」、特種魚肉ソーセージは「特種魚肉ソーセージ」「特種フィッシュソーセージ」と記載します。スライスにしたものは、「魚肉ハム（スライス）」と記載します。ハンバーグ風特種魚肉ソーセージは「特種魚肉ソーセージ（ハンバーグ風）」と記載します。

●原材料名のポイント

　使用した魚肉、食肉はその一般的な名称を重量の多い順に記載します。

●その他のポイント

　でん粉含有率をパーセントで表示します。ただし、魚肉ハムは9％以下、普通魚肉ソーセージは10%以下、特種魚肉ソーセージは15%以下なら省略できます。

　気密性のある容器包装に充てんした後、その中心部の温度を摂氏120℃で4分間加熱する方法またはこれと同等以上の効力を有する方法により殺菌したもの（缶詰または瓶詰のものを除く）は、殺菌温度および殺菌時間を表示します。

　また、水素イオン指数を記載するときは、「pH」等水素イオン指数を示す文字を付してその値を、水分活性を記載するときは、水分活性を示す文字を付してその値を記載します。

③特殊包装かまぼこ

●製品のポイント

　魚肉などを混ぜた練りつぶし魚肉などを、気密性のある容器包装に充てんした後、その中心部の温度を120℃で4分間加熱する方法、またはこれと同等以上の効力を有する方法により殺菌したもの。缶詰、瓶詰めを除きます。

●表示のポイント

　殺菌温度および殺菌時間を記載します。また、水素イオン指数を記載するときは、「pH」等水素イオン指数を示す文字を付してその値を、水分活性を記載

するときは、水分活性を示す文字を付してその値を記載します。

④うに加工品
●製品のポイント
　うに加工品は、粒うに、練りうに、それらを混ぜた混合うにを、容器包装に入れたものです。

　粒うには、うにの卵巣を塩漬けした（塩うに）もののことです。塩うににエチレンアルコール、砂糖、でん粉、酒かすなどを加えたものもあります。

　練りうには、塩うにやそれにエチレンアルコール等を入れたものを、練りつぶしたものです。混合うには、塩うににエチレンアルコール等を加えたもの、またはこれを練りつぶしたもののことです。

　ただし、塩うに含有率は、粒うに、練りうには65％以上、混合うには50％以上65％未満です。使用するうには、おおばふんうに科、ながうに科、らっぱうに科のものです。

●名称のポイント
　名称は「粒うに」「練りうに」「混合うに」です。

●原材料名のポイント
　「塩うに」「うに」のいずれか、または両方の名称をともに記載します。

●その他のポイント
　塩うに含有率を表示します。商品名か、商品名の近くに「粒うに」「練りうに」「混合うに」の用語が必要です。

⑤うにあえもの
●名称のポイント
　名称は「うにあえもの」です。

　うにあえものは、粒うに、練りうに、混合うにに、くらげ、いか、かずのこ、あわび、しいたけなどを混ぜたものです。ただし、塩うに含有率が15％以上でなければいけません。

●原材料名のポイント
　原材料名は、「粒うに」「練りうに」「混合うに」などと記載します。それぞれの名称の後に括弧を付けて、原材料名を記載します。その他は、くらげ、いか、かずのこ、あわび、エチレンアルコール、砂糖類、みりん、でんぷん、酒粕、食塩など、重量の多い順に記載します。

●その他のポイント
　塩うに含有率はパーセントで表示します。商品名、または商品名の近くに

「うにあえもの」という用語を記載します。

⑥乾燥わかめ
●製品のポイント
　わかめを水や海水で洗浄したもの、またはこれを湯通ししたものを乾燥させたものが乾燥わかめです。その処理方法によって、乾わかめ、灰ぼしわかめ、もみわかめ、板わかめの4つに分けられています。

　灰ぼしわかめは、シダ灰や火山灰などをわかめに塗って乾燥したもの。あるいはこれらの灰を洗い流して乾燥させたものです。もみわかめは、わかめを揉みほぐして乾燥させたものをいいます。板わかめは、わかめを板、すだれの上に板状に並べて乾燥させたもののことです。これら以外の乾燥わかめは、乾わかめと呼んでいます。

●名称のポイント
　名称は「乾わかめ」「灰ぼしわかめ」「もみわかめ」「板わかめ」です。

●原材料名のポイント
　原材料名はわかめと記載します。ただし、塩蔵わかめを湯通しして、塩抜きし、乾燥させたものには、「湯通し塩蔵わかめ」を使用したことを記載します。

⑦塩蔵わかめ
●製品のポイント
　わかめ、または乾燥わかめを水で戻したものに、食塩を加えて脱水したものを塩蔵わかめといいます。湯通し塩蔵わかめは、わかめを湯通しして、水や海水で冷ましたものに食塩を加えて脱水したものです。

●名称のポイント
　名称は「塩蔵わかめ」「湯通し塩蔵わかめ」です。

●原材料名のポイント
　原材料名は「わかめ」と記載します。ただし、乾燥わかめを水で戻して塩蔵わかめを製造したものは、乾燥わかめを使用したとの内容を記載します。

●その他のポイント
　食塩の含有率をパーセントで記載しなくてはいけません。ただし、含有率が40％以下の場合は省略することができます。使用方法も「水で塩抜きして使用」などと記載します。

　商品名が記載されている近くに、「塩蔵わかめ」または「湯通し塩蔵わかめ」の名称を14ポイント以上の文字で表示します。商品名にこれらの文字が書かれていれば必要ありません。

⑧鯨肉製品
●製品のポイント
　食品衛生法では鯨肉製品の製造方法は決められています。例えば、原料鯨肉は、鮮度が良好で、微生物汚染の少ないものを使用する、冷凍した原料鯨肉の解凍は衛生的な場所で行い、水を使う場合は流水（食品製造用水として用いるもの）で行わなければならない、といった規格です。

●表示のポイント
　鯨肉製品は、気密性のある容器包装に充てんした後、その中心部の温度を140℃で4分間加熱したもの、またはこれと同等以上の効力を有する方法により殺菌したものは、殺菌方法を記載しなければなりません。具体的には殺菌温度および殺菌時間です。ただし缶詰や瓶詰めは除きます。
　冷凍食品の場合は飲食する際に加熱が必要かどうかを、記載します。例えば「加熱の必要はありません」「加熱用」「加熱してお召し上がりください」などです。

⑨生かき（調味した生かきなど）
●製品のポイント
　食中毒の被害拡大防止がきわめて重要なポイントです。このため、国内産かきと外国産かきを混合し、同一包装で販売しないこと、国内産かきの場合でも異なる採取水域で採取されたものを混合し、同一包装で販売しないことが定められています。なお、国内産かきをやむを得ず混合する場合においては、全ての採取水域の名称を記載することが必要です。

●表示のポイント
　生食用のものは採取された水域の範囲を記載します。
　なお、輸入生食用かきの採取水域の表示に当たっては、輸入時に添付される衛生証明書に記載されている採取水域をカタカナ表記等に改めて記載し、なおかつ、輸出国名（必要に応じ、州名等を加える。）を併記すること。
　生かきは、生食用または加工用の別を記載する必要があります。
　生食用以外のかきについては、「加熱調理用」「加熱加工用」「加熱用」など、加熱しなければならないことを明確に記載します。

⑩ゆでがに
●表示のポイント
　飲食に供する際に加熱を要するかどうかの別を、「加熱の必要はありません」「加熱用」「加熱してお召し上がりください」などと、はっきり記載します。

⑪ ふぐを原材料とするふぐ加工品
●表示のポイント
　「ふぐを原材料とするふぐ加工品」とは軽度の撒塩を行ったものを除いたものです。必要な表示項目は、ふぐのロットが特定できるもの、原料ふぐの種類、漁獲水域名、生食用であるかの別、生食用である旨です。

　ふぐのロットが特定できるものとしては、加工年月日である旨の文字を冠したその年月日、ロット番号等のいずれかを表示します。

　原料ふぐの種類は標準和名で記載する必要があります。標準和名には、とらふぐ、からす、まふぐなど28種類あります。

　有明海、橘湾、香川県および岡山県の瀬戸内海域で漁獲されたなしふぐの筋肉を原材料とするもの、および有明海および橘湾で漁獲され、長崎県が定める要領に基づき処理されたなしふぐの精巣を原材料とするものは、漁獲水域名を記載します。

　冷凍食品のうち、切り身にしたふぐを凍結させたものは、生食用であるかないかの別を、生食用のものは「生食用」などと、生食用でないものは「加工用」「フライ用」「煮物用」などと記載する必要があります。

⑫ 切り身またはむき身にした魚介類で生食用のもの（異種混合など）
●製品のポイント
　切り身またはむき身にした魚介類のこと。生かきおよびふぐを原材料とするふぐ加工品（軽度の撒塩を行ったものを除く）を除く、生食用のもの。凍結させたものは対象外です。
●表示のポイント
「生食用」「刺身用」「そのままお召し上がりになれます」など、生食用である旨を示す文言を記載します。

（4）調味料

① みそ
●名称のポイント
　名称は、米みそは「米みそ」、麦みそは「麦みそ」、豆みそは「豆みそ」、調合みそは「調合みそ」です。風味原料を加えたみそは、みその後に括弧を付けて「だし入り」と記載します。例えば、米みそなら「米みそ（だし入り）」です。
●原材料名のポイント
　原料は、「大豆」「米」「大麦」「はだか麦」「とうもろこし」「脱脂加工大豆」「小

麦」「食塩」などと記載します。

　ただし、「調合みそ」のうち、「米みそ」「麦みそ」「豆みそ」を2種以上混ぜたものは、「米みそ」「麦みそ」「豆みそ」などと記載し、その後に括弧を付けて、みそに使用した原料の名称を「大豆、米」などと記載することとなっています。これらの名称は原材料に占める重量の割合の多いものから順に記載します。

②しょうゆ
●名称のポイント
　しょうゆには、こいくちしょうゆ、うすくちしょうゆ、たまりしょうゆ、さいしこみしょうゆ、しろしょうゆがあります。

　名称は、これらに製法を組み合わせて記載します。しょうゆの製法は本醸造、混合醸造方式、混合方式の3つに分かれます。例えば、本醸造で作ったこいくちしょうゆなら、「こいくちしょうゆ（本醸造）」、混合醸造方式で作れば「こいくちしょうゆ（混合醸造）」、混合方式ならば「こいくちしょうゆ（混合）」と記載します。

　混合醸造方式は生揚げ前にアミノ酸液を使って発酵させます。混合方式は生揚げの後にアミノ酸液を入れて発酵させて、しょうゆを作ります。

　どの分類にも入らない「しょうゆ」は、「しょうゆ」の名前と、製造方法の組み合わせで記載します。本醸造の「しょうゆ」なら、「しょうゆ（本醸造）」となります。

●原材料名のポイント
　原材料名は、大豆は「大豆」または「脱脂加工大豆」と別々に記載します。アミノ酸液は「アミノ酸液」、酵素分解調味液は「酵素分解調味液」、発酵分解調味液は「発酵分解調味液」と記載します。

> **一口メモ**
>
> 　一般的に、みそは蒸した大豆に、こうじ菌を加えて発酵、熟成させたものです。こうじ菌は米や麦、大豆を使って培養します。米を使って培養すれば米こうじ、麦を使えば麦こうじ、大豆なら豆こうじです。
>
> 　大豆に米こうじを加えて作ると米みそ、大豆に麦こうじを加えて作ると麦みそ、大豆に豆こうじを加えて作れば豆みそです。
>
> 　調合みそは、米みそ、麦みそ、豆みそを混ぜたものがあります。

③ウスターソース類
●製品のポイント

　ウスターソース類の主な原料は野菜や果実です。これらの搾汁や煮出した汁、ピューレ、または濃縮したものに糖類、食酢、食塩、香辛料などを加えて作ります。でん粉、調味料を加えたものもあります。

　ウスターソース類はウスターソース、中濃ソース、濃厚ソースの3つのタイプに分けられています。区分けは、粘度、つまり、さらっとしているのか、とろりとしているのか。その違いです。

　ウスターソース、中濃ソース、濃厚ソースの順で、とろみが強くなっていきます。

●名称のポイント

　名称は、「ウスターソース」「中濃ソース」「濃厚ソース」を使います。なお、無塩可溶性固形分が33％以上のウスターソースは、「ウスターソース（こいくち）」と記載することができます。

一口メモ

　しょうゆの基本的な製法は、蒸した大豆や麦に、こうじ菌を加えてしょうゆこうじを作り、これに食塩水を加えてもろみとし、それを発酵させて搾ったものがしょうゆになります。

　こいくちしょうゆは、大豆に同じ量の麦を加えて作ったしょうゆこうじが原料です。日本で最も多く消費されているしょうゆです。

　うすくちしょうゆも、こいくちしょうゆと同様にしてしょうゆこうじを作ります。

　たまりしょうゆは、大豆、又は大豆に少量の麦を加えてしょうゆこうじを作ります。濃厚なしょうゆです。

　さいしこみしょうゆは、大豆にほぼ同量の麦を加えて作ったしょうゆこうじに、生揚げ（発酵熟成したもろみを搾った、そのままの液体のこと）を加えて、仕込みます。

　しろしょうゆは、小麦と少量の大豆でしょうゆこうじを作ります。色が薄く、甘味のあるしょうゆです。

④ドレッシングおよびドレッシングタイプ調味料
●製品のポイント

　ドレッシングは食用植物油脂（香味食用油を除く）、食酢、もしくはかんきつ類の果汁に、食塩などを加えたものです。

　ドレッシングタイプ調味料は食酢、かんきつ類に食塩などを加えたものです。ただし、食用植物油脂を原材料として使用していません。

　これらは主にサラダなどに使うものです。

　ドレッシングは半固体状ドレッシング、乳化液状ドレッシング、分離液状ドレッシングの3タイプに分かれます。半固体状のほうが乳化液状のものよりも粘りがあります。分離液状のものは、油とその他のものが分離しているため、容器をよく振って使用します。

　マヨネーズは半固体状ドレッシングの1つで、全卵、または卵黄を使っています。サラダクリーミードレッシングと呼ぶものもあります。卵黄にでん粉、または糊料を使用し、食塩など加えたもので、これも半固体状ドレッシングに入ります。

●名称のポイント

　マヨネーズは「マヨネーズ」、サラダクリーミードレッシングは「サラダクリーミードレッシング」です。これら以外の半固体状ドレッシングは「半固体状ドレッシング」と呼びます。

　乳化液状ドレッシングは「乳化液状ドレッシング」、分離液状ドレッシングは「分離液状ドレッシング」、ドレッシングタイプ調味料は「ドレッシングタイプ調味料」と記載します。

●原材料名のポイント

　ドレッシングの原材料のうち、食用植物油脂（香味食用油を除く）、食酢もしくはかんきつ類の果汁は、必須原材料と呼んでいます。ドレッシングであるためには、これらの必須原材料を使っていなければいけません。

一口メモ

　ウスターソース類の粘度は、原料の野菜や果物に含まれているパルプ質の量である程度決まってきます。パルプ質が多いと粘度が高くなり、少ないと粘度が低くなります。ウスターソースはパルプ質を除去することでさらりとしています。濃厚ソース、中濃ソースの順に、パルプ質が多く含まれます。

⑤ 食酢

● 製品のポイント

　食酢とは醸造酢と合成酢のことをいいます。醸造酢には穀物酢、果実酢、米酢、米黒酢、大麦黒酢があります。果実酢はりんご酢、ぶどう酢に分けられます。

　合成酢は氷酢酸や酢酸を希釈した液体に砂糖、酸味料などを加えたものです。氷酢酸とは、純度98％以上の酢酸のことです。約15℃で固まるので氷酢酸と呼ばれています。氷酢酸や酢酸を希釈したものに、醸造酢を混ぜた合成酢もあります。

● 名称のポイント

　名称は「米酢」「米黒酢」「大麦黒酢」、これら以外の穀物酢は「穀物酢」と記載します。果実酢は「りんご酢」「ぶどう酢」、これら以外の果実酢は「果実酢」になります。

　穀物酢でも果実酢でもない醸造酢は「醸造酢」、合成酢は「合成酢」と記載します。

　ただし、醸造酢には「醸造酢（□□酢）」の記載ができます。それには、条件があり、醸造酢のうち穀類、果実を使用せずに、1種類の野菜、その他の農産物又ははちみつを、それぞれ定められた重量以上使用し、なおかつ、使用した原材料のうちこれらの重量の割合が最も多い場合に限ります。□□は当該する野菜、その他の農産物、はちみつの名称が入ります。

　「醸造酢（野菜酢）」の名称もあります。醸造酢のうち穀類、果実、その他の農産物、はちみつを使用せずに、2種類以上の野菜を使い、そのうちの1種類以上の野菜を定められた重量以上に使用して、なおかつ、原材料全体のうち野菜の重量の割合が最も多い場合に記載できます。

● 原材料名のポイント

　合成酢に使用される氷酢酸は「氷酢酸」、酢酸は「酢酸」と記載する必要があります。

● その他のポイント

　酸度をパーセントで、小数点第1位まで表示します。醸造酢を混ぜた合成酢は、醸造酢の入った割合を8％などと表示しなければいけません。

　酸度の高い高酸度酢は、「○倍に希釈」とその希釈倍数を表示します。

⑥ 風味調味料

● 製品のポイント

　風味調味料は、調味料や風味原料などを混ぜたものです。風味原料は、かつ

おぶし、煮干魚類、こんぶ、貝柱、乾しいたけなどの粉末、又はそれらの抽出濃縮物のことです。

●**名称のポイント**

名称は「風味調味料」です。ただし、使用した風味原料の内容とその配合率が8.3%以上のものは、定められた種類名を「風味調味料」の後に括弧を付けて記載しなければいけません。例えば、風味原料に、かつおぶしの粉末、かつおぶし、かつおの抽出濃縮物を使い、その配合率が8.3%以上の場合は、「風味調味料（かつお）」と表示します。

以上のルールで表示する種類名は、かつお、かつお等、そうだかつお、さば、あじ、いわし、煮干し、貝柱、こんぶ、しいたけです。

●**原材料名のポイント**

風味原料は「風味原料」の文字の後に括弧を付けて、「かつおぶし粉末」「そうだかつおぶし粉末」「さばぶし粉末」「煮干貝柱粉末」「こんぶ粉末」など、一般的な名称を原材料に占める重量の割合の多いものから記載します。

(5) 飲料

①炭酸飲料

●**製品のポイント**

炭酸飲料は、水に二酸化炭素を圧入したものです。これに甘味料、酸味料、フレーバリングなどを加えたものも炭酸飲料です。ただし、果実飲料は入りません。

フレーバリングとは、香料、果汁、果汁ピューレ、植物の種・根茎・木皮・葉・花など（これらの抽出物も含みます）、乳、乳製品のことです。

●**名称のポイント**

名称は「炭酸飲料」です。

●**原材料名のポイント**

原材料名は、使用したものから多い順に記載します。

原材料として水、二酸化炭素以外のものを使用している炭酸飲料は、水の表示を省略することができます。

②果実飲料

●**製品のポイント**

果実飲料には、果実ジュース、果実ミックスジュース、果粒入り果実ジュース、果実・野菜ミックスジュース、果汁入り飲料があります。

●名称のポイント

　果実ジュースは「○○ジュース」と記載します。「○○」には果実の一般的な名称が入ります。

　果実ミックスジュースは「果実ミックスジュース」と記載します。果粒入り果実ジュースは「○○果粒入り果実ジュース」と記載します。○○には果粒の一般的な名称を入れます。

　果実・野菜ミックスジュースは「果実・野菜ミックスジュース」となります。果粒を入れたものは「（果粒入り）果実・野菜ミックスジュース」となります。

　果汁入り飲料は、「○○％△△果汁入り飲料」と記載します。このうち1種類の果実を使用したものは「○○」に使用した果実の糖用屈折計示度の基準に対する割合を記載し、「△△」には使用した果実の最も一般的な名称を記載します。2種類以上の果実を使用したものは「△△」に「混合」と記載します。例えば「24％混合果汁入り飲料」となります。

　なお、果汁入り飲料のうち、果粒を加えたものは「（果粒入り）○○％△△果汁入り飲料」と記載します。二酸化炭素を圧入したものは「○○％△△果汁入り飲料（炭酸ガス入り）」と記載します。

　希釈して飲む果汁入り飲料は何倍に希釈したのかを「□倍希釈時」と記載する必要があります。□には希釈倍数が入ります。表示は「□倍希釈時○○％△△果汁入り飲料」となります。

　以上の名称のうち、全部に共通する内容として次のものがあります。

　果実の搾汁のみを使用したものには、品名の後に括弧を付けて「ストレート」と記載します。例えば「ももジュース（ストレート）」です。

　還元果汁を使用したものは「ももジュース（濃縮還元）」などと、糖類、はちみつを加えたものは名称の後に括弧を付けて「加糖」と記載します。ただし、果実の搾汁のみを原料とした飲料で「○○ジュース（ストレート）」と記載する場合、オレンジ、りんご、ぶどうでは炭酸ガスの圧入は認められていません。

> **一口メモ**
>
> 水に二酸化炭素を圧入したものには、炭酸水などがあります。フレーバリングをしたものには、サイダー、レモンライム、フルーツソーダ、コーラなどがあります。

二酸化炭素を圧入したものは名称の後に括弧を付けて「炭酸ガス入り」と記載します。
● **その他のポイント**
希釈して飲むものは、使用方法を記載します。

③豆乳類
● **製品のポイント**
豆乳は、大豆をお湯などで煮立てて、繊維質を除去した乳白色の飲料で、大豆のたんぱく質などが含まれています。大豆の固形分が8％以上のものを豆乳といいます。調製豆乳は豆乳に大豆油や砂糖などを加えたもの、または脱脂加工大豆から抽出したたんぱく質に大豆油などを加えたもので大豆固形分が6％以上のものです。豆乳飲料は調製豆乳に粉末の大豆たんぱくを加えた飲料で、大豆固形分は4％以上です。これに果汁、野菜の搾汁などを加えたものもあります。
● **名称のポイント**
名称は、「豆乳」「調製豆乳」「豆乳飲料」と記載します。
● **その他のポイント**
含まれている大豆固形分の割合をパーセントで記載します。豆乳は「8％以上」、調製豆乳は「6％以上」、豆乳飲料は「4％以上」などと記載することができます。

④にんじんジュースおよびにんじんミックスジュース
● **名称のポイント**
名称が「にんじんジュース」は、にんじんの搾汁か、濃縮にんじんを薄めて使用したものです。「にんじんミックスジュース」は、にんじんの搾汁に、野菜や果物の搾汁を加えたものです。

一口メモ

果実飲料には、果実の搾汁、濃縮果汁、還元果汁といったものがあります。果実の搾汁は、果実を粉砕するなどして、搾汁したもののことです。濃縮果汁は果実の搾汁を濃縮したものです。還元果汁は、濃縮果汁を薄めたものです。
糖用屈折計示度とは、果汁の糖度を計る方法のことです。

●**原材料名のポイント**

原材料名はにんじんは「にんじん」です。濃縮にんじんを希釈して使ったものは「濃縮にんじん」と記載します。

1種類の果実を使ったものは「りんご」「みかん」のように一般的な名称を記載します。2種類以上の果実を使った場合は、「果実」の後に括弧を付けて、果実の一般的な名称を重量の多い順に記載します。たとえば「果実（りんご、レモン）」となります。

野菜の場合も果実と同じルールです。1種類の野菜なら、たとえば「トマト」、2種類以上の野菜なら、「野菜（トマト、ほうれんそう）」などとなります。

⑤水のみを原料とする清涼飲料水
●**製品のポイント**

水のみを原料とする清涼飲料水とは、いわゆるミネラルウォーター類のことです。

●**表示のポイント**

「殺菌または除菌を行っていない」等殺菌または除菌を行っていない旨を示す文言を記載する必要があります。

高濃度にフッ素を含有するミネラルウォーター類については、「7歳未満の乳幼児は、このミネラルウォーターの飲用を控えてください。（フッ素濃度○mg/L）」の旨の表示をすること。

⑥冷凍果実飲料
●**製品のポイント**

果実の搾汁又は果実の搾汁を濃縮したものを凍結させたものであって、原料用果汁以外のもののことです。

●**表示のポイント**

冷凍果実飲料には「冷凍果実飲料」の文字を記載します。

（6）その他の加工食品

①乾燥スープ
●**製品のポイント**

乾燥スープは、乾燥コンソメ、乾燥ポタージュ、その他の乾燥スープに分けられます。

原料は家畜や魚介類、食肉、野菜、海草などで、これらに調味料、砂糖類、

食用油脂、香辛料などを加えたものです。形は、粉末状、顆粒状、固形状があります。水や牛乳、熱湯などを加えてスープにします。

一緒に、うきみ、具を加えるものもあります。うきみとは、食肉、卵などを乾燥させたものをいい、具はうきみ以外のものをいいます。

● **名称のポイント**

乾燥コンソメは「乾燥スープ（コンソメ）」、乾燥ポタージュは「乾燥スープ（ポタージュ）」、その他の乾燥スープは「乾燥スープ」と記載します。ただし、その他の乾燥スープは「乾燥スープ（中華風）」「乾燥スープ（和風）」など、スープの特性を表す用語を記載することもできます。

● **原材料名のポイント**

うきみ、具以外の原材料は、「小麦粉」「脱脂粉乳」「食塩」「食用植物油脂」「砂糖」「鶏肉」「たまねぎ」「たんぱく加水分解物」「デキストリン」などと記載します。

うきみ、具については、「うきみ」「具」または「うきみ・具」として、その後に括弧を付け、「鶏肉、卵、にんじん、パセリ、マッシュルーム」などと記載します。

● **その他のポイント**

調理方法を記載します。また、水、熱湯、牛乳を加える量を記載しなければいけません。

商品名か、商品名の近くに、乾燥コンソメは「コンソメ」、乾燥ポタージュは「ポタージュ」と記載しなければいけません。

原材料のうち特定のものを強調する用語を使ってはいけません。ただし、鶏肉、牛肉、その他の肉、魚介、乳及び乳製品、ばれいしょ、とうもろこし、きのこ、たまねぎ、かぼちゃ、グリンピース、にんじん、こまつな、チンゲンサイ、ほうれんそう、その他の野菜、こんぶ、その他の海藻、卵、クルトンなど、指定された原材料をそれぞれの基準量以上、使っていれば強調表示できます。

②食用植物油脂

● **製品のポイント**

食用植物油脂は、多くの種類があります。食用サフラワー油、食用ぶどう油、食用大豆油、食用ひまわり油、食用小麦はい芽油、食用とうもろこし油、食用綿実油、食用ごま油、食用菜種油、食用こめ油、食用落花生油、食用オリーブ油、食用パーム油、食用パームオレイン、食用調合油、香味食用油です。

● **名称のポイント**

名称は、食用サフラワー油は「食用サフラワー油」というように、それぞれ

の食用植物油脂の名称を表記します。
●原材料名のポイント
　原料油脂は「食用サフラワー油」「食用ぶどう油」などと記載します。なお、食用サフラワー油および食用ひまわり油のうち、ハイリノレイック種の種子から採取したものは「ハイリノール」、ハイオレイック種の種子から採取したものは「ハイオレイック」、これらを併用したものは「ハイリノール、ハイオレイック」などと、原料油脂の名称の後に括弧を付けて任意に記載できます。

　食用調合油は2つ以上の食用植物油脂（香味食用油以外のもの）を混ぜたもの、香味食用油は食用植物油脂に香味原料を加えたものです。これらについては、原材料または添加物を区分し、原材料に占める重量の割合の多いものから順に記載します。

③マーガリン類
●製品のポイント
　マーガリン類には、マーガリンとファットスプレッドがあります。マーガリンの主な原料は食用油脂です。ただし、乳脂肪を含まないもの、または乳脂肪を主な原料としていないものです。油脂含有率は80％以上のものです。

　ファットスプレッドは油脂含有率が80％未満のものです。
●名称のポイント
　名称は「マーガリン」です。ただし、流動状のものは、「マーガリン（流動状）」と記載します。

　ファットスプレッドは「ファットスプレッド」です。流動状のものは「ファットスプレッド（流動状）」と記載します。果実やナッツなどの風味原料を加えたものは「風味ファットスプレッド」、糖類、はちみつを加えたものは「風味ファットスプレッド（加糖）」となります。
●その他のポイント
　ファットスプレッドは油脂含有率を、パーセントで記載しなければいけません。

④調理冷凍食品
●製品のポイント
　調理冷凍食品には、冷凍フライ類（冷凍魚フライ、冷凍えびフライ、冷凍いかフライ、冷凍かきフライ、冷凍コロッケ、冷凍カツレツなど）、冷凍しゅうまい、冷凍ぎょうざ、冷凍春巻、冷凍ハンバーグステーキ、冷凍ミートボール、冷凍フィッシュハンバーグ、冷凍フィッシュボール、冷凍米飯類、冷凍めん類

があります。

● **名称のポイント**

　冷凍フライ類は、「冷凍フライ類」「冷凍魚フライ」「冷凍えびフライ」「冷凍いかフライ」「冷凍かきフライ」「冷凍コロッケ」「冷凍カツレツ」などと、その製品の最も一般的な名称を記載します。

　冷凍フライ類のうち、パン粉、クラッカー、はるさめなどをつけないものは、「フライ」の代わりに「天ぷら」「唐揚げ」など、その調理に最もふさわしい名称を記載します。

　冷凍しゅうまいは「冷凍しゅうまい」と、冷凍ぎょうざは「冷凍ぎょうざ」、冷凍春巻は「冷凍春巻」と記載します。

　冷凍ハンバーグステーキは「冷凍ハンバーグステーキ」又は「冷凍ハンバーグ」と記載します。

　冷凍ミートボールは「冷凍ミートボール」と記載します。ただし、魚肉、臓器及び可食部分、肉様植たんを使用していないもので、1種類の食肉だけを使ったものは、「冷凍ミートボール（牛肉）」などとします。

　冷凍フィッシュハンバーグは「冷凍フィッシュハンバーグ」、冷凍フィッシュボールは「冷凍フィッシュボール」です。これらのうち、食肉、臓器及び可食部分、肉様植たんを使用していないもので、1種類の魚肉だけを使用したものは、「冷凍フィッシュハンバーグ（えび）」などと、使用した魚肉の名称を記載することとなっています。

　冷凍米飯類は「冷凍米飯類」「冷凍チャーハン」「冷凍焼きおにぎり」などとします。

　冷凍めん類は「冷凍めん類」「冷凍うどん」「冷凍スパゲッティ」などとします。ただし、調味料で味つけしたもの、かやくを加えて調理したものは、「冷凍めん類（調理済み）」などと記載します。

　なお、名称の中で「冷凍」という文字を省略することもできます。

● **その他のポイント**

　解凍方法や調理方法などの使用方法は、容器や包装の見やすい箇所に表示しなければいけません。また、冷凍えびフライなどは「衣」、冷凍しゅうまいなどは「皮」の割合をパーセンテージで表示しなければいけない場合もあります。

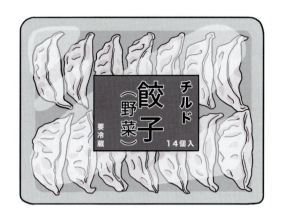

⑤チルドぎょうざ類

●名称のポイント

　チルドぎょうざ類は、「チルドぎょうざ」「チルドしゅうまい」「チルド春巻」「チルドぱおず」と記載します。

　ただし、「あん」に使われている魚肉の量と食肉の量のどちらが多いかによって表示が変わります。「チルドぎょうざ（魚肉）」とあれば、魚肉が食肉よりも多く使われていることを意味します。

　「あん」として使っている食肉、魚肉の割合が、チルドぎょうざなら20％未満、チルドしゅうまいは25％未満、チルド春巻、チルドぱおずは10％未満の場合は、名称の後に括弧を付けて「野菜」とします。例えば「チルドぎょうざ（野菜）」などとなります。

●原材料名のポイント

　皮に使った原材料は、「皮」の後に括弧を付けて、「小麦粉、米粉、食塩、植物油脂」などと、重さの多い順に記載します。

　加熱調理用油脂の原材料は、「揚げ油」または「いため油」の後に括弧を付けて、「大豆油、なたね油、ラード」など、多いものから順に記載します。

●その他のポイント

　調理方法、皮の割合も記載します。ただし、皮の割合が、チルドぎょうざ、チルドぱおずは45％以下、チルドしゅうまいは25％以下、チルド春巻は50％以下の場合は省略できます。

⑥調理食品缶詰および調理食品瓶詰

●製品のポイント

調理食品缶詰及び調理食品瓶詰（以下、缶詰・瓶詰とします）は、調理済みの食品を缶や瓶に密封し、加熱殺菌したものです。

種類は、食肉野菜煮缶詰・瓶詰、カレー缶詰・瓶詰、シチュー缶詰・瓶詰、その他の調理食品缶詰・瓶詰があります。

食肉野菜煮缶詰・瓶詰は、食肉や野菜、豆腐、しらたきなどをしょうゆ、糖類などで調理したものです。

なお、スープ缶詰・瓶詰、ソース缶詰・瓶詰、ペースト缶詰・瓶詰、おでん缶詰・瓶詰、米飯類缶詰・瓶詰は、このジャンルには入りません。

●名称のポイント

食肉野菜煮缶詰・瓶詰は、製品の内容を表す最も一般的な名称を記載します。ただし、使用した食肉の名称の後に、「野菜煮」と記載できます。特定の野菜を使用したものは、「野菜煮」に代えて「たけのこ煮」などと記載することができます。

食肉の名称は、「牛肉」「鶏肉」などと記載します。3種類以上の食肉を使ったものは「食肉野菜煮」と記載します。

1種類の野菜を配合したもので固形量に対する食肉の割合が30％未満10％以上のもの、2種類以上の野菜や豆腐などを入れたもので食肉の割合が20％未満10％以上のものは、「野菜煮（牛肉入り）」「野菜煮（鶏肉入り）」などとします。

カレー缶詰・瓶詰は、「カレー」、シチュー缶詰・瓶詰は「シチュー」です。ただし、クリームシチューは、「シチュー（クリーム煮）」と記載します。

その他の調理食品缶詰・瓶詰は、製品の内容を最もよく表す名称を記載します。

●その他のポイント

使用上の注意を、「開缶後はガラス等の容器に移し換えること」などと記載します。

一口メモ

チルドとは、食品が凍結しない程度のチルド温度帯で冷蔵してあるものです。食品によって異なりますが、食肉の場合は凍結するぎりぎりの温度から5℃ぐらいまでの温度帯を利用します。

⑦冷凍食品
●製品のポイント
　ここでいう冷凍食品とは、清涼飲料水、食肉製品、鯨肉製品、魚肉練り製品、ゆでだこ、ゆでがに、鳥獣の生肉や骨および臓器を含む食肉を凍結したもののことです。ただし、アイスクリーム類は除きます。

●表示のポイント
　これら冷凍食品を飲食に提供する際に、「加熱の必要はありません」「加熱用」「加熱してお召し上がりください」など、加熱を要するかどうかの別を示す文言を名称に併記するなどして記載します。

　「凍結前加熱」の文言等凍結させる直前に加熱されたものであるかどうかの別を記載します。また、生食用のものにあっては生食用である旨を示す文言、生食用でないものにあっては、「加工用」「フライ用」「煮物用」等生食用でない旨を示す文言を記載します。

⑧容器包装詰加圧加熱殺菌食品
●製品のポイント
　食品衛生法によれば、食品（清涼飲料水、食肉製品、鯨肉製品及び魚肉練り製品を除く）を気密性のある容器包装に入れ、密封した後、加圧加熱殺菌したものが「容器包装詰加圧加熱殺菌食品」です。このうち、遮光性のある容器に詰められた食品が「レトルトパウチ食品」です。

●表示のポイント
　「気密性容器に密封し加圧加熱殺菌」など食品を気密性のある容器包装に入れ、密封した後、加圧加熱殺菌した旨を示す文言を表示します。

⑨レトルトパウチ食品
●製品のポイント
　レトルトパウチ食品は、プラスチックフィルムや金属はくなどを使った袋状などの容器に食品を詰めて、密封し、加圧加熱殺菌したものです。容器は気密性や光を遮る遮光性のあるものでなければいけません。

　種類としては、カレー、ハヤシ、パスタソース、まあぼ料理のもと、混ぜごはんのもと、どんぶりもののもと、シチュー、スープ、和風汁物、米飯類、ぜんざい、ハンバーグステーキ、ミートボール、食肉味つけ、食肉油漬け、魚肉味つけ、魚肉油漬けがあります。

●名称のポイント
　カレーは「カレー」です。野菜を使用したカレーのうち、食肉鳥卵、その加

工品、魚肉を使っていなければ、「野菜カレー」と記載します。

ハヤシは「ハヤシ」、ぜんざいは「ぜんざい」、ハンバーグステーキは「ハンバーグステーキ」または「ハンバーグ」、ミートボールは「ミートボール」と記載します。

パスタソースは、「パスタソース」です。パスタソースのうち、食肉のみを原材料として使用したものは「ミートソース」となります。

まあぼ料理のもとは「まあぼ料理のもと」です。調理のときに豆腐、なすを加えるものは、それぞれ「まあぼ豆腐のもと」または「まあぼなすのもと」となります。

混ぜごはんのもと類は、タイプによって異なります。米、麦を炊飯したものに混ぜて食べるのは「まぜごはんのもと」、米、麦とともに炊飯して食べるのは「たきこみごはんのもと」、炊飯した米または麦と一緒にいためるのは「いためごはんのもと」です。

どんぶりもののもとは、牛どんのもとは「牛どんのもと」、それ以外のものは「どんぶりもののもと」と記載します。

シチューは「シチュー」と記載します。ただし、クリームシチューは「クリームシチュー」です。

スープは「スープ」と記載します。

和風汁物は「和風汁物」です。その後に括弧を付けて、「かす汁」「みそ汁」などと記載することができます。

米飯類は「米飯類」と記載します。ただし、惣菜を添えたものは、「べんとう」と記載します。

食肉味つけは使用した食肉等の名称の次に「牛肉味つけ」などと表示します。家きんの肉、臓器、可食部分を焼いたものは、「やきとり」、小肉片、ほぐし肉、ひき肉、骨付きの食肉を使用したものは、「牛肉味つけ・小肉片」、「牛肉味つけ・ほぐし肉」などと記載します。

食肉油漬けは、使用した食肉の名称の後に「油漬」と記載します。小肉片、ほぐし肉を使ったものは、例えば「牛肉油漬・小肉片」などとします。

魚肉味つけおよび魚肉油漬けは、使用した魚肉の名称の後に「味つけ」または「油漬」と記載します。魚肉の名称は、「まぐろ」「かつお」などと記載します。小肉片、砕き肉を詰めたものは、「味つけ」または「油漬」の次に「・」を付けて、「チャンク」または「フレーク」と記載します。例えば「まぐろ味つけ・フレーク」となります。

● **その他のポイント**

調理方法や殺菌方法（気密性容器に密封し、加圧加熱殺菌）も記載します。

内容量は「○人前」と記載します。ただし、単に温めるだけのものは何人前という表現を省略することができます。

　また、商品名か、商品名の近くには、レトルトパウチ食品であることを記載します。

⑩容器包装詰低酸性食品
●製品のポイント
　このカテゴリーには水煮大豆、イワシの甘露煮、天日干したくわん、などがあります。ただし、清涼飲料水、食肉製品、鯨肉製品および魚肉練り製品を除きます。水素イオン指数が 4.6 を超え、水分活性が 0.94 を超えたもので、なおかつ、その中心部の温度を摂氏 120℃で 4 分間に満たない条件で加熱殺菌されたもの。

●表示のポイント
　ボツリヌス菌を原因とする食中毒の発生を防止するため 10℃以下での保存が必要。このため、冷蔵を要する食品である旨を示す「要冷蔵」などの文字をおおむね 20 ポイント以上の大きさで、容器包装の表面に表示します。

⑪缶詰の食品
●表示のポイント
　主要な原材料名を記載します。主要な原材料とは、肉類（畜肉、獣肉、鳥肉、鯨肉）、魚介類、野菜および果実のことです。なお、これらが液状または泥状になっているものについては、主要な原材料に含めません。

●原材料のポイント
　原材料は、その種類名を表示します。例えば、畜肉の場合は「牛」「馬」「豚」「山羊」「羊」など、鳥肉は「鶏」「鴨」など、畜肉以外の獣肉は「兎肉」「猪肉」などです。

　鯨肉は「鯨」、魚介類は「タイ」「サンマ」「ハマグリ」など、野菜は「トマト」「アスパラガス」「コーン」など、果実は「リンゴ」「ミカン」「ナシ」などです。

　主要原材料が 3 種類以上にわたる場合は、配合分量の多いものから順に 3 種類まで記載します。また、原則として、「主要原材料」の文字を冠します。原材料は、その種類名を記載します。

　なお、名称、その他表示から主要原材料が十分判断できるものにあっては、主要原材料名の表示を省略することができます。

2. 牛乳、アイスクリーム類の表示

　乳、乳製品などは、食品衛生法の「乳及び乳製品の成分規格等に関する省令」（乳等省令）によって定義づけられています。これらは「乳」「乳製品」「乳又は乳製品を主要原料とする食品」の3つに分類されています。食品表示基準においては、個別の表示ルールが設けられています。

<乳、乳製品の分類>

	種類別
乳	生乳、牛乳、特別牛乳、生山羊乳、殺菌山羊乳、生めん羊乳、成分調整牛乳、低脂肪牛乳、無脂肪牛乳、加工乳
乳製品	クリーム、バター、バターオイル、チーズ、濃縮ホエイ、アイスクリーム類、濃縮乳、脱脂濃縮乳、無糖れん乳、無糖脱脂れん乳、加糖れん乳、加糖脱脂れん乳、全粉乳、脱脂粉乳、クリームパウダー、ホエイパウダー、たんぱく質濃縮ホエイパウダー、バターミルクパウダー、加糖粉乳、調製粉乳、調製液状乳、発酵乳、乳酸菌飲料（無脂乳固形分3.0％以上を含むもの）、乳飲料
乳及び乳製品を主要原料とする食品	上記以外

　また、公正競争規約には、飲用乳、発酵乳・乳酸菌飲料、ナチュラルチーズ・プロセスチーズ・チーズフード、アイスクリーム類及び氷菓があります。これらのルールに従って食品の表示をしなければいけません。

(1) 飲用乳

　乳等省令において「乳」とは、生乳、牛乳、特別牛乳、生山羊乳、殺菌山羊乳、生めん羊乳、成分調整牛乳、低脂肪牛乳、無脂肪牛乳および加工乳のことです。
　一方、飲用乳の公正競争規約では牛乳、特別牛乳、成分調整牛乳、低脂肪牛乳、無脂肪牛乳、加工乳、乳飲料をまとめて飲用乳としています。

①種類別を表示

　食品表示基準では乳（生乳、生山羊乳及び生めん羊乳を除く）および乳製品の名称は、乳等省令によって定義されている種類別を表示します。

　なお、「牛乳」と呼べるものは、牛乳、特別牛乳、成分調整牛乳、低脂肪牛乳、無脂肪牛乳の5種類です。また、「ミルク」、「乳」の文言をつけることができるのは前述した5種類のほかに加工乳と、無脂乳固形分8.0％以上などの条件を満たしている乳飲料です。

＜飲用乳の名称と分類＞

種類別	内容
牛乳	牛の乳であって、いっさいの成分調整を行っていないもの。ただし、無脂乳固形分8.0％以上、および乳脂肪分3.0％以上の成分を含有するものであること。
特別牛乳	牛乳のうちで無脂乳固形分8.5％以上、および乳脂肪分3.3％以上の成分を含有するもの。
成分調整牛乳	生乳から水分などの特定の成分を除去した、無脂乳固形分を8.0％以上含有するもの。ただし、無脂肪牛乳、低脂肪牛乳を除く。
低脂肪牛乳	生乳のみから製造したもので、無脂乳固形分は8.0％以上、および乳脂肪分0.5％以上1.5％以下のもの。
無脂肪牛乳	生乳のみから製造したもので、無脂乳固形分8.0％以上、および乳脂肪分0.5％未満の成分を含有するもの。
加工乳	生乳、牛乳もしくは特別牛乳、またはこれらを原料として製造した食品を加工したもので、無脂乳固形分8.0％以上を含有するもの。なお、成分調整牛乳は含まない。
乳飲料	生乳、牛乳もしくは特別牛乳、またはこれらを原料として製造した食品を主原料とした飲料で、乳固形分3.0％以上の成分を含有するもの。

②原材料の表示

　原材料名の表示は飲用乳によって異なります。牛乳、特別牛乳、成分調整牛乳、低脂肪牛乳、無脂肪牛乳は「生乳100％」と表示します。生乳はしぼったままの牛の乳です。

　加工乳の原材料は生乳を50％以上使用した場合は「生乳（50％以上）」、生乳が50％未満の場合は「生乳（50％未満）」と表示します。

　乳飲料の原材料は乳、乳製品、添加物です。添加物としてコーヒー、ココア

などを混ぜたものがあります。表示では原材料に使っている生乳が50％以上であれば「生乳（50％以上）」、生乳が50％未満の場合は「生乳（50％未満）」と表示します。

```
種 類 別        牛乳
商 品 名        ○○牛乳
無脂乳固形分    8.3％以上
乳 脂 肪 分     3.5％以上
原 材 料 名     生乳100％（栃木県）
殺菌温度及び時間 130℃2秒間
内 容 量        1000ml
賞 味 期 限     上部シール部に記載
保 存 方 法     10℃以下で保存してください。
開封後の取扱    開封後は冷蔵庫で10℃以下に保存し、できる限り早くお召し上がりください。
製 造 所 所 在 地 東京都千代田区神田○○○○○
製 造 者        （株）○○牛乳　○○工場
```

※項目名の「種類別」は「種類別名称」に代えることができます。

③原産地などの強調表示

　飲用乳の公正競争規約では、一括表示枠以外で使用できる強調表示のルールが示されています。

　牛乳などには「特濃」「濃厚」など、成分が濃い印象を与える表示を見ることがあります。これらの表示は無脂乳固形分8.5％以上、及び乳脂肪分3.8％以上の飲用乳に使えます。

　「ガンジー牛乳」や「ジャージー牛乳」のように、牛の品種を商品名に使う場合は、その品種の生乳を100％使っているものに限ります。複数の牛の品種を混ぜたものは、その使用割合を表示します。

　「北海道牛乳」のように、原産地名の入った商品名は原産地の生乳を100％使用したものに限ります。特定の酪農家や牧場などで生産された生乳だけを使用したものには、これら酪農家や牧場の名称を商品に表示することができます。

（2）アイスクリーム類

　ごく普通に、私たちはアイスクリームと呼んでいますが、その内容はバラエティに富んでいます。

●製品のポイント

　乳等省令ではアイスクリーム類は乳、またはこれらを原料として製造した乳製品を原料とし、それらを凍結させたもので、乳固形分を3.0％以上含むものとされています。牛乳だけでなく、山羊の乳を使ってもアイスクリーム類となります。

　アイスクリーム類は、含まれる乳固形分と乳脂肪分の量によってアイスクリーム、アイスミルク、ラクトアイスの3つに分類されています。アイスクリームが最も脂肪分が多く、それに次ぐのがアイスミルクです。ラクトアイスは植物性の脂肪を多く使っています。

　アイスクリーム類には入りませんが、公正競争規約には氷菓という種類も加えています。糖分や果物などの食品を混ぜて凍結させたアイスキャンディーなどのことです。

<アイスクリーム類の名称と分類>

種類別名称	分 類 の 基 準
アイスクリーム	乳固形分15.0％以上、うち乳脂肪分8.0％以上のものです。
アイスミルク	乳固形分10.0％以上、うち乳脂肪分3.0％以上のもの。ただし、アイスクリームに該当するものは除きます。
ラクトアイス	乳固形分3.0％以上のもの。ただし、アイスクリーム、アイスミルクに該当するものは除きます。

●表示すべき項目

　アイスクリーム類は以下のような表示が必要です。
- 種類別（項目名は「種類別名称」とすることができます）
- 無脂乳固形分、乳脂肪分、乳脂肪分以外の脂肪分の割合（％）
- 原材料名
- 添加物
- 内容量
- 原産国名（国産品は省略）
- 食品関連事業者の氏名または名称および住所
- 製造所の所在地および製造者の氏名または名称
- 保存上の注意

```
種 類 別    アイスミルク
無脂乳固形分  6.5%
乳 脂 肪 分  4.0%
```

植物性脂肪分	1.0%
原材料名	乳製品（国内製造）、いちごピューレ、砂糖、植物油脂／安定剤（増粘多糖類）、酸味料、乳化剤、香料、着色料（紅麹）
内容量	24ml×5本
製造者	○○アイスクリーム株式会社 東京都千代田区○○○○

保存上の注意　冷蔵庫で－18℃以下で保存してください。

3. 酒類の表示のしくみ

　日本酒やワイン、ビールなどの酒類は近年、様々な品目が登場し売り場を飾っています。しかし消費者にとって酒類の選択は簡単ではありません。
　例えば日本酒には特定名称酒と呼ばれるものがあります。これは原料米や製造方法によって分類される吟醸酒、純米酒、本醸造酒などの8つに分類されています。それ以外にも、生酒、原酒、にごり酒、発泡酒などの分類もあります。
　ワインも複雑です。国内で生産したブドウと海外から輸入したワインを原材料として作ったワインもあるからです。
　それだけに、消費者が正しく酒類を選択できるように、よりわかりやすい表示が求められているのです。

1）酒類の表示に必要な食品表示基準

　酒類は加工食品のひとつです。食品表示法にもとづく食品表示基準にそった表示が必要になります。
　食品表示基準では、酒類に必要な表示事項は「名称」「添加物」「内容量」「食品関連事業者の氏名または名称および住所、製造所または加工所の所在地および製造者または加工者の氏名または名称」「L-フェニルアラニン化合物を含む旨」「遺伝子組換え食品に関する事項」です。
　酒類の「原材料名」「アレルゲン」「原産国名」は義務表示ではありません。
　省略できる項目もあります。食品表示基準では「保存の方法」「消費期限または賞味期限」「栄養成分（たんぱく質、脂質、炭水化物およびナトリウム）の量および熱量」が省略できます。
　なお、一括表示欄には「消費者の選択に資する適切な表示事項」を記載することもできます。具体的には「使用上の注意」などです。ただし、「保存方法」と「使用上の注意」は異なるため、消費者が誤認しないように項目名を明らかにして表示するようにしてください。

＜食品表示基準における酒類の義務表示項目＞

- 名称
- 添加物
- 内容量
- 食品関連事業者の氏名または名称および住所、製造所または加工所の所在地および製造者または加工者の氏名または名称
- L−フェニルアラニン化合物を含む旨
- 遺伝子組換え食品に関する事項

＜食品表示基準における酒類の任意表示項目＞

- 原材料名
- アレルゲン
- 原産国名

＜食品表示基準における酒類の省略可能な表示項目＞

- 保存の方法
- 消費期限または賞味期限
- 栄養成分の量及び熱量

　食品表示基準の主な表示ルールは以上ですが、酒類の場合、ほかの法令などで必要な表示があります。その点を以下に説明します。

2）清酒やビールなど、個別の表示ルールのある酒類

　食品表示基準は酒類全体の表示の基本となるものです。ただし、酒類には酒税の保全及び酒類業組合等に関する法律（以下、酒類業組合法と呼びます）、清酒の製法品質表示基準、果実酒等の製法品質表示基準、公正競争規約などがあります。
　これらに該当する酒類は食品表示基準のほかに、それぞれに関係する法令などに基づいて表示を行わなければなりません。

（1）清酒の製法品質表示基準

　酒類業組合法では「清酒の製法品質表示基準」が定められています。清酒の表示は食品表示基準のほかに、この法令にも従って表示する必要があります。

①清酒の特定名称

清酒には吟醸酒、純米酒、本醸造酒の3つの特定名称があります。それぞれに製法品質の要件があり、それに該当した清酒は容器包装に特定名称を表示できます。

例えば本醸造酒は、精米歩合70％以下の白米、米こうじ、醸造アルコールおよび水を原料として作った清酒です。なおかつ「香味および色沢が良好なもの」に本醸造酒の名称が付けられます。ちなみに「香味および色沢が良好なもの」とは「異味異臭がなく清酒固有の香味および色沢を有するもの」となっています。

＜特定名称と製法品質の要件＞

特定名称	製法品質の要件
吟醸酒	精米歩合60％以下の白米、米こうじおよび水、またはこれらと醸造アルコールを原料とし、吟味して製造した清酒で、固有の香味および色沢が良好なもの
純米酒	白米、米こうじおよび水を原料として製造した清酒で、香味および色沢が良好なもの
本醸造酒	精米歩合70％以下の白米、米こうじ、醸造アルコールおよび水を原料として製造した清酒で、香味および色沢が良好なもの

なお、特定名称酒は原料米、製造方法などの違いによってさらに分類され、全部で8種類あります。8種類とは、吟醸酒、大吟醸酒、純米酒、純米吟醸酒、純米大吟醸酒、特別純米酒、本醸造酒、特別本醸造酒です。

②記載する表示事項

清酒の製法品質表示基準では、次の事項を原則として8ポイント以上の活字の日本文字で表示することになっています。

●原材料名

清酒の原材料名を表示します。吟醸酒など特定名称を表示する清酒は、原材料名の表示の近接する場所に精米歩合も表示します。例えば、本醸造酒は次のように記載します。

```
原材料名　米（国産）、米こうじ、醸造アルコール
精米歩合　68％
```

- ●製造時期

次のいずれかの方法で記載します。
・製造年月　平成 30 年 10 月
・製造年月　30.10
・製造年月　2018.10
・製造年月　18.10

保税地域から引き取る清酒で製造時期が不明なものは、製造年月の代わりに「輸入年月」として輸入年月を表示してもかまいません。

容器の容量が 300 ミリリットル以下の場合には「年月」の文字を省略できます。

- ●保存または飲用上の注意事項

生酒のように製成後一切加熱処理をしないで出荷する清酒は保存もしくは飲用上の注意事項を記載します。たとえば以下のようになります。

> 生酒、生貯蔵酒以外の清酒は、通常、製成後、貯蔵する前と出荷する前の 2 回加熱処理をしています。

- ●原産国名

輸入品の場合に記載します。

- ●外国産清酒を使用したものの表示

外国産清酒を使った場合は、その使用割合を 10％の幅をもって記載してもよいことになっています。

- ●必ず表示すべき項目

次の事項は清酒製造者に表示義務が課されています。製造場の所在地は製造所固有記号でも可能です。清酒を「日本酒」と表示することもできます。

- ・製造者の氏名または名称
- ・製造場の所在地
- ・容器の容量
- ・清酒
- ・アルコール分

（2）果実酒等の製法品質表示基準

消費者が酒類の選択で難しいものの一つにワインがあります。例えば原材料といっても、国産のぶどうのみを使ったもの、あるいは輸入した濃縮ぶどう果

汁を水で希釈したものを原材料として国内で製造したワインなど、原材料が多様でわかりにくいこともその原因でした。

このため、国税庁は酒類業組合法に基づき、平成27年10月にワインのラベル表示のルールとして「果実酒等の製法品質表示基準」を国として初めて定めました。適用の開始は平成30年10月30日から。適用開始以前からでも表示することはできます。

①ワインを3つに分類

果実酒等の製法品質表示基準ではワインを「日本ワイン」「国内製造ワイン」「輸入ワイン」の3つに分類し、定義しています。

日本ワイン	国産ぶどうのみを原料とし、日本国内で製造された果実酒
国内製造ワイン	日本ワインを含む、日本国内で製造された果実酒および甘味果実酒
輸入ワイン	海外から輸入された果実酒および甘味果実酒

②記載事項の表示

ワインの一括表示欄には品目、原材料名、製造者（輸入者）、内容量、アルコール分、原産国名を表示します。なお、日本ワインは「日本ワイン」と表示します。

<ワインの一括表示欄に必要な項目>

- 品目
- 原材料名
- 製造者
- 内容量
- アルコール分
- 原産国名

③日本ワイン

日本ワインとは「国産ぶどうのみを原料とし、日本国内で製造された果実酒」です。

●表ラベルのルール

日本ワインは商品名を表示する側のラベル（表ラベル）に「日本ワイン」と

いう表示ができます。また、そのラベルに「地名」「ぶどうの品種名」「ぶどうの収穫年」を表示できます。ただし、表ラベルにこれらを表示する場合の条件があります。

イ．地名の表示

　地名を表ラベルに使用できるパターンは3つあります。
- ワインの産地名を表示したい場合・・・その地名が示す範囲内にある収穫地のぶどうを85％以上使用し、なおかつその範囲内に醸造地があること。この2つの条件を満たせば、例えば地名が東京ならば「東京ワイン」と表示できます。
- ぶどうの収穫地名を表示したい場合・・・その地名が示す範囲内にある収穫地のぶどうを85％以上使用していれば表示できます。例えば「東京産ぶどう使用」となります。
- 醸造地の名称を表示したい場合・・・地名が示す範囲に醸造地がある場合は、例えば「東京醸造ワイン」のように地名を入れた表示ができます。ただし、「東京は原料として使用したぶどうの収穫地ではありません」などの表示が必要になります。

ロ．ぶどうの品種名の表示

　ぶどうの品種名をラベル表示にする場合は次のような条件を満たす必要があります。

　単一の品種を表示する場合は、それを85％以上使っていれば、例えば「シャルドネ」と表示ができます。シャルドネとは白ワインの代表的なぶどうの品種です。

　2つの品種を表示する場合は、表示するこれらの品種を合計で85％以上使用していれば可能です。この場合は使用量の多い順に品種名を表示します。

　3品種以上を表示する場合は、表示するこれらの品種を合計で85％以上使用し、それぞれの品種の使用量の割合とあわせて使用量の多い順に表示します。

ハ．ぶどうの収穫年の表示

　ぶどうの収穫年を表示したい場合は、同一収穫年のぶどうを85％以上使用していれば可能です。例えば「2017」といった表示を行います。

ニ．日本ワインの表ラベルの表示例

　次の表ラベルにはワインの産地名を表示しています。ラベルからは、2017年に東京都で収穫したぶどう品種「シャルドネ」を85％以上使用し、東京都内で醸造した日本ワインと読めます。

```
日本ワイン
東京ワイン
シャルドネ
2017
```

次の表ラベルはぶどうの収穫地名を表示しています。すなわち、ぶどうの収穫地の85％以上が東京産であることを意味しています。

```
日本ワイン
東京産ぶどうを使用
シャルドネ
2017
```

次の表ラベルは、東京都以外で収穫されたぶどうを使用して、東京都内で醸造したワインのことを意味しています。

```
日本ワイン
東京醸造ワイン
東京は原料として使用したぶどうの収穫地ではありません。
2017
```

● **一括表示欄のルール**

　日本ワインは、一括表示欄に8ポイント（容量200ml以下の容器の場合は6ポイント）の活字以上の大きさで「日本ワイン」と表示しなければなりません。このほか、品目名、原材料名、製造者、内容量、アルコール分が表示されます。

　原材料の産地名は原材料名の次に括弧を付して表示します。この場合、「日本産」に代えて「東京都産」などの地域名を表示することもできます。酸化防止剤のような添加物を使用している場合は食品表示基準にのっとり、原材料と区別して表示しなければなりません。

＜日本ワインの一括表示欄の例＞

```
日本ワイン
品目        果実酒
原材料名    ぶどう（日本産）／酸化防止剤（亜硫酸塩）
製造者      全国スーパーマーケット株式会社
```

```
              東京都千代田区内神田０—０—０
内容量      720ml
アルコール分  12%
```

④ 国内製造ワイン

　国内製造ワインは「日本ワインを含む、日本国内で製造された果実酒および甘味果実酒」をいいます。

●表ラベルのルール

　ワインの表ラベルには、濃縮果汁または輸入ワインを原材料としたワインであることが表示できます。以下は、日本ワイン以外の国内製造ワイン表ラベルの例です。

```
まろやかワイン
輸入ワイン・濃縮果汁使用
```

●一括表示欄のルール

　一括表示欄には原材料名およびその原産地名が表示されます。原材料名には国内製造ワインに使用した原材料の多い順に表示します。

　次の一括表示欄は、日本ワイン以外の国内製造ワインの表示例です。このケースでは、使用されている原材料は輸入ワイン（外国産）、濃縮還元ぶどう果汁（外国産）、ぶどう（日本産）の順に使用量が多いことが分かります。

<国内製造ワインの一括表示欄の例>

品目	果実酒
原材料名	輸入ワイン（外国産）、濃縮還元ぶどう果汁（外国産）、ぶどう（日本産）/ 酸化防止剤（亜硫酸塩）
製造者	全国スーパーマーケット株式会社 東京都千代田区内神田０—０—０
内容量	720ml
アルコール分	12%

⑤ 輸入ワイン

　輸入ワインは「海外から輸入された果実酒および甘味果実酒」のことです。一括表示欄には原産国名が表示されます。輸入ワインでは表ラベルに関する表示事項のルールはありません。

＜輸入ワインの一括表示欄の例＞

品目	果実酒
輸入者	全国スーパーマーケット株式会社
所在地・引取先	東京都千代田区内神田０―０―０
内容量	720ml
アルコール分	12%
原産国名	アメリカ

（3）ビールやウイスキーなど、表示の公正競争規約がある酒類

　酒類によっては、各業界で設立された公正取引協議会によって公正競争規約が設けられています。表示に関する公正競争規約のある酒類はビール、輸入ビール、ウイスキー、輸入ウイスキー、泡盛、単式蒸留しょうちゅうです。

　これらの酒類については、公正競争規約で表示に関するルールが設けられており、それを守る必要があります。たとえばビールについては次のような表示が必要です。

＜ビールの公正競争規約における表示項目＞

- ビールである旨
- 原材料名
- 賞味期限
- 保存方法
- 内容量
- アルコール分
- 事業者の名称及び所在地
- 取扱上の注意等

　酒類関係の公正競争規約を設けている組織は、ビールはビール酒造組合、単式蒸留しょうちゅう、泡盛は日本酒造組合中央会、ウイスキーは日本洋酒酒造組合、輸入ウイスキー、輸入ビールは日本洋酒輸入協会です。詳細はそれぞれの公正競争規約を参照してください。

第5章 アレルギー表示

1. 食物とアレルギー

1） アレルギー表示制度施行の背景

　昭和63年、北海道にて給食に出された「そば」を食べて学童が死亡するという悲しい事件がおきました。そして、この出来事の最も深刻なことは、保護者にとって一番安心と考えていた教育現場での給食による事故だったことが挙げられます。さらに、その影響は食品業界にも及び、予想以上の混乱と不安を招きました。

　つまり、長い間慣れ親しんできたなんでもない身近な食品でも、個々の体質によっては死に至るほどの影響を及ぼす危険性があるということです。その後、このことが契機となり、アレルギー症状を引き起こす食品の危害管理の必要性が生まれました。

①乳幼児に多い食物アレルギー

　現在、平均寿命の伸びや青少年の体躯の向上などから、ほとんどの日本人が食事から十分に栄養をとっていると考えられています。しかし、一方、満ち足りたはずの食生活の「結果」が、急増する生活習慣病の原因とも考えられ、大きな社会問題になっています。

　また、戦前には無かったとされる身近な食品からのアレルギーは乳幼児のほうが多いといわれています。厚生労働省のこれまでの調査（次表参照）によれば乳児の食物アレルギー症例は調査期間に限っていえば年を追う毎に増え、現在も増加傾向にあることが予想されます。また、国立相模原病院の報告でも、1歳未満の食物アレルギーの発症率を問題にしています。

　NHKと国立成育医療センター研究所の調査によると（平成15年4月23日放送）、大手ビールメーカーに勤務する男女300人（20～60歳）中の64％の人がなんらかのアレルギー体質をもっていることが簡易アレルギー反応試験の結果わかりました。

<乳児食物アレルギーの占める割合>

厚生労働省全国調査による

調査した年	全体の症例数	乳児の症例数	乳児が占める割合（％）
平成11年度調査	1,538例	420例	27.3%
平成13年度調査	2,434例	732例	29.8%

②食物アレルギーの実態

近年、アレルギー成分による事故を含め、食品全般（特に加工食品）での様々なトラブルが多発しています。そのような背景から、厚生労働省は平成8年度より全国の医療機関を通じて食物アレルギーの実態調査を行ってきました。

それらの研究成果をもとに、重篤な健康危害がみられたアレルギー症例から、その際に食べた食品の中で明らかに影響を及ぼすものを「アレルギー物質を含むもの」として、特定原材料等（現：27品目）に指定しました。さらに、消費者の食生活での被害を未然に防ぐため、平成13年4月1日より「食品衛生法アレルギー表示規定」が施行されたのです。

2）アレルギーってなに？

①食物アレルギーの症状

厚生省「食物アレルギー対策検討委員会」の報告書（平成9年度）によれば、食物アレルギーの主な症状には、「痒み・蕁麻疹」が圧倒的に多く、次いで「唇の腫れ」「まぶたの腫れ」「嘔吐」「咳・喘息」となっています。

また、症状の出方は食べてすぐ現れる即時型（1時間以内）としばらく時間が経ってからの非即時型（1時間以上）の2タイプに分けられます。食物アレルギーの多くは、非即時型ですが、アナフィラキシーショックなど重篤な症状を出すのは即時型がほとんどといわれています。近年、重症例がとくに幼い子どもたちの間で増加しており、最悪の場合、死に至るケースもみられるため注意が必要です。

②食物アレルギーの原因

われわれの身体はいつもさまざまな異物（自己の体成分以外の物質）にさらされています。食物アレルギーとは、食べものの中に含まれる異物により障害を引き起こしている状態のひとつです。私たちの身体には、健康な状態を維持し守るため、体内に侵入してきた細菌やウイルスに対抗するリンパ球と食物や

花粉等の異物に対抗するリンパ球があることが解ってきました。そして、このふたつのリンパ球のバランスが崩れたときが、食物アレルギーが起こる原因と考えられています。

また、現代人は清潔な住環境、食生活、医療の発達等により、昔のように幼い頃から細菌やウイルスに汚染されることもなくなりましたが、代わりに免抗バランスが変化（崩れ）しました。それにより、なんでもない食物や花粉にでも、過剰に反応し、またそれらを攻撃すべき相手として覚えてしまうことにより、様々なアレルギー症状を起こすようになったとも考えられています。

アレルギー疾患が15歳以下の子どもたちに多いのも、このような理由のためでしょうか。

③アレルゲン

ある異物にアレルギーを持ってしまった場合、ふたたびその異物（＝抗原）が入ってくることにより、様々なアレルギー症状を引き起こします。時には全身に症状（血圧低下、呼吸困難、または意識障害など）が現れる場合もあります。このようなアレルギー症状を引き起こす異物（＝抗原）をアレルゲンと呼びます。食物アレルギーとは、食品に含まれるアレルゲンによって一度影響を受けたあと、ふたたびその食品を食べたときに、そのアレルゲンに対して起こる一連の生体反応のことです。

3）アトピー性皮膚炎とは？

「アトピー性皮膚炎」も今や、大きな社会問題となりつつあるくらい近年、急増しているアレルギー症状のひとつです。では、その「アトピー」という言葉は何に由来しているのでしょう。

「アトピー」とは、もともとギリシャ語では「奇妙な」という意味なのですが、その言葉の通り、原因が解らない「奇妙な」病気ということで使われ始めました。

主に、子どもの肌の湿疹から観察が始まった「アトピー性皮膚炎」はその後の研究によって、徐々にアレルギーとしての本体が明らかになってきました。ではこの場合、アレルギーとはどのようなことでしょうか？

4）はしかと免疫

①「免疫」とは
　私達の身体を守る働きを免疫といいます。「はしか」のような外敵（抗原）に侵されると、外敵（抗原）に対する抵抗勢力（抗体）というものが私達の体内にできます。これによってその後は「はしか」にかからなくなります。それは、身体の中の抵抗勢力（抗体）が「はしか」の攻撃の仕方を一度経験（記憶）したために、「はしか」が再度侵入してきても直ぐに撃退（対処）できるからです。このような大切な役割を果たす主役が「免疫」です。

②免疫系の役割
　免疫系の主な役割としては、侵入してきた抗原（細菌、異物＝アレルゲン）を識別して抗原を認識し、その抗原と反応する抗体（IgE[*1]抗体＝免疫グロブリン抗体）を作り出し、身体を外敵から守ります。種痘やジフテリア、破傷風などの予防接種（弱毒病原菌を接種する）は、その為に行います。

　繰り返しますが、免疫系には、抗原を記憶してしまう働きがありますので、次に同じ抗原が侵入してくると速やかに応答します。これを抗原抗体反応といいます。

　このような侵入してきた抗原（細菌や異物）に対して、適切な攻撃は生体を守ることになります。しかし、自分自身を傷つける様な過剰な攻撃になったときはアレルギー（即時型―Ⅰ型）となります。ひとたび体が記憶してしまうとなかなか忘れてくれないため、「アレルギー治療は時間をかけて、気長に…」と考えられています。

5）Ⅰ型アレルギーの特徴

　アレルギー反応には、主にⅠ型、Ⅱ型、Ⅲ型、Ⅳ型の四つの型がありますが、食物アレルギーの中で重篤な症状を出すのは、Ⅰ型（即時型）といわれています。Ⅰ型はIgE＝免疫グロブリン抗体と異物＝アレルゲン抗原との反応により、引き起こされる組織障害をいいます。具体的な症状には、気管支喘息、アレルギー性鼻炎、花粉症、蕁麻疹、アトピー性湿疹、腸管アレルギー、アナフィラキシーショック[*2]などがあります。

[*1]　IgEとは免疫グロブリンの一種です。血清や体液などに存在するタンパク質で、

抗原と戦う機能を持っています。アレルギー体質の人は血清中のIgEの数値が高くなります。
＊2　アナフィラキシーショックとは生命にかかわるほどの激しい全身的な過敏症のことです。

6）Ⅰ型アレルギーのしくみ

①食物アレルギーの診断方法

　血液検査や皮膚テスト（パッチテスト等）などのアレルギー物質検査をします。また、問診や食事日誌からアレルギー物質を推定し、食物除去試験や食物経口負荷試験をします。これら検査・試験から医師が総合的に診断します。

　また、アレルギー発症の原因となった食品を推定するため、当該食品の原材料をすべて調査するときに、まず「食品表示」によってある程度の情報を把握することができます。

②食物アレルギーの治療方法

　基本は、原因となるアレルギー物質（タンパク質）を摂取しないようにする除去食です。薬物療法が併用される場合もあります。

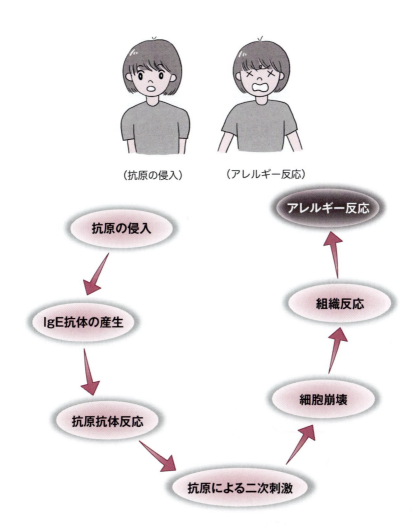

7）アレルギー反応の分類

① Ⅰ型

Ⅰ型は即時型と呼ばれ抗原にさらされてから症状が発現するまでが数分から10分以内といわれています。抗原の侵入により多量に作り出されたIgE抗体が反応した結果、肥満細胞等から化学伝達物質が放出されて起こります。主な症状は、気管支喘息、アレルギー性鼻炎、食物アレルギー、アトピー性皮膚炎、花粉症、蕁麻疹、薬剤アレルギー、腸管アレルギー、アナフィラキシーショッ

ク等があります。

② Ⅱ型

Ⅱ型は細胞傷害型、融解型（即時型）で、抗原に対して作られた抗体が赤血球、白血球、血小板などを破壊する組織障害です。主な症状は、溶血性貧血、輸血反応、重症筋無力症、薬剤アレルギー等があります。また、Ⅱ型の特殊なケースとして、Ⅴ型があります。Ⅴ型は刺激性で主な症状にはバセドウ病があります。

③ Ⅲ型

Ⅲ型は免疫複合体型、アルサス型（症状の発現まで3〜8時間）で、抗原と抗体が血中を循環して腎臓、肺等の特定の場所の小血管に付着、炎症を起こします。主な症状は血清病、関節リウマチ、アレルギー性気管支炎等があります。

④ Ⅳ型

Ⅳ型は遅延型、ツベルクリン型で、症状が発現するまでに24〜48時間といわれています。抗原と感作Tリンパ球の反応によって起こる炎症反応です。代表的なものにはツベルクリン反応があります。主な症状は、アトピー性皮膚炎、感染アレルギー、移植反応等があります。

8）食生活とアレルギー

（1）食物アレルギーが増えた時期

食物アレルギーが増え始めたのは、昭和30年（1955年）代からといわれていますが、その後も増加傾向にあり、複雑になっているようです。臨床的にみると、昭和50年（1975年）代前半までは、牛乳・卵・大豆（油）の3大アレルゲン（アレルギー原因物質）の対策である程度、高い成果を得ていました。しかし、その後、米、小麦のアレルギーが目立ち始めて、昭和60年（1985年）以降これらの臨床研究が数多く報告されています。平成12年（2000年）以前は、牛乳・卵・大豆（油）・米・小麦が5大アレルゲンと呼ばれ、特に穀類アレルギーの存在は、食物アレルギーを扱う医師の間で常識化していました。また、厚生労働省はそれらの状況の中、平成13年4月1日より、食物アレルギーの発症数、症状の重さから考えて表示する必要性の高い5品目（現：7品目）を特定原材料（卵、乳、小麦、そば、落花生）と定め、これに次ぐ（準ずる）

19品目（現：20品目）を準特定原材料（あわび、いか、いくら、えび、オレンジ、かに、キウイフルーツ、牛肉、くるみ、さけ、さば、大豆、鶏肉、豚肉、まつたけ、もも、やまいも、りんご、ゼラチン）と定めました。その後、平成16年12月24日に準特定原材料に「バナナ」が追加され、平成20年6月3日にそれまで特定原材料に準ずる扱いをしていた「えび」「かに」が特定原材料に追加されました。それに伴い、それまでの「えび」の範囲が変更され、「伊勢えび」「ウチワエビ」「ザリガニ」等が含まれることになりました。さらに、平成25年9月20日には、準特定原材料に「カシューナッツ」「ごま」が追加されています（詳細はP.234参照）。

（2）食物アレルギーの増加と食生活の変化

　食物アレルギーと日本人の食生活の変化は無縁ではありません。厚生省（現：厚生労働省）による国民栄養調査を見ると、1950年以降では牛乳、卵、食用油の消費量が明らかに増えています（次図）。これに呼応するように3大アレルギー（牛乳・卵・大豆（油））が急増しました。1974年以降になると、さらに砂糖、果物、肉、魚が加わり、飽食の時代を反映しています。この中で特徴的なのは「米」の摂取量だけが年々減少していることです。しかし、米の

＜日本人一人当たりの食品摂取＞
（厚生省　国民栄養調査より作成）

＜東京医大式食物抗原強弱表＞

	←アレルギーを起こしにくい食品				アレルギーを起こしやすい食品→
穀類芋類	うるち粟、うるちきび、稗、酒米、アマランサス、キヌア、さくさく（さごやしでん粉）、ケアライス	白米（ゆきひかり）、ワイルドオーツ、☆タピオカ、デュラムセモリナ、低アレルギー小麦、コウリャン、白イモ	白米（こしひかり・あきたこまち等）、大麦、ライ麦、オーツ麦、ハト麦、片栗粉、ジャガイモ、サツマイモ	小麦粉（強力粉・中力粉・薄力粉）、トウモロコシ、胚芽米（3-7分米）、もち粟、もちきび	もち米、白玉粉、玄米、麦ハイ芽、麦全粒粉
野菜	小松菜、パクチョイ、サニーレタス、サラダ菜、☆カボチャ、ダイコン、カブ、キャベツ、白菜、レタス、チンゲン菜、スズシロ、スズナ、菜の花、チコリ	ピーマン、ブロッコリー、春菊、☆ニンジン、カボチャ、カリフラワー、長ネギ、アスパラ、菊の花、☆クズ	オクラ、ししとう、ノビル、ツクシ、かいわれ、金時豆、花豆、うずら豆等	青じそ、にら、よもぎ、フキ、ウド、セロリ、タマネギ、ハコベラ、ニンニク、セリ、ナズナ、ゴギョウ、ホトケノザ、フキノトウ、ゼンマイ、ワラビ、きのこ類、レンコン	トマト、☆ほうれん草、ごま、豆類（もやしを含む）、しょうが、そば、里芋、なす、山芋、ゆり根、たけのこ、ごぼう
魚貝肉	さより、きす、はたはた、メルルーサ、めじな、ふぐ、あなご、☆うなぎ、あゆ、いわな、ます、やまめ、なまず、はや、やまべ（おいかわ）、どじょう　たにし、とり貝、みる貝、ほっき貝、エスカルゴ　かえる肉	いしもち、くじら、たちうお、めばる、あいなめ、おこぜ、かわはぎ、たい、おひょう、はぜ、あんこう、はなだい、しらうお、さめ、めごち、あおやぎ　ムール貝、赤貝　うさぎ肉、馬肉、鹿肉	とびうお、すずき、あじ、ぶり、いさき、ひらまさ、かんぱち、しまあじ、いなだ、しいら、黒むつ、ぎんだら、しらす、いとより、こいなご、あこうだい、たこ　帆立貝、あわび、さざえ、つぶ貝、ほや　羊肉（マトン、ラム）　カンガルー肉	かれい、ひらめ、かつお（ひらそうだ、まるそうだ）いわし（煮干し）さけ、たら、ほっけ　さわら、きはだ、めばち、びんなが　あさり、はまぐり、しじみ	黒まぐろ、さんま、にしん、いか、えび、かに、さば、かき、うに　魚・貝・肉類の干もの　たらこ・イクラなどの魚の卵類　鶏肉および卵、牛肉、牛乳、乳製品、豚肉
果物	りんご　プラム　ぶどう　ソルダム　ネクタリン　すもも	もも　洋なし　なつめ　柿　竜眼　デーツ　らかんか	いちご　びわ、あんず　梅、さくらんぼ　キウイ	ざくろ、ザボン　ぐみ、すいか、メロン、パイナップル、ドリアン、うり、バナナ、あけび	オレンジ・レモンなどのかんきつ類　パパイヤ、アボカド、マンゴー、グレープフルーツ　ナッツ類
調味料その他	自然塩　なたね油（PCA検査合格品）　えごま油　りんご酢　わかめ（生、乾燥）　寒天　キノア醤油	ビート糖（グラニュー糖、アラメ）　てんさい糖　黒糖シロップ　雑穀みそ　魚しょうゆ、雑穀しょうゆ　さとうきび酢、オリーブ油　グレープシードオイル（米国産）　うごひじき、昆布	さとうきび（アラメ、黒砂糖、一温糖）、梅干し（しそを除く）、梅酢、米酢、米しょうゆ、麦しょうゆ、さけじょうゆ、米みそ、麦みそ、米油（PCA検査合格品）、椿油、メープルシロップ、サフラワー油、ひまわり油、綿実油（米国産）、☆カレー粉	コーン油（PCA検査合格品）、はち蜜　みりん　のり	化学調味料、パーム油（PCA検査合格品）、ごま油（PCA検査合格品）、カレールー

☆印のものについては過敏性の人は要注意
＊乾燥果実は油が添付してある場合もあるので要注意
食物アレルギーにおける食事療法では、まず抗原度の低いものの中から食材を選びます。
抗原度の高い食材は一度にいくつも使わず、1つずつ様子を見ながら試します。

消費量が減少傾向にある反面、様々な食品によるアレルギーが急増するという現象になっています。

（3）食生活がアレルギーを引き起こす？

　戦後、日本人は急激な食生活の変化に伴い、食品添加物や残留農薬等も取りこんできました。このような化学物質は私たちの体内では消化できませんので身体はその扱いに大変に苦慮してしまいます。これが繰り返されると慢性的な疲れとなり、ひいては、免疫力の低下を引き起こし、結果、抵抗力が低下して、病気にもなりやすい体質になると考えられます。

原因と考えられる食生活

- 油脂、糖質を多く含む食品の摂り過ぎはリノール酸が分解されるときロイコトリエンやプロスタグランジン等のアレルギーを引き起こす伝達物質が体内で生成されます。
- 多糖体である砂糖、麦芽糖、乳糖等や脂質（油）はタンパク質と結合すると抗原となる場合があります。
- 同じものを食べつづける食生活は、もともと確率的に食物アレルギーになりやすいといわれますので、常食することでアレルギーになりやすくなります。
- 加工食品の摂取量の増加はカルシウムが過剰に消費されて不足気味になるといわれています。
- 食品添加物の摂取量（年／1人当たり／約 4.0kg 以上）の内、化学合成による添加物の摂取量（年／1人当たり／約 1.0kg）と、残留農薬、水道水などに含まれる塩素化合物等は体内では消化できませんので、身体にとって常に負担になっています。

　このような食生活は、体内における活性酸素の発生が促され、その影響で身体を守る免疫バランスが低下して、アレルギーを引き起こしやすくなると考えられています。

9）腸内細菌との関係

　腸内フローラ（腸内細菌の群れ）は善玉菌（ビフィズス菌等）と悪玉菌（ウエルシュ菌等）の絶妙なバランスのうえで成り立っています。また、腸は自らの運動に加え、これらの細菌の働きによって栄養を吸収しています。
　しかし、この腸内フローラはちょっとした心的（ストレス等）、内的（偏食、

薬剤、化学物質等）、外的（環境からの吸入、接触等）影響により簡単に菌のバランスが崩れ、食べた物の消化吸収をさまたげるだけではなく、アレルギー発症にも大きく影響を与えています。

　即ち、それらの影響により腸内フローラのバランスが低下したり、変化したりすると、食べた食品の栄養素がきちんと消化されないまま腸の壁を通過して、その結果アレルギーを引き起こしたり、悪化させたりすることがあります。悪化させる原因の代表的な例として砂糖、アルコール、果物（果糖）等の嗜好品の摂り過ぎがありますが、その根拠に「イースト理論」（次図）があります。

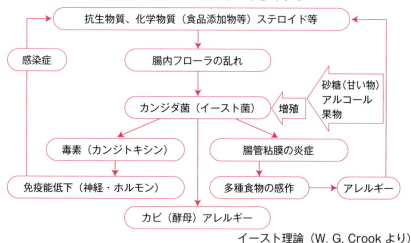

イースト理論（W. G, Crook より）

（図の説明）
❶ヒトの消化管には、カンジダというカビが誰にでも常在していて、通常ビタミンB群などを作って私たちに供給しています。しかし、このカンジダが増え過ぎると毒素をだし、免疫能の低下や神経、ホルモン異常など、人体に様々な病気や症状を引き起こすといわれています。
❷カンジダが異常に増えると腸の表面（腸管粘膜）が荒れてしまい、腸管粘膜がただれ、そこから荒っぽい形（大きな分子）のままアレルゲン（アレルギーの原因物質）が吸収され、結果食物アレルギーを起こしやすくなります。
❸このカンジダ自体にもアレルギーが起きてしまいます。一旦アレルゲンになると、交叉反応といって、似たものにアレルギーが起こることがあり、イーストは、カンジダとはとても近い親戚ですから、一緒にアレルゲンになるこ

とが多く、パンを食べても症状が出るようになります。

❹このカンジダが特に好むのは、砂糖・果物（果糖）とアルコール（これらを合わせて「甘いもの」とします）で、これらを多量に摂取することにより、カンジダが異常に増殖してしまいます。私たちがこれらを含む嗜好品を際限なく食べつづけることで、腸内フローラの悪玉菌を増やし、バランスを崩していることがアレルギーを悪化させる大きな原因と考えられます。

❺1992年の第29回日本小児アレルギー学会で、後木医師は、この理論に従い「甘いもの」とイーストを極力減らすことで、米アレルギーの治り（耐性）が半年から一年早まることを報告しました（耐性：それまで食べるとアレルギー症状を出した人が、以後その食品を食べても反応しなくなること）。

❻このことから、主に糖質系の嗜好品を摂り過ぎていることが、お腹のカビを介して、米アレルギーを悪化させていることが考えられます。角度を変えて見た証拠として、カンジダアレルギーでは穀物アレルギーが伴い易いことを、松田医師と三浦医師が報告しています。

❼甘いものの代表は砂糖ですが、戦後日本人の摂取量は爆発的に増えています。そこで、このイースト理論の考え方から、米の摂取量が減っているにもかかわらず、米アレルギーが増えてきた理由は、食生活の変化により「甘いもの」を摂り過ぎてきたためではないかと考えられています。

10) アレルゲンの種類と主な症状

　アレルゲンと呼ばれるアレルギーの原因物質は、食物以外にもいろいろあります。ただし、どんな種類にどのくらいの量で、またどの様な反応がどのくらい強く現れるかは、人により、またその日の体調によってそれぞれ違っています。

　例えば、ある人は極微量の卵に反応し、ショックを起こしたり、またある人は体調の悪いときに鮮度のおちた青魚を食べて蕁麻疹をだしたり、またある人は、新築のスーパーに入店しただけで湿疹の悪化や嘔吐を繰り返したりします。

　この様に、アレルゲンの種類とその症状は複雑、多岐にわたっていますが、代表的なアレルゲンの種類として、気道から進入して起こる吸入性のもの、口から消化器を通過して進入する食物性のもの、接触により皮膚から進入する接触性のもの、その他には、薬物によるものや感染性によるもの等があるといわれています。

<アレルゲンの種類と主な原因物質>

吸入性のもの	ダニ、ペット（毛・羽）、花粉（スギ、ブタクサ、ヨモギ等）、カビ類等
食物性のもの （特定原材料等）	乳、卵、小麦、そば、落花生、あわび、いか、いくら、えび、オレンジ、かに、キウイフルーツ、牛肉、くるみ、鮭、さば、大豆、鶏肉、豚肉、まつたけ、もも、ヤマイモ、りんご、ゼラチン、バナナ、カシューナッツ、ごま
接触性のもの	化粧品、染料、うるし、金属、塗料、化繊、化学薬品等
薬物性のもの	抗生物質、鎮痛剤、ホルモン剤等
感染性のもの	細菌、ウイルス、寄生虫等

<主なアレルギーの症状>

フケ症、眼の下のクマ、シワ、結膜炎、まぶしい、耳切れ、気管支喘息、気管支炎、鼻汁、鼻閉、鼻出血、喘鳴、扁桃肥大、口内炎、嘔吐、下痢、便秘、周期性嘔吐症、宿便、肛門周囲炎、アトピー性皮膚炎、おむつかぶれ、赤い発疹、かゆみ、おでき、やせ、肥満等

①ピーナッツとナッツ類

　ピーナッツは成人期に最も多い食物アレルギー物質といわれ、特にアナフィラキシーを起こしやすいため、注意が必要です。アメリカでは4歳以降の食物アレルギーの中で最も多いアレルゲンとなっていて、アナフィラキシーによる死亡事故も多いため、大きな社会問題になっています。

　また、わが国においては、食物アレルギーのなかでは7番目*です。最も多い食物抗原としてのピーナッツは、豆類と交差抗原性（特定のアレルゲン以外もアレルゲンになり得ること）をもつことが知られています。ピーナッツアレルギーのかたが他のナッツ類を食べて発症するケースがありますが、ピーナッツだけに反応を示すケースもあるようです。

＊飯倉洋治氏、ほか：「食物アレルギーの実態及び誘発物質の解明に関する研究（重篤な食物アレルギーの全国調査に関する研究）」平成12年度〜平成14年度厚生労働科学研究報告書、56-58、2003）

②魚アレルギー

　魚のアレルギーは頻度が多く、魚類としてまとめて全国調査すると5番目といわれています。また、主要な抗原（アレルゲン）は「パルブアルブミン」といわれています。パルブアルブミンは小型で安定なCa結合性たん白で、加熱や酸処理でも変性しにくい性質のタンパク質です。魚アレルギーは、全魚種に

反応するケースと一部の魚種（しゃけ、さば等）に反応するケース、さらに「かつおだし」にも反応したケースがあります。

③節足動物（甲殻類）・軟体動物（貝類、頭足類）アレルギー

　主要な抗原（アレルゲン）は「トロポミオシン」といわれています。中でもエビは全国調査では四番目に多いアレルゲンとなっています。トロポミオシンとは、筋性タンパク質の一種で、収縮調整の働きに影響しています。また、熱や酸には変化しにくい性質を持っています。主要抗原としてのトロポミオシンタンパクは軟体動物から節足動物、脊椎動物（ヒト）までの種々の生物に存在しています。

　アナフィラキシーショックを起こすほど重篤なケース、また食物依存性運動誘発性アナフィラキシー（摂食後の運動等により命にかかわるほどの激しい漸進的な過敏症を引き起こすこと）の症例があります。

（生物学的分類の一部抜粋）

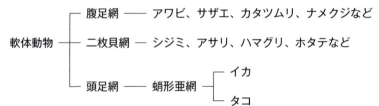

④牛肉、豚肉、鶏肉の肉アレルギー

　食生活の変化により、特に食肉および畜肉加工品を食べる機会が増えています。それに伴い、牛肉、豚肉、鶏肉を抗原とするアレルギーも増加しているようです。ただし、比較的頻度は低いと言われています。

　栄養学的には、肉類はタンパク源として重要なため、比較的アレルギーを起こしにくいとされる七面鳥や山羊肉、鹿肉等を代替食品として使用することも試みられています。

⑤イモアレルギー

　ジャガイモアレルギーの報告から、成人（主婦に多い）の場合は生ジャガイモの剥皮やカット等の調理時にかゆみ等（接触皮膚炎）が挙げられていますが、中には喘息発作を起こしたケースもあるようです。乳幼児の場合は加熱したジャガイモに反応するケースがあります。除去が必要な場合は、片栗粉に関しても注意が必要です。

⑥果物アレルギー

　果物アレルギーは広範囲で、複雑な要素を含んでいます。また、果物・野菜等によるアレルギー症状は多い順では、口腔アレルギー、アナフィラキシー、蕁麻疹などの皮膚症状などといわれています。さらに、小児の即時型（摂食してから発現するまで約10分以内）アレルギーを誘発した原因と考えられる果物の割合は約5％といわれ、原因となった果物は、キウイフルーツ、バナナ、メロン、モモ、ブドウ、リンゴ、サクランボ、イチゴ等です。特に、キウイフルーツ、バナナ、モモはショック症状を引き起こすアレルゲン（抗原）として注意が必要です。

11）間接的な要因によるもの

①経口摂取：フライヤーの油からのアレルゲンの移行

　3歳の男の子が小売店で調理したお惣菜の「鶏唐揚げ」を食べ、30分後ぐらいからアレルギー症状を引き起こした事例があります。調査した結果、同じフライヤー（揚げ油）でエビを揚げた後に鶏のから揚げをあげたことで、エビの成分が微量ながら鶏唐揚げにコンタミネーション（微量混入）（詳細はP.245参照）したと考えられました。

　スーパーマーケットやお惣菜専門店は同じフライヤーの油で様々な食材を調理（お惣菜のフライ、天ぷら等）しています。また、菓子製造のフライヤーでもドーナツ等の揚げパンを製造しています。このケースはどのスーパーマーケットや小売店等でも起こりうる事例です。

②経口摂取：試食品での事故

　スーパーマーケットでお母さんが目を離したすきに5歳の男の子が試食コーナーで試食サンプルを食べてしまいました。15分くらいしてアレルギー症状が発症した事例があります。本人に聞き出したところ、美味しそうだったので

試食のソーセージをつい食べてしまった、とのことでした。スーパーマーケットの店舗で試食による販促活動を行う場合は無人では行わない、子どもには勝手に提供しない、子どもの身長等にも十分に気を付けて試食台を設置する等の配慮が必要です。

③調理器具によるもの

卵を扱った調理器具のトングに付着していた卵成分が原因で女の子（卵アレルギー）が発症したケースがあります。また、煮魚の煮汁を扱ったスプーンの洗浄が不十分だったために男の子が発症したケースがあります。

以上のことから、スーパーマーケットの店舗でのお惣菜等の調理や小分け包装に使用する調理器具の洗浄や扱いには十分に注意が必要です。

④接触性によるもの

●カゼイン繊維によるもの

カゼイン繊維の素材の肌着により蕁麻疹が出現したケースがあります。カゼイン繊維の成分が皮膚を刺激して症状が出たと考えられました。カゼイン繊維とは乳に含まれるカゼインタンパクから人工羊毛としてつくられた再生タンパク質繊維のことです。アクリルやレーヨンを合成して作ったものは光沢があり、やさしい肌触りで保湿性、吸水性にすぐれていることから下着などにも使用されています。

●ラテックスアレルギー

HACCPシステムの普及とともにあらゆる食品製造の現場ではSSOP（適正衛生手順）による食品衛生の確保から専用手袋を使用することが管理基準になっています。かたや、手袋の材質から由来する天然ゴム（ラテックス*）アレルギーは食物アレルギーを誘発することが指摘されています。
＊ラテックスとはタンパク質を含むゴムの樹から得られる樹液を原料とする。

（接触蕁麻疹）

ラテックスタンパクは着用者だけではなく、その他接触したものへ容易に移行します。つまり、ラテックスアレルギーはラテックス製品が接触した部位を中心に接触蕁麻疹（皮膚に接触して15〜20分後に生ずること）が起きたり、またそれが全身に広がったりします。さらに喘息や鼻炎等を併発したりします。場合により、ショック症状を引き起こし、生命の危険を伴う可能性もあると言われています。また、ゴム手袋に付着しているでん粉粉末はラテックスタンパクを吸着し、空中を浮遊するアレルゲンにもなることで喘息やアレルギー性鼻炎を引き起こすと考えられています。

(交差反応)

ラテックスアレルギーは、バナナ、アボカド、キウイ、モモ、クルミ、クリ、イチジク、トマト、ポテト等の食物アレルギーと関係があり、交差反応（特定のアレルゲン以外のものにも反応してアレルギーを引き起こすこと）が高頻度に証明されている報告もあります。また、シラカバやスギなどとの交差反応の報告もあるようです。

今後の課題として、ラテックスアレルギーを予防するため、合成ゴムの利用や残留タンパク質の洗い流しおよびタンパク分解酵素により分解等があります。

12) アレルゲンとしてのカビ・酵母

カビや酵母の中にもアレルゲンとして注視されているものがあります。環境中に浮遊しているカビの胞子は主に吸入性アレルゲンとして作用し、感受性を有する方にとり、即時型（Ⅰ型）アレルギーの原因とも考えられています。また、Ⅳ型のアレルギー反応といわれているものに、過敏性肺臓炎があります。高熱や呼吸困難などを主な疾患とし、原因は酵母やカビの胞子の吸入により起こるとされています

主なもの

❶クラドスポリウム属

俗名は「クロカビ」「クロカワカビ」です。カビ毒は産生しません。環境中に最も多くみられ、汚染や劣化等の代表的な原因カビです。

❷アルタナリア属

俗名は「ススカビ」です。カビ毒を産生します。環境中では、多湿のところで多くみられます。

❸ペニシリウム属

俗名は「アオカビ」です。カビ毒を産生します。中でも「黄変米カビ」は広い範囲に分布しています。「リンゴアオカビ病菌」はリンゴに寄生しパツリンを産生します。熱帯から温帯地方に多く、赤色色素を産生します。

❹ユーロチウム

俗名は「カワキコウジカビ」「カツオブシコウジカビ」です。カビ毒は産生しません。乾燥物や糖分、塩分を含むA/W（水分活性）の低い食品中でも繁殖します。

❺ ワレミア

　俗名は「アズキイロカビ」です。カビ毒は産生しません。まんじゅうや羊羹等の高糖性食品を汚染するカビです。アズキ色やチョコレート色なので食品の色合いと似ていて気づきにくいことがあります。

❻ その他、酵母にはヒトの皮膚や口腔内などに分布しているカンジダや環境中に広く分布しているトリコスポロン、アウレオバシジウムなどがあります。

13) 特定原材料等 27 品目由来以外の添加物について

①コチニール色素

　国は平成 24 年 5 月 11 日、「コチニール色素に関する注意喚起」を、また厚生労働省はコチニールを含む製品を扱う全国の事業者に、発症事例も報告するよう通知しました。

（発症事例―1）
　コチニール色素を含む化粧品の使用や食品の摂取により、かゆみ、蕁麻疹、発疹、呼吸困難などのアレルギー症状を示した。

（発症事例―2）
　赤色の色素を含む化粧品の使用により、かゆみを覚えていた女性が、コチニール色素を含む食品を摂取したところ、呼吸困難を伴う重篤なアレルギー反応を示した。

（アレルギー性）
　稀ながら職業性喘息を生じたり、食物アレルギーによるアナフィラキシーショックが起きた事例が知られていますが、その原因に原料エンジムシ由来の特定のタンパク質が考えられています。つまり、エンジムシから色素を抽出する際に残存移行する不純物（タンパク質）がアレルギー症状の原因と考えられています。現在では、低アレルゲン化処理を施した色素も製造されています。

（その他の留意点）
　コチニール色素は動物由来であることから、菜食主義や信仰上の理由から忌避する人々がいることに配慮が必要な場合があるといわれています。また、欧州連合ではコチニール色素およびコチニールレーキは E120 として食品ごとに使用が認可されており、他の添加物と同様の表示義務が課せられています。

②亜硫酸塩類と気管支喘息

　食品添加物である亜硫酸塩類はコーデックス規格、EU、オーストラリア、ニュージーランドではアレルギー表示の義務表示品目になっています。

　そのメカニズムはまだ解明されていませんが、亜硫酸塩類やそれから発生したSO_2（亜硫酸ガス）が気道内に侵入することで気道狭窄（喘息や咳などを引き起こす等）の可能性が懸念されています。さらに、亜硫酸塩類は喘息発作の症状だけでなく、蕁麻疹や血管性浮腫（真皮下層の一過性の浮腫のこと）、ショック症状等の過敏反応を引き起こすことが知られています。わが国でも亜硫酸塩類過敏症の報告も散見されているようです。

（漂白剤、保存料、酸化防止剤）

　指定添加物である亜硫酸塩類には、亜硫酸ナトリウム、次亜硫酸ナトリウム、二酸化硫黄、ピロ亜硫酸カリウム、ピロ亜硫酸ナトリウムがあります。

　使用基準があります。使用制限のある食品（果実酒、天然濃縮果汁、かんぴょう、乾燥果実、こんにゃく粉、水あめ、甘納豆、えび、冷凍生カニ、ビール製造のホップ等）は使用基準に従って使用します。また、それぞれ残留量（SO_2（二酸化硫黄）として）が決められています。また、一般毒性も強いことから、取扱いには特に注意が必要です。

14）仮性アレルゲンを含むもの

　食物アレルギーの表示対象となる7つの特定原材料と20の準特定原材料を代表とするアレルゲン以外にも「仮性アレルゲンを含むもの」があります。仮性アレルゲンを含むもの（＝食品）は、今回の特定原材料および準特定原材料には含まれていませんのでアレルギー表示の対象にはなっていません。しかし、仮性アレルゲンを含む食品は、それ自身が食物アレルギーの原因となりやすい性質があるといわれています。

　「仮性アレルゲンを含むもの」とは、アレルギー反応で身体が放出する物質やそれに類似する物質で、アレルギー症状を出したり悪化させるものを含む食品をいいます。仮性アレルゲンを含む食品を摂取することにより食物アレルギーの体質ではないのにアレルギーに似た症状を起こしたり、アレルギー体質の方の場合にはそれが契機になり、症状が重くなったりすることがあるようです。

　そういう点からも使用した原材料や添加物を正しく表示をすることは重要です。

＜仮性アレルゲン食品と考えられているもの＞

> えのきだけ、なす、トマト、ほうれん草、パイナップル、くわい、たけのこ、とうもろこし、サトイモ、やつがしら、じゃがいも、アーモンド、木の実類全般、マンゴー
>
> かれい、たら、すずき、たこ、はまぐり、さんま、いわし、かつお、あじ、まぐろ、かじきまぐろ等

15）アレルギー様食中毒とは？

　食品にまつわる様々な事故の原因には、食中毒菌などによるウイルスや細菌性（ノロウイルス、サルモネラ菌、黄色ブドウ球菌、腸管出血性大腸菌等）のもの、また自然毒（毒きのこ、ふぐ毒、一部のイシダイ等が持つシガテラ毒、じゃがいものソラニン等）のもの、さらに化学性（農薬、重金属類、油脂の酸化したもの等）のものが知られています。なかでも、近年とくに問題となっているものに、自然毒の食中毒に含まれるアレルギー様食中毒があげられます。

　もともと、このアレルギー様食中毒の主な原因と考えられているものにタンパク質に含まれる「ヒスタミン」があります。この「ヒスタミン」は「仮性アレルゲン」のひとつですが、中でも作用が強く、アレルギー体質の方だけではなく、アレルギー体質ではない多くの人にもアレルギー症状を引き起こす可能性があります。

（1）発症のメカニズム

　ヒスタミン食中毒は、さんまやいわし、かつおやまぐろ等の赤身の魚（体色は青魚）に多く含まれるヒスチジンによって起こります。もともと、ヒスチジン自体は、これらの魚の筋肉中に 0.5〜1.5％程、遊離のかたちで存在していますが、水揚げ後の魚肉や加工品等が微生物（モルガン菌、大腸菌、ウエルシュ菌）等に汚染（脱炭酸作用）されることにより、ヒスタミンが多量に作り出されアレルギー様食中毒（ヒスタミンによる食物アレルギー症状）の原因となります。低血圧、吐き気、嘔吐、顔面紅潮、激しい頭痛、発疹、唇の腫れ、喉のやけ、渇き等を引き起こします。

①原因はヒスタミン

　タンパク質中のヒスチジンが細菌の脱酸素酵素によってヒスタミンに分解・生成されます。ヒスチジンは、通常、生体内の各組織のあらゆる部位に存在し

ています。生体においては、即過敏反応の原因物質のひとつです。特に、肥満細胞等に存在し、アレルゲンの侵入により放出されてアレルギーを引き起こします。熱にも安定で、加熱調理後も残存することから、注意が必要です。

(アニサキスについて)
　最近ではクジラやイルカ等の寄生虫であるアニサキス線虫もアレルギー様食中毒の原因として考えられています。幼虫寄生魚を摂食するとアレルギー性の皮疹ができること、また刺身やたたきなどで切れ切れになった幼虫によっても蕁麻疹を起こす可能性があると懸念されています。

②主な原因食品
　一般には、ヒスチジン含有量の多い赤身の魚が原因とされています。特に原因となるヒスチジンは総量ではなく、細菌が利用する遊離型のヒスチジン含有量が決め手になるようです。遊離型ヒスチジン含有量の多い魚種は、マグロ、カツオ、サバの順となっています。

③これまで原因となった食品
　シイラ塩焼き、イワシ丸干し、マグロ刺身、イワシ貝殻焼き、アジから揚げ、マグロ照り焼き、イワシ生干し、カジキマグロ照焼き、ウルメイワシ丸干し、マグロ味噌漬け、メバチマグロ、ワカシ干物、カジキマグロのフライ、マグロから揚げ、アブラソコムツ醤油焼き、アジの開き、サンマ蒲焼等

④カギは回遊魚
　原因となる魚は回遊魚（海）に限られています。これは、海洋バクテリアであるヒスタミン産生細菌（モルガン菌等）に魚が汚染されやすいからです。汚染細菌が水揚げから調理、製品化後も残存しつづけ、原因となるヒスタミンを産生したと考えられています。
　淡水魚の場合は、もともと遊離型のヒスチジン含有量が低く、ヒスタミン産生細菌に汚染される可能性が少ないことがあげられます。

⑤発生時期
　通年発生していますが、特に7～11月の気温の高い時期に多くみられます。ただし、寒い時期も調理施設は気温が高いため発生しているケースがあります。

⑥ 発生場所

　家庭での発症を除いては、ほとんどが昼食時に多くみられます。昼食用の食品の調理・製造環境は、大量の食材を扱うため、仕入れ食材の確認の漏れや、調理の順番等からくる原料放置、さらに狭い環境で短時間に大量の調理をするためどうしても煩雑になりやすい等があげられます。

⑦ 産生菌

　食中毒が発生した場合、ヒスタミン含有量は検査しますが、その原因となる産生菌の検査は基本的にはないようです。試験報告では、凍結魚中でも菌は死滅しないとされています。また、菌の中には0℃の低温下でも増殖するものがあるため、解凍後の保管、また冷蔵中もしくは冬季においても注意が必要です。

⑧ 症状

　ヒスタミンの生体への影響は、個人差もありますが、おおむね次の症状となって現れます。顔面の紅潮、激しい頭痛ではじまり、吐き気、嘔吐、発疹、頭痛、動悸、腹痛等を起こします。一方、集団心理による精神的要因も指摘されています。いずれの場合も、摂食後1時間後くらいから発症して6時間以内で回復しています（遅くても24時間まで）。

　一般に、中毒量は経口で70～1000mgとなっていますが、摂食量、個人およびその日の体調の差等により必ずしも一律ではありません。

（2）予防

　これまで事件を起こした業者は、行政処分として営業停止または材料廃棄などの指導を受けています。ヒスタミンによって原材料が汚染されていたことを知らずに使用した場合でも社会的な責任は免れません。

　届け出ている数以外にも計り知れない件数が毎年起きていると考えられています。

対処法

　水揚げから調理まで、細菌性食中毒の防止と同じ衛生管理手法で行うことが重要です。
- 調理者は信頼できる仕入れ業者から新鮮で安全な食材を仕入れるようにする。
- 水産加工業者は、温度管理、衛生管理を徹底する。
- 食材（魚類等）の仕入れ時には、いつ？だれが？漁法は？どの海域で？漁獲したものか等の生産情報を確認する。
- 漁獲後の保管温度、条件は？漁獲後の経過時間は？等の流通情報を確認する。
- 他の細菌検査と同様に、ヒスタミン産生菌検査を行う。
- 調理現場での十分な洗浄と徹底した品質管理システムの確立が必要。

16）食物以外のアレルギー要因

　アレルギー症状が出始めるのには、これまで説明してきたアレルゲン以外にも様々な要因が関わります。

　内的因子、つまり心身の状態には、精神的因子や遺伝要因である皮膚や肺が家族性に弱いなど、また、飽食による疲労や便秘等があります。

　外的因子には季節や気象、化学物質や電磁波のような環境因子等が含まれます。例えば、喘息やアトピー性皮膚炎のようなアレルギー疾患は1960年以降増え続けているといわれていますが、ディーゼルエンジンの排気ガス等の空気汚染物質は粘膜の透過性を増加させ、抗原の侵入を増加させて気道過敏症を亢進させる原因と考えられています。

これらの要因が積み重なり、その人の許容能力を超えたときにアレルギーが発症します。また、このことは他の慢性疾患にも共通するといわれています。
　アレルギー疾患は早くに軽いうちから症状を現します。しかし、それはより重い疾患にならないための個人や周囲の人たちへの注意信号であり、社会への警鐘の役目を果たしているのではないか？という見方をする専門医もいます。

①化学物質過敏症
　微量の薬物や化学物質により健康危害が起こるとされる考え方です。また、身体が弱っている時や多量の化学物質に曝されることにより発症すると考えられています。もともと、適応能力（＝解毒能力＝浄化機能）を超える化学物質に対して微量から反応するようです。発症後、放置すると悪化（多くの化学物質に反応）して、増加の一途である多種類化学物質過敏症となり社会生活に影響を及ぼします。主な治療の方法は、環境の改善とビタミン、ミネラルの摂取、適度な運動と発汗が採られています。

②シックハウス症候群
　シックハウス症候群とは室内汚染物質により現れる健康危害であり、不定愁訴（全身の倦怠感やめまい、頭痛、動機等の自立神経系からの影響とされる身体的愁訴のこと）や疾病を指しています。主な原因は揮発性有機化合物（常温・常圧で容易に大気中に揮発する物質でトルエン、キシレン、ベンゼン、フロン類、ホルムアルデヒド、スチレン、クロルピリホス等）と考えられています。新築の大型スーパーマーケットで買い物するだけでアレルギー症状がみられたケース等があります。

③シックハウス関連病
　室内由来のダニ、カビ、ペットによるアレルギー疾患があります。浴室等で問題となったレジオネラ菌等の細菌による感染症もあります。
　なかでも、カビは動物や植物の疾病の原因となります。環境中に浮遊しているカビの胞子は主に吸入性アレルゲンとして作用し、感受性を有する方にとり、即時型（Ⅰ型）アレルギーの原因とも考えられています。また、Ⅳ型のアレルギー反応といわれているものに、過敏性肺臓炎があります。高熱や呼吸困難などを主な疾患とし、原因は酵母やカビの胞子の吸入により起こるとされています。（参考：「2012.4.1発行　いのちを守る食品表示―応用編」）

④ディーゼル排出微粒子（DEP）

　バスやトラック、大型乗用車等に搭載されているディーゼルエンジンにより排出される排気ガスをディーゼル排出微粒子（DEP）といいます。直径1ミクロン以下の微粒子からなり、炭素の周りに軽油の不完全燃焼により発生した多種の化合物が吸着しています。DEP中には、ベンゾピレンやニトロ化合物等の発がん性物質や内分泌かく乱物質が含まれていることはすでに周知されています。

　近年、花粉症（スギ）患者の急増に伴い、1986年にディーゼル排ガスとの関連についての研究もすでに報告されています。また気管支喘息への影響等、DEPは微粒子の為、気道を通過し、肺胞まで到達すると言われています。

　現在、DEPがアレルギー性疾患の発症や発現、誘発、増悪、さらに慢性化したり、長期化することにも関係している、と考えられており、広くDEPの研究が進められています。

17) 世界と日本のアレルギー表示の現状と比較

　現在、我が国は60%以上の食料を外国から輸入しています。また、輸出入に際し、国内と海外との食品に関係する法律の違いによる違反事故の解消は今後の大きな課題です。

　そのような中、国による食品の関係法律の違いのひとつにアレルギー表示規定があります。

　FAO／WHO合同食品規格委員会（コーデックス委員会）総会で、次の8種類の原材料を含む食品にはそれを含む旨を表示することと合意しました。加盟国では各国の制度に適した表示方法が定められています（平成11年6月）。

❶グルテンを含む穀類およびその製品
❷甲殻類およびその製品
❸卵および卵製品
❹魚および魚製品
❺ピーナッツ、大豆およびその製品
❻乳・乳製品（ラクトースを含むもの）
❼木の実およびその製品
❽亜硫酸塩を10mg／kg以上含む食品
（補足）
　コーデックスの表示対象品目は分類であり、原材料の個々別に表示を行ったとしても矛盾しないものとし、「特定原材料等」は❶〜❼に該当する原材料と

なっています。❽については、今後も調査を行っていくこととしています。

<アレルギー表示の国際比較（●…義務表示　○…推奨表示）2008>

国名 施行年月	卵	乳	グルテン1)	ピーナッツ	ソバ	甲殻類	魚類	大豆	ナッツ2)	果物	肉類	その他	亜硫酸塩3)
Codex規格4) 2003	●	●	●	●		●	●	●					
日本 2002/4	●	●	● 小麦	●	●	● えび かに	○ さけ さば	○	○ くるみ カシュー ナッツ	○ オレンジ キウイフ ルーツ バナナ モモ リンゴ	○ 牛肉 鶏肉 豚肉	○ ゴマ まつたけ やまいも いか あわび ゼラチン	
EU5) 2004/11	●	●	●	●	●	●	●	●	●			● 指定	●
アメリカ 2005/1	●	●	● 小麦	●		●	●	●	●				
カナダ 2004/2	●	●	●	●		●	●	●	●			● ゴマ 貝類	
豪州6) ニュージー ランド 2002/12	●	●	●	●		●	●	●	●			● 指定	
香港 2004	●	●	●	●		●	●	●	●				
韓国 2004/5	●	●	● 小麦			● かに	● さば			● もも	● 豚肉	● トマト	

指定…品目の指定有り

（補足）
1）グルテン…グルテン含有穀類（小麦、ライ麦、大麦、オーツ麦、スペルト麦及びその雑種）
2）ナッツ…ナッツ類（アーモンド、ヘーゼルナッツ、ウォールナッツ、カシューナッツ、ペカンナッツ、ブラジルナッツ、ピスタチオナッツ、マカダミアナッツ、クイーンズランドナッツ）
3）亜硫酸塩…10mg/kg以上
4）Codex：FAO/WHOが合同で設立した国際政府間組織が策定した食品の国際規格
5）EU…その他（ゴマ、セロリ、マスタード、軟体動物（アワビ類・イガイ・イシガイ類、イカ、タコ）、ハウチワマメ）
6）豪州・ニュージーランド…その他（ゴマ、蜂花粉、プロポリス、ローヤルゼリー）

　日本は諸外国と比べ、食物アレルギーとその表示制度および仕組みにおいて先を進んでいるようです。食物アレルギー表示は年々、世界の常識化＝グローバル化となっていますが、国により、表示対象食品に相違があるため、食品の輸出入の際は情報入手＝正確なトレースが必要です。また、Codex規格は、食品に関する世界共通の基準になりつつあります。

18) 新しいアレルギー

　平成23年5月、加水分解コムギ末を配合した石鹸が原因で小麦アレルギーとなり、その後に、小麦含有食品を摂取して運動した際に息苦しさや蕁麻疹などのアレルギー症状（運動誘発性アレルギー）を起こしたと考えられる67例の症例（推定×10倍以上）が報告されました。この問題は、当該石鹸を使用することで加水分解コムギに対しアレルギーを発症し、結果、食物の小麦にもアレルギー反応を起こす体質になることです。

　石鹸等に含まれる食物由来のタンパク質成分に反応し、アレルギーを発症した結果、食物アレルギーを発症するという現象は、これまで予想されていませんでした。さらに、この現象は、もともとアレルギー体質でない人にも十分に起こり得ると懸念されています。

<発症までのメカニズム>

アレルゲンを含有する石鹸やシャンプー、化粧品等を使用する
↓
アレルゲンが皮膚や目、鼻の粘膜などに少量付着する
↓
繰り返し使用する
↓
目の粘膜、鼻の粘膜、顔の皮膚に付着したアレルゲンが体に侵入する
↓
体がこの成分を危険なものと判断し、外に出そうとする
↓
アレルギー症状をおこす
↓
小麦食品を食べたときにもアレルギー反応を起こすようになる

　この病気は当事、明らかになってきた新しい病気と考えられ、5年後、10年後にどうなるのかということに関してはわかりませんでした。一般に、大人になってから発症する食物アレルギーは、治りにくいと考えられています。加水分解コムギに対するアレルギーと当該石鹸の使用を中止することの因果関係については、調査が進められていると思われます。

①口腔アレルギー症候群

　果物、野菜、ナッツ類などを食べた時に直接触れた唇や舌、のどの奥がかゆくなったり、腫れたりするなどの症状をさしています。花粉症の患者さんが原因となる食物*を食べると、約15分以内に出現するようです。鼻や眼の花粉

症様の症状や、蕁麻疹、血管浮腫、腹痛、嘔吐、下痢、咽頭閉塞感、喘息、アナフィラキシーなどを伴うこともあります。原因は、花粉と交差抗原性（アレルギーの原因となる物質が共通して含まれていること）があるためといわれています。

シラカンバ（カバノキ科）は北海道に多く、西日本ではオオヤシャブシ（カバノキ科）の花粉症との関係が指摘されています。関東では、シラカンバと同じブナ目のブナ科花粉症の人たちが、同様の症状を起こすのではないかと考えられています。

＊花粉と関係があり原因と考えられている食物

> シラカンバ花粉（キウイ、リンゴ、洋ナシ、モモ、サクランボ、セロリ、ニンジン、パセリ、トマト、ポテト、エンドウ、インゲン、落花生、アーモンド、ヒマワリ等）、ブタクサ花粉（バナナ、スイカ、キュウリ、ズッキーニ等）、イネ花粉（メロン、スイカ、トマト、オレンジ、キウイ等）、ヨモギ花粉（リンゴ、スイカ、メロン、セロリ、ニンジン等）、スギ花粉（ナス科トマト等）

②食物依存性運動誘発性アレルギーとアナフィラキシー

運動誘発性アレルギーとは、食後の運動により強くアレルギー症状が出る、もしくは食後に運動した時だけアレルギー症状が出てしまうことです。

食物アレルギーは、食品中のタンパク質が原因です。口から摂取した食物のタンパク質は、胃や腸の消化酵素で、ペプチドやアミノ酸に十分に分解されてから吸収されます。食物タンパク質は、そのままの形で直接体の中には吸収されません。しかし、例えば小麦等を食べたあとに運動をすると消化が不十分なままの小麦タンパク質が体に吸入されやすくなります。結果、小麦を食べた後に運動すると、アレルギー症状を起こしやすくなると考えられています。さらに、運動に関連して全身に蕁麻疹や呼吸困難、意識障害などのアナフィラキシー様症状を起こす場合もあります。この運動誘発性アレルギーの原因食品は日本では小麦が全症例の約60％を占めていますが、EUでは野菜が多く、中でもトマトが注目されています。

まとめ

現在、食物アレルギーの患者数は約150万人程度存在すると考えられています。確率的にはスーパーマーケットに来店されるお客様の100人のうち約1.3人の方が食物アレルギーの患者さんである、ということになります。

国内では食物アレルギーにより命にかかわるケースは少ないと言われていますが、誤食による重篤な事故は多く発生していると思われます。

問題は、食品表示法施行後も後を絶たないアレルギー表示違反や発症事例から、食品関連事業者の食物アレルギーやアナフィラキシーに関する認識はまだまだ不十分であることです。食物アレルギーは、専門医を含む医療機関だけの問題ではありません。日々消費者に食品を提供している食品スーパーマーケットは食品表示の遵守や丁寧な口頭説明は当然ですが、アナフィラキシー症状の理解と可能な限り事故が起きないよう準備しておきたいものです。

一口メモ

【重量の単位】

1mg（ミリグラム）	1,000分の1g
1μg（マイクログラム）	100万分の1g
1ng（ナノグラム）	10億分の1g
1pg（ピコグラム）	1兆分の1g

【濃度の単位】

ppm（ピーピーエム）	100万分の1
	※1mg/kgの意味で使用されることがある

2. アレルギー表示のルール

1) アレルギー表示の目的

　食品衛生法（昭和22年法律第233号）では、法律の目的に「食品の安全性の確保のために公衆衛生の見地から必要な規制その他の措置を講ずることにより、飲食に起因する衛生上の危害の発生を防止し、もって国民の健康の保護を図ること」を掲げています。アレルギー表示規定（平成13年4月1日施行）は、食品衛生法に則り、特定のアレルギー体質を持っている方の健康危害の発生を防止するために定められました。

　食物アレルギーの予防のためにはアレルゲンを含む食品を食べないことが一番なのですが、現実的ではありません。事実、これまでの表示からではその食品にアレルゲンが含まれているかどうかを判断することは難しく、わからない場合が多くありました。そこで、食べても大丈夫な食品かどうかがわかる新たな表示が必要になりました。

　そのような中、食物アレルギーの疾患を持つ方たちが安心して食品を選択できるようにするため、これまでの表示規定を基に、改めて「食品表示基準」（平成27年内閣府令第10号）で整理されたところです。

（表示対象とする特定原材料等のこれまでの経緯）
平成13年度：特定原材料5品目、準特定原材料19品目、計24品目を指定
平成16年度：準特定原材料に「バナナ」を追加、計25品目
平成20年度：特定原材料に「えび」、「かに」を準特定原材料から変更・追加
平成25年度：準特定原材料に「カシューナッツ」、「ごま」を追加、計27品目

①食品表示基準から

　27品目（特定原材料等）の中でも実際のアレルギー発症数、重篤度等を基に、食品表示基準で表示を義務付けるものと、通知で表示を推奨するものに分類されています。特に重篤度が高く症例数の多い7品目（えび、かに、小麦、そば、

卵、乳、落花生）については食品表示基準により特定原材料として表示を義務付けています。

②通知から

27品目（特定原材料等）の中で、アレルギー疾患を引き起こすアレルゲンを含むことが知られている20品目（あわび、いか、いくら、オレンジ、カシューナッツ、キウイフルーツ、牛肉、くるみ、ごま、さけ、さば、大豆、鶏肉、バナナ、豚肉、まつたけ、もも、やまいも、りんご、ゼラチン）については通知「食品表示基準について」により準特定原材料として表示を推奨しています。

③対象となる特定原材料と準特定原材料とその範囲

特定原材料等の範囲は「日本標準商品分類」等に基づいて定められています。

＜食品表示基準：特定原材料＞

特に発症数、重篤度等を基に表示する必要性の高いものを特定原材料7品目として、微量に含む場合にも表示を義務付けています。従って、キャリーオーバーや加工助剤に該当する場合であっても必ず表示します。

> えび、かに、小麦、そば、卵、乳、落花生

＜食品表示基準について：準特定原材料＞

症例数や重篤な症状例が継続して相当数、確認されています。引き続き今後の調査を必要としています。従って、微量も含めて可能な限りの表示を推奨しています。

> あわび、いか、いくら、オレンジ、カシューナッツ、キウイフルーツ、牛肉、くるみ、ごま、さけ、さば、大豆、鶏肉、バナナ、豚肉、まつたけ、もも、やまいも、りんご

牛肉・豚肉の由来ですが、単独の表示の要望が多いもの

> ゼラチン

＜規定なしのもの＞

今後も調査可能な範囲で情報提供を必要とするもの

> 米

> **一口メモ**
> 食品表示基準によるもの…表示制度において、法令により表示を義務付けるもの
> 通知によるもの…表示制度において、通知により表示を推奨するもの

2) 表示しなければならないもの

　特定原材料等 27 品目を原材料とする加工食品又は特定原材料等に由来する添加物で、販売用として容器包装された加工食品及び添加物です。直接販売されない食品の原材料も含め、食品流通の全ての段階において表示が義務づけられています。

　具体的には、原料素材から最終の調理・加工まで、すべての過程における食品原材料、食品添加物（特定原材料等 27 品目より製造されたもの）が対象です。また、加工助剤やキャリーオーバーの対象となる添加物、乳化製剤、調味料製剤、酵素製剤、強化剤製剤、品質改良剤製剤、乳化安定剤製剤、香料製剤等の食品添加物製剤も対象です。業者間取引上の業務用食材についても表示しなければなりません。

> **一口メモ**
> キャリーオーバーとは…最終製品ではなく、製品のもとになる食品原材料の加工や製造の際に使用されるものです。従って、本製品の製造や加工に使用されるものではありません。また、製品に影響を及ぼさない程度の少ない量しか含まれないもの（残留が少ない）とされています。
> 加工助剤とは…食品の加工の際に添加されるもので、成分は完成前に除去されるため製品に影響を及ぼさないもの、食品中の成分と同じもの、含まれる量が少なく影響を及ぼさないもの、とされています。

3）表示が省略できるもの

❶ 例外的に、食品中に含まれる特定原材料等の総タンパク量が、数μg/ml濃度レベル又は数μg/g含有レベルに満たない場合
❷ 特定原材料等由来の添加物であって、抗原性試験等により抗原性が認められないと判断されている場合
❸ 焼成した卵殻カルシウムや大豆から抽出したトコフェロール等、純粋な特定成分のみを抽出し、他の物質の混在が認められず抗原性が低い旨の報告がなされている物質
❹ アレルゲンが製品に残っていないと考えられる香気成分
❺ 酒精飲料（アルコール類）
❻ 飲料用のアルコールや牛乳の乳清から製造される工業用アルコール
❼ 店頭で量り売りされる惣菜類やバラ売りのパン、注文を受けてからその場で作る持ち帰り弁当等。ただし、アレルゲンの情報は可能な限りポップや口頭で提供します。

4）「省略できる」は「アレルゲン・フリー」とは違う！

　特定原材料の7品目（えび、かに、小麦、そば、卵、乳、落花生）については、食品（最終加工食品）に混入している特定原材料から移行された総タンパク量の含有量が数μg/g（＝1g/1,000,000）未満、濃度レベルが数μg/ml（＝1ml/1,000,000）未満のものであれば表示は省略できます。ただし、数μg/g、数μg/ml未満という含有量（混入）では、アレルギー症状は起きないということでなく、現在のところ、準特定原材料（20品目）を含め単に起きる可能性が低いと考えられているだけのことです。

　店頭における対面販売の食品は表示が「省略できる」となっています。ただし、表示上「省略できる」は「アレルゲンについて知らなくて良い」ということではありません。

5）アレルゲンの情報提供に免除はない

　お惣菜やお弁当等店頭での対面販売の場合は、商品にアレルゲンとなる特定原材料等および食品添加物成分が含まれているかどうかの情報や可能な範囲で

の含有量等について、消費者が直接、販売者および製造者、加工者へ確認や問い合わせをすることがあります。従って、販売者、製造者、加工者はアレルゲンに関する問い合わせについて、その情報を正確に提供できるよう、製品規格書はもとより、日々、アレルゲン情報を整理しておく必要があります。

> **一口メモ**
>
> 「事業者が行うべきアレルゲン情報提供とは、どのような方法で行うべきか」
> （答）
> 事業者は、ラベル表示のみでの情報伝達は困難であることから、特定原材料等についての問い合わせや電話等の対応、インターネット等による正確な情報提供などを速やかに行うことができるような体制を整えること。

6）表示方法

（1）一括表示様式の枠内に表示する

　容器包装された加工食品および添加物のアレルギー表示は、含まれる特定原材料および準特定原材料を原材料名欄と添加物欄に決められた方法で表示します。

```
●名　　称
●原材料名　　○○○、○○○、○○○、○○○
●添 加 物　　○○○、○○○、○○○、○○○
●内 容 量
●賞味期限
●保存方法
●製造者 or 加工者 or 販売者 or 輸入者
```
※添加物の事項名をたてて表示した場合

（2）表示方法

　表示方法には、原則の「個別表示」と例外的な「一括表示」の２通りあります。また、１つの食品表示の中で新基準と旧基準の混在は認められません。

【個別表示のルール】
　食物アレルギーを持つ方が食品を選択する際に確実に情報が得られるようにするため、またアナフィラキシーショックにより命に関わることもある食物アレルギーの病態を考慮し、個別表示が原則です。

①特定原材料等の表示方法
●原材料
・原則は当該原材料名の後に括弧を付して「（○○を含む）」と表示します。
　例えば、特定原材料の「小麦」は「小麦を含む」と表示します。なお、「乳」については「乳成分を含む」と表示します。
●添加物
・物質名のみを表示する場合は、物質名の後に括弧を付して「物質名（○○由来）」と表示します。
・用途名（8種類／甘味料、着色料、保存料、ゲル化剤または安定剤等、酸化防止剤、発色剤、漂白剤、防かび剤）と物質名を併記する場合は、「用途名（物質名：○○由来）」または「用途名（物質名（○○由来））」と表示します（「：」が望ましい）。また、2つ以上で構成される場合は「用途名（物質名：○○・△△由来）」と表示します。
・一括表示する場合は、一括名（14種類／乳化剤、調味料、酸味料、苦味料、酵素、光沢剤、香料、軟化剤、豆腐用凝固剤、pH調整剤または水素イオン濃度調整剤、膨張剤またはベーキングパウダー等、イーストフード、ガムベース、かんすい）の後に括弧を付して「一括名（○○由来）」と表記します。
　例えば、「小麦」は「小麦由来」と表示します。「乳」についても「乳成分由来」ではなく「乳由来」と表示します。
・特定原材料等の説明には「：」、特定原材料等どうしは「・」、物質名どうしは「、」でつなぎます。
・加工助剤やキャリーオーバーに該当する添加物についても添加物の最後の一括表示で（一部に○○を含む）と表記します。

②特定原材料等の省略
・繰り返しになるアレルゲン表示の省略規定として、原材料又は添加物に同一の特定原材料等が含まれている場合、いずれかに特定原材料等を「含む」、または「由来」の表示をすることで、個別表示の重複記載を省略することができます。
・代替表記と拡大表記について

食品表示基準において、「特定原材料等の代替表記等方法リスト」に基づき特定原材料等の表示に代えることができます。（詳細は P.252 参照）

【基本ルールのまとめ】

①２種類以上の複合原材料の組み合わせで、複数の特定原材料等からできている場合

> 例　卵サラダ（ハム（豚肉・小麦を含む）、マヨネーズ（卵・小麦・大豆を含む））

②使用添加物が用途名と物質名の併記表示の場合

> 例　保存料（プロタミン（さけ由来））

③使用添加物が２種類以上の特定原材料等からできている場合

> 例　安定剤（ペクチン：りんご・オレンジ由来）

> 例　乳化剤（牛脂・豚脂・大豆由来）　注）精製度が低い添加物のとき

④使用添加物の用途が同じで、それぞれ複数の特定原材料等からできている場合

> 例　糊料（ペクチン：りんご・オレンジ由来、キチン：えび・かに由来）

⑤加工助剤やキャリーオーバー（P.235 ―ロメモ参照）に該当する１種類以上の特定原材料等の場合

> 例　○○○、○○○、…、○○○、（一部に小麦・大豆・卵・乳成分を含む）

表示例-1　（すべての特定原材料等を省略しないで個別表示した場合）

> 原材料名：○○○○（△△△△、ごま油）、ゴマ、しょうゆ（大豆・小麦を含む）、マヨネーズ（大豆・卵を含む）、たん白加水分解物（大豆を含む）、卵黄（卵を含む）、食塩、酵母エキス（小麦を含む）
> 添　加　物：調味料（アミノ酸等）、甘味料（ステビア）、乳化剤（大豆由来）

表示例-2（繰り返しの特定原材料等の表示を省略した場合）

```
原材料名：〇〇〇〇（△△△△、ごま油）、ゴマ、しょうゆ（大豆・小麦を含む）、
         マヨネーズ（卵を含む）、たん白加水分解物、卵黄、食塩、酵母エキ
         ス
添 加 物：調味料（アミノ酸等）、甘味料（ステビア）、乳化剤
```

（注）しょうゆに「大豆を含む」と表示しているので、大豆成分を含む、マヨネーズ、たん白加水分解物、乳化剤の「大豆を含む」及び「大豆由来」を省略。しょうゆに「小麦を含む」と表示しているので、酵母エキスの「小麦を含む」を省略。マヨネーズに「卵を含む」と表示することで、卵黄の「卵を含む」を省略。

【一括表示のルール】

　これまでの一括表示では、当該食品に含まれるすべての特定原材料等を表示するルールではありませんでしたので、それが原因で誤認による事故が起きていました。このような背景から、アレルギー表示の見落としの防止を図るため、新しい一括表示のルールは、当該食品に含まれるすべての特定原材料等を最後にまとめて一括表示することになります。

　具体的には、原材料や添加物中の特定原材料等、また代替表記、拡大表記に含まれている特定原材料等は一括表示部分にすべて表示します。これにより、消費者は当該食品に含まれるすべてのアレルゲンを把握することができます。

❶原材料、代替表記、拡大表記、添加物等に含まれるすべての特定原材料等について、原材料欄の最後に「（一部に〇〇・〇〇・…を含む）」と、記号「・」でつないで表示します。

❷原材料と添加物を、それぞれの事項欄を設けて区分している場合は、それぞれの最後に「（一部に〇〇・〇〇・…を含む）」と表示します。

❸個別表示と一括表示を組み合わせて使用することはできません。

> ●最後にまとめて一括表示するときの要件
> 　原則は個別表示ですが、例外的に次の事情がある場合は一括表示ができます。
> ・個別表示より文字数を減らせる、表示面積に限りがある、一括表示でないと表示が困難等の場合
> ・添加物（キャリーオーバー等）に該当し、当該添加物が表示されない場合
> ・同一の容器包装に食品を複数詰め合わせることでアレルゲンを含む食品と他の食品が接触する可能性が高い場合
> ・弁当などの裏面の表示は確認が困難であることから、ラベルを小さくする（表示量を減らす）ことで表面に表示する場合

表示例-1

> 原材料名：○○○、△△△△、□□□、××××、加工油脂、カラメルシロップ、食塩、（一部に大豆・乳成分・小麦・牛肉・卵を含む）
> 添 加 物：ソルビトール、酒精、乳化剤、膨張剤、香料、（一部に大豆・乳成分を含む）

（注）原材料と添加物の事項を設けて表示する場合は、それぞれの事項内の最後に表示する。

表示例-2

> 原材料名：○○○、△△△△、□□□、××××、加工油脂、カラメルシロップ、食塩／ソルビトール、酒精、乳化剤、膨張剤、香料、（一部に大豆・乳成分・小麦・牛肉・卵を含む）

（注）事項を設けずに表示する場合は事項内の最後にまとめて表示する。

表示例-3

> 原材料名：○○○（△△△△、<u>ごま油</u>）、<u>ゴマ</u>、□□、×××、<u>醤油</u>、<u>マヨネーズ</u>、<u>たん白加水分解物</u>、<u>卵黄</u>、食塩、◇◇◇、<u>酵母エキス</u>／調味料（アミノ酸等）、増粘剤（キサンタンガム）、甘味料（ステビア）、（一部に小麦・卵・ごま・大豆を含む）

（注）下線は特定原材料等を含む食品。ごま油は拡大表記、ゴマは代替表記だが、すべてのアレルゲンを改めて事項内の最後に表示する。

表示例-4

> 原材料名：<u>鶏卵</u>、植物油脂、砂糖、…、（一部に卵・大豆を含む）

（注）「鶏卵」は卵の代替表記だが、改めて事項内の最後に表示する。

7）一括表示様式の例

　次にあげる表示ラベルはあくまでも参考例であり、実存する商品のラベルではありません。

（1）特定原材料等の表示例

名　　称	食パン
原材料名	小麦粉（国内製造）、砂糖、マーガリン（大豆を含む）、食塩、イースト
添 加 物	乳化剤（大豆由来）、イーストフード、カゼインNa（乳由来）、ビタミンC
内 容 量	6枚切
消費期限	表面の右上段に記載
保存方法	直射日光、高温多湿を避けて常温で保存
製 造 者	全国スーパーベーカリー株式会社 東京都千代田区内神田０―０―０

　　　　　　　　　　　　　　　　　　　　　　　［個別表示］

・保証内容重量（1斤は340g以上です）
・開封後は消費期限にかかわらずお早目にお召し上がりください。
・消費期限は(※)℃の保管温度の検査で安全を見込んだ期限です。
　(※5月～10月…30℃、11月～4月…25℃)

名　　称	たくあん漬け
原材料名	だいこん、漬け原材料（米ぬか、しょうゆ、砂糖、食塩、鰹節、昆布粉末）／甘味料（甘草、ステビア）、調味料（アミノ酸等）、酸味料、酒精、酸化防止剤（ビタミンC）、保存料（ソルビン酸K）、着色料（黄4）、（一部に小麦・大豆・ゼラチンを含む）
原料原産地名	宮崎県産（大根）
内 容 量	500g
賞味期限	○○.○○.○○
保存方法	要冷蔵（10℃以下で保存）
製 造 者	株式会社全国スーパー漬物本店 東京都千代田区内神田０―０―０

　　　　　　　　　　　　　　　　　　　　　　　［一括表示］

（使用時の注意）開封後は冷蔵庫にて密封容器に保存し、賞味期限にかかわらずお早目にお召し上がりください。

表示可能面積がおおむね30cm^{2}以下の場合
安全性に関する表示事項（「名称」「保存方法」「消費期限または賞味期限」「表示責任者」「アレルゲン」および「L-フェニルアラニン化合物を含む旨」）については表示を省略できません。

```
名　　称：あじひもの
原材料名：まあじ（ノルウェー）、食塩／調味料（アミノ酸等：いか由来）、酸
　　　　　化防止剤（エリソルビン酸 Na、ミックストコフェロール：大豆由来）
内 容 量：3枚
賞味期限：○○年○○月○○日
保存方法：10℃以下で保存してください。（要冷蔵）　　　　個別表示
製 造 者：株式会社全国スーパー干物
　　　　　静岡県沼津市内浦小海０―０―０
```

（使用時の注意）賞味期限にかかわらずお早目にお召し上がりください。

```
名　　称：うなぎ蒲焼
原材料名：うなぎ（国産）、しょうゆ（大豆・小麦を含む）、砂糖、みりん、う
　　　　　なぎエキス
添 加 物：カラメル色素、安定剤（ペクチン：りんご・オレンジ由来）
内 容 量：1尾
賞味期限：○○○○○○
保存方法：要冷蔵（10℃以下で保存）　　　　　　　　　　個別表示
加 工 者：株式会社全国スーパー
　　　　　東京都千代田区内神田０―０―０
```

※条件：国内で製造し、バルクで仕入れ、店舗内で小分け包装したうなぎ蒲焼の場
　　　　合

```
名　　称：おにぎり（おかか）
原材料名：塩飯（ごはん（新潟県産）、食塩、醸造酢、米油）、味付けおかか（か
　　　　　つおぶし、サバ節、しょうゆ、砂糖、ゼラチン、えびエキス、食塩）、
　　　　　焼海苔／調味料（アミノ酸）、グリシン、酢酸 Na、グリセリン脂肪
　　　　　酸エステル、保存料（しらこたん白）、（一部にさば・大豆・小麦・
　　　　　ゼラチン・エビ・さけを含む）
消費期限：○○年○○月○○日○○時　　　　　　　　　　一括表示
保存方法：直射日光、高温多湿を避け涼しい場所で保存してください。
製 造 者：株式会社全国スーパー・ライス食品
　　　　　東京都千代田区内神田０―０―０
```

・製造年月日：○○年○○月○○日○○時
（使用上の注意）お早目にお召し上がりください。

名　　　称	：ポテトチップ（チキンコンソメ味）
原材料名	：じゃがいも（国産、遺伝子組換えでない）、食用植物油脂（大豆を含む）、チキンコンソメパウダー（鶏肉・豚肉を含む）、砂糖、乳糖、食塩、甘藷でん粉、粉末ソース（りんご・キウイフルーツを含む）、粉末しょうゆ（大豆・小麦を含む）、香辛料／カロチノイド色素、香料（ピーナツ由来）
内 容 量	：100g
賞味期限	：表面下部に記載
保存方法	：直射日光の当たる所や高温多湿の所を避けて常温で保存してください。
製 造 者	：株式会社全国スーパー食品 　東京都千代田区内神田０―０―０

個別表示

（使用上の注意）
　　開封後は密閉して保存し、賞味期限にかかわらずお早目にお召し上がりください。

（冷凍食品）

名　　　称	：スパゲッティ（調理済み）
原材料名	：めん（小麦粉（国内製造））、野菜（たまねぎ、にんじん、トマト、にんにく、パセリ）、トマトペースト、ハム、マッシュルーム、食用植物油脂、砂糖、食塩、チキンコンソメパウダー、じゃがいもでん粉（遺伝子組換えでない）、ウスターソース、香辛料／調味料（アミノ酸等）、カロチノイド色素、増粘剤（キトサン）、リン酸塩（Na）、発色剤（亜硝酸 Na）、（一部に小麦・豚肉・大豆・鶏肉・りんご・キウイフルーツ・かに・乳成分・ゼラチンを含む）
原料原産地名	：玉ねぎ（北海道産）、にんじん（北海道産）、トマト（長野県産）
内 容 量	：500g（めん 300g）
賞味期限	：枠外右下に記載
保存方法	：－18℃以下で保存してください。
凍結前加熱の有無	：加熱してありません。
加熱調理の必要性	：加熱してお召し上がりください。
販 売 者	：株式会社全国スーパー食品 Ａ１ 　東京都千代田区内神田０―０―０

一括表示

（お召し上がり方）
・電子レンジで加熱される場合は、外袋から中身を取り出し他の耐熱性の容器に移し替え、ラップをかけて加熱してください。

1人前 500W ／約 7 分	600W ／約 6 分 30 秒

・電子レンジから取り出す時は容器が熱くなっていることがあります。またラップを取る際は熱くなった具やソースがはねることがありますのでご注意ください。

8）微量混入（コンタミネーション）はどうするの？

　食物アレルギーは、人によってはごく微量のアレルギー物質によって発症することがあります。特に、アナフィラキシー症状については、命にかかわる重大な問題です。従って、その含有量にかかわらず特定原材料等についての調査は徹底して行わなければなりません。しかし、現実的に食品メーカーでは、日々、多種の原材料を扱い、様々な製品を製造していますので、直接原料として特定原材料等を使用していなくても、アレルゲンとなる特定原材料等が製造の過程でごく微量ながら混入してしまう可能性もありますので、十分な対策が必要です。ただし、景品表示法の観点から、消費者が誤認するような表示にならないように注意して下さい。

（1）微量混入（コンタミネーション）を防止するには

- 原材料の分別管理を徹底する。
- 特定原材料等を使用しない製品だけの専用ラインをつくる。
- 生産ライン、使用器具（調理器具等）の洗浄を十分に行う。
- 生産のローテーションは、製品に特定原材料等の残留、混入の影響を受けない順番で行う。
- 生産ラインおよび製品のアレルゲン分析キットによる確認を行う。

> 例・特定原材料等を含まないものから製造する。
> 　・その日の製造の最初（1番目）に行う。

（2）微量混入（コンタミネーション）についての表示はこう書く

　製造ラインの関係で、特定原材料等が必ず混入してしまい、<u>混入が明らかな場合は、混入する特定原材料を原材料として考え、原材料として表示をします</u>。

　同じ製造ラインを使用し、特定原材料等の混入が予想できる場合は、「本品製造工場では○○（特定原材料等）を含む製品を生産しています」、もしくは「○○（特定原材料等）を使用した設備で製造しています」と一括表示枠外の見えやすい場所に表示することが可能です。

（生うどんの場合）例：「生そばを使用した同じ設備で製造しています」

①油脂分を多く含む製品の場合

　製品によっては油脂分の多い特定原材料等を製造した後、そのまま洗浄せず（含む共洗い）に連続して製造する場合があります。特に、菓子類等に多く見られます。部分的に洗浄しても残留する油脂分を除去することは難しく、次の製品へ前製造の特定原材料等由来のアレルゲンが混入することがあります。数μg/g以上の混入が認められた場合は原材料の一部としてアレルギー表示をします（例：一部に乳成分を含む等）。ただし、検体のバラツキもあるため、サンプルピースでの分析からは完全に実態を推し量ることはできません。このような場合は次のような注意喚起文を一括表示の欄外に記載します。

例：本製品の製造ラインでは、乳成分、卵を含む製品も製造しています。

②運搬や輸送時のコンタミネーションの場合

　海外から輸入される穀類（大豆、小麦、とうもろこし等）には、同じサイロや輸送施設を利用しているため、微量混入することがまれにあります。このような場合、穀類原材料中の意図しない特定原材料等の混入頻度と混入量が低く、その混入が原因で食物アレルギーが発症しているとの疑いの報告がほとんどされていないものについては、患者の食品選択の幅を過度に狭める結果になることから注意喚起表示の必要はないものと考えられています。ただし、納入された穀類の流通時や保管方法等で大豆や小麦等が混入している可能性がある場合は、次の注意喚起文を一括表示の欄外に記載します。

例：原料とうもろこしの輸送設備等は大豆、小麦にも使用しています。

③「えび」、「かに」の注意表示

　混獲（同じ漁具で2種類以上の魚介類を同時に漁獲すること）により、えび等が混入している原材料があります。

例：本製品で使用しているシラスは、エビが混ざる漁法で採取しています。

また、原材料となる魚介類がエビやカニ等を捕食している場合があります。

例：本製品（かまぼこ）の原料である○○はエビを食べています。

　理由として、シラスやちりめんじゃこ、内臓（消化管）を含む処理によるすり身は、検査の結果、エビ、カニが混入されていることが確認されているからです。

例：本製品で使用しているアサリなどの二枚貝には、カニが共生しています。

　アサリやハマグリなどの二枚貝の場合も、小さいカクレガニが共生していることがあります。加工工程を経て、最終製品にそのまま混入することがあります。

④微量混入（コンタミネーション）表示とその説明
　食物アレルギーを持つ一部の方に対して必要な情報で、数μg／gレベルの微量混入でもアレルギー症状を誘発する可能性が否定できないからです。従って、消費者からコンタミネーション表示に関する質問をいただいた場合は、一般的な官能レベルではっきりと察知できる量ではないことをきちんと説明してください。
（例）スーパーマーケットでコンタミネーション表示が有効と考えられる食品と調理器具（P.310 参照）
　　・お刺身、ひき肉、スライス肉、揚げもの等
　　・包丁、まな板、ミンチ機、スライサー、ミキサー、ボウル、フライヤー、バット、トング、菜箸等

（3）禁止表示
　不安を助長するような警告内容の「○○が混入しているかもしれません」「○○が混入している可能性があります」的な表示、表現はいたずらに不安を助長する可能性がありますので禁止されています。注意しましょう。

9）特定原材料等を使用していない旨の表示

　特定原材料等を使用していない食品の場合は、一括表示外に該当する特定原材料等を「使用していない」旨の表示を行うことができます。例えば、一般に

「ケーキ」は小麦粉を使用しますが、米粉100％の「ケーキ」もあり、すでに認知されています。製造記録などにより確認された場合に、「本品は小麦（粉）を使っていません」と表示することができます。

> 例：本品（ケーキ）は小麦粉を使用していません。

ただし、「使用していない」旨の表示は「原料として使用していない」ことであり、コンタミネーション等、必ずしも「含まない」ということではありません。「使用していない」旨の表示を行う製造者及び販売者、輸入者等は、その根拠となる製造記録、ふき取り検査、製品の残留検査等から適切に判断して行う必要があります。

また、一般的な認識として、特定原材料等とは関係ないと考えられる食品への「使用していない」旨の表示はできません。

> 例：本品（ミネラルウォーター）は大豆を使用していません。

配慮が必要なアレルギー表示

一括表示の枠内のアレルギー表示だけではなく、枠外やポップ等でコンタミネーション表示をする場合においても、表示されているアレルゲン情報が特定原材料だけなのか？もしくは準特定原材料も含まれているのか？がわからないため、食品選択にはいつも不安があります。だからこそ、アレルゲンの範囲を明示する表示を一括表示枠外にするよう努めます。

> 例：この食品は特定原材料等27品目のアレルゲンを対象範囲として表示しています。

> 例：この食品は特定原材料7品目のアレルゲンを対象範囲として表示しています。

> 例：この食品のアレルギー表示は義務7品目（えび・かに・小麦・そば・卵・乳・落花生）を対象範囲として表示しています。

> 例：この食品は特定原材料（えび・かに・小麦・そば・卵・乳・落花生）を対象として表示しています。準特定原材料やその他のアレルゲンをお持ちのお客様は弊社スタッフもしくは TEL（000-000-0000）までお問い合わせください。

上記の例のように、一括表示枠に近い箇所に対象範囲がわかるように表示する、また、ポップやホームページ等で消費者等に情報提供することも良いでしょう。

10）着色料で気をつけること

原料に含む必要な添加物成分を取り出す（抽出）ときや水に溶けない、または溶けにくい性質の添加物を使用するときには、油脂に溶かせて使用する場合があります（安定化、標準化のため）。着色料の中では、アナトー色素、サフラン色素のカロチノイド系やウコン色素のジケトン系、クロロフィルのポリフィリン系のものがそれに該当します。その場合、色素自体が特定原材料等の由来のものでなくても、使用する油脂によって表示（○○由来もしくは○○を含む）が必要になる場合があります。着色料（天然系色素）に使用する油脂の種類（大豆油、落花生油、牛脂等）も確認が必要です。

<着色料の種類と品名>

- カロチノイド系：デュナリエラカロテン、ニンジンカロテン、パーム油カロテン、トウガラシ色素、トマト色素、マリーゴールド色素、ファフィア色素、ヘマトコッカス藻色素、オレンジ色素、アナトー色素、クチナシ黄色素等
- ポリフィリン系：クロロフィル、クロロフィリン等
- ジケトン系：ウコン色素

11）複合化禁止表示と例外規定表示

原則として食品表示基準や通知で定める特定原材料等の名称（「食品表示基準について」（平成 27 年 3 月 30 日消食表第 139 号消費者庁次長通知）別添アレルゲンを含む食品に関する表示別表 3 特定原材料等の代替表記等方法リスト参照）に則り、表示します。

● 大項目分類名使用の禁止例

正しい表示	禁止される複合化表示
「穀類（小麦、大豆）」又は、「小麦、大豆」	「穀類」
「牛肉、豚肉、鶏肉」	「肉類」、「動物性○○」
「りんご、キウイフルーツ、もも」	「果物類」、「果汁」

注）特定原材料等を含まない「穀類」「果実類」は除く。

● 製造工程上の理由などから次の食品は下記のように表示します。

例外規定表示	理　由
「たん白加水分解物（魚介類）」 「魚醤（魚介類）」 「魚醤パウダー（魚介類）」 「魚肉すり身（魚介類）」 「魚油（魚介類）」 「魚介エキス（魚介類）」	網で無分別に捕獲したものをそのまま原材料として用いるため、どの種類の魚介類が入っているか把握できないため。

注）原材料に魚醤（網で無分別に捕獲したものをそのまま原材料として用いているもの）を使用している場合、「魚醤（魚介類）」と表示し、これをもって代替表記とみなすため、改めて「えびを含む」などの表示は省略できます。ただし、下記のように重複しても（魚介類）表示は省略できませんので注意が必要です。

【表示例】注：（魚介類）表示の重複表示
（個別表示の場合）

> たらこ、魚介エキス（魚介類）、海苔、魚醤（魚介類）、みりん、…

（一括表示の場合）

> たらこ、魚介エキス（魚介類）、海苔、魚醤（魚介類）、みりん、…、（一部に卵・小麦・魚介エキス（魚介類）・魚醤（魚介類）を含む）

（注）魚介エキスおよび魚醤はアレルゲンを含む原材料とする。

12）代替表記と拡大表記

　商品の表示スペースには限界があります。そこで、実際に食品を購入する食物アレルギー患者（子どもから大人まで）さん、保護者等を主な対象としてアンケート調査を行い、自分でおやつを購入するアレルギーを持つ子どもでも読

みとることができ、判断できる表示方法を基本として代替表記、その拡大表記による表記を用いることを認めています。ただし、難しい漢字表記等、広く一般消費者が理解できないような表示方法となっては無意味となってしまいます。これらの表示方法は必要に応じ見直すこととなります。

なお、旧食品衛生法に基づく表示基準で認められていた特定加工食品及びその拡大表記については、誤認と事故防止の観点から廃止されました。ただし、アレルギーを持つ子どもでも判断できる表示方法を基本として、代替表記及びその拡大表記を用いることをあらたに認めています。

①代替表記とは

特定原材料等と同じものとわかる文言の表記のこと。

②拡大表記とは

代替表記を含み、特定原材料等を使用した食品であることがわかる表記のこと。

❶卵

「玉子」「タマゴ」「エッグ」等の表記は特定原材料の「卵」とわかるので代替表記となります。さらに、「厚焼玉子」や「ハムエッグ」は卵を使用していることがわかることから、拡大表記となり「卵を含む」旨の表示は省略できます。

❷さけ

「鮭」「サーモン」「しゃけ」等は「さけ」とわかるので代替表記となります。ただし、「ます」はマス類という分類はありませんので「さけ」の代替表記にはなりません。

「鮭フレーク」「スモークサーモン」は「さけ」を使用していることがわかるので拡大表記となり「さけを含む」旨の表示は省略できます。

❸大豆

「だいず」「ダイズ」等は代替表記として認められます。「大豆油」「脱脂大豆」は「大豆」を使用していることがわかるので拡大表記となり「大豆を含む」旨は省略できます。

<代替表記として認められない例>

特定原材料等	認められない表記	正しい表記
さけ	マス、塩マス、さくらマス	マス（さけ）、塩マス（さけ）、さくらマス（さけ）

| 大豆 | えだまめ、もやし、黒豆 | えだまめ（大豆）、大豆もやし、黒豆（大豆） |

（間違いやすく注意が必要な品目）
　茶わん蒸し、プリン、おから、きなこ、スパゲティ、中華麺、うどん、フラワーペースト、しょうゆ、みそ、豆腐、油揚げ、厚揚げ、豆乳、納豆、マヨネーズ、オムレツ、オムライス、パン等

13）「卵白」と「卵黄」について

　12）と同様の理由により、原材料に「卵白」又は「卵黄」を使用した場合、「卵を含む」旨を表示します。

14）特定原材料「乳」の代替表記等について

　乳以外の特定原材料等と同様の扱いになります。
❶ 「種類別」欄を廃止
❷ 「代替表記」（表記方法や言葉が違うが、特定原材料と同一であるということが理解できる表記）を追加
❸ ❶及び❷に伴い、「代替表記の拡大表記」の区分を修正
❹ 「特定加工食品」（一般的に乳又は乳製品を使った食品であることが予測できる表記）を廃止
❺ 「特定加工食品」に整理されていた「ミルク」は「代替表記」とする
❻ 「種類別」の表示により「含む」旨や「由来する」旨を省略できたもののうち、「乳」の言葉を含まない「バター」、「バターオイル」、「チーズ」、「アイスクリーム」は、乳等省令の定義から代替表記とする

＜特定原材料等の代替表記等方法リスト＞

1　特定原材料

特定原材料（表示基準府令で定められた品目）	代替表記 表記方法や言葉が違うが、特定原材料と同一であるということが理解できる表記	拡大表記（表記例）特定原材料名又は代替表記を含んでいるため、これらを用いた食品であると理解できる表記例
えび	海老 エビ	えび天ぷら サクラエビ

かに	蟹 カニ		上海がに　カニシューマイ マツバガニ
小麦	こむぎ コムギ		小麦粉 こむぎ胚芽
そば	ソバ		そばがき　そば粉
卵	玉子 たまご タマゴ エッグ 鶏卵 あひる卵 うずら卵		厚焼玉子 ハムエッグ
乳	ミルク バター バターオイル チーズ アイスクリーム		アイスミルク　生乳 ガーリックバター　牛乳 プロセスチーズ　濃縮乳 乳糖　加糖れん乳 乳たんぱく　調製粉乳
落花生	ピーナッツ		ピーナッツバター ピーナッツクリーム

※「卵」について、「卵白」及び「卵黄」については、特定原材料名（卵）を含んでいるが、事故防止の観点から、拡大表記として含む旨の表示を省略することは不可とする。

2　特定原材料に準ずるもの

通知で定められた品目	代替表記	拡大表記（表記例）
	表記方法や言葉が違うが、特定原材料に準ずるものと同一であるということが理解できる表記	特定原材料に準ずるものの名称又は代替表記を含んでいるため、これらを用いた食品であると理解できる表記例
あわび	アワビ	煮あわび
いか	イカ	いかフライ　イカ墨
いくら	イクラ　すじこ　スジコ	いくら醤油漬け　塩すじこ
オレンジ		オレンジソース　オレンジジュース
カシューナッツ		

キウイフルーツ	キウイ　キウィー　キーウィ　キウィ	キウイジャム　キウィージャム　キーウィーソース　キウィソース
牛肉	牛　ビーフ　ぎゅうにく　ぎゅう肉　牛にく	牛すじ　牛脂　ビーフコロッケ
くるみ	クルミ	くるみパン　くるみケーキ
ごま	ゴマ　胡麻	ごま油　練りごま　すりゴマ　切り胡麻　ゴマペースト
さけ	鮭　サケ　サーモン　しゃけ　シャケ	鮭フレーク　スモークサーモン　紅しゃけ　焼鮭
さば	鯖　サバ	さば節　さば寿司
大豆	だいず　ダイズ	大豆煮　大豆たんぱく　大豆油　脱脂大豆
鶏肉	とりにく　とり肉　鳥肉　鶏　鳥　とり　チキン	焼き鳥　ローストチキン　鶏レバー　チキンブイヨン　チキンスープ　鶏ガラスープ
バナナ	ばなな	バナナジュース
豚肉	ぶたにく　豚にく　ぶた肉　豚　ポーク	ポークウインナー　豚生姜焼　豚ミンチ
まつたけ	松茸　マツタケ	焼きまつたけ　まつたけ土瓶蒸し
もも	モモ　桃　ピーチ	もも果汁　黄桃　白桃　ピーチペースト
やまいも	山芋　ヤマイモ　山いも	千切りやまいも
りんご	リンゴ　アップル	アップルパイ　リンゴ酢　焼きりんご　りんご飴
ゼラチン		板ゼラチン　粉ゼラチン

3. 特定原材料の範囲と実際の表示

　アレルギー発症の症例数が多く、また、症状が重篤で特に注意が必要な7品目の食品を特定原材料と呼びます。

1）えび

　今のところ対象となっている「えび」とは、くるまえび類（車えび、大正えび、ふとみぞえび、くまえび等）、しばえび類（よしえび、しばえび、あかえび、とらえび等）、さくらえび類（さくらえび等）、てながえび類（てながえび、すじえび等）、小えび類（ほっかいえび、てっぽうえび、ほっこくあかえび等）、その他のえび類を指しています。当初、「いせえび、うちわえび、ざりがに、ロブスター等」は対象外でしたが、交差反応性、食物アレルギーの実態調査等から、いせえび類（いせえび、うちわえび等）、ざりがに類（淡水産ざりがに、海産あかざえび、ロブスター等）もえびの範囲に含まれるようになりました。
　ただし、その他の甲殻類のしゃこ類、あみ類、おきあみ類等は対象外です。

実際の表示（代替表記含む）
　表示名：えび、エビ、海老

2）かに

　一般的に「○○かに」と呼称されている「かに」のすべてが対象になっています。具体的には、いばらがに類（たらばがに、はなさきがに、あぶらがに）、くもがに類（ずわいがに、たかあしがに）、わたりがに類（がざみ、いしがに、ひらつめがに等）、くりがに類（けがに、くりがに）、その他のかに類が含まれます。ただし、「ざりがに類」は「かに」ではなく、「えび」の対象範囲となります。

①実際の表示（代替表記含む）
表示名：かに、カニ、蟹

②「かに」成分を含んでいて注意が必要な食品添加物

添加物名	実際に記載する表示名	使用する食品と目的
キチン	キチン（かに由来）	増粘安定剤：菓子、パン、油脂食品
キトサン	キトサン（かに由来）	増粘安定剤、製造用剤（酸性水溶液で細菌の増殖抑制作用を示す）：漬物、菓子、パン、油脂食品等
グルコサミン	グルコサミン（かに由来）	増粘安定剤、製造用剤：清涼飲料、ガム、粉末飲料、冷菓、スナック菓子、錠菓等

③（由来）表示の注意点

上記の添加物には「えび」成分から作られているものもあります。その場合の表示は（えび由来）となりますので注意しましょう。

> 例：キチン（えび由来）

この他にも、1つの添加物の原料が数種類からなるケースがありますので、「何を原料にしているか？」をきちんと調べる必要があります。

3）小麦

すべての小麦（薄力粉、中力粉、準強力粉、強力粉、デュラム粉、特殊小麦粉等）が対象です。ただし、大麦、ライ麦、オーツ麦等は含まれません。

①小麦を使用する場合の注意点

小麦は様々な食品の原材料として使われているケースが多いのでコンタミネーション（混入）も含め注意しましょう。小麦によるアレルギー症状は食べてすぐ発症する即時型（1時間以内）が多く、重い症状を引き起こします。食の欧米化とともに今後の患者数の増加が懸念されています。

②実際の表示（代替表記・拡大表記含む）

表示名：小麦、こむぎ、コムギ、小麦粉、こむぎ胚芽

③「小麦」成分を含んでいて注意が必要な食品添加物

添加物名	実際に記載する表示名	使用する食品と目的・他
アセチル化アジピン酸架橋デンプン	アセチル化アジピン酸架橋デンプン（小麦由来）	ただし、原材料が小麦の場合いずれも「加工デンプン（小麦由来）」も可
アセチル化酸化デンプン	アセチル化酸化デンプン（小麦由来）	
アセチル化リン酸架橋デンプン	アセチル化リン酸架橋デンプン（小麦由来）	
オクテニルコハク酸デンプンナトリウム	オクテニルコハク酸デンプンナトリウム（小麦由来）オクテニルコハク酸デンプンNa（小麦由来）	
酢酸デンプン	酢酸デンプン（小麦由来）	
酸化デンプン	酸化デンプン（小麦由来）	
デンプングリコール酸ナトリウム	デンプングリコール酸ナトリウム（小麦由来）デンプングリコール酸Na（小麦由来）	アイスクリームの乳化安定剤（0.2〜0.5％）、パンの老化防止剤
ヒドロキシプロピル化リン酸架橋デンプン	ヒドロキシプロピル化リン酸架橋デンプン（小麦由来）	ただし、原材料が小麦の場合いずれも「加工デンプン（小麦由来）」も可
ヒドロキシプロピルデンプン	ヒドロキシプロピルデンプン（小麦由来）	
リン酸架橋デンプン	リン酸架橋デンプン（小麦由来）	
リン酸化デンプン	リン酸化デンプン（小麦由来）	
リン酸モノエステル化リン酸架橋デンプン	リン酸モノエステル化リン酸架橋デンプン（小麦由来）	
スフィンゴ脂質	スフィンゴ脂質（小麦由来）	ただし、原材料が小麦の場合

カルボキシペプチダーゼ (EC3.4.17.1 or 2)*¹	酵素（小麦由来）*²	酵素：カゼイン分解物含有食品 失活している場合は物質名が表示されないため、「一部に小麦を含む」と表示
β-アミラーゼ (EC3.2.1.2)*¹	酵素（小麦由来）*²	酵素：でん粉糖製造もち団子類の老化防止 失活している場合は物質名が表示されないため、「一部に小麦を含む」と表示
グルテン （一般飲食物）	グルテン（小麦由来）	増粘安定剤：畜肉加工品、水産練り製品、麺類、パン類
コムギ抽出物 （一般飲食物）	コムギ抽出物	製造用剤（焙煎玄麦から熱時水で抽出）

*1 国際的な決まりとして、酵素には世界共通の酵素番号（国際生化学連合：IUB）があります。その番号により、酵素の情報（働きや性質）がわかるようになっています。

*2 実際に商品（一括表示）に記載するときは、総称としての「酵素」か、もしくは、使用する酵素の添加物名（例「β-アミラーゼ」）でも可能です。

4）そば

「そば」によるアレルギー症状は混入している量にかかわらず大変に重い症状を引き起こします。ごく微量でも発症する人がいますので正確な情報が必要です。麺だけではなく、そばボーロ、そば饅頭、そば餅等も表示しなければなりません。また、小麦同様、粉体のものは製造現場でのコンタミネーション（微量混入）にも注意が必要です。

①実際の表示（代替表記含む）
表示名：そば、ソバ

②落とし穴
そばを主な原料として使用していなくても、副原料として使用され、見落としがちなケースは、以下のとおりです。

> こしょう：調味料等の増量剤として「そば」が含まれる場合があります。

　直接、そばを原材料として使用していなくても、間接的にそばが影響をあたえてしまうケースは、以下のとおりです。

> そばをゆでたゆで汁から「そば」成分がうどん等に影響を与える場合があります。また、ゆでたそばの残りが次の麺（うどん等）に移行することがあります。

③「そば」成分を含んでいて注意が必要な食品添加物

添加物名	実際に記載する表示名	使用する食品と目的
クエルセチン	クエルセチン（そば由来） ケルセチン（そば由来） ルチン分解物（そば由来）	酸化防止剤（食品の香味劣化・退色防止）：油脂、畜肉製品、飲料、菓子類等
酵素処理イソクエルシトリン	酵素処理イソクエルシトリン（そば由来） 糖転移イソクエルシトリン（そば由来） 酵素処理ルチン（そば由来）	酸化防止剤（香味劣化・退色防止）：飲料、デザート、冷菓、菓子、畜肉・水産練り製品等
酵素処理ルチン（抽出物）	酵素処理ルチン（抽出物、そば由来） 糖転移ルチン（抽出物、そば由来） 酵素処理ルチン（そば由来） 糖転移ルチン（そば由来）	酸化防止剤（香味劣化・退色防止）：飲料、デザート、冷菓、菓子、畜肉・水産加工品等
そば全草抽出物	ルチン（抽出物、そば由来） そば全草抽出物 フラボノイド（そば由来） ルチン（そば由来）	酸化防止剤、着色料（香味劣化・退色防止）：飲料、冷菓、菓子類、デザート類、畜肉・水産加工品、珍味等

注）現在、流通されている「クエルセチン」「酵素処理イソクエルシトリン」「酵素処理ルチン」は、「そば」から抽出したものではなく、「エンジュ」というマメ科の植物のつぼみや花から熱水で抽出したものが主流になっています。しかし、ごく稀に「そば由来」のものも使用される可能性がありますので確認しましょう。

④（ソバ由来）表示がされない添加物
ソバ柄灰抽出物（植物灰抽出物）…燃焼するのでアレルゲンは含まないとされています。

5）卵

　鶏卵でアレルギーを起こす人は他の鳥類の卵でもアレルギー症状を起こす場合がありますので、にわとり、うずら、あひる等、一般的に食べられている鳥の卵についても対象になります。業務用としてよく使用されている液卵（卵黄、卵白を両方溶いてあるものや、それぞれ卵黄、卵白だけを溶いたもの）や粉末状の全卵、卵黄、卵白、また、凍結された卵、液卵もすべて含まれます。ただし、鳥類以外の魚の卵（例—数の子、たらこ、とびっこ等）、爬虫類、昆虫の卵は含まれません。

①実際の表示（代替表記含む）
　表示名：卵、たまご、玉子、タマゴ、エッグ、鶏卵、うずら卵、あひる卵
（注）「卵白」「卵黄」は（卵を含む）旨の表示が必要です。

> 例：卵白（卵を含む）

②「卵」成分を含んでいて注意が必要な食品添加物
【表の見方（以下同）】
　実際に記載する表示名：添加物名にはそれぞれ別名、簡略名があります。
　使用する食品と目的：用途名と主に使用している食品を参考にあげてあります。

添加物名	実際に記載する表示名	使用する食品と目的
酵素処理レシチン	酵素処理レシチン（卵由来） レシチン（卵由来） 乳化剤（卵由来）	乳化剤：ミックスパウダー、マーガリン、水産加工品、麺類、飲料、ドレッシング、ソース、菓子類、アイスクリーム、クッキングオイル等
酵素分解レシチン	酵素分解レシチン（卵由来） レシチン（卵由来） 乳化剤（卵由来）	

分別レシチン	分別レシチン（卵由来） レシチン（卵由来） レシチン分別物（卵由来） 乳化剤（卵由来）	乳化剤：マーガリン、チョコレート、パン、菓子類、麺類、アイスクリーム、クッキングオイル等
未焼成カルシウム （卵殻未焼成カルシウム）	卵殻未焼成カルシウム 卵殻Ca 卵殻カルシウム	カルシウム強化剤：一般食品、菓子類、飲料、健康食品、栄養食品等
卵黄レシチン	レシチン（卵由来） 卵黄レシチン 乳化剤（卵由来）	乳化剤：アイスクリーム、マーガリン、パン、ビスケット、調味粉乳、チョコレート等
リゾチーム EC3.2.1.17, Lysozyme	リゾチーム（卵由来） 卵白リゾチーム 酵素（卵由来）	酵素：チーズ、みりん類、麺類、カスタードクリーム、サラダ類、畜肉・水産加工品等

③（卵由来）表示がされない添加物

焼成カルシウム（卵殻焼成カルシウム）…焼成しているのでアレルゲンは含まないとされています。

④（由来）表示の注意点

上記の添加物（レシチン等）には「大豆」成分から作られているものもあります。その場合の表示は、（大豆由来）となりますので注意しましょう。

> 例：レシチン（大豆由来）

⑤卵の注意点

鶏を処理する工程で、鶏肉製品に卵由来のタンパク質（成熟卵胞等）が混入し、検出されることが確認されています。しかし、このようなケースは原材料として殻付き卵や液卵、乾燥卵等を使用していないことと卵管由来の場合は内臓扱いになるため原則的には法的な表示義務はありません。ただし、鶏肉製品から高濃度（数μg/mlまたは数μg/g以上）で検出されることが明らかであれば、健康被害を防止する意味で注意喚起を促す表記が必要です。

例:「この製品に使用している鶏肉は卵のタンパク質を含む工程で処理しています。」

6）乳

乳については「乳及び乳製品の成分規格等に関する省令」(昭和26年厚生省令第52号。以下「乳等省令」という)に定義されています。食品表示基準では「乳」はそれ以外の特定原材料等と同様の扱いになりました(代替表記等に関する説明はP. 250参照)。従って、多少複雑でわかりにくいですが、しっかり理解する必要があります。

乳のアレルギー表示は、牛の乳から調整されたり、また製造されたりした、すべての食品に表示が必要です。しかし、「山羊乳」、「めん羊乳」等は、今のところ交差反応が認められていませんので、除外されています。

(1) 表示の定義
①乳（牛）の種類別名とは

牛乳、特別牛乳、成分調整牛乳、低脂肪牛乳、無脂肪牛乳、加工乳を指しています。(成分規格はP. 367参照)

＜解説＞
- **牛乳**とは、生乳100％を原料とし、成分無調整で販売を目的（消費者が直接飲むため）とした牛の乳のことです。
- **特別牛乳**とは、「特別牛乳搾取搾乳処理業の許可を受けた施設」で搾乳した生乳を製造・販売するものです。
- **成分調整牛乳**とは、生乳から成分（水分、乳脂肪分等）の一部を取り除いたものです。
- **低脂肪牛乳**とは、成分調整牛乳であって、乳脂肪分の一部を取り除いたものです。
- **無脂肪牛乳**とは、成分調整牛乳であって、ほとんどの乳脂肪分を取り除いたものです。
- **加工乳**とは、生乳、牛乳または特別牛乳等を原料にして乳製品（クリーム等17品目）を用いて加工したものです（例—濃厚乳）。生乳使用割合を50％以上または未満、等と表示します。

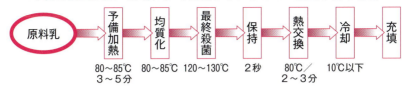

②乳製品の種類別名とは

　クリーム、バター、バターオイル、チーズ、濃縮ホエイ、アイスクリーム類、濃縮乳、脱脂濃縮乳、無糖れん乳、無糖脱脂れん乳、加糖れん乳、加糖脱脂れん乳、全粉乳、脱脂粉乳、クリームパウダー、ホエイパウダー、たんぱく質濃縮ホエイパウダー、バターミルクパウダー、加糖粉乳、調製粉乳、調製液状乳、発酵乳、乳酸菌飲料を指します。

＜解説＞
- **クリーム**とは、生乳、牛乳または特別牛乳から乳脂肪分を取り出したものです。
- **バター**とは、生乳、牛乳または特別牛乳から取り出した乳脂肪（粒）を攪拌させる（練圧）ことにより、かたまり状になったものですが、油脂とはまったく異なります。
- **バターオイル**とは、バターやクリームから乳脂肪分だけを取り出したものです。
- **チーズ**とは、ナチュラルチーズ及びプロセスチーズのことです。ナチュラルチーズとは、乳、バターミルクまたはクリームを乳酸菌で発酵させたもの、または酵素を加えてできたものから乳清を取り除きそのまま固形状にしたり、熟成したものです。プロセスチーズとは、ナチュラルチーズを粉砕し、熱を加えて溶かし乳化したものです。
- **濃縮ホエイ**とは、乳を乳酸菌で発酵させたもの、または酵素もしくは酸を加えてできた乳清を濃縮し固形状にしたものです。
- **アイスクリーム類**とは、生乳、牛乳または特別牛乳を原料として製造した食品を加工し、凍結させたものです。成分の規格は、乳固形分を3.0％以上含むものをいいます（発酵乳を除く）。種類別には、アイスクリーム、アイスミルク、ラクトアイスが該当します。
- **濃縮乳**とは、生乳、牛乳または特別牛乳を濃縮したものです。
- **脱脂濃縮乳**とは、生乳、牛乳または特別牛乳から乳脂肪分を取り除き、濃縮したものです。

- **無糖れん乳**とは、濃縮乳を直接飲用として販売するものです。
- **無糖脱脂れん乳**とは、生乳、牛乳または特別牛乳の乳脂肪分を取り除いたものを濃縮したものです。
- **全粉乳**とは、生乳、牛乳または特別牛乳から水分を取り除き、粉末状にしたものです。
- **脱脂粉乳**とは、生乳、牛乳または特別牛乳から乳脂肪分と水分を取り除き、粉末状にしたものです。
- **クリームパウダー**とは、生乳、牛乳または特別牛乳から取り出した乳脂肪分の水分を取り除き、粉末状にしたものです。
- **ホエイパウダー**とは、乳を乳酸菌で発酵させたもの、または酵素もしくは酸を加えてできた乳清から水分を取り除き、粉末状にしたものです。
- **たんぱく質濃縮ホエイパウダー**とは、乳を乳酸菌で発酵させたもの、または酵素もしくは酸を加えてできた乳清の乳糖を取り除いたものから水分を取り除き粉末状にしたものです。
- **バターミルクパウダー**とは、バターミルクから水分を取り除き粉末状にしたものです。
- **加糖粉乳**とは生乳、牛乳または特別牛乳にショ糖を加え、水分を取り除き粉末状にしたもの、または全粉乳にショ糖を加えたものです。
- **調製粉乳**とは、生乳、牛乳または特別牛乳を原料として、乳幼児に必要な栄養素を加え粉末状にしたものです。
- **調製液状乳**とは、生乳、牛乳または特別牛乳を原料として、乳幼児に必要な栄養素を加え液状にしたものです。
- **発酵乳**とは、乳または乳と同じ以上の無脂乳固形分を含む乳などを乳酸菌や酵素で発酵させて糊状または液状にしたもの、及びそれを凍結したものです。
- **乳酸菌飲料**とは、乳などを乳酸菌、または酵母で発酵させたものを加工した飲料です。ただし、発酵乳は含まれません。
- **乳飲料**とは、「生乳」「牛乳」「特別牛乳」や、これらを原料とした乳製品を主原料に、果汁、甘味、栄養等を付加させた飲料のことです。生乳使用割合を50％以上または未満等と表示します。

③それ以外の名称とは

乳又は乳製品を主原料とする食品とされています。乳等を微量であっても原料としている食品はすべて含まれます。

（2）表示方法

①実際の表示
- 「乳」を原材料とした場合…（乳成分を含む）または、（乳の種類別名）となります。添加物は（乳由来）となります。
- 「乳製品」を原材料とした場合…（乳成分を含む）または、（乳製品の種類別名）となります。複数の乳製品を使用した場合は、1種類の種類別名の表示で構いません（例―（全脂粉乳、脱脂粉乳）→（全粉乳））。
- 上記、「乳」「乳製品」の定義に当てはまらない「乳または乳製品を主要原料とする食品」を原材料とする場合…原材料を（乳または乳製品を主要原料とする食品）と表記するか、（一部に乳成分を含む）の表示をします。

②乳を表示する場合の注意点
「乳または乳製品を主原料とする食品」を原材料として使用したときは「乳製品」または「脱脂粉乳製品」「クリーム製品」等とした単独での表示はしてはいけません。

（補足説明）

乳については「種類別」表示により「含む旨」「由来する旨」を省略することができます。「乳」の文字を含まない代替表記の「バター」「バターオイル」「チーズ」「アイスクリーム」等は乳等省令の定義により乳以外からは製造されることはありません。ただし、「ココナッツミルク」「カカオバター」「豆腐チー

ズ」「豆乳アイス」等、紛らわしい商品名もあるため、誤認をさける意味で出来る限り、これらについても「乳成分を含む」と表示すべきと思われます。

③「乳」成分を含んでいて注意が必要な食品添加物

添加物名	実際に記載する表示名	使用する食品と目的・他
カゼインナトリウム	カゼイン Na（乳由来） カゼインナトリウム（乳由来）	乳化剤、安定剤、増粘剤、強化剤：アイスクリーム、畜肉・水産練り製品、パスタ、スパゲティ、麺類、パン類
ラクトフェリン濃縮物	ラクトフェリン（乳由来）	製造用剤：育児用調製粉乳、ヨーグルト、栄養補助食品、健康食品等
ラクトパーオキシダーゼ	酵素（乳由来） 失活している場合は物質名が表示されないため「一部に乳成分を含む」と表示	製造用剤：使用基準はありません。口臭対策のサプリメント等
カゼイン（一般飲食物）	カゼイン（乳由来）	製造用剤：チーズフード、アイスクリーム類、パン類、コーヒーホワイトナー、畜肉・水産練り製品等

④乳糖について

　乳糖＊については、当初、高度に精製されているためにアレルゲン（タンパク質）は含まないと考えられていました。したがってアレルギー表示の必要はありませんでした。しかしその後の調査により乳糖にも約0.3％前後の乳由来のタンパク質を含んでいることがわかり、現行は表示を必要とします。乳糖を直接原料として使用している場合は、乳の文字が含まれていることにより、そのまま（乳糖）と表示します。また、添加物製剤等の食品素材として使用している場合は、乳糖を表示するか、もしくは表示の最後に、（一部乳成分を含む）となります。

＊牛乳からチーズを作る時に出てくる液体（乳清）に含まれる成分（乳たん白質、乳糖、水溶性ビタミン等）です。

⑤（乳由来）表示がされない添加物

焼成カルシウム（乳清焼成カルシウム）…焼成しているので、アレルゲンは含まないとされています。

⑥乳アレルギー発症の事例

　2歳の子どもが初めて市販の食パンを食べて、バターとスキムミルクを原因とするアナフィラキシーショックを起こすという事故がありました。このお子さんは今まで喘息と診断されていましたが、食物アレルギーと言われたことはなかったので、発症は初めての経験だったようです。この事例では、食べてから15分後に唇が青くなり30～40分後に蕁麻疹が出て、蕁麻疹が出始めると同時にせきも出て、みるみる顔がむらさき色になったとのことです。土日で病院に行けず、喘息発作が起きた時のために自宅にあったステロイドと抗アレルギー剤を飲ませました。2日間手元の薬を飲んで症状は落ち着きましたが、小児科の医師からは「今度そのような状態になったら救急車を呼びなさい」と叱られたとのことです。

　アナフィラキシーの症状はこのように摂取してから早期に出現し、喘息発作などが起こります。手当を間違えたり遅れたりすると、呼吸困難のために死に至ることがある重篤な症状と言えます。

7）落花生

　ピーナッツ、なんきんまめ、ピーナッツオイル（落花生油）、ピーナッツバター等が対象になっています。落花生によるアレルギー発症は年々増加傾向にあるだけではなく、非常に重い症状を引き起こすため注意が必要です。お菓子の原料には幅広く使われていますが、料理（中華等）でも、落花生油のキレや芳香が良いことから揚げ物、和え物等に利用されています。また、着色料等の添加物に混ぜて使用する場合もあります。油脂成分から発症したケースもあるくらい、落花生アレルギーは近年増加傾向にあり、注意が必要です。

①実際の表示（代替表記含む）

表示名：落花生、ピーナッツ

②落花生アレルギー発症の事例

　9歳の子どもがお菓子を食べて1時間後に呼吸困難、浮腫、全身に蕁麻疹をともなうアナフィラキシーショックを起こす重大な事件がありました。幸い命

に別状はありませんでしたが、かなり重篤でした。
　原因は菓子メーカーの製造上におけるコンタミネーションでした。1台のミキサーを共有していたのですが、ピーナッツサブレ製造後の洗浄が不十分だったことが、混入事故を引き起こしたことが判明しました。

4. 準特定原材料の範囲と実際の表示

　アレルギー発症の症例数や重篤な症状を呈する方が相当数みられることから、今後も調査が必要とされている20品目の食品を準特定原材料と呼びます。

1）あわび

　近年、輸入あわびが増加していますが、すべての「あわび」が対象となっています。よく似ている貝に「とこぶし」がありますが「とこぶし」は対象外となっています。対象となっている「あわび」と対象外の「とこぶし」の区分けは、呼吸のための穴の数の違いで見分けますが、具体的には「あわび」が4～5個、「とこぶし」が7～8個となっています。ただし、「とこぶし」については交差反応性*が確認されていないため、今後の研究が必要とされています。
＊2種類以上の抗原（アレルゲン）と反応することです。

実際の表示（代替表記含む）
　表示名：あわび、アワビ

2）いか

　「○○いか」と呼ばれるすべての「いか」が対象となっています。具体的には、ほたるいか類、するめいか類、やりいか類（やりいか、けんさきいか、あおりいか等）、こういか類（はりいか、しりやけいか、もんごういか等）、その他のいか類（みみいか、ひめいか、つめいか等）が含まれています。

①実際の表示（代替表記含む）
　表示名：いか、イカ

②「いか」成分を含んでいて注意が必要な食品添加物

添加物名	実際に記載する表示名	使用する食品と目的
タウリン（抽出物）	調味料（アミノ酸：いか由来）	調味料（イカ、タコ、貝類等の旨味に関係が深い）：健康食品、栄養ドリンク、調製粉乳、水産加工食品
イカスミ色素	イカスミ色素、イカ墨	着色料：菓子類、水産練り製品、麺類等

3）いくら

　さけ、ます類の卵巣（魚卵）を取り出して加工したものを指しています。「いくら」は、卵巣を覆っている膜（卵巣膜）を取り除いた卵粒を塩蔵（または醤油漬等）したものです。「すじこ」は、膜（卵巣膜）を取らないでそのまま塩蔵したものをいいます。

実際の表示（代替表記含む）
　表示名：いくら、イクラ、すじこ、スジコ

4）オレンジ

　一部の柑橘類だけが対象になっています。具体的には日本標準商品分類により、オレンジ類とよばれるもので、ネーブルオレンジ、バレンシアオレンジを指しています。温州みかん、夏みかん、グレープフルーツ、はっさく、レモン等はアレルギー表示の対象には含まれていませんが、かんきつ類自体にアレルギーの発症例がありますので注意しましょう。

①実際の表示
　表示名：オレンジ

②「オレンジ」成分を含んでいて注意が必要な食品添加物

添加物名	実際に記載する表示名	使用する食品と目的
メチルヘスペリジン	メチルヘスペリジン（オレンジ由来）	強化剤、着色料、苦味料：ジュースにビタミンCと

添加物名	実際に記載する表示名	使用する食品と目的
	溶性ビタミンP（オレンジ由来） ヘスペリジン（オレンジ由来） ビタミンP（オレンジ由来） V.P（オレンジ由来）	併用する、医薬用（毛細管に作用する）
酵素処理ヘスペリジン	酵素処理ヘスペリジン（オレンジ由来） 糖転移ヘスペリジン（オレンジ由来） 糖転移ビタミンP（オレンジ由来）	強化剤、色素の退色防止、フラボノイドの溶解安定化：飲料、缶詰、冷菓、菓子デザート類、栄養補助食品等
ヘスペリジン	ヘスペリジン（オレンジ由来） ビタミンP（オレンジ由来）	強化剤（ビタミンP）：飲料、栄養補助食品、食品全般
ペクチン	ペクチン（オレンジ由来）	増粘安定剤（ゲル化剤）：ジャム類、ゼリー類、アイスクリーム類、酸性乳飲料、クリームチーズ等
ペクチン分解物	ペクチン分解物（オレンジ由来） 分解ペクチン（オレンジ由来）	保存料（酸性域で乳酸菌に有効）：麺つゆ、各種のタレ・ソース、漬物、生珍味等
オレンジ果汁（一般飲食物）	オレンジ果汁 オレンジジュース	着色の利用

③（オレンジ由来）表示が該当しない添加物

　オレンジ類（ネーブルオレンジ、バレンシアオレンジ）以外のかんきつ類から作った上記の添加物の場合は（オレンジ由来）表示は必要ありません。

④（由来）表示の注意点

　上記の添加物には「りんご」成分から作られているものもあります。その場合の表示は（りんご由来）となりますので注意しましょう。

> 例：ペクチン分解物（リンゴ由来）

5）牛肉、豚肉、鶏肉

　すべての牛肉、豚肉、鶏肉が対象になっています。牛、豚、鶏の耳、鼻、皮等（真皮層含む）、動物油脂のラード（豚の油）、ヘット（牛の油）も含まれます。真皮層とは、皮膚を構成しているもので（表皮／真皮層／皮下）、コラーゲンというタンパク質繊維でできています。ただし、内臓（肉詰め等のケーシング材を含む）、真皮層を含まない皮、肉を含まない骨については対象外となっています。ただし、鶏レバーは、拡大表記の対象になっています。また、産卵鶏の肉を原料とする加工品の場合は、内臓からの卵黄等（卵黄タンパク）による製品への混入には注意が必要です。

①実際の表示（代替表記・拡大表記含む）
- 牛の場合…牛肉、牛、ビーフ、ぎゅうにく、ぎゅう肉、牛にく、牛スジ、牛脂
- 豚の場合…豚肉、豚、ポーク、ぶたにく、ぶた肉、豚にく、ラード（豚由来）
- 鶏の場合…鶏肉、鶏、鳥、とり、チキン、とりにく、とり肉、鳥肉、鶏レバー

②「牛、豚」成分を含んでいて注意が必要な食品添加物

添加物名	実際に記載する表示名	使用する食品と目的・他
＜未蒸留物の場合＞ グリセリン脂肪酸エステル	＜牛原料の場合＞ グリセリン脂肪酸エステル（牛由来） グリセリンエステル（牛由来） 乳化剤（牛由来） ＜豚原料の場合＞ グリセリン脂肪酸エステル（豚由来） グリセリンエステル（豚由来） 乳化剤（豚由来）	乳化剤、ガムベース（乳化、分散、安定化を図る）：マーガリン、ケーキ、ビスケット、豆腐消泡剤、チューインガム、生クリーム、蒸米等の粘結・糊化の防止剤、マッシュポテト、パンのイーストフード、ケーキ用起泡剤、マカロニ、スパゲティ、麺類、水産練り製品、可食用コーティング剤、あめ菓子、チョコレート等
フェリチン	フェリチン（牛由来） 鉄たん白（牛由来） 鉄たん白質（牛由来）	強化剤（鉄たん白質）：菓子類、飲料、健康食品等

ヘム鉄	ヘム鉄（牛由来） ヘム鉄（豚由来）	強化剤（鉄分）：鉄分強化食品
胆汁末 JECFA：ADI （0～1.25mg/kg）	胆汁末（牛由来） コール酸（牛由来） デソキシコール酸（牛由来） 乳化剤（牛由来）	乳化剤：菓子、水産加工品等
カタラーゼ	酵素（豚由来）	失活している場合は物質名が表示されないため、「一部に豚肉を含む」と表示
パンクレアチン	酵素（豚由来）	失活している場合は物質名が表示されないため、「一部に豚肉を含む」と表示
ホスホリパーゼ	酵素（豚由来）	失活している場合は物質名が表示されないため、「一部に豚肉を含む」と表示
コラーゲン（一般飲食物）	コラーゲン（牛由来） コラーゲン（豚由来）	製造用剤：人工フカヒレ、イクラ等

注）JECFA、ADI は P.288 を参照

③（由来）表示の注意点

前記の添加物には、「豚」や「大豆」成分から作られているものもあります。その場合の表示は（豚由来）または、（大豆由来）となりますので注意しましょう。

> 例：ヘム鉄（豚由来）

④（牛由来）もしくは（豚由来）の表示がされない添加物

以下の添加物に使用されている成分（脂肪酸）は、製造の過程で蒸留及び蒸留・精製されているため、原料由来のアレルゲンは残存していないと考えられています。従って、（由来）表示は記載する必要はありません。ただし、蒸留（「由来」表示が必要ないもの）と未蒸留（「由来」表示が必要なもの）の両方のタイプがある添加物*は確認が必要です（要注意）。

＊グリセリン脂肪酸エステル

- L-アスコルビン酸ステアリン酸エステル、L-アスコルビン酸パルチミン酸エステル、ビタミンA脂肪酸エステル
- グリセリン、プロピレングリコール脂肪酸エステル
- ショ糖脂肪酸エステル、ステアロイル乳酸カルシウム、ソルビタン脂肪酸エステル
- 高級脂肪酸

⑤「鶏」成分を含んでいて注意が必要な食品添加物

添加物名	実際に記載する表示名	使用する食品と目的
ヒアルロン酸	ムコ多糖（鶏由来）	製造用剤：一般食品、機能性化粧品等

6) さけ

　対象になっている「さけ」とは、いわゆる一般で「さけ」として販売されている「さけ・ます類」を指しています。具体的には、しろざけ、べにざけ、ぎんざけ、ますのすけ、さくらます、からふとます等の産卵のために海から河川へのぼる習性をもった「そ河性」のさけ・ます類ということになります。ただし、「さけ類」の中でも、海に降りない（陸封型）、にじます、いわな、やまめ等は含まれませんが、かん水（海）にて養殖した場合は「さけ」表示の対象となりますので、注意しましょう。

①実際の表示（代替表記含む）

　表示名：さけ、鮭、サケ、サーモン、しゃけ、シャケ
　　　　　マス（さけ）、さくらマス（さけ）、塩マス（さけ）

②「さけ」成分を含んでいて注意が必要な食品添加物

添加物名	実際に記載する表示名	使用する食品と目的
しらこたん白抽出物	しらこたん白（さけ由来） プロタミン（さけ由来）	保存料（プロタミンヒストン）：でん粉食品、水産練り製品、液体調味料等

③（さけ由来）表示が該当しない添加物

　対象となっている「さけ」以外の原料（アイナメ、カツオ、ニシン）から作られた上記の添加物の場合は、（さけ由来）の表示は必要ありません。

7）大豆

　対象となっている大豆は、すべての大豆（大粒、中粒、小粒、極小粒）を指しています。種類としては、黄大豆としては、煮豆用、豆腐用、味噌用、醤油用、納豆用、豆乳用、菓子用等があります。色大豆としては、黒大豆の煮豆用、青大豆の枝豆用、きな粉用、菓子用、ひたし豆用があり、これらすべてが該当します。また、大豆もやし等の成長途中のものや、発芽しているものも含まれます。

①実際の表示（代替表記含む）
　　表示名：大豆、だいず、ダイズ

②「大豆」成分が含まれていて注意が必要な食品添加物

添加物名	実際に記載する表示名	使用する食品と目的・他
＜未蒸留物の場合＞ グリセリン脂肪酸エステル	＜大豆原料の場合＞ グリセリン脂肪酸エステル（大豆由来） グリセリンエステル（大豆由来） 乳化剤（大豆由来）	乳化剤：乳化・分散・安定化・濃化、デンプン食品の粘結・老化防止等 （注）詳細は牛肉の項を参照
大豆多糖類（一般飲食物）	大豆多糖類	製造用剤、増粘安定剤（ダイズヘミセルロース）
酵素処理レシチン	酵素処理レシチン（大豆由来） レシチン（大豆由来） 乳化剤（大豆由来）	乳化剤：マーガリン、ミックスパウダー、麺類、飲料、ドレッシング、ソース、菓子類、アイスクリーム、クッキングオイル、水産加工品等
酵素分解レシチン	レシチン（大豆由来） 乳化剤（大豆由来）	
植物性ステロール	植物性ステロール（大豆由来） ステロール（大豆由来） 乳化剤（大豆由来）	乳化剤（フィトステロール）：食品全般、低カロリー用の油脂製品等

植物レシチン	植物レシチン（大豆由来） レシチン（大豆由来） 乳化剤（大豆由来）	乳化剤（乳化、分散、湿潤の効果がある）：マーガリン、ショートニング、パン、マカロニ、ビスケット、チョコレート、即席麺、ホイップクリーム、炒め油等
ダイズサポニン	サポニン（大豆由来） ダイズサポニン	乳化剤（サポニン）：起泡効果と乳化飲料、乳化食品、菓子類等
d-α-トコフェロール d-γ-トコフェロール d-σ-トコフェロール JECFA：ADI （0.15～2mg/kg）	＜大豆油等で希釈した場合＞ ビタミンE（大豆由来） 抽出ビタミンE（大豆由来） トコフェロール（大豆由来）	分子蒸留したものはアレルゲンが除去されていると考えられるので特定原材料等の表示不要
ばい煎ダイズ抽出物	ばい煎ダイズ抽出物	製造用剤（マルトール）：畜肉・硫化水素臭の消臭
分別レシチン	分別レシチン（大豆由来） レシチン分別物（大豆由来） レシチン（大豆由来） 乳化剤（大豆由来）	乳化剤：マーガリン、チョコレート、パン、菓子類、麺類、アイスクリーム、クッキングオイル等
ミックストコフェロール	＜大豆油等で希釈した場合＞ ミックストコフェロール（大豆由来） 抽出V.E（大豆由来） ビタミンE（大豆由来） トコフェロール（大豆由来）	上段のd-α-トコフェロールを参照
β-アミラーゼ	β-アミラーゼ（大豆由来） アミラーゼ（大豆由来） カルボヒドラーゼ（大豆由来） 酵素（大豆由来）	酵素：でん粉糖の製造、和菓子、もち団子類等の老化防止等 失活している場合は物質名が表示されないため、「一部に大豆を含む」と表示
パーオキシダーゼ	酵素（大豆由来）	失活している場合は物質名が表示されないため、「一部に大豆を含む」と表示
ホスホリパーゼ	酵素（大豆由来）	失活している場合は物質名が表示されないため、「一部に

			大豆を含む」と表示
リポキシゲナーゼ		酵素（大豆由来）	失活している場合は物質名が表示されないため、「一部に大豆を含む」と表示

③（由来）表示の注意点

　前記の添加物には、「卵」、「牛」、「豚」等の成分から作られているものがあります。その場合の表示は（卵由来）または（牛由来）または（豚由来）となりますので、注意しましょう。

> 例：レシチン（卵由来）、グリセリン脂肪酸エステル（豚由来）、乳化剤（牛由来）

④（大豆由来）表示がされない添加物

　以下の添加物成分は、製造の過程で、蒸留・精製、および分子蒸留されているため、アレルゲンは残留していないと考えられています。従って、基本的には（由来）表示を記載する必要はありませんが、同じ添加物名でも蒸留（「由来」表示が必要ないもの）と未蒸留（「由来」表示が必要なもの）[*1]、または大豆油が未混入もしくは混入[*2]、のそれぞれ両方のタイプがありますので注意が必要です。

＊１　グリセリン脂肪酸エステル
＊２　d-α-トコフェロール、d-γ-トコフェロール、d-σ-トコフェロール、ミックストコフェロール

● グリセリン
● プロピレングリコール脂肪酸エステル、ステアロイル乳酸カルシウム、ソルビタン脂肪酸エステル
● 高級脂肪酸

8）やまいも

　商品分類では「やまのいも」を指しています。種類は、じねんじょ、ながいも、つくねいも、いちょういも、やまといも等が含まれます。これらを使用した料理に「山かけ」「とろろ汁」等がありますが、注意が必要です。

実際の表示（代替表記含む）
表示名：やまいも、山芋、ヤマイモ、山いも

9）りんご

一般的に食べられているすべての「りんご」を指しています。

①実際の表示（代替表記含む）
表示名：りんご、リンゴ、アップル

②「りんご」成分を含んでいて注意が必要な食品添加物

添加物名	実際に記載する表示名	使用する食品と目的
ペクチン	ペクチン（リンゴ由来）	増粘安定剤（ゲル化剤）：ジャム類、ゼリー類、アイスクリーム、酸性乳飲料、クリームチーズ
ペクチン分解物	ペクチン分解物（リンゴ由来） 分解ペクチン（リンゴ由来）	保存料（酸性域で乳酸菌に有効）：麺つゆ、各種のタレ・ソース、漬物、生珍味
酵素分解リンゴ抽出物	リンゴ抽出物 リンゴエキス	酸化防止剤（抗菌作用）：菓子、飲料、健康食品、畜肉・水産加工品等

③（由来）表示の注意点

上記の添加物（ペクチン等）には「オレンジ」成分から作られているものもあります。その場合の表示は（オレンジ由来）となりますので注意しましょう。

例：ペクチン（オレンジ由来）

10）キウイフルーツ

熱帯性および亜熱帯性果実のキウイフルーツが対象です。

①実際の表示（代替表記含む）

表示名：キウイフルーツ、キウイ、キウィ、キーウィー、キーウィ

②「キウイフルーツ」成分を含んでいて注意が必要な食品添加物

添加物名	実際に記載する表示名	使用する食品と目的・他
アクチニジン	酵素（キウイ由来）	たんぱく分解酵素の一種。pH6 では筋肉繊維を分解することから食肉軟化酵素として利用。pH6 では加水分解する。キウイフルーツアレルゲンのひとつ。

11) ごま

「ごま」とは、ゴマ科ゴマ属に属する「白ごま」「黒ごま」「金ごま」が表示の対象です。また、ごま油、練りごま、すりゴマ、切り胡麻、ゴマペースト等の加工品も対象です。

ただし、トウダイグサ科トウゴマ属に属する「トウゴマ（唐胡麻）」やシソ科シソ属に属する「エゴマ（荏胡麻）」などは含みません。

①実際の表示（代替表記、拡大表記含む）

表示名：ゴマ、胡麻、すりゴマ、練りごま、ゴマペースト

②「ごま」成分を含んでいて注意が必要な食品添加物

添加物名	実際に記載する表示名	使用する食品と目的
ゴマ油不けん化物	ゴマ油不けん化物（ごま由来） ゴマ油抽出物（ごま由来）	
ゴマ柄灰抽出物	特定原材料等表示不要	燃焼するのでアレルゲンは含まないと考えられる。
d-α-トコフェロール	ビタミンE 抽出ビタミンE	分子蒸留したものはアレルゲンが除去されていると考

d-γ-トコフェロール	d-α-トコフェロールに同じ	えられるので特定原材料等の表示不要
d-δ-トコフェロール	d-α-トコフェロールに同じ	ただし、大豆油等で希釈したものは添加物表示に（大豆由来）等の表示が必要（大豆を参照）
ミックストコフェロール	d-α-トコフェロールに同じ	

12) カシューナッツ、くるみ、さば、もも、まつたけ、バナナ

一般で食べられている品種、種類のすべてを指しています。

実際の表示（代替表記含む）

表示名：カシューナッツ
　　　：くるみ、クルミ
　　　：さば、鯖、サバ
　　　：もも、モモ、桃、ピーチ
　　　：まつたけ、松茸、マツタケ
　　　：バナナ、ばなな

13) ゼラチン

　牛、豚を主な原料として製造され、多くの加工品に使用されています。「ゼラチン」の名称で流通している製品の「ゼラチン」を原材料として使用した場合は表示します。その場合、「牛由来」もしくは、「豚含む」等の（由来）表示は不要です。ただし、豚肉加工品等の製造の過程で「ゼラチン」が抽出される場合は、「豚肉を含む」等と表示します。

実際の表示（拡大表記含む）

表示名：ゼラチン、板ゼラチン、粉ゼラチン

14）その他

①動物の血液
　動物の血液、胆汁又は血しょう（プラズマ）は対象外となっています。ただし、肉片が混入する場合は表示します。

②コラーゲン
　添加物として使用する場合は（○○由来）と表示します。それ自体の食品であれば対象外です（例−健康食品）。

15）食品と添加物の両方の性質をもつ原材料の場合の表示

　単に食品として使用するのであれば「○○を含む」と表示します。ただし、添加物（一般飲食物添加物）として使用する場合は「○○由来」と表示します。

	物質名	特定原材料表記
食品	カゼイン コラーゲン	カゼイン（乳成分を含む） コラーゲン（豚肉を含む）
一般飲食物添加物	カゼイン コラーゲン	カゼイン（乳由来） コラーゲン（豚由来）
指定添加物	カゼインナトリウム	カゼインナトリウム（乳由来）

16）特定原材料等の範囲に含まれないものの一例

特定原材料等	特定原材料等の範囲に含まれないもの
卵	魚卵、は虫類卵、昆虫卵等食用鳥卵以外の卵
小麦	大麦、ライ麦等
乳	山羊乳、めん羊乳等牛以外の乳

あわび	とこぶし
えび	しゃこ類、あみ類、おきあみ類等
オレンジ	うんしゅうみかん、夏みかん、はっさく、グレープフルーツ、レモン等
牛肉、豚肉、鶏肉	内臓（ケーシング材を含む。）、皮（真皮を含まないものに限る。）、骨（肉がついていないものに限る。）
ごま	トウダイグサ科トウゴマ属に属する「トウゴマ（唐胡麻）」、シソ科シソ属に属する「エゴマ（荏胡麻）」等
さけ	にじます、ひめます、いわな、やまめ等陸封性のもの

5. 食品添加物製剤

　食品添加物のアレルギー表示の原則は、使用した物質名とその由来名を表示することです。食品添加物の場合、複合（製剤）で使用したときも添加物の後に特定原材料名を「○○由来」と明記しなければなりません。

1）見落としがちな食品添加物製剤

　厚生省（現：厚生労働省）の食品表示研究班アレルギー表示検討会では、アレルギーの原因となるアレルギー物質の量は数μg/g程度、という判断を示しています。しかし、仮に数ppmの残留でも、人によっては、アレルギーを起こす可能性はあります。

　そこで、本項では、とくに問題となる食品添加物製剤が最終製品にどの程度残っているのかを、具体的な例を使って試算し、その残留する数値の可能性を示しました。計算の基礎となる食品添加物製剤に含まれる成分と配合割合はあくまでもサンプルですが、一部の食品メーカーなどの協力もあり作成しました。

　一般的に食品添加物製剤に、どのような成分が、どのくらいの割合で使われているのかは、明らかにされていません。それを実態に近いサンプルとして明らかにすることで、最終製品にアレルギーの原因物質がどのくらい残留するのかを、予想できるようにしました。

　アレルギーの専門医の方たちには、実際に被害が出たときに、速やかに原因を絞りこめる正確な情報が必要なため、食品に含まれる物質の情報をできるだけ得たいという強い要求があります。こうしたことも踏まえて、あくまでサンプルではありますが、食品添加物製剤の成分や配合割合なども記載しました。

　コンタミネーションだからという、それだけの理由で表示を省略するのではなく、厳密な計算の上で判断し、表示すべきは表示するべきです。そういう立場に立つことが、食物アレルギーの事故を未然に防ぐことにつながる第一歩です。

2）食品添加物製剤とはなにか？

　用途別に数種の添加物があらかじめ複合的に混ぜ合わされている食品添加物製剤を使用する場合があります。食品添加物製剤とは、使用する用途に合わせて、主剤（中心的な役割を果す添加物）と副剤（補助的な役割を果す添加物）と食品素材（製剤を作るのに必要な物質）を組み合わせた添加物製剤のことです。

　食品添加物製剤は、加工助剤やキャリーオーバー、また最終製品にも使用します。

表示のしかた

　加工助剤やキャリーオーバー（詳細は P. 338 参照）、または最終製品に添加した食品添加物製剤の副剤に含まれる特定原材料等に関する情報は、表示します。具体的には、添加物表記の最後に一括で表示します。

<表示例>

・・……○○○、○○○、○○○、（一部に小麦・大豆を含む）
・・……○○○、○○○、○○○、○○○、（一部に乳成分を含む）

3）食品添加物製剤の表示方法

　食品添加物製剤には、「使用する添加物の効果が絞られているもの」と「使用する添加物の効果が多岐に渡っているもの」の2種類があります。

（1）調味料製剤

　調味料製剤は昆布出しの風味（グルタミン酸ナトリウム）、かつおぶしやしいたけの風味（リボヌクレオチドナトリウム）、えびやかにの風味（グリシン）、あさり、しじみ、はまぐり等の貝類の風味（コハク酸）、鶏がらの風味（クエン酸三ナトリウム）、等のように複合的に調合されているものがほとんどです。

　また、現在、あらゆる加工食品に使用されています。中でも、グリシン（「(5)日持ち向上剤」を参照）は、旨味をつける以外に抗菌作用もあることから、幅

広く食品に利用されています。

①特徴
- 食品にいろいろな種類の旨味を与えます。
- 食品にコク味をつけて、広がりのある味にします。
- 酸っぱい、苦い、しょっぱい等の味をマイルドにします。
- 少量の添加で旨味や風味を強めます。

②畜肉加工品や惣菜に使用される製剤の成分例

成分	%
L－グルタミン酸ナトリウム	30%
グリシン	10%
5'－リボヌクレオチドニナトリウム	2%
コハク酸二ナトリウム	2%
クエン酸三ナトリウム	2%
ピロリン酸四カリウム	1%
食品素材（小麦たん白加水分解物、ゼラチン、乳糖、他）	53%

③食品への表示例

> 調味料（アミノ酸等）、（一部に小麦・乳成分・ゼラチンを含む）

④表示のポイント
- 食品素材に含まれる小麦たん白加水分解物は小麦が原料、ゼラチンは準特定原材料です。乳糖は乳成分となっていますので表示します。
- 乳糖については本項の「4）製品へのアレルゲン残存量の捉え方」を参照

⑤参考
　ホエイミネラルを使用している製剤を見かけます。ホエイミネラルとは乳清ミネラルのことで、特定原材料（乳）が原料ですので表示をします。
　牛乳からチーズを作るときに分離してくる液体のことを乳清といい、成分は乳清たん白質、乳糖、水溶性ビタミン等です。この乳清を処理し、ミネラルを高めたものが、ホエイミネラル（乳清ミネラル）になります。畜肉・水産加工

品や調味食品、飲料等の調味料として使用されています。

（2）乳化剤製剤

　食品の品質（食感）を向上させるためのものです。例えばマーガリン、ショートニング、パン、洋菓子、焼き菓子、アイスクリーム等、広く使用されています。

①特徴
- 水と油を均一にして、なめらかな食感をつくります。
- 起泡効果（泡立ち）があり、軽い食感にします。
- でん粉食品にしっとり感を与え、パサツキを防止します。
- 調理時の水はねを防止します。

②製剤の成分例

成分	％
ショ糖脂肪酸エステル	25％
グリセリン脂肪酸エステル（牛由来）	5％
ソルビタン脂肪酸エステル	5％
植物レシチン（大豆由来）	5％
食品素材（マルトデキストリン）	60％

③食品への表示例

乳化剤（牛・大豆由来）

④表示のポイント
- ショ糖脂肪酸エステル、ソルビタン脂肪酸エステル、その他「ガムベース」にも使用されるプロピレングリコール脂肪酸エステルは、アレルゲンは含まないと考えられています。
- グリセリン脂肪酸エステルは蒸留内容と精製度が重要です。未蒸留等の場合は、原料由来（牛、豚、大豆等）を表示する必要があります。
- 植物レシチンは、準特定原材料の大豆が原料ですので由来名を表示します。

⑤参考

　食品素材には脱脂粉乳、小麦デキストリン等を使用しているケースがありますので注意します。その場合、（一部に乳成分・小麦を含む）となります。

（3）酵素製剤

　酵素の使用基準は定められていませんので、69品目の酵素の用途に合わせて、幅広く利用されています。ブドウ糖、チーズ、果汁製品、果実加工品、かずのこ、パラチノース、異性化糖、果糖、もち団子、大福、製パン、清酒、ビール、焼酎、みりん、みそ、しょうゆ、フラクトオリゴ糖、乳製品、クラッカー、畜肉・魚肉加工品等に使用されています。

①特徴

- チーズや清酒、ビール等、発酵食品の製造にはなくてはならないものです。
- でん粉から様々な異性化糖や整腸作用のあるオリゴ糖等が製造されます。
- 食品の苦味を取ったり、濁りを防止したりします。
- 畜肉を軟らかくしたり、もち和菓子の軟らかさを保ったりします。

②製剤の成分例

成分	％
β-アミラーゼ（大豆由来）	30％
食品素材（小麦デキストリン、乳糖）	60％

③食品への表示例

酵素（大豆由来）、（一部に小麦・乳成分を含む）

④表示のポイント

- β-アミラーゼは、準特定原材料の大豆が原料ですので由来名を表示します。
- 食品素材の小麦デキストリン、乳糖は小麦由来、乳由来ですので表示します。
- 酵素はさまざまな製造の工程でその効力を失ったりしますが（酵素の失活）、その場合でもアレルゲン情報は表示します。

- 酵素を培養する培地（例―小麦、乳糖等）ごと、製品へ混入する場合は培地もアレルギー表示の対象となります（詳細は P.302 参照）。

（4）保存料製剤

　保存料には、有機酸とその塩類、有機酸エステル類、無機塩類、植物から取り出した抽出物やたんぱく質等があり、それぞれの用途に合わせて様々な食品（マーガリン、しょうゆ、清涼飲料水、とんかつソース、魚肉練り製品、フラワーペースト、惣菜、浅漬け等）に使用されています。

①特徴
- 腐敗や変敗の原因である微生物の発育、増殖を抑え、食品を長持ちさせます。
- 食中毒の予防に貢献します。
- 食品の変質を抑え、風味を保ちます。

一口メモ

ADI について

　パラオキシ安息香酸類の用途名は「保存料」です。成分の規格や使用基準として対象食品、許容量（最大限度量）、使用方法（使用制限）が定められています。安全性については、JECFA＊：ADI＊＊ 0〜10mg/kg 体重/日となっています。

（注釈）

＊ JECFA…国連組織の FAO（国際連合食糧農業機関）と WHO（世界保健機関）が協力して設置した FAO／WHO 合同食品添加物専門家委員会のこと。食品添加物の安全性の評価を行っている。

＊＊ＡＤＩ…一日摂取許容量のこと。人が一生食べつづけても安全と認められた量。

②惣菜に使用される製剤の成分例

成分	％
グリシン	80％
プロタミン	19％
卵白リゾチーム	1％

③食品への表示例

保存料（プロタミン（さけ由来））、グリシン、卵白リゾチーム（卵由来）
もしくは、
保存料（プロタミン：さけ由来）、グリシン、（一部に卵を含む）

④表示のポイント

●プロタミン（しらこたん白）は準特定原材料（さけ）が原料ですので由来名を表示します。
●卵白リゾチームは酵素ですが、酵素の失活、残存にかかわらず表示します。

（5）日持ち向上剤

　食品の安全性志向の中で、従来の保存料の他に日持ち向上剤の利用が増えています。

　日持ち向上剤には、有機酸類（酢酸等）、ビタミン・アミノ酸類（ビタミンB_1ラウリル硫酸塩、グリシン等）、酵素（リゾチーム）、香辛料抽出物（ワサビ、シソ、茶等）があります。

　中でも、グリシンは本来、いか、えび、かに風味の調味料として使用されてきましたが、1〜2％の添加での防腐効果（抗菌作用として枯草菌や大腸菌の生育を抑える）が認知され、様々な食品（カスタードクリーム、かまぼこ、ハンバーグステーキ、珍味、佃煮、惣菜、おにぎり等）に使用されています。日持ち向上剤は配合製剤名で添加物名はありませんのですべて物質名で表示します。

①特徴

●惣菜やサラダ、デザート菓子等のデイリー商品の短期間での保存性が向上します。
●低塩、低糖食品の腐敗や変敗を抑えます。

②製剤の成分例―Ⅰ

成分	％
グリシン（防腐効果）	80％
リゾチーム（卵由来）	1％
L－シスチン	5％
乳糖	14％

③食品への表示例―Ⅰ

酵素（卵由来）、グリシン、乳糖

④製剤の成分例―Ⅱ

酢酸ナトリウム（無水）60％、アジピン酸15％、グリシン5％、ポリリジン1％、食品素材（小麦デキストリン＊）19％

⑤食品への表示例―Ⅱ

保存料（ポリリジン）、酢酸ナトリウム、グリシン、（一部に小麦を含む）

＊マルトデキストリンの場合は（小麦を含む）表示の必要はありません。

⑥製剤の成分例―Ⅲ

リゾチーム0.5％、グルコン酸30％、乳酸5％、食品素材64.5％（小麦デキストリン＊）

⑦食品への表示例―Ⅲ

酵素（卵由来）、酸味料もしくはpH調整剤、（一部に小麦を含む）

＊マルトデキストリンの場合は（小麦を含む）表示の必要はありません。

⑧表示のポイント

- リゾチームは特定原材料の卵白が原料ですので表示します（特定原材料由来の酵素は活性、残存にかかわらず表示します）。
- 乳糖は特定原材料由来ですので表示します。
- L-システインについては、「(7)品質改良剤の④製剤の成分例—Ⅱ」を参照。

⑨参考

- グリシンはホルムアルデヒドを原料とするストレッカー反応とモノクロル酢酸とアンモニアを反応させて作ります。調味料（アミノ酸）としても使用します。
- 日持ち向上剤にはフマル酸やアジピン酸を含むものがあります。フマル酸はベンゾールを気相酸化して作ります。アジピン酸はシクロヘキサンを空気酸化等して作ります。共に膨張剤としても使用します。

(6) 強化剤製剤

　栄養強化成分にはビタミン類（C、B_1、B_2、A、E、D_3等）、ミネラル類（乳酸カルシウム、ヘム鉄、グルコン酸亜鉛、グルコン酸銅等）、アミノ酸類（アスパラギン酸ナトリウム、リジン等）があります。

　国民の健康志向および予防医学的な意味でも、様々な食品（米、麦、小麦粉、パン、麺類、みそ、しょうゆ、マーガリン、調製粉乳、菓子、清涼飲料水、健康食品等）に使用されています。

　表示については、栄養強化の目的で使用された場合は表示されません（表示の免除）。安全性については、国際的にも問題ないとされており、安全性評価の対象外となっています。

①特徴

- 食品の製造や加工で失われた栄養素（原料に含まれていたもの）を容易に補います。
- 健康的な食品にするために栄養バランスを調整することが可能です。
- 栄養素を経済的に、また簡単に添加できます（補う）。

②製剤の成分例

成分	%
β-カロチン	20%

植物油脂（大豆）	80%

③食品への表示例

植物油脂（大豆）もしくは、（一部に大豆含む）

④表示のポイント
- β-カロチンは栄養強化目的の場合、表示は免除されます（着色目的の場合は「カロチン色素」と表示します）。
- β-カロチンは、ビタミンAに転換します。多くの研究成果から、活性酸素消去作用や紫外線防護等の効果を目的として様々な食品分野で利用されています。
　製造方法は、β-イオノンからの合成法と、パーム、ニンジン、イモ、デュナリエラからの抽出カロチンがあります。

⑤参考
　強化剤には様々な種類があります。基本的には表示が免除されていますので、副原料や食品素材の中身を確認する必要があります。
　特に、乳糖、ゼラチン、トコフェロールは多くみられますので注意が必要です。トコフェロールは大豆油、トウモロコシ油、なたね油等を原料としていますが、精製度の低いものや、大豆油で希釈したものの場合は表示します。

⑥使用基準
　一部のミネラル類（カルシウム塩、亜鉛、銅塩、鉄塩等）には使用基準があります。

（7）品質改良剤
　パン用の改良剤には、たくさんの種類があります。パン酵母（パン用イースト菌）の発酵を促したり、使用する水を発酵に適した質に改良したり（pH等）、また、生地が軟らかく、しっとりした感じに保たれる等があります。
- 無機質タイプ（塩化アンモニウム、炭酸カルシウム、ビタミンC（酸化剤）、システイン（還元剤）等）
- 有機質タイプ（α-アミラーゼ、プロテアーゼ等酵素剤、でんぷん）

- ●無機・有機混合タイプ
- ●乳化剤タイプ（モノグリセライド、レシチン、ショ糖脂肪酸エステル等）

①製剤の成分例―Ⅰ

成分	%
グリセリン脂肪酸エステル（蒸留品）	10%
植物レシチン（大豆由来）	10%
カゼインナトリウム（乳由来）	5%

②食品への表示例―Ⅰ

乳化剤（大豆由来）、カゼインNa（乳由来）

③表示のポイント―Ⅰ

- ●グリセリン脂肪酸エステルが精製度の高い蒸留品の場合は由来表示はしません。
- ●乳化剤の植物レシチンは準特定原材料（大豆）を原料としていますので表示します。
- ●カゼインナトリウムは特定原材料（乳）が原料ですので由来名を表示します。

④製剤の成分例―Ⅱ

成分	%
炭酸カルシウム	25%
塩化アンモニウム	20%
DL-リンゴ酸	10%
L-システチン	5%
L-アスコルビン酸	3%
パンクレアチン	0.5%
食品素材（小麦グルテンを含む）	36.5%

⑤食品への表示例―Ⅱ

イーストフード、ビタミンC、pH調整剤、（一部に小麦を含む）

⑥表示のポイント―Ⅱ

- 炭酸カルシウムは酸に溶けると炭酸ガス（ドウの気泡）を発生します。膨張剤、ベーキングパウダー、ふくらし粉等として表示されていますが、強化剤としてはたくさんの食品（みそ、納豆、麺類、乳製品、魚肉練り製品、ふりかけ、香辛料等）に使用されています。
- 塩化アンモニウムはパン酵母（イースト菌）の栄養源として発酵を促進します。
- DL－リンゴ酸はパン酵母（イースト菌）の生長増進剤として使用されています。名前はリンゴがついていますが、添加物として使用されるものはベンゼンから合成法で作ります。
- L－アスコルビン酸は酸化剤として使用されています。
- L－シスチンは動物性タンパク質（特にケラチンを含む毛、羽毛等）を加水分解して得られる含硫アミノ酸です。食品の風味改善や調味料、栄養の強化剤として使用されます。パンでは生地改良剤として使用されています。牛、豚、鶏の毛や羽毛は特定原材料等には含まれませんので表示の対象外ですが、原料（毛や羽毛）のコンタミネーション（肉や真皮層を含む皮、油脂等）の可能性を確認してください。
- パンクレアチンは動物のすい臓から得られた加水分解酵素です。内臓は特定原材料等には含まれませんので表示の対象外になります（ただし、表示する、しないについては検討の余地があります）。
- 食品素材の小麦グルテンは特定原材料から取り出したものですので表示します。

（8）増粘、安定、ゲル化剤製剤

増粘剤、安定剤、ゲル化剤、糊料は食品の粘りを強くして、乳化の機能（乳化、分散、起泡、消泡、湿潤、でん粉老化防止等）により品質の向上を図るものです。

例えば、シャーベット、アイスクリーム、フルーツゼリー、ゼリー飲料、缶コーヒー、葛餅、プリン、ムース、ババロア、ホイップヨーグルト、レアクリームチーズデザート、フラワーペースト、ソース、たれ類、ドレッシング、マヨ

ネーズ、佃煮、珍味、漬物、インスタントスープ、練り製品、畜肉加工品、即席麺類等に使用されています。

①増粘多糖類製剤の成分例

成分
ローカストビーンガム
グァーガム
ペクチン（リンゴ・オレンジ由来）
キサンタンガム
食品素材（寒天、ゼラチン）

②食品への表示例

増粘多糖類（ペクチン：リンゴ・オレンジ由来）、（一部にゼラチンを含む）

③表示のポイント

- 増粘剤、安定剤のローカストビーンガム（カロブビーンガム）はマメ科イナゴマメの種子の胚乳部分を粉砕・精製して作られます。他の天然系の増粘安定剤と併用すると物質名は簡略化されて（増粘多糖類）と表示します。
- 増粘剤、安定剤のグァーガムはマメ科グァー種子を粉砕・抽出して作られます。他の天然系の増粘安定剤と併用すると物質名は簡略化されて（増粘多糖類）と表示します。
- ゲル化剤、安定剤のペクチンは準特定原材料を原料にしていますが、りんごとオレンジの混合物の場合は両方の由来を表示します。
表示は併用で（増粘多糖類）とします。
- 増粘剤、安定剤のキサンタンガムはキサントモナスの培養液からの多糖類成分です。
- ゼラチンは準特定原材料ですので表示します。

④参考

　増粘、安定、ゲル化剤製剤には使用用途に合わせて多種類あります。他によく使用されているものにカラギナン、分解レシチン、卵白、小麦でん粉等があ

ります。

　カラギナン（ゲル化剤、安定剤）は、海藻の紅藻類（スギノリ科、ミリン科、イバラノリ科等）から抽出したものです。他の天然系の増粘安定剤と併用すると物質名は簡略化されて（増粘多糖類）と表示します。分解レシチン（乳化剤）は「分解レシチン（大豆由来）」ですので由来表示をします。卵白、小麦でん粉はそれぞれ特定原材料ですので表示します。

（9）甘味料製剤

　さとうきびやさとう大根から作る砂糖と比べ、カロリーも低く、数十倍以上の甘味を持つ甘味料と砂糖より低い甘みを持つ甘味料があります。いろいろな性質の甘み（すっきりしていて軽い感じの食感等）がありますが、中には、虫歯になりにくく、風味を強めるものもあります。

　例えば、清涼飲料水、冷菓、菓子、農・畜・水産加工品等、あらゆる食品に使用されています。

①製剤の成分例

成分	％
クエン酸三ナトリウム	30％
甘草抽出物	10％
DL－アラニン	15％
L－アスパラギン酸ナトリウム	10％
グリシン	10％
リンゴ酸ナトリウム	10％
食品素材（小麦デキストリン）	15％

②食品への表示例

甘味料（甘草抽出物）、調味料（有機酸等）、（一部に小麦を含む）

③表示のポイント

● クエン酸三ナトリウムは炭酸ナトリウムの溶液をクエン酸で中和し、脱色・ろ過し、ろ液を蒸発して結晶化させたものです。用途名は使用目的に合わせ

て「調味料（有機酸）」、「酸味料」、「pH調整剤」、「乳化剤（プロセスチーズ）」となります。
- カンゾウ抽出物（グリチルリチン）はマメ科のウラルカンゾウ、チョウカカンゾウ、ヨウカンゾウの根や根茎より熱水等で抽出したものです。昔からみそ、しょうゆ等に使用されています。
- DL-アラニンは精製アセトアルデヒドにシアン化水素を反応させたり等して作ります。栄養強化剤や調味料（アミノ酸）として使用します。
- L-アスパラギン酸ナトリウムはフマル酸から微生物酵素によりアスパラギン酸を作り、中和して作ります。栄養強化剤や調味料（アミノ酸）として使用します。
- リンゴ酸ナトリウムはDL-リンゴ酸を炭酸ナトリウムで中和して作ります。呈味料として食塩の代用として使用されます（無塩しょうゆ等）。酸味料、調味料（有機酸）等に使用します。
- 食品素材の小麦デキストリンは特定原材料が原料ですので表示します。

（10）懸濁分散剤

　一般の水系食品の水中における分散性の製剤として、また、粉末食品や錠菓等の物性改良に効果があります。

　例えば、食品全般（冷菓、飲料、ペースト、ドレッシング、パン、ケーキ、練りがらし、スープ、粉末食品、健康食品等）等に使用されています。

①製剤の成分例

成分	重量%
微結晶セルロース	60%
カラヤガム	15%
デキストリン	15%

②食品への表示例

セルロース、（一部に小麦*を含む）

＊小麦デキストリンの場合

③表示のポイント

- 微結晶セルロース（製造用剤）はパルプから得られた結晶セルロースです。食物繊維の強化にも使用されます。
- カラヤガムはアオギリ科カラヤ、ベニノキ科バナワタモドキの幹枝の分泌液を乾燥した多糖類です。増粘安定剤としても使用します。
- デキストリンは原料の確認が必要です。マルトデキストリン（原料はタピオカ、さつまいも）が多く出まわっているようですが、中には特定原材料が原料（小麦）のものもありますので、その場合は表示します。

(11) 品質向上素材

餅、団子等の固化防止（硬くなりにくい）に役立ちます。

①製剤の成分例

小麦たん白質（小麦、小麦グルテン、亜硫酸水素ナトリウム、レンネットカゼイン、アミロペクチン）、マルトデキストリン（タピオカでん粉、甘藷でん粉、酵素）、粉末やまといも（やまいも、小麦、タピオカ、とうもろこし）、ショ糖（さとうきび、コーンスターチ）、粉末寒天

②食品への表示例

（一部に小麦・やまいも・乳成分を含む）

③表示のポイント

- この種の製造補助的な食品素材は多くあります。食品素材ですので、添加物表示には該当しません。ただし、特定原材料等に関する情報（アレルゲン）は表示します。
- レンネットカゼインは特定原材料を原料（牛乳、脱脂粉乳等）とした乳たん白のことですので表示します。増粘安定剤ですが、強化剤、乳化剤等にも使用します。
- 小麦、やまいもは特定原材料および準特定原材料ですので、それぞれを表示します。

(12) 増粘多糖類

小麦を原料とした中華麺等の品質が向上します。

①製剤の成分例

小麦グルテン*50%、ローカストビーンガム 30%、乾燥卵白 20%

②食品への表示例

増粘多糖類、(一部に卵を含む)

＊中華麺の原材料(小麦)と重複するので小麦グルテンは省略しています。

(13) 酸化防止剤(鮮度保持剤)

まぐろ、鮭、ブリ等魚類の色調を保持します。使用方法は、水に浸漬したり、水溶液を作りスプレー等で直接魚の表面を噴霧したりします。また、加工品の場合はミンチした魚肉に混合したりして使用します。

①製剤の成分例

成分	原料由来	%
炭酸水素ナトリウム	化学合成	30%
クエン酸三ナトリウム（結晶）	甘藷	25%
L－アスコルビン酸ナトリウム	コーンスターチ	10%
L－アスコルビン酸	コーンスターチ	3.5%
ミックストコフェロール（蒸留・精製品）	大豆、菜種、他	1.5%
アラビアガム	ゴムノキ	
ソルビタン脂肪酸エステル		
グリセリン脂肪酸エステル	パーム、ヤシ	
食品素材（乳糖等）		30%

②食品への表示例

酸化防止剤（ビタミンC、抽出ビタミンE）、pH調整剤、乳糖
もしくは
酸化防止剤（ビタミンC、ビタミンE）、pH調整剤、（一部に乳成分を含む）

③表示のポイント
- ミックストコフェロールはその都度、精製度、大豆油の混入等を確認します。
- グリセリン脂肪酸エステルは精製度と原料由来を確認します。
- ソルビタン脂肪酸エステルは、ソルビトールと脂肪酸の加熱反応等で作ります。
- アラビアガムはマメ科アラビアゴムノキ等の分泌液を乾燥したもので、多糖類です。
- クエン酸三ナトリウム（結晶）はpH調整剤です。
- L-アスコルビン酸類は酸化防止剤です。
- 炭酸水素ナトリウムはpH調整剤です。
- 乳糖については、特定原材料が原料（乳）ですので表示します。

④注意点
　鮮魚の対面販売（消費者への直接販売）の場合は、表示はされていないのが現状です。しかし、消費者の健康を保護する意味で、消費者のわかる場所にアレルゲンの情報を表示することが大切です。また、当然のことですが、口頭で情報を求められた時は、それに従って提供する必要があります。

（14）香料製剤
　食品の風味と嗜好を高める目的で飲料、お菓子、氷菓等、あらゆる加工食品に使用されています。微量の添加でも十分に効果を発揮しますが、着香以外の使用はできません。
　当初はアレルギー発症の知見が乏しいことから表示を必須としていませんでした。しかし、香料製剤の中にも特定原材料等由来のたん白質が含まれる製剤があることが分かり、表示が必要になりました。

①香料製剤のポイント

- 香料主剤であっても特定原材料等がそのまま使用されていて、香料製剤に特定原材料等または特定加工食品そのものが含まれている場合。
  例：バレンシアオレンジ果汁、りんご果汁、加糖練乳、落花生等
- 特定原材料由来の香料主剤で蒸留工程等精製工程を経ないもの、及びこれらを製品の一部として含まれている場合。
  例：蒸留により香気成分を分離していない酵素処理乳加工品等
- 特定原材料等及びその由来物を副剤として未精製グリセリン脂肪酸エステル（大豆由来）やデキストリン（小麦由来）、または未精製落花生油等を用いた場合。

香料主剤：香料の機能を構成する成分本体のこと。
香料の副剤：主剤以外に使用した食品添加物及び食品（加工された食品含む）のこと。
＜単位＞1μg/m*l*，1μg/g＝1ppm＝1mg/L，1mg/kg

②製剤の成分例

香料ベース（合成香料を含む、乳由来）54％、抽出トコフェロール（大豆由来）1％、食品素材（小麦デキストリン）45％

③食品への表示例

香料（乳由来）、（一部に小麦・大豆を含む）
　　　　　　　もしくは
香料（一部に乳成分・小麦・大豆を含む）

4）製品へのアレルゲン残存量の捉え方

　表示上、最終製品に残る特定原材料および準特定原材料由来のアレルゲン量（残存量）を食品毎に判断する必要があります。

　そこで、前段の（13）酸化防止剤（鮮度保持剤）を例に解説すると、最終製品に残ると考えられる乳糖由来のアレルゲン（乳たん白質）の残存量（移行した量）は、次のように捉えることができます。

①製品の残存量

　厚生労働省の見解（高度に精製された乳糖にも0.3%程度のタンパク質が残存する―厚生労働省「アレルギー物質を含む食品に関する表示Q&A」H―8）を参考に製品（例―鮮魚および魚肉加工品）への残存量を推し量ってみると、
Ⅰ．乳糖に残るタンパク質量を0.3%（＝3,000μg/g）として、

$$3{,}000\,(\mu g/g) \times 30.0\%（製剤に占める乳糖の割合）＝900\,(\mu g/g)$$

Ⅱ．製品への使用量を1%（配合量）とし、製品への残存量を割り出してみると、

$$900\,(\mu g/g) \times 0.01\,(1\%) ＝ 9\,(\mu g/g)$$

となります。ただし、実際の使用については製品により希釈されるケースがありますので、残存する量は更に低くなり、表示の必要は少なくなると考えられます。

②酵素と培地について

　食品添加物としての酵素には微生物に由来するものがあり、この微生物を培養する際に培地を使用します。小麦、乳、大豆等の由来培地成分は微生物の栄養源として使用されます。ただし、その後の工程でろ過等の方法で精製されます。実際の分析では表示が必要とされる数μg/gを超えるものは認められていませんので、アレルギー表示をする必要性は少ないと考えられていますが、表示するかどうかは、内容を必要に応じ確認、判断する必要があります。

<加工食品と使用酵素およびその培地の参考例>

- 鰹エキス、肉エキス：プロテアーゼ（培地：小麦、大豆、乳等）
- しょうゆ、みそ：グルタミナーゼ（培地：乳、大豆等）
- パン：ヘミセルラーゼ（培地：大豆等）
- チーズ：レンネット（培地：小麦等）
- オリゴ糖：マルトトリオヒドロラーゼ（培地：乳、大豆、小麦等）
- 砂糖：デキストラナーゼ（培地：乳等）
- ジュース：ペクチナーゼ（培地：小麦、大豆等）
- かんきつ果物缶詰：ヘスペリジナーゼ（培地：小麦等）
- 茶・ウーロン茶・紅茶：アミラーゼ（培地：小麦、大豆等）
- 食酢：アミラーゼ（培地：乳、大豆等）
- 植物油：ホスホリパーゼ（培地：乳等）
- カマボコ・豆腐・麺：トランスグルタミナーゼ（培地：乳等）

③結論

現在、数μg/g以下は表示を省略できるとしていますが、具体的な基準値（数値）はありません。従って、食べる側の個人差もあり、また、数μg/gでもアレルギー発症の可能性は否定できないことから、特定原材料等の由来表示をすることをお勧めします。

5）注意が必要な食品原材料と添加物の表示

特に間違えやすく、事故を起こしやすい食品原材料と食品添加物があります。

食品と添加物の両方の性質をもつ原材料の場合、単に食品として使用するのであれば「○○を含む」と表示します。ただし、添加物（一般飲食物添加物）として使用する場合は「○○由来」と表示します。

＜例＞

	物 質 名	特定原材料表記
食　品	カゼイン コラーゲン	カゼイン（乳成分を含む） コラーゲン（豚肉を含む）
一般飲食物添加物	カゼイン コラーゲン	カゼイン（乳由来） コラーゲン（豚由来）
指定添加物	カゼインナトリウム	カゼインナトリウム（乳由来）

①食品原材料

食品	注意事項
植物油脂	混合油内容を確認してください。パーム油以外に大豆油が入っている場合があります。
ショートニング	菓子の場合はパーム油が多いですが、輸入品中にはピーナッツ油の使用もあります。
モルトエキス	ほとんどが大麦麦芽です。ごくまれに小麦麦芽が使用されることがあります。
植物性たんぱく	大豆、小麦が原料となります。
動物油脂	牛、豚、鶏が原料となります。
植物油脂	調合油はブレンド内容を確認してください（特に大豆油の使用等）。
肉エキス	牛、豚、鶏を原料として製造していますので、ゼラチンを含む場合があります。
しょうゆ	小麦は記載しなければいけません。親切表示として「大豆、小麦を含む」をお勧めします。
てんぷら、フライ、から揚げ等	揚げ油、唐揚げの衣、味付け等の複合原材料をその都度確認してください。
たんぱく加水分解物	原材料となる動植物たんぱく質及びその分解度について確認してください。
でん粉	小麦でん粉の可能性があります。
水あめ	精製度により分解酵素（小麦由来のアミラーゼ）や微生物由来酵素の培地（小麦、乳等）成分が残存する可能性があります。

異性化液糖	精製度が高いので考慮する必要はないとされています。
風味原料（香料）	植物油脂でえび等の香料成分を抽出したような物質もあります。
パン粉	小麦粉、砂糖、パン用マーガリン、乳製品、イースト、食塩、イーストフード、乳化剤等多くの原料が含まれるので成分を確認してください。
醸造酢	穀物酢の場合、小麦の使用を確認してください。
デキストリン	でん粉（小麦、甘藷、ばれいしょ、とうもろこし等）を加水分解したときに中間過程でできる種々の生成物の総称。原料には、小麦由来もあるため確認してください。

②食品添加物

添加物名	注意事項
乳化剤	大豆および卵黄由来があります。グリセリン脂肪酸エステル等、念のため精製度合を確認してください。
香料（製剤）	乳、大豆、りんご、オレンジ、落花生由来等、由来原料および製品への影響度（残留）を確認してください。
増粘多糖類	増粘安定剤である多糖類を2種類以上使用した場合、「増粘多糖類」と簡略化ができます。
ペクチン	オレンジおよびリンゴ由来があります。
レシチン	大豆や卵黄から製造（植物レシチン、卵黄レシチン）されますので確認してください。
酸化防止剤（ビタミンE、ミックストコフェロール等）	大豆や落花生からの製造方法（分子蒸留されていれば表示不要）を確認してください。
カゼインNa	乳を原材料として製造されています。
未焼成カルシウム	原料は、貝殻、獣骨（畜種）、魚骨（魚種）、サンゴ、卵殻等のため由来確認してください。
キトサン	原料は、エビ、カニ等の甲殻類、またはイカの甲から抽出します。由来確認してください。
メチルヘスペリジン	V.PもしくはビタミンPです。オレンジ由来を確認してください。

リゾチーム	卵白から得られた加水分解酵素ですので「卵由来」表示を確認してください。
タウリン	いか由来のアミノ酸です。健康食品等にも使用されます。
アクチニジン	キウィフルーツ由来のタンパク分解酵素です。

③その他

乳清たん白、ホエイミネラル、胆汁末、天然由来着色料、添加物製剤に含まれる食品素材等の成分および由来原料の確認をしてください。

6. 食物アレルギーを起こさないためにできること！

1） 店舗内での調理・加工時の心得とは

　店舗内での調理食品は中食の需要増という社会背景のなかで今後も、期待されています。しかし、すでにアレルギーに関するトラブルも発生しており、表示だけではなく、コンタミネーション（混入等）に関しても注意しなければなりません。

　この項では、筆者が平成13年から全国レベルで推し進めています対応策を具体的なイラストを交えて解説していきます。

2） 対面販売での表示の仕方

　対面販売の場合でも、消費者から食物アレルギーに関する質問や情報を求められた場合、アレルゲン情報を提供しなければなりません。

　そのため、販売者は常に消費者の見える場所（店舗内）にアレルギー情報を掲示するか、手渡し専用のリーフレットをオリジナルで作成し、対応することが最善の方法と考え、推奨いたします。このような親切でこまやかな対応は、消費者の信頼を得るばかりではなく、食物アレルギーに悩む方たちにとり、安心して商品を選択できるようになります。

①表示のために作成するもの
- 食物アレルギーがわかる原材料一覧表（店舗内の告知用）
- 食物アレルギーがわかる原材料リーフレット（お持ちかえり用）

②告知のポイント
- 告知用は店舗内の消費者が見えやすい場所に、わかりやすい内容で提示するとよいでしょう。わかりにくい場所では、情報を提供したことにはなりませ

《トラブルを起こさないために》
1　品質管理（HACCP等）の徹底　2　コンタミネーションの防止
3　わかりやすい表示と説明

<４つのポイント>

調理のポイント
調理者の衛生の徹底
調理室を分ける。原材料、調理器具を分ける
調理者を交代する

情報管理のポイント
洗浄を前後に行う。洗浄記録を作成する
調理・洗浄・検査記録を作成・保管する
定期的なふき取り検査・分析を行う
定期的な勉強会を開催する

お客様へのポイント
消費者の相談窓口担当者を決める
消費者用の「原材料一覧表」を作る
店舗内に原材料一覧パネルを掲示する

仕入れ・保管のポイント
仕入れ品の原材料チェックと情報管理
仕入れ品の分別保管（交差による被害を起こさない為）
水の飛沫による混入と汚染の拡散と防止
その他製品に関する一般保管システムの徹底

信頼

んし、お店側の姿勢が残念ながらつたわりません。
● リーフレットは店舗内の取りやすい場所（自由に持っていっていただく）に設置しておくか、従業員にたずねやすいようにメニューや各テーブルにわかりやすいように明示しておくことが大切です。

3）店内パネルとリーフレット

　その場で調理し、その都度袋詰めして販売するようなときや、その場でそのまま飲食するようなとき（外食レストラン等）でも消費者にわかりやすくアレルゲンに関する情報を伝える必要があります。そのような場合は、店内パネルやリーフレットが有効です。

①お惣菜の場合

例―食物アレルギーがわかる原材料一覧表

●…含まれる　　無印…含まれない

	卵	乳	小麦	そば	落花生	大豆	えび	かに	豚肉	鶏肉	いか	他16品目
きんぴらごぼう			●			●						
お　か　ら			●			●				●		
ポテトサラダ	●	●	●									
海鮮サラダ	●		●				●				●	
マカロニサラダ	●	●	●									
鶏から揚げ	●	●	●			●				●		
野菜のうま煮			●			●						
牛肉コロッケ	●	●	●			●						●
じゃがいもコロッケ	●	●	●			●						
かきフライ	●		●			●						
えびロール揚げ	●	●	●			●			●			
かき揚げ	●		●			●	●				●	

②ベーカリーの場合

例―食物アレルギーがわかる原材料一覧表

	卵	乳	小麦	そば	落花生	大豆	えび	かに	豚肉	鶏肉	いか	他16品目
角食パン	●	●	●			●						
バターロール	●	●	●			●						
レーズンブレッド		●	●			●						
スイートドウ	●	●	●		●	●						
クロワッサン	●	●	●			●						
ドーナツ	●	●	●			●						

4）表示の具体例

①スーパーマーケットの場合

原材料リーフレット

食物アレルギーがわかる原材料一覧表

★告知内容の例

> 「食物アレルギーのことでご質問のあるお客様へ…」
> 「食物アレルギーを心配されるお客様へ…」
> 「アレルギー表示内容についてのご案内…」　等々

- 原料について
  「この食品は、○○を含むもしくは○○由来の○○を使用して調理しています。」
  「この食品は、○○を原料として調理しております。」
- コンタミネーションについて
  「この食品は、○○を使用した設備で調理しています。」
  「この食品は、○○と同じ設備で調理しています。」
- モニタリングについて
  「この食品の調理施設及び調理器具類は、毎日の調理前、調理後の二回、入念な洗浄を施しており、記録しておりますが、何かご質問がございましたら、担当の○○まで遠慮なく、お申し付け（問い合わせ）ください。」

- 注意しよう！
  - 小麦粉の扱いと食用油（調合油）の原料確認！
  - 食品添加物及び食品添加物製剤、特に表示が免除されている加工助剤、キャリーオーバー、栄養強化剤等を含む原料を使用する場合はすべてチェックしよう！
  - →対策：不安なもの、説明のないもの、情報が得られないものは使用しない！

● 鮮魚（お刺身や切り身）、お寿司等の調理についての注意喚起文
（店頭ポップの例）

> 食物アレルギーをもつお客様へ
> 　当店のお刺身パックは、まぐろ、たい、ひらめ、あじ、さけ、しめさば、えび、いか、たこ、ほたて、いくら等を扱う同じ調理施設（包丁、まな板等）にて調理しています。
> 　ご質問のある方は、お気軽にスタッフにお声掛けください。○○店店長

> 食物アレルギーをもつお客様へ
> 　当店の○○○は、魚介類（さけ、さば、えび、いか等）を同じ調理施設内の包丁、まな板にて調理しています。ご質問のある方は、お気軽にスタッフにお声掛けください。○○店

● 精肉製品の加工についての注意喚起文
（ポップカードの例）

> 　当店の挽き肉（牛肉、豚肉、鶏肉、牛豚合挽き）は、同じミンチ機で挽いています。

（店頭ポップの例）

> 食物アレルギーをもつお客様へ
> 　当店の豚肉スライスおよび牛肉スライスは、調理施設内の同じスライサーでスライス加工しています。ご質問のある方は、お気軽にスタッフにお声掛けください。○○店店長

● 青果製品のカットについての注意喚起文
（ポップカードの例）

> 　カットフルーツはキウィ、オレンジ、リンゴ、バナナ、モモ等を扱う同じ包丁、まな板等でカットしています。

（店頭ポップの例）

> 　当店のカットフルーツはキウィ、オレンジ、リンゴ、バナナ、モモを扱う同じ調理施設（包丁、まな板等）にてカット加工しています。ご質問のある方は、お気軽にスタッフにお声掛けください。○○店店長

● お惣菜（揚げ物）の揚げ油についての注意喚起文
（ポップカードの例）

> 　当店の揚げ物（トンカツ）の揚げ油はパーム油とラードとゴマ油の調合油です。

> 　当店の天ぷら類の揚げ油はコーン油と菜種油、大豆油の調合油です。

（店頭ポップの例）

> 食物アレルギーをもつお客様へ
> 　当店の揚げ物（天ぷら類、フライ物）に使用しています揚げ油は、パーム油、コーン油、大豆油の調合油です。ご質問のある方は、お気軽にスタッフにお声掛けください。

●お惣菜（揚げ物）のフライヤーについての注意喚起文

（ポップカードの例）

> 　当店のフライ物のフライヤーでは鶏唐揚げ、えび素揚げ、いかリング等も揚げています。

> 　揚げ物のフライヤーではえび、かに、いか、さば、さけ、鶏肉、豚肉も揚げています。

（店頭ポップの例）

> 食物アレルギーをもつお客様へ
> 　揚げ物（天ぷら類、フライ物）に使用しているフライヤーでは、えび、かに、いか、さば、さけ、鶏肉、豚肉、卵、小麦、ごまを含む食品を揚げています。ご質問のある方は、お気軽にスタッフにお声掛けください。

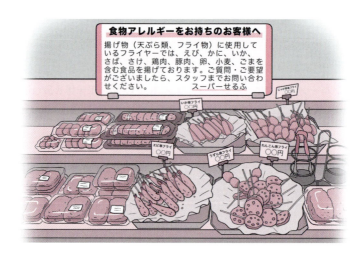

②うどん、やきそば、たこ焼き、お好み焼き売り場の場合

当店のコショーには小麦粉・そば粉が含まれています。

★告知内容の例

食物アレルギーがわかる原材料一覧表

当店の麺（おそば・うどん・ラーメン）はすべて同じ釜湯にて茹でております。

- 当店のたこ焼きにはなたね油と大豆油の調合油を使用しています。
- たこ焼きにかけてある削り節には『さば』が含まれています。
- たこ焼きの生地には『脱脂粉乳』『やまいも』を使用しています。

③今川焼き、大判焼き店の場合

★告知内容の例

<食物アレルギーに関する情報>
　当店で使用している生地専用粉は、小麦粉、卵、脱脂粉乳、膨張剤、ゼラチンを使用しています。餡は国内産小豆、砂糖、食塩、増粘剤（ペクチン（りんご由来））を使用しています。油は大豆油、コーン油、米油の調合油を使用しています。

④インストアーベーカリーの場合

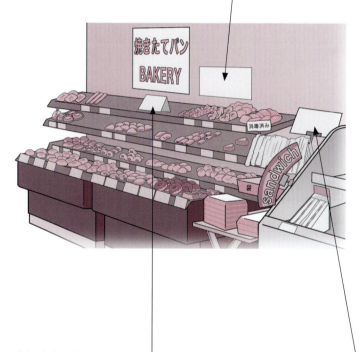

- 商品のアレルギー情報「食物アレルギーがわかる原材料一覧表」をご覧ください。
- 食物アレルギーのご質問のある方は、気軽に当店にお問い合わせください。原材料が確認できるリーフレットを用意してあります。

★告知内容の例

当店の原料は、パンの生地に小麦、卵、乳、大豆、イースト菌を使用しています。使用している油はバター、大豆油、コーン油です。また、種類毎（菓子パン、調理パン等）に、くるみ、もも、オレンジ、りんご、米、アーモンド等を使用していますので、詳細は当店作成の原材料リーフレットおよび「食物アレルギーがわかる原材料一覧表」にてご確認ください。

⑤ハンバーガーショップの場合

原材料リーフレット

★告知内容の例

> 　　　　食物アレルギーについて、お知りになりたいお客さまへ。
> 　当店では、食品衛生法アレルギー表示に基づき、アレルギー体質のお客様のために、当店で販売しております、すべての製品の原材料がご理解いただけますよう、店舗内には「食物アレルギーがわかる原材料一覧表」を掲示してありますので、ご確認ください。また、お持ちかえりのお客様には、「食物アレルギーがわかる原材料リーフレット」を作成しております。ご希望の場合は、お近くのスタッフへお申し出ください。

⑥レストランの場合

告知！
食物アレルギーについて、お知りになりたいお客さまへ。
当店では、食品衛生法に基づき、当店でお出ししておりますメニュー品について、可能な限り原材料がご理解いただけますよう、「食物アレルギーがわかる原材料リーフレット」を用意しております。ご希望のお客様はお気軽に当スタッフへお申し付けください。

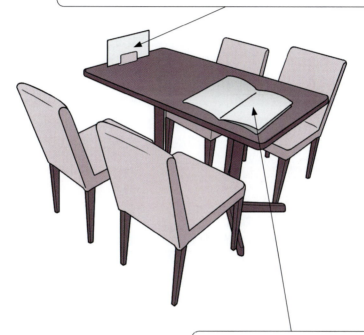

●コンタミネーションについての表示

当店のメニュー品は、すべて同じ調理施設、調理器具を使用しております。ただし、★印のメニューについては、専用の施設にて調理しております。ご質問のある方は、「食物アレルギーがわかる原材料リーフレット」をご用意してございますので、お申し付けください。

★メニューでの告知例（1）

スパゲティカルボナーラ

原材料：デュラム小麦、卵、クリーム、ベーコン（豚肉を含む）、食塩、オリーブ油／調味料（アミノ酸等）、香辛料、（原材料の一部にソバ・乳成分を含む）

★告知例（2）

スパゲティカルボナーラ

（小麦・卵・乳成分・豚肉・ソバを含む）

5）アレルギー表示が適切にされていない場合の措置

　アレルギー表示については、食品を摂取する際の安全性に重要な影響を及ぼす事項として食品表示法第6条第8項で規定する内閣府令で定めるものであるため、消費者の生命又は身体に対する危害の発生又は拡大の防止を図るため緊急の必要があると認めるときは、食品関連事業者等に対し、食品の回収その他必要な措置をとるべきことを命じ、又は期間を定めてその業務の全部若しくは一部を停止すべきことを命ずることができることとされています。

　この命令に従わない場合は、3年以下の懲役又は300万円以下（法人の場合3億円）の罰金に処せられ、又は併科されることとなります。また、食品表示基準に従った表示がされていない食品の販売をした者は、2年以下の懲役若しくは200万円以下の罰金に処し、又はこれを併科されることとなります。

　そしてなによりも、アレルギー疾患を持つ患者のいのちと健康を守るため、適正な表示を行うことは企業として当然のことであり、義務です。

6）消費者への対応は迅速に！

①不適正な表示をした場合

　特定原材料等に関係する食品や添加物の記載漏れや誤表記等の不適正な表示で製品を製造・流通・販売をしてしまった場合、消費者の命（特に子ども）に関わるため、速やかに次の行動をとる必要があります。

- 食物アレルギーの患者が誤食することによる健康被害を防止もしくは軽減することを目的に、食物アレルギーの患者へ、適切な情報を迅速に提供する。
- 店舗や担当者任せにするのではなく、品質管理室のような部署が中心となり、情報を集積し、全社一丸となって真剣に対応する。
- 該当製品は発覚した時点で、速やかに回収し、製造・販売の実数を調査し、販売を中止する。また、回収については、その旨をわかりやすいように積極的に告知する。
- 食物アレルギーの患者以外には、健康被害の発生の心配がないことを明示し、その他の一般のお客様への不安を助長することは避ける。
- 食品表示だけではすべての情報を提供することはできません。普段から、すべての製品の原材料成分を規格書（製品規格書）等に整理し、誤食による事故の発生や、誤食した場合の専門医の治療に役立つように、常時、医療関係

者、患者、対象者へ提出できるようにしておく。
- 誤食によりアレルギーを発症してしまった患者に対しては、速やかに見舞い、心から謝罪し、何故起こしてしまったのか、ということの調査報告書を、また改善報告書をまとめ、提出し、その後の経過が落ち着くまで、食品関係等事業者として誠実に対応する。その際は、現場の担当者に任せるのではなく、企業として然るべき責任者が行う。
- 最寄りの保健所へすぐ報告し、状況を詳細に説明し、今後の対応を相談する。その際、該当製品の製造記録、流通記録、販売記録等の食品等事業者の義務である関係書類等を必ず持参すること。

②問い合わせ対応

消費者が製造者、流通業者、販売者へ問い合わせをすることがあります。目的は、①アレルゲンとなる原材料の使用の有無、②一括表示等で省略されている原材料情報、③コンタミネーション(微量混入)の可能性、④食物アレルギーが発症した際の原因物質の解明、⑤含有する食品添加物の安全性と使用目的等です。

③対応の注意点

相手が知りたい情報を明確にし、勝手な判断や憶測、不安を煽る回答はしない。

＜不安を煽る回答の例＞

「ご質問の〇〇〇(特定原材料等)は含まれていないと思いますが…」
「弊社の製品が原因とは私は考えられませんが…」
「洗浄しているのでコンタミネーションは絶対にないと思いますが…」
「この食品添加物は一応安全だと思いますが…」

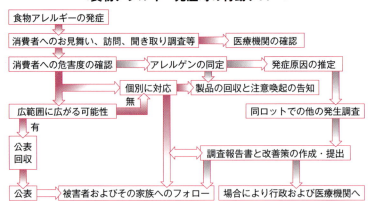

第6章 食品添加物の表示

1. 食品添加物とはなにか

1）食生活の変化と添加物の関わり

　近年の食生活は価値観や生活様式とともに著しく変化してきました。その結果、私達は短時間で簡単に調理して食べられるレトルト食品やインスタント食品、また冷凍食品等の加工食品やお惣菜等を利用するようになりました（次図）。
　同時に、そのようなライフスタイルにあった便利な食材を提供するスーパーマーケットやコンビニエンスストア等の新業態が急速に普及しました。
　さらに、それに合わせるように流通システムも整備され、消費者への潤沢な食品の提供を可能にしたばかりではなく、流通に適した加工食品も急増しました。
　そのような中、食品業界では新しい生活様式に合わせた食品を提供するため、食品添加物の効果的な利用や応用、また研究や開発が積極的に行われるようになりました。
　例えば、食品の保存性を高めたり、また嗜好を満たすために香りも良く、さらに見た目も綺麗で美味しい食品にするための新しい技術開発やたくさんの食品添加物が生み出されたのです。
　このような一連の流れは、食の国際化（輸入加工食品の増加）もあり、今後も食品添加物の種類やその用途範囲、また使用量等は年々、増加すると予想されています。

＜メニューを牛肉コロッケにした時の飲食までにかける所要時間の違い＞

❶手作りの場合（原料から）

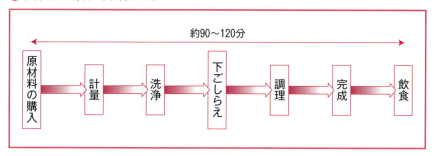

❷冷凍食品の場合（調理冷凍食品）

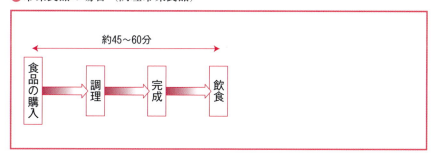

❸惣菜の場合（調理済み食品）

　上記は家庭内で原料から調理した場合と、最近の傾向である H. M. R（ホームミール・リプレースメント）を所要時間で比較したものですが、明らかに、①手作りの場合と比べ、②冷凍食品の場合（調理冷凍食品）や、③お惣菜の場合（調理済み食品）は、時間の短縮が見られます。

　このような H. M. R の背景には、イ　料理にかける時間が思うように取れない、ロ　家族団欒の時間を大事にしたい、ハ　自宅内ではゆっくりとくつろぎたい、ニ　調理の際にゴミを出したくない、等の理由があるようです。

2）食品添加物とはなにか？

　食品添加物とは、食品を製造・加工するときに使用する補助剤的なものです。

　従って、主食や副食（ごはんやおかず）のようにそれ自体を食べる事はありませんが、食品を製造したり（豆乳＋にがり＝豆腐）、加工したり（塩や香辛料、調味料）、また貯蔵したり（保存料）するときに添加します。

　例えば、豆乳を固めて豆腐にするときに添加する「にがり」をはじめ、チーズの「酵素」、ハム・ソーセージの「硝酸塩」、ゼリーの「カラギーナン」、ラーメンの「かんすい」、こんにゃくの「水酸化カルシウム」、食パンの「イーストフード」等、毎日、なにげなく食べている食品には様々な食品添加物が使用されています。

　私達は米や小麦、また大豆や野菜、さらに肉や魚等を必ず料理して食べます。つまり、それぞれの好みに従って料理して美味しく食べているわけです。このような家庭での料理行為は食品メーカーの製造・加工に相当します（次表）。

　例えば、家庭で料理する時に使う化学調味料等は、食品メーカーが製造工程中に使用した場合は食品添加物になります。表示は「調味料（アミノ酸等）」となるわけです。また、お菓子を作るときに使用する「ベーキングパウダー」も食品添加物ですので表示は「膨張剤」になります。おばあちゃんが作る美味しい梅干の色も一般飲食物添加物である「シソ色素もしくはアントシアニン色素」となります。本来のタクアンの黄色も、米糠の色素を利用したものでした。

<牛肉コロッケの原料の違い>

①手作りの場合の例	②調理済み食品＊の例
じゃがいも、たまねぎ、にんじん、牛挽肉、バター、しょうゆ、食塩、砂糖、白コショー、パン粉、卵、牛乳、小麦粉、揚げ油（天ぷら油（コーン油））	衣（パン粉、植物油脂、でん粉、卵）、野菜（じゃがいも、たまねぎ、にんじん）、牛肉、小麦粉、砂糖、しょうゆ（小麦・大豆を含む）、粒状植物性たん白、マーガリン、脱脂粉乳、食塩、ビーフエキス、香辛料／調味料（アミノ酸等）、増粘剤（グァーガム）、着色料（β-カロチン）、揚げ油（コーン油、パーム油） （色文字の成分は添加物例です）

＊業務用の冷凍コロッケを調理した場合

食品添加物の中には、メーカーだけが使用する特別な添加物（例―精油時のヘキサン等）もありますが、そればかりではなく家庭で昔から使用されてきた身近な添加物成分もあることに気がつきます。

3）食品添加物の分類と数

食品添加物は、昭和23年に施行された「食品衛生法」により、使用基準や成分規格が定められました。これにより、「指定添加物（厚生労働大臣が安全性と有効性を確認して指定したもの）」「既存添加物（天然添加物として使用実績から認可されたもの）」「天然香料」「一般飲食物添加物」に分類されました。

指定制度に基づき、添加物の使用については「天然香料」「一般飲食物添加物」を除き食品衛生法施行規則別表第一に掲げられた物質以外は使用できません。ただし、すでに使用実績のある天然添加物についてはその限りではありません。これにより、従来の化学合成品以外の天然添加物は既存添加物となりました。

※平成31年3月8日現在
注）厚生労働大臣の諮問機関である「薬事・食品衛生審議会（30名の学識経験者で構成）」がその有効性と安全性を審議、答申したものに限る。

> 食品衛生法第4条（用語の定義の抜粋）
> ①「食品」とは、すべての飲食物を指しています。ただし、医薬品、医療機器等の品質、有効性及び安全性の確保等に関する法律に規定する「医薬品」「医薬部外品」「再生医療等製品」は含まれません。
> ②「添加物」とは、食品の製造過程において、加工や保存の目的で食品に添加、混和、浸潤等の方法で使用するものです。
> ③「天然香料」とは、動植物から得られたもので、食品の着香目的で使用されるものです。

①指定添加物とは

主に化学合成してつくられたものですが、安全性については厳しく審議され

たものです。例えば蒲鉾やチーズ、漬物などの保存料として使用されているものに「ソルビン酸カリウム」がありますが、その製法はエチレンを原料とするクロトンアルデヒドとケテンという物質を化学反応させて得られたソルビン酸を炭酸カリウムで中和させて造ります。食品に添加する量についても、ADI（一日許容摂取量／体重１kgに対して摂取可能な量）に従って安全とされる使用基準が個々に決められています。

②既存添加物、天然香料、一般飲食物添加物とは

いわゆる化学合成品以外の天然由来のもので、ほとんどが古くから食品に使用してきたものです。安全性についても多くは食品と同じ程度に扱われています。例えば、オレンジ色の着色料として使用されている「ニンジンカロチン」や、豆腐を固めるときに使用する海水から取り出した「塩化マグネシウム含有物（にがり）」等がそうです。

平成７年の改正により、従来の天然添加物については長期にわたる使用実績から指定制度の適用外とし、「既存添加物」として区別しました。

天然香料は指定制度の適用外であり、長年にわたり着香の目的で使用され、また使用量もごくわずかなため、安全性の証明は必要ないとしています。

一般飲食物添加物は食品と添加物の共通品であり、指定制度を受ける必要がないものです。

4）食品添加物の使用基準（ADI の捉え方）

食品添加物を食品へ使用する際の基準は「食品、添加物等の規格基準」第２添加物Ｆに明示されています。具体的には、食品添加物ごとの対象食品（添加してもよい食品）やその食品へ許されている添加量（最大限度量）の基準、さらに添加する目的や方法（使用制限）などが決められています。また、当然のことですが、遵守することが義務づけられています。

添加量については指標となる ADI を超えないようにしなければなりません（食品衛生法第 11 条規定）。ADI（＝ Acceptable Daily Intake）とは１日摂取許容量のことで、年齢、性別、健康状態等、個人差を考慮して人が一生食べつづけていても安全と認められた量のことです。安全率を見込んで計算されていますが、無毒性量の通常１／100 として求められ、体重１kg 当たり／１日に○ mg までと表します。つまり、１日摂取許容量（mg ／ kg 体重／日）＝無毒性量（mg ／ kg 体重／日）／安全係数と表されます。

食品衛生法第 11 条（食品又は添加物の基準、規格の設定等）からの一部抜粋
① 厚生労働大臣は公衆衛生の見地から食品または添加物の製造、加工、使用、調理、保存の方法について基準を定め、食品または添加物の成分についての規格を定めることができます。
② 前項の基準に合わない方法により製造、加工、使用、調理、保存、または販売、輸入し、またはその規格に合わない食品、添加物を製造、輸入、加工、使用、調理、保存、販売してはいけません。

①ソルビン酸の ADI（1日摂取許容量）の捉え方

ソルビン酸の ADI は、0〜25mg／kg 体重／日です。体重が 50kg の人の場合は、25mg／kg 体重／日×50kg（体重）となり、1250mg／50kg／1 日となります。従って、その日に食べた全食品に含まれるソルビン酸の合算で判断します。

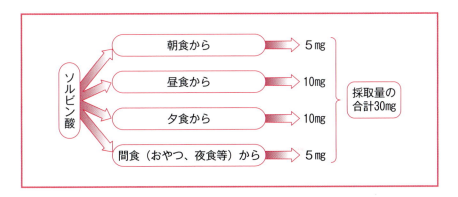

この場合の ADI は 1250mg／50kg／1 日ですので、実際の摂取量の比率は 30mg ÷ 1250mg = 2.4％（ADI に対する実際の摂取量の比率）となり、ADI をかなり下回っている事になります。

②無毒性量の意味

無毒性量（No Observed Adverse Effect Level）は実験動物の給与試験により毎日、一定の量の食品添加物を餌や飲水に与えた結果一生食べつづけても「有害な影響が見られない最大の用量」から判定します。

5）食品添加物の安全性の評価

　食品表示の違反等、食品にまつわる様々な問題が多発するなか、平成26年7月に（株）日本政策金融公庫（略：日本公庫）の農林水産事業として「加工食品の表示情報に関する意識調査」が行われ公表されました（一部抜粋）。

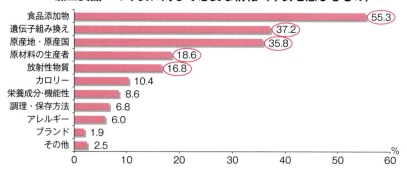

＜加工食品への不安に対して必要な情報（不安を感じるもの）＞

調査時期	平成26年7月1日～7月8日
調査方法	インターネットによるアンケート調査
調査対象	全国の20歳代～70歳代の男女2,000人（男女各1,000人）

　その結果、約8割の消費者が加工食品に対して不安を感じているという結果となりました。さらに不安を解消するために必要な情報は、「食品添加物」が55.3％と多く、「遺伝子組み換え」は37.2％、「原産地・原産国」は35.8％でした。また、対象品目が検討されている加工食品の原料原産地（生産者等）は18.6％でした。さらに、「放射性物質」の16.8％は原発事故の影響に対する不安が続いていることによるものです。その他、「調理・保存方法」や「アレルギー」についての不安もあがっていました。
　では、消費者から「不安を感じている」とされる食品添加物を私達はどれくらい食べているのでしょうか？

①添加物の摂取量

　現在、日本人は一人あたり1年間／平均4kg、多い人では1年間／5.5kgもの食品添加物を食品から摂っているといわれています。その内、指定添加物（化学合成品）は約1kg、その他既存添加物（天然物由来）等は約3kgと考えられています（厚生労働省　食品添加物摂取量調査より）。

②安全性の評価

　基本的に、食品添加物は一生涯、食品を通して私達の体内に摂りこむものですので、安全なものでなければなりません。そのため様々な安全性の評価がされています。

　食品添加物の安全性を評価する国際的な機関には、FAO（国際連合食糧農業機関）と WHO（世界保健機関）が組織している CAC（国際食品規格委員会）があり、加盟国に対して食品添加物の規格や基準の統一化を図っています。

　JECFA（FAO／WHO 合同食品添加物専門家委員会）は約 540 品目の ADI を公表しています。

　このように、世界各国で科学的に安全と認められたデータを参考にしたり、実験動物（ラット、マウス、ウサギ、イヌ等）を用いての毒性試験を行ったりして生体への影響を調べます。また、相乗毒性についての安全性の確認試験も行われています。

6）食品添加物の毒性試験

　食品添加物の安全性を評価する方法には、一般毒性試験と特殊毒性試験の 2 種類の試験があります。実験動物（ラット、マウス、イヌ、サル等）の餌や飲水等に添加して投与したり、微生物などを培養したりした試験結果に基づき、個別に確認・判定されます。動物試験では、主に状態、体重、血液、尿、器官組織を中心に観察や病理学的な検査等が行われます。

LD_{50} とは

　添加物の毒性試験は世界各国ともに同一の術式で行っています。実験動物に添加物を投与（餌や飲水等）し、半数以上が死亡する投与量（給与）を、50％致死量（LD_{50}：50% Lethal Dose）として表します。

　例えば、ラット経口 LD_{50} ＝ ○ g/kg の場合は、一定数の実験動物*（例：ラット）に体重 1 kg 当たり ○ g 投与すると半数の実験動物が死亡することを意味しています。つまり、LD_{50} の数値は小さいほど毒性は強いことになります。

＊ラットの場合、純系の若いオス、メス（70〜100g）を 50 匹ずつ、合計 100 匹を 1 群として、1 ケージ／1 匹を収め、飼料や飲水に試験用添加物を加え一定期間飼育します。各群は、確実毒性のもの、最小中毒量のもの、最大無毒性量、無添加飼料のもの 4 群で構成されます。

(1) 一般毒性試験
① 28日間反復投与毒性試験
　実験動物に28日間、餌や飲水に添加して与えつづけ、毒性の影響を調べます。
　1年間の毒性試験の参考にされます。

② 90日間反復投与毒性試験
　実験動物に90日間、餌や飲水に添加して与えつづけ、毒性の影響を調べます。
　発ガン性試験等の参考にされます。

③ 1年間反復投与毒性試験
　実験動物に1年間以上の長期間、餌や飲水に添加して与えつづけ、毒性の影響がない量（無毒性量）と毒性の影響が明らかな量を調べます。

(2) 特殊毒性試験
① 繁殖試験
　実験動物の二世代にわたって餌や飲水に添加して与えつづけ、生殖機能や新生児の離乳および生育に及ぼす影響を調べます。

② 催奇形性試験
　妊娠中の実験動物に与えつづけ、胎児の発生や発育に対する影響、特に催奇形性について調べます。

③ 発ガン性試験
　実験動物の全生涯にわたって与えつづけ、発ガン性を調べます。1年間反復投与試験と同時に行われたりします。

④ 抗原性試験
　抗原性試験の方法としてはまだ確立されていませんが、実験動物を用いた即時型（1時間以内）と遅延型（24～48時間）のアレルギー試験等があります。

⑤ 変異原性試験
　細胞の遺伝子や染色体への影響を調べます。発ガン性の予備試験としても利

用されます。

(3) その他の試験
　上記以外には、微生物を用いた突然変異試験や哺乳動物細胞の培養細胞株を用いた染色体異常細胞の出現率試験、またげっ歯類（マウスやラット）を用いた小核試験等があります。

7) 食品衛生監視員と食品衛生管理者

　食品衛生や食品添加物の扱いが正しく行われているかどうかを監視するシステムがあります。それが食品衛生監視員の設置です。食品衛生監視員は厚生労働大臣や都道府県知事、保健所が設置されている市の市長などから任命されます。

　国内では、食品添加物を勝手に製造することはできません。製造するためには、都道府県知事の「添加物製造業」の許可が必要です。また、食品衛生管理者のいる定められた施設が条件になっています。

　輸入食品は現在の日本の法律に適法でなければなりません。違法の場合は国内での流通・販売はできません。

8) 国際基準の動向

　食品添加物の国際基準として、コーデックス規格というのがあります。そのコーデックス委員会には、我が国も1966年に加盟しました。現在は180か国以上が加盟しています。

　食品添加物の基本的な定義は各国ともに共通していますが、国によって、食べ物の種類、量、食べ方等の食文化の違いから、食品添加物の許可品目、使用対象商品、使用基準などにも違いがあります。例えば、アメリカで使用が許可されている添加物は、約4000種類、EUでは約2000種類あります。この違いに対して、各国が協調、同調していくことは理想ですが、それぞれの国の食文化、国内事情があるため非常に難しいことも事実です。すでに、輸入食品による違反事故は周知の通りですが、これらの事故は、あくまでも輸出入国の法律の問題（安全性についての見解の違い）といえます。

　また、このような背景から、食品への残留農薬等に関するポジティブリスト制度が導入されました。コーデックス規格と整合性を図る事の重要性についての認識が急速に高まってきています。今後は、合同食品規格委員会が設定した

ADIや成分をもとに、統一した基準づくりが望まれています。

<**日本、米国、EUにおける食品添加物に関する定義**>

FAO／WHO合同食品規格計画（コーデックス（CODEX））

> 「食品添加物」とは、それ自体は食物として通常摂取されず、かつ栄養価の有無を問わず、食品の代表的な原材料として使用されないもので、当該食品の製造、加工、調理、処理、充填、包装、輸送又は保存のとき、その物質又はその副産物がその食品の構成成分となり又は他の方法により、その食品の特性に影響を及ぼす技術的（官能的なものを含む）目的をもって、若しくは相応の効果を期待し、（直接又は間接的に）意図的に食品に添加されるものをいう。

＊CODEX…FAO（国連食糧農業機関）とWHO（世界保健機関）が合同で進めている国際食品規格計画により国際的に採択された食品の規格・基準・指針・規範等を総称する。

9）食品添加物の定義

　食品衛生法では、「添加物とは、食品の製造の過程において又は食品の加工若しくは保存の目的で、食品に添加、混和、浸潤その他の方法によって使用する物をいう」と定義されています。例えば、食品衛生の観点から、食品の日持ちをさせるために腐敗や異臭を抑える効果のある添加物を使用します。また嗜好性を高めるため、食品の味や色、香り等を向上させる添加物等をもとの原料に加えたり、場合により漬け込んだりします。食品添加物には、大きく分けて補助的に使用するものと、原材料の一部として使用するものの二つの使用方法があります（次図）。

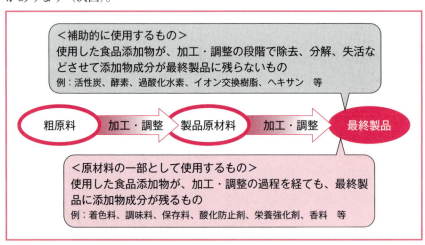

10）食品への表示のしくみ

添加物（アレルギー情報含む）表示については消費者にわかりやすくするため、区分を明確にします。具体的には、次の①〜④の表示方法があります。

①基本として、「原材料名」とは別に「添加物」の事項名を立てて表示

名　　称：	
原材料名：	○○○、△△△、□□□、○○○、△△△、□□□
添 加 物：	調味料（アミノ酸等）、酸化防止剤（ミックストコフェロール：大豆由来）、甘味料（サッカリンNa）、ゲル化剤（ペクチン：リンゴ由来）、リン酸塩Na、酸味料、酵素（小麦由来）、D－ソルビトール、香料
内 容 量：	
賞味期限：	
保存方法：	
製 造 者：	

②原材料と添加物を記号「／」等でわかりやすく区分して表示

原材料名	いちご、砂糖／ゲル化剤（ペクチン）、酸化防止剤（ビタミンC）

③原材料と添加物を改行して表示

原材料名	豚ばら肉、砂糖、食塩、卵、植物性たん白、香辛料 リン酸塩（Na）、調味料（アミノ酸）、酸化防止剤（ビタミンC）、発色剤（亜硝酸Na）、コチニール色素

④原材料と添加物を別欄に表示

原材料名	豚ばら肉、砂糖、食塩、卵、植物性たん白、香辛料
	リン酸塩（Na）、調味料（アミノ酸）、酸化防止剤（ビタミンC）、発色剤（亜硝酸Na）、コチニール色素

(1) 表示しなければならないもの

容器包装された食品に使用した食品添加物およびアレルゲンに関する情報はすべて表示します。また、容器包装されていない食品（ばら売り、対面販売等）でも、食品添加物の情報（特にアレルゲンに関するもの）は常に消費者へ提供できるようにしておく必要があります。

(2) 3通りの表示方法
①用途名と物質名（アレルゲン情報含む）両方の表示（併記）

例えば、着色料（アナトー）、保存料（ソルビン酸K）のように、両方を表示します。用途名と物質名の両方を表示するものには用途名で甘味料、着色料、保存料、増粘安定剤＊、酸化防止剤、発色剤、漂白剤、防かび剤等、8種類あります。

＊増粘の目的で使用する場合は「増粘剤」または、「糊料」と表示します。安定の目的で使用する場合は「安定剤」または、「糊料」と表示します。ゲル化の目的で使用する場合は「ゲル化剤」または、「糊料」と表示します。

＜表示例＞

> 甘味料（サッカリンNa）、着色料（カロチン）、保存料（安息香酸Na）、ゲル化剤（ペクチン）、安定剤（CMC）、酸化防止剤（エリソルビン酸）、発色剤（亜硝酸Na）、漂白剤（亜硫酸Na）、防かび剤（イマザリル）

②用途別の「一括名（アレルゲン情報含む）」表示

複数の添加物を組み合わせたものを使用する場合があります。その場合、食品添加物の使用目的をわかり易く一括名（アレルゲン情報含む）で表示します。

一括名で表示できる添加物は、イーストフード、ガムベース、かんすい、苦味料、酵素、光沢剤、香料、酸味料、チューインガム軟化剤、調味料、豆腐用凝固剤、乳化剤、水素イオン濃度調整剤、膨張剤の14種類です。

<一括名に含まれる14種類の概要>

一括名	使用目的
❶イーストフード	パン等に使用するイースト菌の働きを高め、膨らみを良くします。
❷ガムベース	独特な噛み心地が作り出せるチューインガムの素材になります。
❸かんすい	中華麺特有の風味と色合い、歯ごたえと食感を作り出します。
❹苦味料	ビールやコーヒーのように適度の苦味を与え、美味しさを増したりします。
❺酵素	チーズ等の発酵食品や水飴等の糖類の製造や品質改良に使用します。
❻光沢剤	菓子や果実等のコーティング剤（表面）で食品を維持し変質を防止します。
❼香料または合成香料	カニ風かまぼこ等、美味しさや食欲を増進させたりする香りのことです。
❽酸味料	適度な酸度は美味しさや食欲増進に役立ち腐敗を抑えます。
❾軟化剤	チューインガム等の軟かさを保つ為に使用されます。
❿調味料	食品に塩味や旨味を付け味の広がりを与えます。
⓫豆腐用凝固剤または凝固剤	大豆から絞った豆乳を固めて豆腐にします。
⓬乳化剤	マヨネーズ等のように酢（水分）と油を均一に混ぜ合わせます。
⓭pH調整剤または水素イオン濃度調整剤	食品の腐敗や変色、退色を抑え、分離や沈殿などを防止します。
⓮膨張剤、膨脹剤、ベーキングパウダーまたはふくらし粉	クッキーやケーキのように生地を膨らませ、ソフトな食感を作ります。

第6章 食品添加物の表示

<一括名に属する主な添加物>

一括名	主な添加物
❶イーストフード	塩化アンモニウム、塩化マグネシウム、炭酸アンモニウム、炭酸カリウム（無水）、炭酸カルシウム、硫酸カルシウム、焼成カルシウム等
❷ガムベース	エステルガム、酢酸ビニル樹脂、グリセリン脂肪酸エステル、ショ糖脂肪酸エステル、ソルビタン脂肪酸エステル、プロピレングリコール脂肪酸エステル、ソルバ、チクル、炭酸カルシウム等
❸かんすい	炭酸カリウム（無水）、炭酸ナトリウム、炭酸水素ナトリウム、ピロリン酸四ナトリウム、ポリリン酸ナトリ

		ウム、メタリン酸ナトリウム、リン酸水素二ナトリウム、リン酸二水素ナトリウム、リン酸三ナトリウム等
❹	苦味料	ホップ、カフェイン、キハダ抽出物、香辛料抽出物、ナリンジン、ヨモギ抽出物等
❺	酵素	アミラーゼ、オキシダーゼ、ヘミセルラーゼ、トランスフェラーゼ、マルターゼ、ペクチナーゼ、リゾチーム、ペプシン、トリプシン、トレハロースホスホリラーゼ、ガラクターゼ、プロテアーゼ、リパーゼ、レンネット等
❻	光沢剤	シェラック、コメヌカロウ、モクロウ、ホホバロウ、ミツロウ、ラノリン等
❼	香料または合成香料	アセト酢酸エチル、イソ吉草酸イソアミル、イソ吉草酸エチル、イソチオシアネート類、インドール及びその誘導体、エステル類、エチルバニリン、エーテル類、ギ酸イソアミル、ケイ皮酸、ケトン類、酢酸エチル、脂肪酸類、脂肪族高級アルコール類、脂肪族高級アルデヒド類、脂肪族高級炭化水素類、シンナミルアルコール、チオエーテル類、チオール類、テルペン系炭化水素類、フェノールエーテル類、フェノール類、フルフラール及びその誘導体、プロピオン酸、ヘキサン酸、芳香族アルコール類、芳香族アルデヒド類、酪酸、ラクトン類、リナロオール等
❽	酸味料	アジピン酸、クエン酸、グルコノデルタラクトン、グルコン酸、コハク酸、酢酸ナトリウム、DL−酒石酸、乳酸、氷酢酸、フマル酸、DL−リンゴ酸等
❾	軟化剤	グリセリン、プロピレングリコール、ソルビトール
❿	調味料	（A）アミノ酸 　L−アスパラギン酸ナトリウム、DL−アラニン、グリシン、L−グルタミン酸ナトリウム、L−テアニン、DL−トリプトファン、L−バリン、DL−トレオニン、L−リシン等 （B）核酸 　5′−イノシン酸二ナトリウム、5′−ウリジル酸二ナトリウム、5′−グアニル酸二ナトリウム、5′−リボヌクレオチドニナトリウム等 （C）有機酸 　クエン酸三ナトリウム、グリコン酸カリウム、コハク酸、コハク酸二ナトリウム、酢酸ナトリウム、DL−酒石酸水素カリウム、L−酒石酸水素カリウム、乳酸カル

	シウム、フマル酸一ナトリウム、DL-リンゴ酸ナトリウム等 （D）無機塩 　塩化カリウム、リン酸水素二カリウム、リン酸二水素ナトリウム、塩水湖水低塩化ナトリウム液、粗製海水塩化カリウム、ホエイソルト等
⓫豆腐用凝固剤または凝固剤	塩化カルシウム、塩化マグネシウム、グルコノデルタラクトン、硫酸カルシウム、硫酸マグネシウム、粗製海水塩化マグネシウム
⓬乳化剤	グリセリン脂肪酸エステル、ショ糖脂肪酸エステル、ソルビタン脂肪酸エステル、ステアロイル乳酸カルシウム、プロピレングリコール脂肪酸エステル等
⓭pH調整剤または水素イオン濃度調整剤	アジピン酸、クエン酸、グルコノデルタラクトン、グルコン酸、コハク酸、酢酸ナトリウム、DL-酒石酸、炭酸カリウム（無水）、炭酸水素ナトリウム、乳酸、氷酢酸、ピロリン酸二水素、フマル酸、DL-リンゴ酸、リン酸、リン酸水素二ナトリウム等
⓮膨張剤、膨脹剤、ベーキングパウダーまたはふくらし粉	L-アスコルビン酸、塩化アンモニウム、クエン酸、グルコノデルタラクトン、L-酒石酸水素カリウム、炭酸アンモニウム、炭酸カリウム（無水）、炭酸水素アンモニウム、乳酸、硫酸アルミニウムカリウム、DL-リンゴ酸ナトリウム、塩化アンモニウム等

③物質名（アレルゲン情報含む）の表示

　これまで説明してきた、①用途名と物質名を併記する、②一括名を表示する、以外の場合は使用している添加物の物質名とアレルゲンの由来名を表示します。

　物質名の表示には、品名（L-アスコルビン酸）と別名（ビタミンC）、または簡略名・類別名（アスコルビン酸、V.C）がありますので、いずれかを表示します。

（3）表示が免除されるもの

　加工助剤、キャリーオーバー、栄養強化剤、小包装食品（バラ売り食品）等に使用した場合の食品添加物は表示が免除されています。加工助剤、キャリーオーバー、栄養強化剤の免除制度は欧米諸国等も同じで、国際的な共通事項となっています。

ただし、日本ではアレルゲンとなる特定原材料等の情報は表示（由来表示）しなければなりません。

また、現段階では、最終製品に含む総たん白量が数ppm以下であればアレルギー表示が免除されていますが、数ppm以下の残存でも個人差によりアレルギー症状を引き起こす可能性はゼロではありません。そのため、「明らかに使用した添加物と特定原材料等の由来については、きちんと表示してほしい」というアレルギー専門医からの強い要望があるのも事実です。

アレルギー疾患で苦しむ患者さんを出さないためにも可能な限り表示することをお勧めします。

①加工助剤とは

食品製造のある工程で使用した添加物が、最終製品の包装前に除去されていて残らないもの、微量ながら残っていても最終製品に影響を与えないもの、除去されているか、もしくは残っても最終製品の食品成分と同じ成分になるもの等となっています。

● 最終製品の包装前に除去されていて残らないもの

代表的なものにサラダ油や天ぷら油があります。大豆油の抽出にはヘキサン、水酸化ナトリウム、酸性白土、活性炭等の食品添加物を使用しますが、工程中（抽出、蒸発、洗浄、ろ過等）に除去されますので、最終製品には残存しないと考えられています。

● 微量ながら残っていても最終製品に影響を与えないもの

代表的なものに豆腐の製造に使用する消泡剤（シリコーン樹脂）があります。大豆を絞った豆乳を加熱すると気泡がでるため消泡剤を使用するケースが一般的です（中には使用しないこともあります）。微量に添加された消泡剤（シリコーン樹脂）は、微量に残ったとしても製品には影響がないと考えられています。

● 除去されているか、もしくは残っても最終製品の食品成分と同じ成分になるもの

代表的なものに清涼飲料に用いるカルシウム塩があります。カルシウム塩等の無機塩は原料水の調整に微量に添加されますが、通常存在する成分になると考えられています。また、水あめ等はでん粉類を酵素分解して製造しますが、そのときに使用する酵素もこれに該当します。

● 補足

衛生上、食品用エタノールを使用することがあります。食品に接触する機

器部分や調理器具等への噴霧、また食品の表面への吹き付け等については、エタノール成分は揮発し、食品には残らないと考えられますので加工助剤になります。

しかし、エタノールを食品に浸漬させたり、練りこんだりした場合は原料成分となりますので、「酒精」または「アルコール」と表示します。

②キャリーオーバーとは

加工された原料に含まれる食品添加物が最終製品に持ち越されることです。つまり、原料に使用されていた添加物は最終製品に残存しますが、残存量が微量で効果がないと考えられています。ただし、甘味料や調味料等、五感（味覚等）に関係する物質は対象外です。

代表的なものに、かまぼこの冷凍すり身に含まれるソルビトールやリン酸塩等があります。ただし、使用原料に含まれるソルビトールやリン酸塩等の量が微量で、最終製品のかまぼこには影響がないと考えられています。

また、パンやビスケット等の原料として使用されるマーガリンに含まれる乳化剤や酸化防止剤、着色料等についても最終製品には影響はないと考えられています。

③栄養強化剤とは

ビタミン、ミネラル、アミノ酸等を指しています。海外と違い、我が国では食品添加物に含まれていて、食品添加物としての表示は免除されます。なお、ビタミンやミネラルなど栄養成分について、表示をする場合は食品表示基準に従って表示しなければなりません。

④その他食品とは

ばら売り食品等があります。具体的には、漬物や塩辛、佃煮のように対面で量り売りする商品です。ただし、ばら売り食品の中でも輸入かんきつ類等に使用される防かび剤（イマザリル、オルトフェニルフェノール（OPP）、オルトフェニルフェノールナトリウム（OPP-Na）、ジフェニル（DP）、チアベンダゾール（TBZ）、フルジオキソニル等）は消費者がわかるように商品の近くに表示することを一部の都道府県では指導しています。

また、いろいろな食品に使用されている甘味料のサッカリン、サッカリンナトリウムは表示しなければいけません。

> (注意しましょう！)
> 省略不可に表示可能面積がおおむね30cm^{2}以下の場合であっても、安全性に関する表示事項（「名称」「保存方法」「消費期限または賞味期限」「表示責任者」「アレルゲン」および「L－フェニルアラニン化合物を含む旨」）については、省略できません。

11）販売用としての添加物の表示に係るルール

（1）一般消費者向けの添加物の表示

　これまでの食品衛生法の表示に加え、内容量、表示責任者、栄養成分の項目が追加・義務となっています。

例1）添加物製剤「バニラエッセンス」の表示例（一般販売用）

名　　称	食品添加物　香料製剤
成　　分	香料成分10％、エタノール47％、グリセリン4％、水分39％
内 容 量	30ml
賞味期限	枠外上部に記載
保存方法	直射日光、高温多湿を避けて常温で保存
販 売 者	○○化学株式会社 　　　○○県○○市○○町○○-○○
製 造 所	（株）△△ケミカル 　　　△△県△△市□□町△-△

※製造者が表示責任者と同一の場合は従来どおり製造者表示です。

（2）業務用向けの添加物の表示に係るルール

　「業務用添加物」とは一般消費者向け以外のものです。業務用（業者間取引）の添加物については、表示責任者の氏名又は名称及び住所の表示が追加・義務となりました。これらの項目に限っては、製品に添付されている等、製品を識別できれば容器包装以外に記載できます。なお、製造者が表示責任者を兼ねる場合は従来から変更はありません。

例２）新基準における添加物の表示（業務用）

```
名  称：食品添加物　着色料製剤
成分重量：クチナシ黄色色素（色価220）　70％
         エタノール              15％
         水                      15％
使用基準：こんぶ類、食肉、鮮魚介類（鯨肉を含む）、茶、のり類、豆類、野菜
         及びわかめ類に使用できません。
販 売 者：㈱○○販売
         東京都△△市□□町7-7
製 造 者：㈱○○○
         千葉県△△市□□町8-8
（食品への添加物表示方法　例：クチナシ色素）
```

※表示責任者が販売者の場合は販売者と製造者の両方が必要です。

一口メモ

【毒性に関する用語】

・急性参照量（Acute Reference Dos（ARfD））
　食品に含まれる物質の24時間以内の摂取で人の健康に悪影響が生じないと推定される、体重1kg当たりの摂取量。

・最小リスク量
　米国環境有害物質・特定疾病対策庁が設定。健康への悪影響（発がんを除く）が感知できるリスクでないと推定される体重1kg当たり1日最大ばく露量。

・耐容1日摂取量（Tolerable Daily Intake（TDI））
・耐容週間摂取量（Tolerable Weekly Intake（TWI））
・耐容月間摂取量（Tolerable Monthly Intake（TMI））
　意図的に使用していないにもかかわらず食品に含まれる物質について、人が毎日一生涯、食べ続けても健康への悪影響が生じないと推定される体重1kg当たり、1日／1週間／1か月当たりの摂取量。食品に含まれる汚染物質の国際的なリスク評価機関（JECFA）は、暫定（Provisional）という用語を付け、PTDI/PTWI/PTMIと表記。

2. 食品製造における食品添加物の使用例

　食品添加物をより理解するために製造フローをベースに解説します。ここでは代表的なものを集めてみました。食品メーカーさん、食品添加物メーカーさんからの情報と筆者がこれまで食品開発の現場で学んできたことを参考にまとめてあります。一般的ではない箇所も多々あると思いますが、単なるサンプル例として捉えてください。

　なにげなく食していた加工食品がどのようなプロセスで製品化され、また食品添加物がどのタイミングで使用されているのかを知るための情報にしていただければと思います。

●**食品添加物を使用目的から分類すると次の5通りになります。**

1. 食品を製造するときになくてはならない添加物
2. 食品の品質低下によって起こる事故（食中毒等）を防ぐ添加物
3. 食品の品質を高める添加物
4. 食品の風味や外観を向上させる添加物
5. 食品の栄養価を維持、強化する添加物

1）食品を製造するときになくてはならない添加物

　食品を製造するときに必要な添加物です。具体的には、豆乳を固めて豆腐にするときの「豆腐用凝固剤」や清涼感のある炭酸飲料を作る「炭酸ガス」、また、チーズを作るためには牛乳に乳酸菌を加え、乳酸を作らせた後に「酵素＝レンネット」を添加して固めます。水飴やブドウ糖果糖液糖などはでん粉を「酵素」によって作ります。「かんすい」は熱いラーメンスープの中でもコシがあり、独特の香りのある麺をつくります。ソフトなパンにスムーズに塗ることができる柔かいマーガリンの「乳化剤」、ビスケットのサクサク感をつくる「膨張剤」、「油脂抽出溶剤」によって経済的にも、価格的にも安定した食用油ができるようになりました。その他「消泡剤」「醸造用ろ過助剤」「酸、アルカリ剤等製造

用剤」「ガムベース」等があります。

①もめん豆腐から豆腐よう製造の場合

　豆腐とは、大豆から絞った豆乳を、そのまま凝固剤で固めたもの（絹豆腐）、もしくは固めた後に圧搾・成型したもの（もめん豆腐）です。充填豆腐とは冷却した豆乳に豆腐用凝固剤を添加し、容器に充填した後に加熱・凝固させたものです。

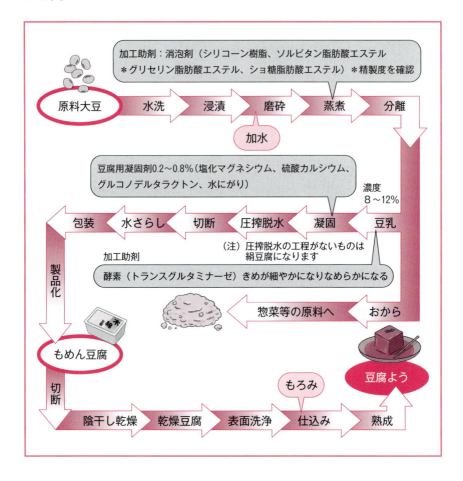

＜豆腐用凝固剤の使用条件例＞

	使用品目	豆乳に対する添加量（％）	凝固温度	凝固時間
硫酸カルシウム	絹豆腐	0.3～0.4	70～80℃	5～15分
塩化カルシウム	もめん豆腐	0.2～0.3	50～65℃	5～15分
塩化マグネシウム	もめん豆腐	0.2～0.8	50～65℃	5～15分
グルコノデルタラクトン	絹豆腐	0.25～0.3	80～90℃	20分

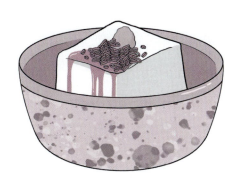

②プロセスチーズ製造の場合

　プロセスチーズとは、1種または2種以上のナチュラルチーズを粉砕したものを加熱により溶かし、さらに乳化させて固めたものです。原料となるナチュラルチーズは乳やバターミルク、もしくはクリームを乳酸菌で発酵させたものに酵素（レンネット）を加えます。それからできた凝乳から乳清を除去した後に固めたもの、もしくは固めたものをさらに熟成させたものをいいます。日本人には馴染みやすいチーズとして広く支持されていて、乳化剤や安定剤はマイルドな食感を作るのに役立っています。

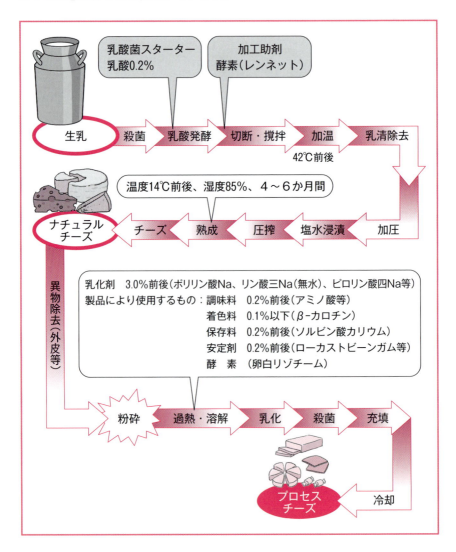

③ビスケット製造の場合

　ビスケットとは小麦粉、砂糖、油脂を主な原料として、それに乳製品（バターや牛乳、生クリーム等）や卵、香料等を混ぜて生地をつくります。その生地を延ばして型抜きしたのち焼成して冷却した焼き菓子のことです。ビスケット類には、レーズンやバタークリームをサンドしたビスケットやチョコレートをコーティングしたビスケット等があります。

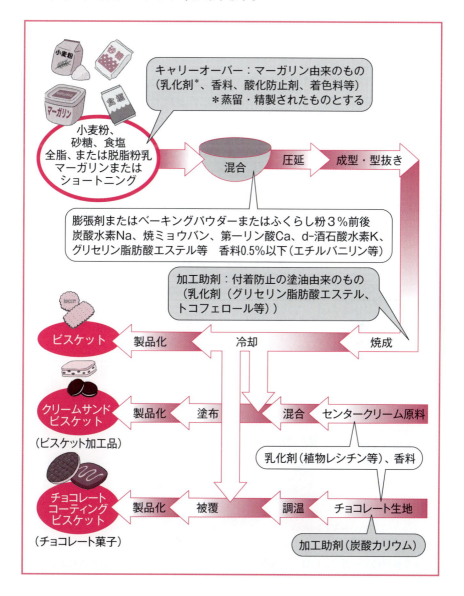

④マーガリン製造の場合

　マーガリンとは、80％以上の油脂に水、食塩、乳製品、食品添加物（乳化剤、着色料、酸化防止剤、香料）等を加え、細かく分散させた乳化固形物のことです。最近は低カロリー、低コレステロール等のマーガリンが人気を得ているようですが、これは植物性ステロールによる効果（吸収されにくい）と考えられています。

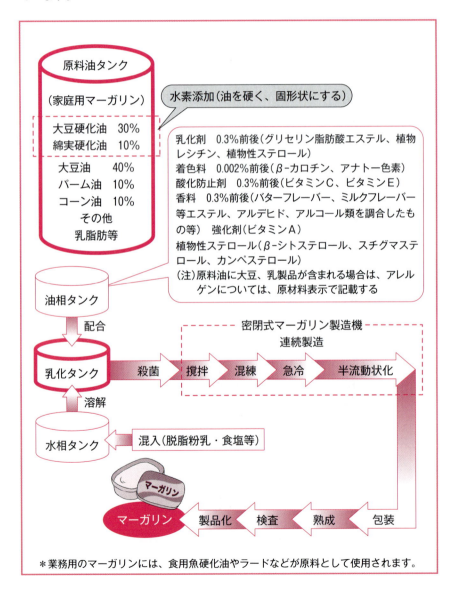

＊業務用のマーガリンには、食用魚硬化油やラードなどが原料として使用されます。

⑤食用油（サラダ油）製造の場合

　食用油は、サフラワー、ぶどう、大豆、ひまわり、小麦胚芽、ニガー、とうもろこし、綿実、ごま、なたね、米、カポック、落花生、オリーブ、パーム、パーム核、やし等から採取した油で、食用に加工したものです。中でも、サラダ油は、生野菜等といっしょにサラダで食べやすいように、新鮮な風味が保たれ、冷やしても（冷蔵庫内）濁らないように加工してあります。一方、てんぷら油は、揚げ物や炒め物に合わせて加熱してもはねにくいようにしてあります。基本的には、製造の方法は同じです。

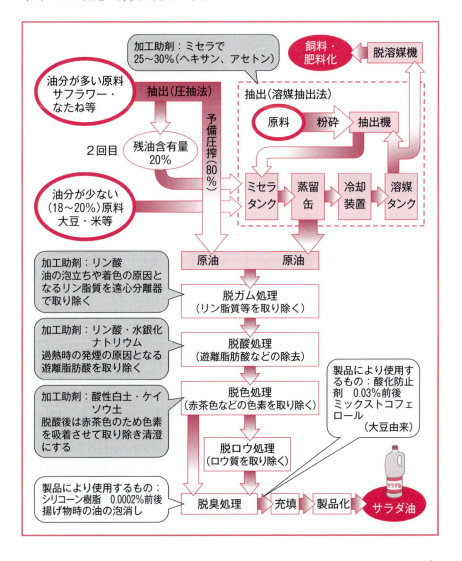

⑥砂糖製造の場合

　砂糖には、沖縄でたくさん生産している「さとうきび」からとる甘蔗糖と、北海道で広域に生産されている「さとう大根」からとるてん菜糖があります。
　分蜜糖とは、甘蔗糖からの精製糖やてん菜糖から遠心分離機により結晶を取り出したものです。片や、含蜜糖とは糖蜜を煮詰めて固めたもので黒砂糖がそうです。

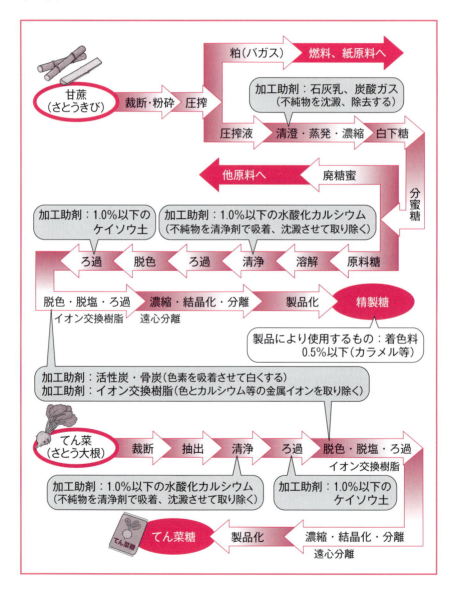

⑦チューインガム製造の場合

　チューインガムはガムベースに糖類や香料を加えて作った菓子類のことで、板ガム、糖衣ガム、風船ガム、無糖ガム、口臭除去ガム等があります。原料となるガムベースは、アカテツ科、キョウチクトウ科、クワ科、トウダイグサ科等から採った樹液（植物性樹脂）、酢酸ビニル樹脂、エステルガム等でできています。

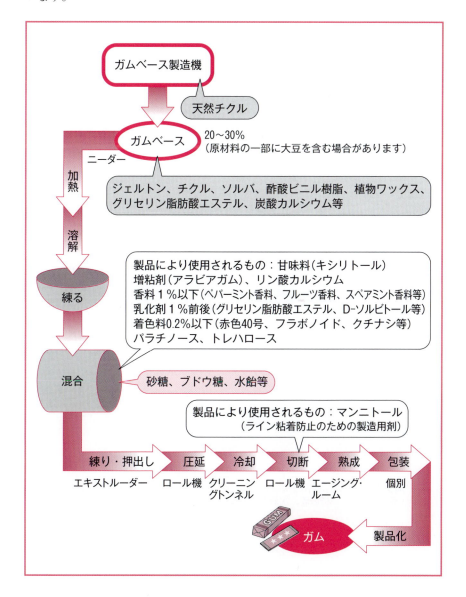

2）食品の品質低下によって起こる事故（食中毒等）を防ぐ添加物

　食品の安全性を保つには、微生物や空気による影響を軽減したり、防ぐことが必要です。「保存料」や「防かび剤」は、食品を微生物汚染から防ぐ為、微生物の働きを抑えます（静菌作用）。

　より強い効果（殺菌作用）があるものに「殺菌料」がありますが、いずれも安全性の面から使用上の厳しい決まりがあります。

　「酸化防止剤」は、空気中の酸素や光、熱などから食品に含まれる油の変質（酸化）を防ぐものと、食品に含まれる栄養が失せたり、色が悪くなる（退色）ことから防ぐものがあります。

　例えば、「保存料」のソルビン酸カリウムやしらこたん白は蒲鉾や竹輪等の練り製品、煮豆、漬物、佃煮、餡類等に使用されています。安息香酸はキャビア、シロップ、醤油等に使用されており、プロピオン酸はパン、洋菓子等に使用されています。

　「防かび剤」には、輸入されるグレープフルーツ、レモン、オレンジ等に使用される DP、OPP やかんきつ類とバナナに使用される TBZ、イマザリルがあります。

　「殺菌料」にはカット野菜・果物や飲料水等に使用される次亜塩素酸塩や、かずのこだけに使用される過酸化水素（オキシフル）等があります。

　「酸化防止剤」には、野菜、果物、漬物等、様々な食品に使用されているビタミン C（L－アスコルビン酸）や乳製品や菓子等に含まれる油の変質（酸化）を防止するための BHA、BHT、ビタミン E（d－α－トコフェロール）等があり、他には加工品全般に使用されるエリソルビン酸等があります。

①ポテトチップ製造の場合

　生のじゃがいもの皮を剥き、スライスしたものをフライにして味付けしたものが、品名「ポテトチップス」です。類似品には、ポテトフレークを原料にした「スナック菓子」もあります。

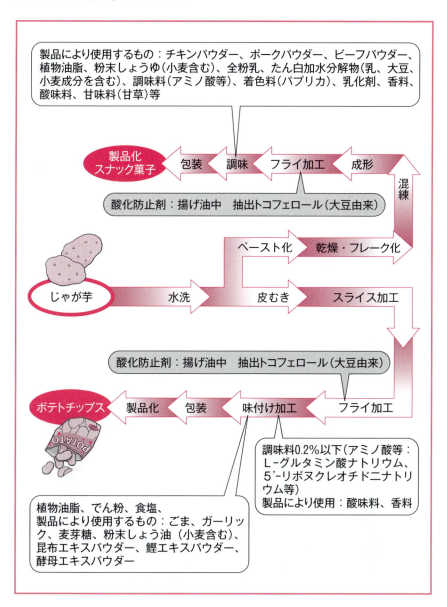

②たくあん製造の場合

　生大根や干し大根を塩漬けしたものを塩などの調味料と香辛料、色素等を加えた糠やふすまで漬けたもので、本漬け、新漬け、早漬け等があります。

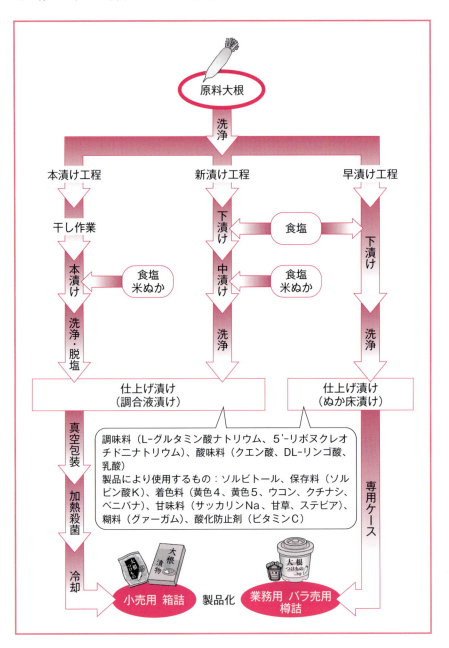

③かまぼこ（蒸し）製造の場合

　すりつぶした魚肉の中に調味料等を加えて練ったものを、蒸し、あぶり焼き、湯煮、油揚げ、くん煙等の加工をした食品のことです。

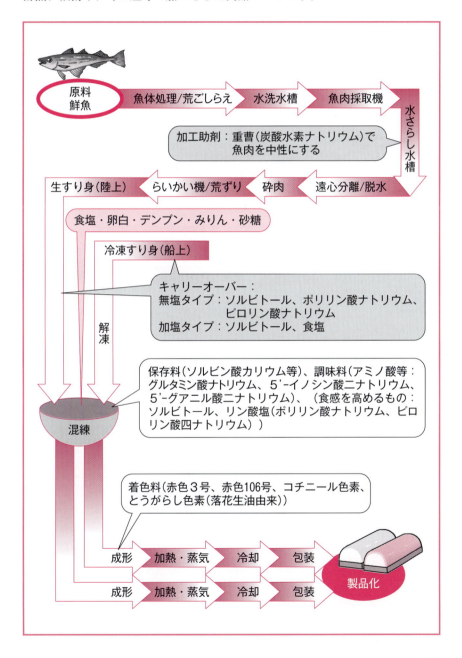

④輸入かんきつ類の場合

　輸入かんきつ類、バナナ、おうとうなど一部の輸入果実等に発生するカビ（劣化とカビ毒）を防止するために使用されています。

　防かび剤については、容器包装されたものは、表示義務がありますが、バラ売りの場合は、消費者がわかるところに表示することを指導されています。

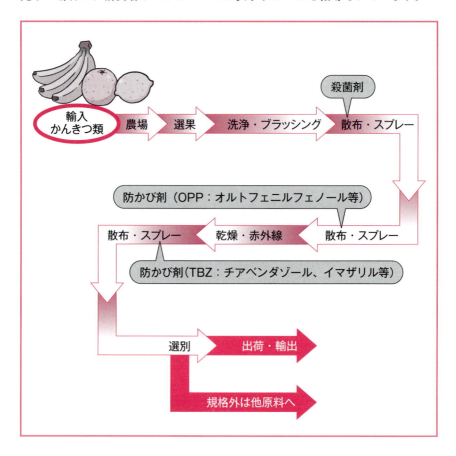

⑤ さきいか製造の場合

　さきいかには、「するめさきいか」と「生さきいか」があります。「するめさきいか」は、するめから作ります。「生さきいか」は冷凍いか、もしくは調味乾燥いか（通称：ソフトだるま）から作ります。市販では、柔かいこともあり、「生さきいか」が多く見られます。

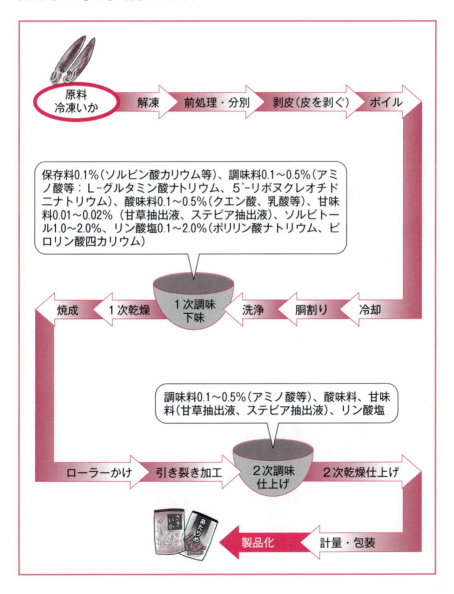

⑥ しょうゆ製造の場合

　しょうゆは大豆発酵食品としての代表的な調味料食材です。

　製造方法には、伝統技術として一般的に知られている方法の大豆と小麦、米等を煮たり、蒸したりしたのちに麹菌を使用して発酵させ、熟成させた本醸造しょうゆと、もろみ等に大豆たん白等を酵素や酸処理等して作った酵素処理液、アミノ酸液を加えて発酵させ、熟成させた新式醸造しょうゆと、本醸造しょうゆ、もしくは新式醸造しょうゆにアミノ酸液を加えたアミノ酸液混合しょうゆがあります。

　また、これらに食塩、糖類、アルコール、調味料（アミノ酸等）、保存料等を加えたものも含まれます。JASでの種類には、こいくちしょうゆ、うすくちしょうゆ、たまりしょうゆ、さいしこみしょうゆ、しろしょうゆがあります。

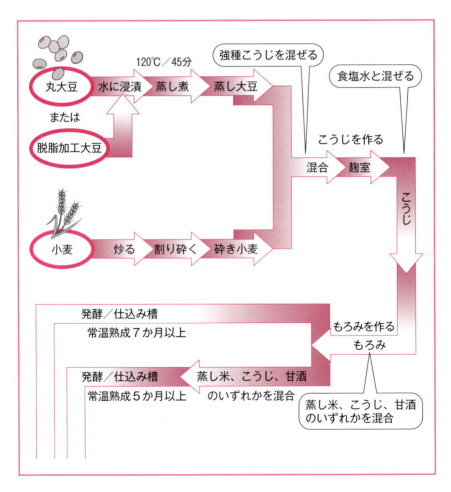

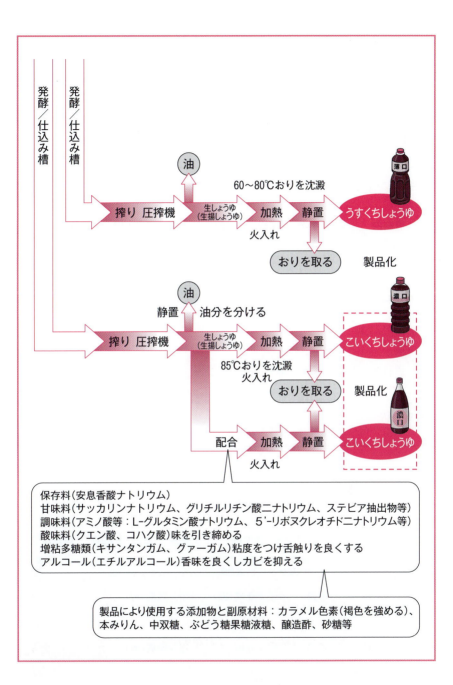

⑦果実酒製造の場合

　果実酒とは、ぶどう酒、りんご酒、なし酒等、果実を主原料として発酵させたもの、もしくは水や糖類、アルコール等を混ぜて発酵させたものです。酒税法の果実酒類にあたります。

　標準の規格がきめられていて、アルコール分14％未満、エキス分7％未満、原料果実に含まれる糖分は100ml中に26g以下となっています。

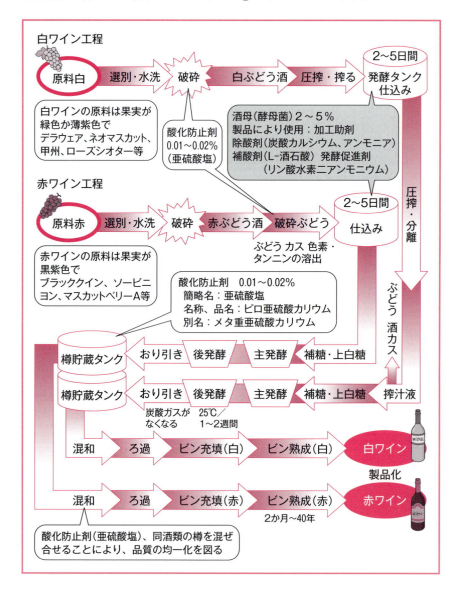

3）食品の品質を高める添加物

　様々な製造・加工により失った性質や、新たな性質を付け加えることにより品質を向上させるものです。
　「小麦粉処理剤」「品質改良剤」には、小麦に使用される過酸化ベンゾイル、過硫酸アンモニウム、臭素酸カリウム、二酸化塩素等、チューインガムのタルク等があります。
　「乳化剤」には、マーガリン（P.348参照）やアイスクリーム、ドレッシング等、本来、混ざり合わない水と油の乳化をしたり、チョコレート、ココア等の分散性を良くしたり、クリームやケーキの泡立ちを高めたり、パン等に含まれるでんぷんの老化（堅くなりにくい）を防ぐなど様々な目的で使用されるグリセリン脂肪酸エステル、ショ糖脂肪酸エステルやレシチン（大豆由来、卵黄由来）等があります。
　「増粘安定剤（増粘剤、安定剤、ゲル化剤、糊剤）」には、ゼリー菓子等のカラギーナン、グルコマンナン、ゼラチン＊、寒天等＊＊、ジャムのペクチン、粘りのあるソースや焼肉のタレのキサンタンガム、グァーガム等があります。
　（＊、＊＊は一般飲食物添加物の場合。）

①アイスクリーム製造の場合

　乳や乳製品に糖類、卵黄、乳化剤、安定剤、香料、着色料等の添加物を加えて乳化したものを冷凍・硬化させたものです。乳等省令上では、それぞれの成分規格が決められています。

　また、食品表示については、「アイスクリーム類及び氷菓の表示に関する公正競争規約」で詳細な取り決めがあります。

<乳製品：アイスクリーム類の成分規格>

種類別	乳固形分	乳脂肪分	大腸菌群	細菌数
アイスクリーム	15.0%以上	8.0%以上	陰性	1g 当たり 100,000 以下
アイスミルク	10.0%以上	3.0%以上	陰性	1g 当たり 50,000 以下
ラクトアイス	3.0%以上	―	陰性	1g 当たり 50,000 以下

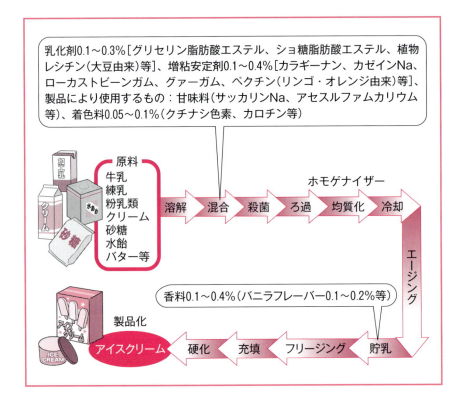

②食パン製造の場合：ストレート法と中種法

　パンの製造には、少量生産に向く直捏法（ストレート法：全部の原料を一緒に混練り（混捏）して、その場で生地作り、発酵、焼成を行う）と大量生産に向く中種法（スポンジ法：原料の半分以上の小麦粉と水とイーストで混練りして、中種をつくり、発酵後残りの原料を加えて生地作り、発酵、焼成する）があります。学校給食用や大手メーカーのパンは主に中種法が用いられています。その他には、中麺法（ソーカー法）や液種法（ブリュー法）があります。

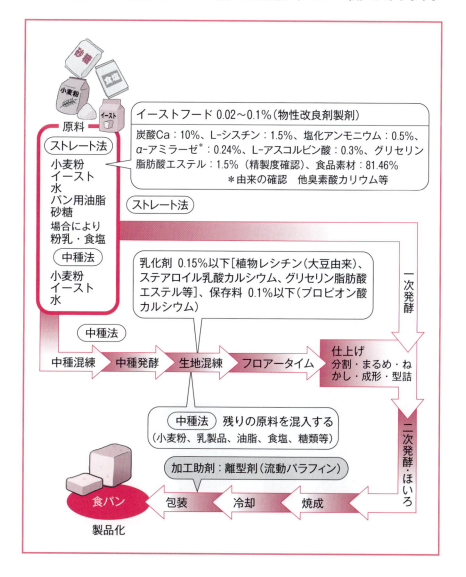

4）食品の風味や外観を良くするための添加物

　食品は色や香りに加え、口に含んだときの味、歯ごたえ等食感が良いことが求められます。
- 「着色料」は紅白まんじゅうや鳴門巻き（練り製品）の赤色等に使用されている赤色3号、106号のように食品を美しく美味しそうな色にします。
- 「光沢剤」はキャンデーやチョコレート等の表面を植物ワックス剤等でコーティングし、見た目を良くするばかりではなく、中身を保護する役目もあります。
- 「発色剤」はハム、ソーセージ等に使用されている硝酸塩や亜硝酸塩のことで、畜肉や魚肉がもっている赤色を保ち、微生物による食中毒予防に役立っています。
- 「漂白剤」には亜硫酸塩や次亜硫酸塩、二酸化硫黄などがあり、食品を脱色したり色をきれいにします。
- 「香料」はレモンフレーバーやりんごフレーバー等、食欲がでる良い香りをつくります。
- 「酸味料」は飲料や漬物等に使用されているクエン酸、乳酸等のように味に清涼感をもたせ食欲を増進させます。
- 「苦味料」は苦味をつけ味の幅を広げ、食欲を増進させます。
- 「甘味料」は食品に幅広く使用されているステビア抽出物やキシリトール等軽やかでクセのない甘味をつくり、品質を向上させます。
- 「調味料」はグルタミン酸ナトリウム等、食品に旨味を与え、コク味を増し、味の広がりを与えます。

冷凍シュウマイ製造の場合

　冷凍食品は便利で簡単に調理できることもあり、年々増加の一途をたどっているようです。中でも、中華点心と呼ばれる餃子、シュウマイ、ワンタン、春巻き等は冷凍食品の発展が一般家庭への普及を促したといっても過言ではないでしょう。

　冷凍シューマイは、具を皮で包み、冷却後にIQFなどの急速凍結を経て包装されたものです。従って、そのまま蒸したり、電子レンジ等で加熱して食べられるようになっています。

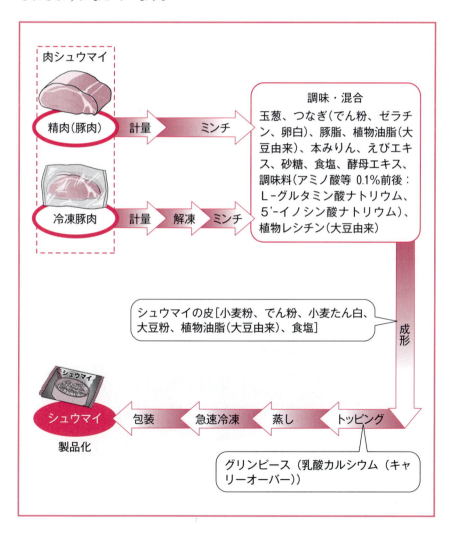

●冷凍食品の規格基準（一部抜粋）（昭和34年厚生省告示第370号）
①無加熱摂取冷凍食品：細菌数（生菌数）100,000／g以下、大腸菌群　陰性
②加熱後摂取冷凍食品：細菌数（生菌数）100,000／g以下、大腸菌群　陰性
（凍結前加熱）
③加熱後摂取冷凍食品：細菌数（生菌数）3,000,000／g以下、E. coli　陰性
（凍結前未加熱）
●そうざい半製品
　地方自治体により指導基準を設定している場合はありますが、国としてはありません。

一口メモ

（冷凍食品とは）
「冷凍食品」は「食品、添加物等の規格基準」があります。必ず「冷凍食品」と表示され、また保存方法は「-18℃以下」とされています。一方、保存温度帯が冷凍の「そうざい半製品」には国が定めた規格基準はありませんので、「冷凍食品」と「冷凍のそうざい半製品」とは異なる食品です。

5）食品の栄養価を維持、強化する添加物

　食品の原料に含まれる栄養成分は、その後の製造・加工の段階で、水洗で流失したり、加熱によって分解、損失したり、また製品化されてからも保存の条件によっては大幅に減少したりします。

　また、特に農産物の場合は、季節、品種、天候、栽培条件等によっても変動しやすい要素をもっています。このような場合、失われた栄養成分を補うために、ビタミン類やミネラル類、またはアミノ酸類が「栄養強化剤」として使用されます。

①主なビタミンとミネラルの種類

　ビタミンには、水溶性（水に溶ける性質）のものと、脂溶性（油に溶ける性質）のものがあります。

　水溶性ビタミンには、ビタミンC（アスコルビン酸類）、ビタミンB_1（チアミン）、ビタミンB_2（リボフラビン類）、ビタミンB_6（ピリドキシン）、パントテン酸（パントテン酸類）、ビタミンB_{12}（シアノコバラミン）等があります。

　脂溶性ビタミンには、ビタミンA（レチノール類）、ビタミンD（カルシフェロール類）、ビタミンE（抽出トコフェロール）等があります。

　また、ミネラルには、カルシウム類、鉄類、亜鉛類、銅類等があり、それぞれ食品の性質と目的にあわせて使用されています。

牛乳類の成分規格（平成15年6月25日公布）

種類別名称	生乳の使用割合	成　　分		衛生基準	
		乳脂肪分	無脂乳固形分	細菌数1ml当り	大腸菌群
牛　　乳	生乳100%	3.0%以上	8.0%以上	5万以下	陰性
特別牛乳		3.3%以上	8.5%以上	3万以下	
成分調整牛乳		—	8.0%以上	5万以下	
低脂肪牛乳		0.5%以上 1.5%以下			
無脂肪牛乳		0.5%未満			
加　工　乳	—	—			
乳　飲　料	—	乳固形分 3.0%以上		3万以下	

②乳飲料製造の場合

　乳飲料は、牛乳や乳製品等を主な原料とした飲料のことです。その副原料に風味原料であるコーヒー、フルーツ、チョコレート、野菜類等を加えたものや、ビタミン類、カルシウム、鉄等の栄養を強化した飲料があります。

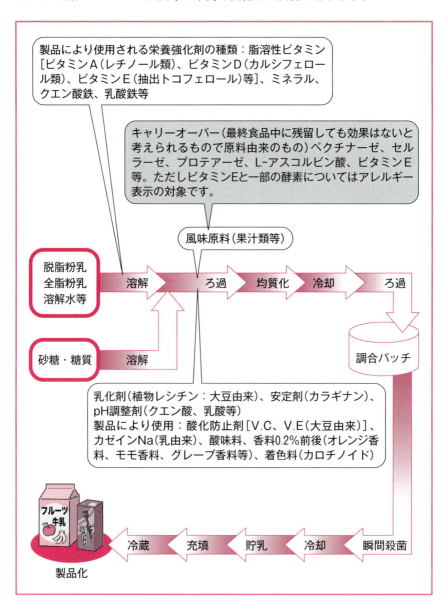

3. 食品添加物の用途別解説

1) 近年の食品衛生法施行規則に関する食品添加物の一部改正

(1) 平成24年の主な改正内容（物質名：用途、改正内容、施行日）

- 次亜塩素酸水：殺菌料、成分規格改正、4．26
- リン酸一水素マグネシウム：強化剤、新規指定、11．2
- trans-2-ペンテナール：香料、新規指定、11．2
- trans-2-メチル-2-ブテナール：香料、新規指定、12．28
- トリメチルアミン：香料、新規指定、12．28
- サッカリンカルシウム：甘味料、新規指定、12．28
- 2-エチル-6-メチルピラジン：香料、新規指定、12．28
- （3-アミノ-3-カルボキシプロピル）ジメチルスルホニウム塩化物：香料、新規指定、12．28

(2) 平成25年の主な改正内容

- 亜塩素酸水：殺菌料、新規指定、2．1
- アゾキシストロビン：防かび剤、新規指定、3．12
- 硫酸カリウム：調味料、新規指定、5．15
- 乳酸カリウム：調味料・水素イオン濃度調整剤、新規指定、5．15
- 3-アセチル-2,5-ジメチルチオフェン：類指定香料「ケトン類」、削除、7．25
- ピリメタニル：防かび剤、新規指定、8．6
- 3-エチルピリジン：香料、新規指定、8．6
- 酸化カルシウム：イーストフード、新規指定、10．22

- 酢酸カルシウム：強化剤、新規指定、12．4
- イソプロパノール：香料、規格の改正、12．4

（3）平成26年の主な改正内容

- ヒマワリレシチン：乳化剤、新規指定、4．10
- ビオチン：強化剤、規格の改正、6．17
- ポリビニルピロリドン：増粘剤・安定剤・ゲル化剤・糊料、新規指定、6．18
- β-アポ-8′-カロテナール：着色料、新規指定、6．18
- アドバンテーム：甘味料、新規指定、6．18
- グルタミルバリルグリシン：調味料、新規指定、8．8
- 2，3-ジエチルピラジン：香料、新規指定、11．17
- アスパラギナーゼ：製造用剤、新規指定、11．17

（4）平成27年の主な改正内容

- カンタキサンチン：着色料、新規指定、2．20
- クエン酸三エチル：香料・安定剤・乳化剤、新規指定、5．19
- 二酸化ケイ素：製造用剤、使用基準改正、7．29
- ケイ酸カルシウム：製造用剤、使用基準改正、7．29
- グルコン酸亜鉛：強化剤、使用基準改正、7．29
- アンモニウムイソバレレート：香料、新規指定、7．29
- 1-メチルナフタレン：香料、新規指定、9．18

（5）平成28年の主な改正内容

- 硫酸亜鉛：強化剤、使用基準改正、6．8
- アスパラギナーゼ：製造用剤、成分規格改正、9．26
- 亜セレン酸ナトリウム：強化剤、新規指定、9．26
- 亜塩素酸ナトリウム：漂白剤・殺菌料、使用基準改正、10．6
- 過酢酸製剤：殺菌料、成分規格設定、10．6
- 1-ヒドロキシエチリデン-1，1-ジホスホン酸：殺菌料（過酢酸製剤としての使用のみ）、新規指定、10．6
- 次亜臭素酸水：殺菌料、新規指定、10．6
- 過酢酸：殺菌料（過酢酸製剤としての使用のみ）、新規指定、10．6
- オクタン酸：香料・殺菌料（過酢酸製剤としての使用のみ）、新規指定、10．6

- 過酸化水素：漂白剤・殺菌料、使用基準改正、10．27

（6）平成 29 年の主な改正内容
- 過酢酸製剤：殺菌料、成分規格改正、6．23
- 過酢酸：殺菌料（過酢酸製剤としての使用のみ）、製造基準改正、6．23
- ステアリン酸マグネシウム：製造用剤、使用基準改正、6．23
- 炭酸カルシウム：栄養強化剤・イーストフード・ガムベース・膨脹剤、使用基準改正、6．23

（7）平成 30 年の主な改正内容
- プロピコナゾール：防かび剤、新規指定、7．3
- 亜セレン酸ナトリウム：栄養強化剤、使用基準改正、8．8
- グルコン酸亜鉛：栄養強化剤、使用基準改正、8．8
- グルコン酸銅：栄養強化剤、使用基準改正、8．8
- ビオチン：栄養強化剤、使用基準改正、8．8
- 硫酸亜鉛：栄養強化剤・製造用剤、使用基準改正、8．8
- 硫酸銅：栄養強化剤、使用基準改正、8．8
- フルジオキソニル：防かび剤、使用基準改正、9．21
- β-ガラクトシダーゼ：酵素、成分規格改正、11．30
- フルクトシルトランスフェラーゼ：酵素、成分規格改正、11．30
- 硫酸アルミニウムアンモニウム：膨張剤、使用基準改正、11．30
- 硫酸アルミニウムカリウム：膨張剤、使用基準改正、11．30

2）用途別解説

（1）甘味料

　甘味料とは、味を構成している五つの基本の味（甘味、酸味、塩味、苦味、うま味）のうちのひとつで、食品に甘味を与えるものです。

　また、甘味には二種類あります。食品である砂糖、ブドウ糖、水飴、異性化糖、還元麦芽糖水飴等と、食品添加物の甘味料と呼ぶものです。食品添加物の甘味料は高甘味度（甘味が強いもの）のものと低甘味度のものがあります。

　甘味料は単に甘味を与えるだけではなく、食品の保水性を強めたり（しっとり感）、成型性を高めたり（パンやビスケットのかたち等）、甘味を強く（高濃度）することで食品の保存性を向上させるなどの特性をもっています。最近で

は、健康志向の関係からカロリーが少ないものや、虫歯になりにくいもの等、特徴のある甘味料があります。

①甘味料の種類

指定添加物には10品目、既存添加物には12品目、一般飲食物添加物には2品目あります。

添加物名

（指定添加物）
アセスルファムカリウム、サッカリン、サッカリンナトリウム、サッカリンカルシウム、スクラロース、アスパルテーム、キシリトール、グリチルリチン酸ニナトリウム、ネオテーム*、アドバンテーム
（既存添加物）
D－キシロース、カンゾウ抽出物、ステビア抽出物、タウマチン、L－アラビノース、α－グルコシルトランスフェラーゼ処理ステビア、酵素分解カンゾウ、ステビア末、ブラジルカンゾウ抽出物、ラカンカ抽出物、L－ラムノース、D－リボース
（一般飲食物添加物）
アマチャ抽出物、カンゾウ末

＊ネオテームは法令上では用途を規定されていません。

②甘味料の甘味度比較

添加物名	甘味度（倍）*1	甘味成分の特徴
アセスルファムカリウム	200	ノンカロリーで非う蝕性*2である
スクラロース	600	ノンカロリーで非う蝕性である
サッカリンナトリウム	200～700	ノンカロリーで非う蝕性である
アスパルテーム	180～200	低カロリーで非う蝕性である
キシリトール	0.65～1.00	低甘味で非う蝕性である
D－キシロース	0.4～0.5	低甘味で食品の色や香りを強める
カンゾウ抽出物	170～250	持続性のある甘味で塩馴れや丸みをつける
ステビア抽出物	250～350	砂糖に近い甘味で低カロリーである
タウマチン	2500～3000	持続性のある甘味でタンパク質甘味料である
ネオテーム	7000～13000	アミノ酸由来で甘味度が高い甘味料のひとつである
アドバンテーム	14000～48000	高甘味度甘味料である

＊1　甘味度……一般に各種の甘味を比べる場合、砂糖が基準（1とする）になります。食品製造で使用する場合は、甘味度比較表を参考にして添加物を使用します。
＊2　非う蝕性…虫歯の原因になりにくい糖で、虫歯原因菌（ミュータンス菌等）に糖を取りこまれるために原因となる酸を発生しない性質のことです。

●補足

食品には、砂糖をはじめ次のものがあります。（　）は各甘味度を表しています。

- 砂糖（1）、異性化糖（0.9〜1.3）
- エリスリトール（0.7〜0.8）
- ブドウ糖（0.5〜0.8）

等

③甘味料の使用基準

使用基準の意味：一部の食品添加物は、添加物ごとに使用を認める食品（対象食品）とその許容量（最大限度量）や使用方法（使用制限）等の使用基準が定められています。

甘味料では、アセスルファムカリウム、サッカリンナトリウム、スクラロース、グリチルリチン酸二ナトリウムに使用基準があります。

④表示上の注意

用途名と物質名の併記になります。「例：甘味料（キシリトール）」

| 指定添加物…………厚生労働大臣が指定したもので、天然、合成にかかわらず安全性と有効性が確認されたものです。
| 既存添加物…………厚生労働大臣が認可し、天然添加物として長年使用されてきた既存添加物名簿に収載されているものです。
| 一般飲食物添加物…一般に食品として飲食されてきたもので、添加物として使用されるものです。

⑤甘味料の ADI 評価

甘味料の中には、JECFA[*1]評価の ADI 値[*2]が設定されているものがあります。

アスパルテーム	＝ ADI：0〜40mg/kg 体重
サッカリンナトリウム	＝ ADI：0〜5mg/kg 体重

* 1　JECFA…P.288 参照
* 2　ADI…P.288 参照

⑥食品の製造工程例（ブドウ糖）

ブドウ糖（グルコース）は、小麦、とうもろこし、じゃがいも、甘藷（さつまいも）等のでんぷんから作られます。

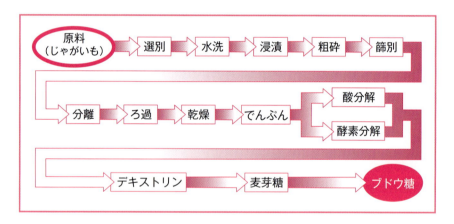

ブドウ糖はでんぷん糖に含まれます。でんぷん糖とは、でんぷんを酸や酵素で分解してできるデキストリンからブドウ糖に至るまでの各種の中間混合物の総称です。

でんぷん糖には、水飴類（酸糖化水飴、麦芽水飴、ハイマルトース、シロップ）とブドウ糖類（結晶ブドウ糖、粉末ブドウ糖、液状ブドウ糖他）、異性化糖（ブドウ糖果糖液糖、果糖ブドウ糖液糖）、粉あめ等があり、多くの食品に原料素材として使用されています。

⑦甘味料の製造工程例（ステビア抽出物）

原料は南米のパラグアイ原産のキク科ステビア（植物）です。現地では古く

から飲みものなどの甘み付けに用いられていました。甘味成分は、ステビオールの配糖体で比較的砂糖に近い甘味です。

●使用対象となる主な食品

　低カロリー食品や炭酸飲料、菓子、冷菓、漬物、佃煮等に使用されています。また、ステビア抽出物の食品への標準的な添加量（使用量）は食品により0.002〜0.5％となっています。

⑧主な甘味料の特徴と用途
●アスパルテーム

　L–フェニルアラニンをメチルエステル化したものとアミノ酸のL–アスパラギン酸を縮合してペプチド化させて作られます。低カロリーで非う蝕性等から清涼飲料、乳性飲料、冷菓、ガム、スナック菓子、ダイエット食品、肥満者や糖尿病者の砂糖の代替甘味料としても使用されています。フェニルケトン尿症の患者さんはフェニルアラニンを分解する酵素をもたないため、その摂取量を制限する必要があるため「L–フェニルアラニン化合物」を含む旨を併記します。

　表示例：「甘味料（アスパルテーム・L–フェニルアラニン化合物を含む）」

●アセスルファムカリウム

　酢酸由来のジケテンを原料として製造されます。相乗効果からアスパルテーム、スクラロース、ステビア等と併用され、主にノンカロリー甘味料として砂糖代替食品、菓子、清涼飲料水、漬物、佃煮等に使用されています。

●カンゾウ抽出物

　マメ科のウラルカンゾウ、チョウカカンゾウ、ヨウカンゾウの根や根茎より熱水で抽出します。主成分はグリチルリチン酸です。塩味（特に塩カド）をマイルドにする働きから、みそやしょうゆ等に使用されてきました。現在では、より精製されたものも含み、一般飲食品からたばこ香料、化粧品、医薬品等に幅広く利用されています。

●キシリトール

コーンコブ（とうもろこしの穂軸）、バガス（さとうきびのしぼりカス）、綿実殻、麦わら等を酸により加水分解させてD－キシロースを抽出します。それをさらに水素を添加して精製したものです。カロリーは砂糖の約75％で非う蝕性なため、ガムやキャンディ、チョコレート等の菓子類、シュガーレス食品等に多く使用されています。

●サッカリンナトリウム

トルエンまたは無水フタル酸を原料としてサッカリンを作り、水酸化ナトリウムで中和・結晶化したものです。代表的な人工甘味料で、飲料、製菓、製パン、漬物等に広く使用されています。糖尿病者、肥満者の砂糖代替用甘味料としても使用されています。使用基準は定められています。

●スクラロース

ショ糖を出発原料として3つの水酸基を選択的に塩素化し、中和・精製工程を経て得られます。ノンカロリー甘味料として砂糖代替食品、清涼飲料水、果汁飲料、菓子、ジャム、ヨーグルト等に使用されます。

●タウマチン

西アフリカ原産のタウマトコッカスダニエリの種子より抽出・精製されたものです。タンパク質甘味料で「甘味料（ソーマチン）」とも表示されます。

●D－リボース

簡略名は「リボース」。グラム陽性細菌（Bacillus pumilus, Bacillus subtilis）によるD－グルコースの発酵培養液より分離して得られたものです。甘味度はショ糖の約0.7倍で、加熱食品や焼き物食品に使用すると風味増強や色付与効果があります。食品全般に使用されています。

●ネオテーム

アスパルテームをN－アルキル化することにより得られたジペプチドメチルエステル誘導体の甘味料です。甘味度は砂糖の7000～13000倍、アスパルテームの約30～60倍です。米国、オーストラリア等の19か国以上で食品添加物として甘味及びフレーバー増強の目的で使用されています。

(2) 着色料

　着色料とは、食品の美味しさや新鮮さ等、美しく魅力的な色にするためのものです。

　私たちが食品を選ぶ時、最初に判断する要素に「見た目の色」がありますが、消費者にとって食品の色は良い食品を選ぶ「ものさし」になっています。

　多くの食品は、野菜や果汁のように素材自体が色をもっていますが、紅ショウガ、梅漬け、酢だこの赤色、ラーメンの黄色、なると巻き、紅白まんじゅう、粒状のチョコレート等、人が創り出した着色の食文化があります。着色料は、原料の色のバラツキ、加工時や保存中の変色や退色等を補い、商品価値を高めたりするのに広く使用されています。

①主な着色料の種類

　指定添加物は33品目、既存添加物は54品目、一般飲食物添加物は78品目あります。

添加物名	特徴
（指定添加物） タール系色素 （12品目）	耐光性、耐熱性があり、耐酸性のものが多い
（既存添加物）	
カロチノイド系 （アナトー色素）	一般的に熱に強く安定しているが退色しやすい
フラボノイド系 （アントシアン色素）	着色し易く、耐性もあるが酸性水では溶けにくい
キノン系 （コチニール色素）	耐光性、耐熱性がある
ポルフィリン系 （クロロフィル）	熱に強いが酸性で変色する
ジケトン系 （ウコン色素）	水には溶けにくく、有機溶剤や油脂に溶ける
ベタイン系 （ビートレッド）	熱や光に不安定になる
アザフィロン系 （紅麹色素）	タンパク質に着色し、色調は安定する

フィコシアニン系 （スピルニナ色素）	各耐性に劣るが鮮明な青色なので価値がある
その他、魚鱗箔、クチナシ赤・青色素、ログウッド色素、カーボン系色素、金属元素系、カラメル色素等	
（一般飲食物添加物） アントシアニン系（ブドウ果汁色素）、カロチノイド系（サフラン色素）、フィコビリン系（ノリ色素）、ユーメラニン系（イカスミ色素）、ウコン、ココア、果汁、野菜汁等	

②着色料の使用基準

すべての着色料には使用基準が定められています。また、着色料（化学的合成品は除外）は、こんぶ類、食肉、鮮魚介類（鯨類を含む）、茶、海苔類、豆類、野菜およびわかめ類には使用してはならないことになっています。ただし、海苔佃煮には適用されません。

また、タール系色素については、品質を保証するため厚生労働大臣による製品検査が義務づけられています。

● 補足

原料由来の場合は、その色素が最終製品に効果を発揮しなければキャリーオーバーに該当します。

③表示上の注意

用途名と物質名の併記になります。「例：着色料（アナトー）」

④着色料の ADI 評価

一般的によく見かける着色料の中には、JECFA 評価の ADI 値があるものがあります。

アナトー色素（アナトー）＝ ADI：0～0.065mg/kg 体重
　　　　　　　　　　　　（色素成分のビキシンとして）

コチニール色素（カルミン酸）＝ ADI：0～5mg/kg 体重
　　　　　　　　　　　　（色素成分のカルミン酸として）

ウコン色素（クルクミン）＝ ADI：0～1mg/kg 体重
　　　　　　　　　　　　（暫定―色素成分のクルクミン類として）

カラメル色素（カラメルⅡ）	＝ ADI：0〜160mg/kg 体重
（カラメルⅢ）	＝ ADI：0〜200mg/kg 体重
	（固形物基準 0〜150mg/kg 体重）
（カラメルⅣ）	＝ ADI：0〜200mg/kg 体重
	（固形物基準 0〜150mg/kg 体重）
β-カロチン（カロチン）	＝ ADI：0〜5mg/kg 体重
銅クロロフィル（銅葉緑素）	＝ ADI：0〜15mg/kg 体重
ブドウ色素（エノシアニン）	＝ ADI：0〜25mg/kg 体重
リボフラビン＊（ビタミンB_{12}）	＝ ADI：0〜0.5mg/kg 体重
赤色2号（アマランス）	＝ ADI：0〜0.5mg/kg 体重
赤色3号（エリスロシン）	＝ ADI：0〜0.1mg/kg 体重
赤色40号（アルラレッドAC）	＝ ADI：0〜7mg/kg 体重
赤色102号（ニューコクシン）	＝ ADI：0〜4mg/kg 体重
黄色4号（タートラジン）	＝ ADI：0〜7.5mg/kg 体重
黄色5号（サンセットイエローFCF）	＝ ADI：0〜2.5mg/kg 体重
緑色3号（ファストグリーンFCF）	＝ ADI：0〜25mg/kg 体重
青色1号（ブリリアントブルーFCF）	＝ ADI：0〜12.5mg/kg 体重
青色2号（インジゴカルミン）	＝ ADI：0〜5mg/kg 体重

＊リボフラビンは栄養強化剤で使用の場合は表示は免除されます。

⑤着色料の製造工程例

＜アナトー色素の場合＞

　原料は中南米原産のベニノキの種子（被覆物）に含まれる少量（クロセチン含有）の黄橙色色素です。製品は赤褐色の液体でペーストまたは粉末になっています。主な色素はビキシンおよびノルビキシンです。

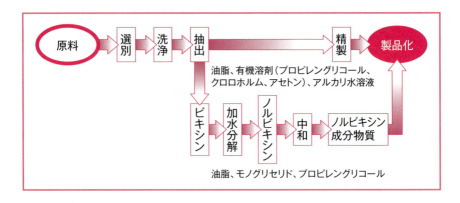

●使用対象となる主な食品

　焼菓子、パン粉、水産加工品、油脂製品（バター、マーガリン、チーズ、チョコレート）、畜産加工品、加工用みそ等に使用されています。使用基準は定められています。

＜コチニール色素の場合＞

　原料はサボテン等に寄生するカイガラムシ科のエンジムシです。メキシコを原産とし、ペルー、グアテマラ等の中南米地域、西インド諸島、カナリア諸島、アルジェリア、南部スペイン等で産しています。現在は人工的に養殖もされているようです。製品は橙色〜赤紫色で粉末または液体になっています。主な色素はカルミン酸です。使用上の注意として、食品に使用した場合、食品成分であるタンパク質等の影響で変色すること、またアレルゲン性の問題*もあります。使用基準は定められています。

*アレルゲン性の問題…「コチニール色素に関する注意喚起」についてはP.221「13)特定原材料等27品目由来以外の添加物について」参照

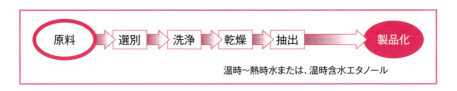

●使用対象となる主な食品

　リキュール、飲料、農産加工品（ジャム、ケチャップ等）、菓子・氷菓（アイスクリーム、チョコレート、キャンディ等）、畜肉・水産加工品（かまぼこ、

魚肉ソーセージ、ハム、ウインナー等）等に使用されています。

⑥主な着色料の特徴と用途
●クチナシ黄色素、赤色素
　アカネ科クチナシの果実より抽出するか加水分解して作られます（ただし、アカネ色素とは異質のものです）。黄色素は水溶性で主な色素成分はカロチノイド系のクロシン、クロセチンです。中華麺（やきそば等）、きんとん、アイスクリーム、清涼飲料水等に使用されています。赤色素は水溶性で油脂には溶けません。黄色素と同様に、麺類、菓子、冷菓、飲料、農産加工品等に使用されています。使用基準は定められています。

●カラメル色素
　糖類、糖蜜、でん粉加水分解物等を熱処理して作られます。カラメル色素には、Ⅰ、Ⅱ、Ⅲ、Ⅳの4つのタイプがあります。Ⅱは亜硫酸化合物を加えたもの、Ⅲはアンモニウム化合物を加えたもの、Ⅳは亜硫酸化合物およびアンモニウム化合物を加えたもので、Ⅰは加えていないものです。しょうゆ、たれ、スープ、カレールー、製菓、米菓、製パン、漬物、佃煮、コーヒー・紅茶飲料、ビール等、一般の食品に幅広く使用されています。使用基準は定められています。

●赤色2号
　ナフチオン酸とR酸（2-ナフトール-3,6-ジスルホン酸）を反応させて作ります。
　水溶性で光と酸に対しては安定していますが、熱には強くありません。シロップ、ゼリー、冷菓、清涼飲料水、ようかん、コーヒー、チョコレート等に使用されています。使用基準は定められています。明確な変異原性は認められていませんが、ヒト胎児口蓋結合組織細胞による成長阻止試験では陽性と判断されています〔Steel, V., et *al.* : *Fundam. Appl. Toxcol.* 11, 673（1988）〕。

●黄色4号
　カルボキシスルホピラゾロンとスルファニル酸を反応させて作ります。水溶性で熱や光、酸、塩等には安定していますので、汎用性があり高普及率の食用色素です。清涼飲料水、ゼリー、漬物、練りうに、佃煮、冷菓、和菓子、焼菓子、あめ等に使用されています。使用基準は定められています。

●青色1号

　O-スルホンベンズアルデヒドとエチルベンジルアニリン-m-スルホン酸を反応させて、これを酸化して作ります。水溶性で熱、光、酸、塩、酸化、還元等に安定しています。ぶどう色やチョコレート色として、他の食用色素と配合されたりして清涼飲料水、冷菓、ゼリー、漬物等、また医薬品等にも使用されています。使用基準は定められています。急性毒性は、ラット経口 LD_{50}*＞2 g/kg と報告されています。

＊ LD_{50}…P. 329 参照

●紅こうじ色素

　簡略名は「紅麹」「モナスカス」。子のう菌類ベニコウジカビの培養液から得られたものです。主色素はキサントモナシン類の黄色系のものと、モナスコルブリン及びアンカフラビン類の赤色系のものがあります。水、エタノール、プロピレングリコールに可溶で油には不溶です。

　黄色系は蛍光色を持っているので非常に鮮明な色調ですが苦味があります。キャンディ、ゼリー、わさび、練り製品、麺類、冷菓、菓子等に使用されています。

　赤色系はたん白質に対する染着性がよく、美しい赤色を呈します。味付けだこ、畜産加工品、水産加工品、練り製品、たれ、菓子類に使用されます。

●ベニバナ色素

　簡略名は「フラボノイド」「フラボノイド色素」。主として中国、キク科ベニバナの花から得られたカルタミン（赤色素）、サフロミン（黄色素）です。赤色素は難水溶性で油脂にも不溶で、乳糖やセルロース等の白色粉体に混合して使用します。黄色素は水溶性で油脂には不溶で、他の黄色素よりも安定性があります。赤色素は和菓子、冷菓、錠剤、チューインガム、麺類に、黄色素は飲料、菓子、麺類、漬物、冷菓等に使用します。赤色素、黄色素ともに JECFA の規格があります。

●ラック色素

　ラックカイガラムシの分泌液から抽出し得られたラッカイン酸類を主成分とするものです。ラック色素、着色料（ラッカイン酸）、着色料（ラック）等と表示します。ゼリー、ジャム、冷菓、餡（紫赤色に染着利用）、製剤は菓子、畜産加工品等に使用されています。

(3) 保存料

保存料は、腐敗菌等による食品の汚染を抑える働きをします。

食品の保存性が向上することは、食品の品質が保たれ、ひいては公衆衛生の点からも重要です。ここ数年、食品の衛生管理（HACCPシステム）、製造技術、包装技術、また冷蔵、冷凍、氷温技術等、大幅な向上がみられますが、食品の腐敗や変敗を完全に抑えることは今のところ難しいため、保存料の効力を利用することが必要になります。

指定添加物（21品目）に含まれる保存料の使用には、厳しい使用制限が定められています。既存添加物は5品目あります。

近年の食の傾向は、美味しさと健康が重要な要素となっており、年々低塩、低糖、保湿感、ソフト感が進んでいます。また、添加物の少ない、もしくは無添加の食品の需要も高まりつつありますが、逆にこれらの食品は腐敗や変質しやすい欠点をもっていることも事実です。保存料との合致性と整合性、食品保存の意義等、今後の課題といえるでしょう。

①保存料の種類

分類	添加物名
（指定添加物）	
有機酸およびその塩類	安息香酸、安息香酸ナトリウム、ソルビン酸、ソルビン酸カリウム、ソルビン酸カルシウム、プロピオン酸、プロピオン酸ナトリウム、プロピオン酸カルシウム、デヒドロ酢酸ナトリウム
有機酸エステル類	パラオキシ安息香酸ブチル、パラオキシ安息香酸イソブチル、パラオキシ安息香酸プロピル、パラオキシ安息香酸イソプロピル、パラオキシ安息香酸エチル
無機塩類	亜硫酸ナトリウム（結晶、無水）、次亜硫酸ナトリウム、ピロ亜硫酸カリウム、ピロ亜硫酸ナトリウム、二酸化硫黄
抗真菌性物質	ナタマイシン*、ナイシン
（既存添加物）	
植物抽出物および分解物	ツヤプリシン（抽出物）、ペクチン分解物、カワラヨモギ抽出物
タンパク質等	しらこたん白抽出物、ε-ポリリシン

＊使用基準としてチーズの表面処理だけの製造用剤として指定されている。

②保存料の使用基準

指定添加物（二酸化硫黄を除く）については、使用基準が定められています。既存添加物については、使用基準はありません。

③表示上の注意

用途名と物質名の併記になります。「例：保存料（ソルビン酸）」

④保存料のADI評価

一般的に見かける保存料にはJECFA評価のADI値があるものがあります。

安息香酸ナトリウム（安息香酸Na）＝ADI：0～5mg/kg体重
ソルビン酸＝ADI：0～25mg/kg体重
パラオキシ安息香酸ブチル（パラオキシ安息香酸）＝ADI：0～10mg/kg体重

⑤保存料の製造工程例（しらこたん白抽出物）

原料はアイナメ科アイナメ、サケ科カラフトマス、シロザケ、ベニザケ（北海道、三陸産）、サバ科カツオ、ニシン科ニシン（アメリカ、カナダ産）の白子（精巣中の核酸および塩基性たん白質）を酸で分解・中和させて作ります。主な成分は塩基性タンパク質（プロタミンヒストン）です。製品は白～淡黄色の粉末もしくは、淡黄色～褐色のペーストまたは液体です。

水溶性で、耐熱性（120℃／30分）もあり、加熱により腐敗の防止効果が向上します。優れたたん白で、中性～アルカリ域ではグラム陽性菌、陰性菌、特に耐熱性芽胞菌に対しては増殖を抑える効果はありますが、かびや酵母に対しては効果はありません。

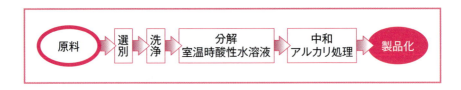

●使用上の留意点

たん白、塩分、酸性多糖類などと結合すると不溶化しますので、効力が低下する性質を持っています。また、比較的新しい物質なので、影響等に関する研究は少ないのが現状です。

● 使用対象の主な食品

　グリシン、酢酸塩、醸造酢等と併用したり、アルカリ塩に配合したり、水産加工品やでん粉系の食品（魚肉練り製品等）、サラダなどの惣菜、液体調味料等に使用されています。

⑥主な保存料の特徴と用途
● 安息香酸および安息香酸ナトリウム

　無水フタル酸またはフタル酸を原料として、これを酸化アルミニウム、酸化亜鉛などを触媒として脱炭酸したものが安息香酸になります。その安息香酸を水酸化ナトリウム溶液か炭酸ナトリウムで溶かした後にろ過し、蒸発濃縮して結晶化および蒸発乾固したものが安息香酸ナトリウムです。

　安息香酸Naは水溶性でかび、酵母、好気性菌（酢酸菌、枯草菌等）に対して増殖を抑える効果があります。使用基準は安息香酸として、キャビア（2.5g/kg）、清涼飲料水・シロップ・しょうゆ（0.6g/kg）、菓子製造に用いる果実ペースト・果汁・マーガリン（1g/kg）、ただしマーガリンは、ソルビン酸・ソルビン酸カリウム・ソルビン酸カルシウムの併用は安息香酸とソルビン酸の合計使用量（1g/kg）で捉えます。

　急性毒性は、ラット経口 LD_{50} = 2.7〜4.44g/kgと報告されています。
注）（　）内は使用限度量を示します。

● ソルビン酸およびソルビン酸カリウム

　エチレンを原料とするクロトンアルデヒドとケテンを、触媒を含む溶液中にて、約0℃で反応させて作るのがソルビン酸です。そのソルビン酸を炭酸カリウムで中和させたものがソルビン酸カリウムです。

　水溶性でかび、酵母、好気性菌に対して発育を抑える効果があります。

　ソルビン酸は殺菌効果よりも発育阻止作用が強く有効で熱や光には安定します。ただし、嫌気性菌および菌の量が多いと効果は期待できません。使用基準は、ソルビン酸として、チーズ（3g/kg）ただしプロピオン酸・プロピオン酸Ca・プロピオン酸Naの併用はソルビン酸とプロピオン酸の合計使用量（3g/kg）、うに・魚肉ねり製品・鯨肉製品・食肉製品（2g/kg）、いかくん製品・たこくん製品（1.5g/kg）、あん類・かす漬・こうじ漬・塩漬・しょう油漬・みそ漬・キャンデッドチェリー・魚介乾製品（いかくん・たこくん製品除く）・ジャム・シロップ・たくあん漬・つくだ煮・煮豆・ニョッキ・フラワーペースト類・マーガリン・みそ（1g/kg）ただしマーガリンは安息香酸・安息香酸Naの併用は安息香酸とソルビン酸の合計使用量（1g/kg）、ケチャップ・酢

漬の漬物・スープ・たれ・つゆ・干しすもも（0.5g/kg）、甘酒・はっ酵乳（0.3g/kg）、果実酒・雑酒（0.2g/kg）、乳酸菌飲料（殺菌したものを除く）（0.05g/kg）ただし原料は（0.3g/kg）となっています。

急性毒性は、ラット経口 LD_{50} = 10.5g/kg と報告されています。
注）（　）内は使用限度量を示します。

● ナイシン

乳酸菌による発酵乳から分離されたアミノ酸からなるペプチドです。バチルス属とクロストリジウム属のグラム陽性菌（バチルス属、リステリア属等）の腐敗に対して効果があります。対象食品および使用基準があり、穀類およびでん粉を主原料とする洋生菓子、食肉製品、ソース類、卵加工品、チーズ、ドレッシング、乳脂肪分を主な成分とする食品を原料として泡立てたホイップクリーム類、マヨネーズ、みそおよび洋菓子以外に使用してはいけません。

● パラオキシ安息香酸ブチル

フェノールと二酸化炭素を反応させて得られるパラオキシ安息香酸とブチルアルコールを縮合させて作られます。水には溶けない為、主に乳化製剤として使用されます。かび、酵母、細菌に対して増殖を抑える効果があります。使用基準も定められており、パラオキシ安息香酸として、しょうゆ（0.25g/L）、酢（0.1g/L）、清涼飲料水・シロップ（0.1g/kg）、果実ソース（0.2g/kg）、果実や果菜の表皮部分（0.012g/kg）となっています（それ以外は使用できません）。

急性毒性は、マウス経口 LD_{50} = 16.0g/kg と報告されています。

● ε-ポリリシン（簡略名または類別名：ポリリジン）

放線菌の培養液より、イオン交換樹脂を用いて吸着・分離して得られたものです。主な成分はイプシロン-ポリリシンで必須アミノ酸であるL-リシンが20～30個つながったポリペプタイドの形をしています。水溶性で、耐熱性があり、ほとんどの細菌（大腸菌、枯草菌、黄色ブドウ球菌、乳酸菌等）を抑える効果があります。ただし、かびに対しては効果は期待できません。一般では、グリシン、グリセリン脂肪酸エステル、アルコール等を配合した製剤で使用されています。一般の食品に使用されていますが、特にでん粉系食品、惣菜全般、たれ、和菓子等に使用されています。使用基準はありません。

（4）増粘安定剤

食品に滑らかな感じや、粘り気、ボディ感を与え、品質を向上させたり、特

徴的な食感を作り出すために使用されるものです。

その為に使用される増粘安定剤には目的別に、増粘剤、安定剤、ゲル化剤、糊料等があります。

●増粘剤

水に溶けたり、散ったりして粘り気のある食品にします。例えば、ドレッシングや各種たれ類などの粘り気がその効果です。

●安定剤

混ざりにくいもの同士をいっしょにするときに使用します。分離しやすい水と油、水とたん白、水と固形分等を混合したりする食品の場合、また水の粘度を高め変えることにより分離や沈殿等から防ぎ、安定した液状の食品になります。例えば、ドレッシング（混濁タイプに多い）などです。

●ゲル化剤

食品をゼリー状にします。例えば、フルーツゼリー、いちごジャムなどです。

●糊料

増粘剤、安定剤、ゲル化剤以外の用途の場合です。例えば、やわらかいパン等を作るとき等がそうです。

様々な使い方をする増粘安定剤ですが、ほとんどの増粘安定剤は多糖類からできています。多糖類とは、単糖類が長く繋がっている糖類のことです。一般には十数個以上の単糖類からなっています。

一口メモ

●糖の種類

糖質とは私達の体内で日々、エネルギーの源となっているものです。特に脳にとってはグルコースは大切な燃料ですので脳のエネルギーを維持するためにも重要です。

グルコース（ブドウ糖）、フルクトース、ガラクトースは、これ以上加水分解されない単糖で、単糖が2つくっついたマルトース（麦芽糖）、ラクトース（乳糖）、シュクロース（ショ糖）を二糖類と呼び、米、小麦、とうもろこし等のでんぷん成分であるアミロース、アミロペクチン等を多糖類と呼びます。

①主な増粘安定剤の種類

国際的にも天然物が一般的に広く使用されています。

添加物名	特徴
（指定添加物）	
カルボキシメチルセルロースナトリウム	増粘・ゲル化・耐酸性、艶出し効果がある
アルギン酸ナトリウム	増粘・ゲル化性がある
加工でん粉12品目（デンプングリコール酸ナトリウム等）	増粘・ゲル化性がある
その他　ポリビニルピロリドン（PVP）	カプセル・錠剤等通常の食品形態でない食品
（既存添加物：多糖類）	
グァーガム	種子胚乳より分離したもので、増粘性がある
カロブビーンガム	種子胚乳より分離したもので、粘り気および分散・安定・相乗作用性がある
アラビアガム	樹幹より浸出した液の乾燥物で、被膜・乳化安定性がある
ガディガム	樹幹より浸出した液の乾燥物で、乳化性がある
カラギナン	海藻より水で抽出したもので、安定・結着・ゲル化性がある
アルギン酸	海藻より水で抽出したもので、耐酵素性がある
キサンタンガム	微生物が産出したもので、安定・増粘・乳化安定・分散・保湿・氷結防止・耐熱・耐酸・耐酵素・相乗作用性がある
ペクチン	りんご、オレンジから水で抽出したもので、増粘・ゲル化・耐酸性がある
微小繊維状セルロース	りんご、オレンジから水で抽出したもので、結着・乳化安定性がある
キチン	カニの甲羅から抽出したもので、分散・乳化安定性がある
キトサン	カニの甲羅から抽出したもので、増粘性がある
（一般飲食物添加物）	
グルテン	小麦の水不溶性たん白質で、加熱により乳化・保水・結着性を有する
グルコマンナン	こんにゃくいもの乾操物で安定・ゲル化性があり、多糖類である
ダイズ多糖類	種子胚乳より分離したもので、粘り気および結着・被膜・乳化安定性がある
ナタデココ	微生物が産出したもので保水・増粘性・懸濁力があり、多糖類である

②増粘安定剤の使用基準

ほとんどの指定添加物（アルギン酸ナトリウムを除く）には使用基準が定められています。既存添加物、一般飲食物添加物については、使用基準はありません。

③表示上の注意

用途名（増粘剤、安定剤、ゲル化剤、糊料）と物質名の併記になります。「例：増粘剤（グァーガム）」

増粘安定剤のうち、2種類以上の多糖類を併用する場合は、物質名を一括して「増粘多糖類」と表示することができます。「増粘多糖類」と表示する場合であって、添加物を増粘の目的で使用した場合は用途名（増粘剤または糊料）の併記を省略することができます。

④増粘安定剤のADI評価

既存添加物および一般飲食添加物の増粘安定剤は、ほとんどが多糖類で、古くから食品の素材として利用されており、中にはJECFA評価のADI値があるものがあります。

> アルギン酸プロピレングリコールエステル（アルギン酸エステル）
> ＝ADI：0～70mg/kg体重

⑤増粘安定剤の製造工程例

＜グァーガム及び酵素分解物＞

マメ科グァーの種子胚乳部分から得られたもので、主な成分は多糖類です。標準的な組成はガラクトマンナン80％、たん白質5％、繊維1％および灰分1％となっています。水溶性（冷水）で、砂糖等に分散してから水に添加して使用します。キサンタンガムと併用されています。

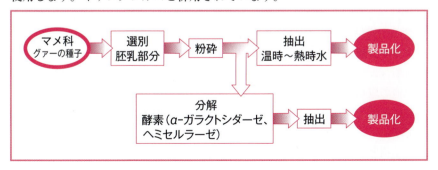

●使用対象の主な食品

　ドレッシング、ソース、たれ、スープ、冷菓、即席中華麺、アイスクリーム等に使用されています。

＜キチン、キトサン＞

　甲殻類（主にかに）の甲殻より抽出した多糖類です。主な成分は、N-アセチルポリグルコサミンです。水やエタノール、アルカリには溶けません。キチンは、強酸性（濃硫酸、濃リン酸等）に、キトサンは酸性水溶液（乳酸、酢酸、クエン酸等）に溶け、細菌に対して増殖を抑える作用があるため、漬物などに使用されています。

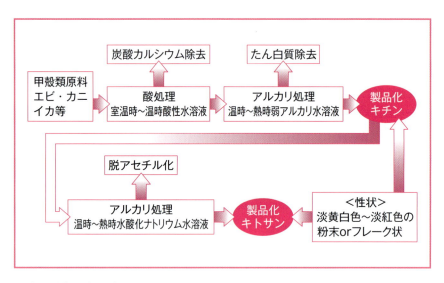

●使用対象の主な食品

　キチンは、菓子、パン、油脂食品等に、キトサンは、漬物、菓子、パン、油脂食品に使用されています。

⑥主な増粘安定剤の特徴と用途

●アルギン酸ナトリウム

　海藻（コンブ科マコンブ等）に含まれているアルギン酸のカルシウムまたはその他の塩類をアルカリ処理して抽出し、硫酸を加えてアルギン酸を得ます。これに炭酸ナトリウムまたは水酸化ナトリウムを加えてナトリウム塩にしたものです。

　増粘剤として、アイスクリーム、ジャム、ケチャップ、マヨネーズ、ソース、

糖衣菓子、スープ、パン、かまぼこ等に使用されています。また、アイスクリームの氷結晶の防止、麺類のこしの強化、人工イクラ等の表皮の形成にも利用されています。

急性毒性は、ラット経口 LD_{50} ＞ 5 g/kg と報告されています。

●アラビアガム

マメ科アカシアゴムノキ等の分泌液を乾燥して得られたものです。成分は、ガラクトース、アラビノース、ラムノース、グルクロン酸からできています。グミキャンデー、ガムシロップ、あめ菓子、菓子糖衣コーティング、ノン・カロリーキャンデー、乳化香料、粉末香料等に使用されています。

●カルボキシメチルセルロースナトリウム

簡略名は CMC です。パルプを水酸化ナトリウムで処理し、アルカリセルロースを作り、これにモノクロロ酢酸ナトリウムを作用してできたものです。もしくは、パルプをモノクロロ酢酸ナトリウム溶液に浸漬し、アルカリを加えて熟成し精製したものです。増粘剤、糊料として、アイスクリーム、ジャム、パン、菓子、佃煮、濃厚ソース、しるこ等や艶出し剤として使用されています。使用基準は定められており、使用量は各食品の2％以下となっています（メチルセルロース等の併用の場合は合計になります）。

急性毒性は、ラット経口 LD_{50} ＝ 27.0g/kg と報告されています。

●カロブビーンガム

別名はローカストビーンガムです。マメ科イナゴマメ種子の胚乳部分から得られたものです。主な成分はガラクトースとマンノースで、グァーガムに似ています。標準的な組成は、ガラクトマンナン80％、たん白質5％、粗繊維1％、灰分1％となっています。加熱すると完全に溶けます。カラギナン、キサンタンガムと反応し、粘弾性のあるゲルを作ります。冷菓、ゼリー類、プロセスチーズ、食肉製品、缶詰等に使用されています。

●キサンタンガム

キサントモナス（グラム陰性細菌）の培養液より分離して得られたものです。主な成分は、グルコース、マンノース、グルクロン酸等です。ローカストビーンガムとゲル化します。グァーガムとは粘度を増加させます。ドレッシング、ソース、たれ、漬物、佃煮、いか塩辛、冷凍食品、レトルト食品等に使用されています。

●カラギナン

　カラギナンは加工ユーケマ、精製カラギナン、ユーケマ藻末に分けられますが、別名はすべて同じでカラギナンと呼びます。加工ユーケマ及びユーケマ藻末はミリン科キリンサイ属の全藻より熱時水酸化カリウムで処理して得られたものです。主な成分はD-ガラクトースです。冷水に溶けにくく、温水に溶けます。精製カラギナンは、イバラノリ科イバラノリ属の全藻より熱時水酸化カリウムで処理して得られます。ゼリー、プリン、ジャム、冷菓、ようかん、畜肉加工品、水産練り製品、チョコレートミルク、チーズ、ドレッシング、飲料等にそれぞれの商品特性にあわせて使用されています。

●ペクチン

　かんきつ類（アマダイダイ、グレープフルーツ、ライム、レモン）、りんご、さとうだいこん等より熱時水または酸性水溶液で抽出したもの、もしくは、アルカリ性水溶液や酵素で分解したものより得られたものです。主な成分は、メチル化ポリガラクチュロン酸等で、水溶性です。糖度60％以上/pH3.0付近でゲル化（ジャム）し、耐熱性です。酸性では、乳たん白質の分離、沈殿を防止する効果があります。ジャム、ゼリー、アイスクリーム、酸性乳飲料、クリームチーズ等に使用されています。

●グルコマンナン

　コンニャクの根茎を乾燥、粉末にしたのち含水エタノールで洗浄したものです。主な成分は、グルコースとマンノースです。ゼリー、ジャム、麺類、パン、魚肉練り製品、アイスクリーム等に使用されています。

●加工デンプン12品目（①～⑫）

　原則、物質名を表示します。簡略名は「加工デンプン」です。基本的な製法には湿式法と乾式法があり、湿式は水中にでん粉が分散した状態で反応処理が行われ、でん粉乳液に薬剤を添加反応させた後、薬剤等を除去・精製・乾燥工程を経て製品となります。乾式は、でん粉に薬剤を添加後、加熱反応させて得られます。
①アセチル化リン酸架橋デンプン（エステル化）　②アセチル化酸化デンプン（エステル化、酸化）　③アセチル化アジピン酸架橋デンプン（エステル化）　④オクテニルコハク酸デンプンナトリウム（エステル化）　⑤酢酸デンプン（エステル化）　⑥酸化デンプン（酸化）　⑦デンプングリコール酸ナトリウム（エーテル化）　⑧ヒドロキシプロピル化リン酸架橋デンプン（エーテル化、エ

ステル化）　⑨ヒドロキシプロピルデンプン（エーテル化）　⑩リン酸化デンプン（エステル化）　⑪リン酸架橋デンプン（エステル化）　⑫リン酸モノエステル化リン酸架橋デンプン（エステル化）

（解説）
- 化学的加工を行った添加物の「加工デンプン」と、食品扱いである酸処理、アルカリ処理、漂白処理等の加水分解程度の簡単な化学的処理を含む物理的処理や酵素的処理を行った「でん粉」を併用した場合は、原材料としての「でん粉」と、添加物としての「加工デンプン」の両方を表示します。
  ＜表示例＞　原材料名：○○、○○、でん粉／安定剤（酢酸デンプン）…
- ④オクテニルコハク酸デンプンナトリウムは「乳化剤」としても使用されます。
- 加工でん粉だけの「餅」や「加工でん粉」と砂糖、香料、着色料からなる「餅菓子」や「わらび餅」等の加工食品の表示は、添加物として「加工でん粉」と表示します。

（5）酸化防止剤

　酸化防止剤とは、食品が空気中の酸素により酸化（変質）や褐変（変色）して劣化することから防ぐ働きをするものです。

　酸素により特に影響をうけるものに油脂食品（油を使った食品）があります。マーガリンや油で揚げた即席麺やお菓子（ポテトチップ等）などは空気中の酸素によって酸化され、色や風味が悪くなり、美味しさが失われてしまいます。また、酸化による過酸化物などの有害物質は人体にも悪影響を与えます。

　さといも、やまいも、りんごなどの切り口が褐色化（褐変）したり、肉が変色したり、野菜が退色したりするのも空気による影響（酸化や酵素）です。

　酸化防止剤は、食品の悪化につながる酸化現象を防止する働きをします。さらに、食品に含まれる酸化の引き金や促進の原因となる微量金属類の「金属封鎖剤」を併用することで酸化防止に相乗的な効果が得られます。

①主な酸化防止剤の種類

　指定添加物の酸化防止剤は18品目（L－アスコルビン酸、dl－α－トコフェロール等）、既存添加物には37品目（カテキン、ルチン抽出物等）あります。

分 類	添加物名
（指定添加物） 〇水溶性 　アスコルビン酸類：L-アスコルビン酸、L-アスコルビン酸ナトリウム、L-アスコルビン酸カルシウム 　エリソルビン酸類：エリソルビン酸、エリソルビン酸ナトリウム 　亜硫酸塩類：亜硫酸ナトリウム、ピロ亜硫酸カリウム 　その他：エチレンジアミン四酢酸二ナトリウム 〇油溶性 　BHT 等：BHT[*]、BHA 　アスコルビン酸エステル類：L-アスコルビン酸パルチミン酸エステル	
（既存添加物） 〇水溶性 　カテキン 〇油溶性 　トコフェロール類：ミックストコフェロール、d-α-トコフェロール 　香辛料抽出物：ローズマリー抽出物、クローブ抽出物 　その他：ゴマ油不けん化物、コメヌカ油抽出物	

＊ BHT…現在では化粧品にだけ使用されています。

②酸化防止剤の使用基準

指定添加物（アスコルビン酸類は除く）は使用基準が定められています。既存添加物では、ノルジヒドログアヤレチック酸（NDGA）に使用基準があります。

③表示上の注意

用途名と物質名を併記します。「例：酸化防止剤（エリソルビン酸）」

④酸化防止剤の ADI 評価

酸化防止剤の中には、JECFA 評価の ADI 値が設定されているものがあります。

L-アスコルビン酸ステアリン酸エステル（ビタミン C）＝	ADI：0〜1.25mg/kg 体重
亜硫酸ナトリウム（亜硫酸塩）＝ ADI：0〜0.7mg/kg 体重	
BHT（ジブチルヒドロキシトルエン）＝ ADI：0〜0.3mg/kg 体重	
BHA（ブチルヒドロキシアニソール）＝ ADI：0〜0.5mg/kg 体重	

dl-α-トコフェロール（合成ビタミンE）	＝ ADI：0～2.0mg/kg 体重
没食子酸プロピル（没食子酸）	＝ ADI：0～2.5mg/kg 体重
ミックストコフェロール（ビタミンE）	＝ ADI：0～2.0mg/kg 体重
d-α-トコフェロール（ビタミンE）	＝ ADI：0.15～2.0mg/kg 体重

⑤酸化防止剤の製造工程例

＜L-アスコルビン酸の場合＞

　次の製造工程図は最もよく生産されている合成法の1つです。

　特徴は、水溶性です。結晶は室温で空気を接触させても、光線にあってもほとんど分解しませんが、水溶液にすると光線で酸化分解を促進します。また、空気と加熱によっても大部分破壊されます。

　L-アスコルビン酸には酸化防止剤以外にも様々な用途があります。

- 酸化防止剤として、果物、野菜、漬物の褐変（褐色化）の防止や退色の防止に使用されます。食品中に含まれるポリフェノール類の酸化を防ぐ効果があります。
- 栄養強化剤として、野菜、果実ジュース、保健飲料、スポーツ飲料、果実缶詰、ジャム、錠菓、キャンデー、乳製品等の変色防止と栄養強化に使用されます。
- 発色助剤、退色防止剤として、畜肉製品、魚肉製品（ソーセージ等）の肉色の均一化と発色の安定が図れます。
- 油焼け防止剤として、魚介冷凍品、魚介塩蔵品などの油焼け防止に使用されます。不飽和脂質（不安定で酸化し易い油）の水産加工品に安定化剤（クエン酸Na、アミノ酸等）と併用すると高い効果が得られます。
- 製パン時の酸化剤として、小麦粉中の成分に影響を与えることにより、パン内層の容積拡大に有効に働きます（パンが大きくなります）。
- その他として、わさび、からしの辛味成分を活性化します。また、ビール、ブドウ酒等の風味が保たれます。

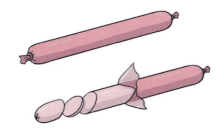

＜d-α-トコフェロールの場合＞

別名は抽出ビタミンE、抽出トコフェロール、簡略名はビタミンEのことです。自然界（天然系）に存在するものはd体。合成されたものはdl体となっています。d体（天然系）にはα、β、γ、σの4種類のトコフェロールがあります。主に油脂成分の酸化防止に使用されていますが、酸化防止力の強さでは、σ、γ、β、αの順になります。また、ビタミンEとしての生理作用があるため、栄養強化の効果もあります。油脂、無水エタノールに溶けやすく水には溶けません。

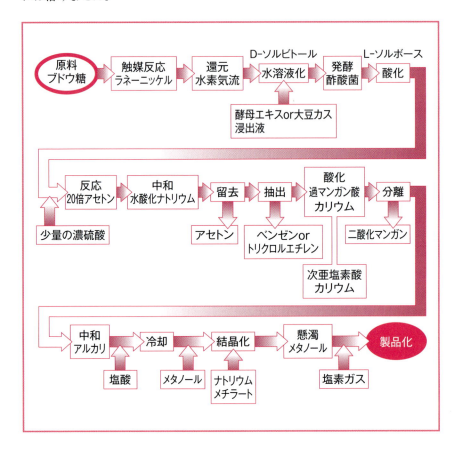

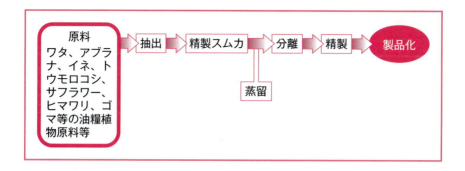

●使用対象の主な食品
　油脂、油脂加工品、食肉加工品、飲料、育児粉乳、果実飲料、魚肉加工品、健康食品等に使用されています。特にほとんどの食用植物油に酸化防止の目的で使用されています。

⑥主な酸化防止剤の特徴と用途
●**カテキン**
　お茶（カメリア・シネンシス）の葉、マメ科ペグアセンヤクの幹枝またはアカネ科ガンビールの幹枝や葉を乾留した後に水またはエタノールで抽出・精製したもの、もしくは熱時水で抽出した後にメタノールや酢酸エチルで分配して得られたものです。乾燥原末中の主な成分は、カテキン、エピガロカテキン、エピガロカテキンガレート等です。ビタミンE、クエン酸、L-アスコルビン酸等との併用で酸化防止効果が相乗的に増加します。水産加工品、食肉加工品、菓子、油脂、清涼飲料水等に使用されています。

●**ミックストコフェロール**
　別名はミックスビタミンE、抽出トコフェロール、簡略名は抽出 V. E、ビタミンEです。大豆油、トウモロコシ油、ナタネ油、その他油糧植物油の精製工程で得られる脱臭溜出物を主な原料として蒸留精製等したものです。主な成分は、$d-\alpha$、$d-\beta$、$d-\gamma$、$d-\sigma$-トコフェロールです。耐熱性に優れている為、油脂類（油脂、油脂加工品等）や食品（菓子、香辛料、健康食品等）の酸化防止に広く使用されています。含水食品に対しては乳化形態で使用されます。

●**dl-α-トコフェロール**
　簡略名はトコフェロール、ビタミンEです。トリメチルハイドロキノンを

原料として加熱反応もしくは、分子蒸留して作られます。油脂類や油脂含有食品等に使用されます。使用基準は定められており、dl-α-トコフェロール*は酸化防止の目的以外の使用はできません。ただし、製剤中（β-カロテン、ビタミンA等）に含まれている場合は例外です。
＊自然界に存在するものはd体で、合成されたものはdl体です。

●エリソルビン酸

でん粉を加水分解して得られるブドウ糖に栄養源を加えた培地にシュードモナス菌を接種して発酵させます。これにより、2-ケトグルコン酸カルシウムを得てエノールラクトン化して作ります。水溶性で強い還元作用がありますので、果実加工品、畜肉加工品（ハム・ソーセージ等）、魚介類、水産加工品（たらこ等）、農産物缶詰等の酸化防止（変色、風味の劣化等）に使用されています。使用基準は定められており、魚肉練り製品（魚肉すり身は除く）やパンの栄養の目的では使用できません。また、その他の食品への酸化防止以外の使用はできません。

（6）発色剤

畜肉加工品（ハム・ソーセージ等）、水産加工品（たらこ、いくら等）の色調を鮮やかにし、風味や保存性を改善するものです。

もともと、岩塩（硝石）による畜肉類の塩蔵は、西欧の伝統的な保存方法でした。その後、岩塩に含まれる硝酸塩が肉汁中の微生物（硝酸還元菌）の働きにより亜硝酸塩になることが解明され、亜硝酸塩が広く使用されるようになりました。

畜肉は時間がたつにつれ、それらに含まれているミオグロビン（肉色素）やヘモグロビン（血色素）などが酸化されて褐色になり、肉の美しい色が退色してしまいます。

亜硝酸塩はハムやウインナーソーセージ、ベーコン、サラミ、いくら、すじこ、たらこ等の変色を防止する効果があります。また、ボツリヌス菌*による食中毒を防ぐ働きもあります。
＊ボツリヌス菌…細菌の毒素の中で、最も猛毒の食中毒菌です。

①発色剤の種類

指定添加物として3品目（亜硝酸ナトリウム、硝酸ナトリウム、硝酸カリウム）あります。硫酸第一鉄は強化剤に含まれていますが、発色剤としても使用されています。

②発色剤の使用基準
いずれも使用基準は定められています。

③表示上の注意
用途名と物質名の併記です。「例：発色剤（亜硝酸ナトリウム）」

④発色剤の ADI 評価

亜硝酸ナトリウム（亜硝酸 Na）＝ ADI：0〜0.06mg/kg 体重	
硝酸ナトリウム（硝酸 Na）＝ ADI：0〜3.7mg/kg 体重	
硝酸カリウム（硝酸 K）＝ ADI：0〜3.7mg/kg 体重	

⑤発色剤の製造工程例（亜硝酸ナトリウム）
　簡略名は亜硝酸 Na です。肉色素（ミオグロビン）や血色素（ヘモグロビン）に作用して、変色しにくいきれいな赤色を作り出します。

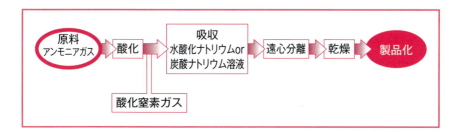

● 使用上の留意点
　使用基準も定められており、毒性が強いことから、使用制限品以外に使用することはできません。また、使用した場合は、最終加工製品に残る最大残存量も次のように厳しく決められています。毒性試験は、マウス経口 LD_{50} ＝ 220mg/kg と報告されています。

使用制限品目	亜硝酸根としての最大残存量
食肉製品・鯨肉ベーコン	0.070g/kg
魚肉ソーセージ、魚肉ハム	0.050g/kg
いくら、すじこ、たらこ	0.0050g/kg

⑥主な発色剤の特徴と用途

●硝酸ナトリウム

アンモニア酸化法により得た合成硝酸を中和槽に入れ、水酸化ナトリウムまたは、炭酸ナトリウムを作用中和させて加熱、蒸発結晶をさせ遠心分離乾燥をして作ります。

発色剤（細菌の分離により亜硝酸塩となり肉を発色させる）としてハム、ソーセージに、また製造用剤（発酵調整）としては、清酒、合成酒の早湧き防止の目的で仕込み水に添加します。チーズにも使用されます。使用基準（チーズ、清酒、ハム、ソーセージ等の食肉製品、鯨肉ベーコン）は定められています。

●硝酸カリウム

塩化カリウムを熱湯に溶解し、塩化カルシウムを加え硫酸鉄を焼き、硝酸ナトリウムを加え濃縮し、析出する食塩を分け、母液を放冷し結晶を析出したものです。もしくは、インド、スリランカ等に多量に産する一種の土壌より抽出して得られます。

発色剤（細菌の分離により亜硝酸塩となり肉を発色させる）としてハム、ソーセージに、また製造用剤（発酵調整）としては、清酒、合成酒の早湧き防止の目的で仕込み水に添加します。チーズにも使用されます。使用基準（チーズ、清酒、ハム、ソーセージ等の食肉製品、鯨肉ベーコン）は定められています。

●硫酸第一鉄

簡略名は硫酸鉄です。鉄屑と硫酸とを蒸気で加熱して放冷、結晶してつくります。もしくは、酸化チタン製造の際に副産物として多量に産出します。発色剤以外の栄養強化（調製粉乳は除く）の場合は表示は免除されます。発色剤として野菜、果物、漬物類（ナスのぬかみそ漬けなどに加えると美しい青色を保ちます）等に使用されます。他には黒豆、昆布にも使用します。毒性試験は、Feとしてラット経口 LD_{50} = 279〜558mg/kg と報告されています。

⑦亜硝酸ナトリウムの発がん性

1967年、ノルウェーにおいて亜硝酸ナトリウムで処理したニシン飼料により、多数の家畜が中毒死しました。死因は、亜硝酸ナトリウムがニシンの乾燥中に反応して毒物を生成したと判明しました。この事件以後、食品添加物としての亜硝酸ナトリウムに世界各国から批判が集まったのです。

ただ、現在まで亜硝酸ナトリウムの効果（発色、風味醸成等）とボツリヌス菌の発育抑制作用があるため使用中止にまでは至っていません。そこで、今では代替品としてのL-アスコルビン酸の使用量を増加させ、亜硝酸ナトリウムの量を減らす傾向にあります。

もともと、畜肉、魚肉や魚卵にはアミンという物質が含まれています。このアミンと亜硝酸ナトリウムが酸性側で反応するとニトロソアミン（発がん物質）に変化します。ただ、L-アスコルビン酸はニトロソアミンの生成を抑える力をもっていますが、コンドロイチン硫酸ナトリウムは生成を促進する働きがあります。また、亜硝酸ナトリウムは、胃、小腸からよく吸収されますので、日本人に胃がんが多いのはこの為と考えられているのも頷けるでしょう。

自然界には硝酸や亜硝酸ナトリウムを含んでいるものが多く、特に植物体中に広く分布しています。ホウレンソウ、キクナ、グリーンアスパラ、シシトウ、カイワレダイコンなどがあります。硝酸ナトリウムは微生物の作用によって容易に亜硝酸ナトリウムに変換し、漬物にいたっては、漬物中の硝酸還元菌によって亜硝酸ナトリウムは一時的に増加します。

これらのことから、食品添加物として摂取される量は、天然に存在している食品から体内に入り、生成吸収される量と比較して、低いことが伺えます。

● 日本人の摂取量

厚生労働省が行った調査によれば、一日／1人当たりの平均摂取は加工食品から　1.08mg、生鮮食品から　0.07mgとなっています。

つまり、一日摂取許容量＝ADI：0.06mg/kg体重を基礎数値として計算すると、

(1.08mg＋0.07mg)÷(0.06mg×日本人の平均体重／50kg＝3.0)×100＝38.3%
／日本人の一日摂取量はADIの約38%となります。

（7）漂白剤

食品の原料が含む色素や着色成分を漂白して無色にし、白くきれいにするものです。

食生活が豊かになるにつれ、食品に求められるものの中に「見た目の美しさ」があります。もともと、食品の原料は、収穫の時期、栽培した場所、気候、品種、栽培技術等の条件によって、品質のバラツキがでます。また加工食品として、もともと原料が持っている色素を変えたい場合があります。完成品としての加工食品は常に一定の外観や品質が求められ、原料を同一レベルに保つ必要があります。そのような時、原料や食品に漂白剤が使われます。

漂白には酸素を奪い取る還元的漂白と酸化的漂白があります。目的は、主に原料がもっている色の脱色と褪色（化学的作用）です。酸化漂白剤には、亜塩素酸ナトリウム（さくらんぼ、もも）、過酸化水素（かずのこ）があります。還元漂白剤には、亜硫酸ナトリウム（果実酒）、次亜硫酸ナトリウム（缶・びん詰チェリー）、ピロ亜硫酸ナトリウム（かんぴょう）、二酸化硫黄（乾燥果実）が含まれます。その他として、次亜塩素酸ナトリウムがあります。

①漂白剤の種類

指定添加物として5品目（亜硫酸ナトリウム、次亜硫酸ナトリウム、二酸化硫黄、ピロ亜硫酸カリウム、ピロ亜硫酸ナトリウム）あります。過酸化水素、亜塩素酸ナトリウムは製造用剤（殺菌料）に含まれていますが、漂白剤としても使用されています。また、毒性が強いことから特に注意が必要とされ、すべてに使用基準が定められています

②漂白剤の使用基準

亜硫酸ナトリウム、次亜硫酸ナトリウム、二酸化硫黄、ピロ亜硫酸カリウム、ピロ亜硫酸ナトリウムは使用制限に従って、それぞれ残留量（二酸化硫黄として）が決められています。

● 使用制限のある食品

かんぴょう、乾燥果実（干しぶどうは除く）、蒟蒻粉、マッシュポテト、ゼラチン、ディジョンマスタード、果実酒、雑酒、キャンデッドチェリー、糖蜜、糖化用タピオカでん粉、水飴、天然果汁（5倍以上の飲用濃縮果汁）、甘納豆、煮豆、えび、冷凍生かに、キャンデッドチェリー製造のさくらんぼ、ビール製造のホップ、果実酒の果汁等。

過酸化水素、亜塩素酸ナトリウムは、殺菌料としての効果（腐敗微生物を殺す）も強いことから最終食品の完成前に分解するか、もしくは除去されていなければなりません。

● 使用制限があり注意が必要な食品

過酸化水素：昭和56年の特例（かずのこ）が示されています。詳細はP.406をご参照ください。

亜塩素酸ナトリウム：平成7年12月および平成28年10月に使用基準の改正がありました。詳細はP.404をご参照ください。

③表示上の注意

用途名と物質名の併記をします。「例：漂白剤（亜硫酸ナトリウム）」となります。

ただし、亜塩素酸ナトリウムと過酸化水素は、分解・除去されますので加工助剤扱いになり、表示は免除されます。

④漂白剤のADI評価（二酸化硫黄として）

亜硫酸ナトリウム（亜硫酸ソーダ）＝ ADI：0〜0.7mg/kg体重
次亜硫酸ナトリウム（ハイドロサルファイト）＝ ADI：0〜0.7mg/kg体重
ピロ亜硫酸ナトリウム（亜硫酸水素ナトリウム）＝ ADI：0〜0.7mg/kg体重
ピロ亜硫酸カリウム（亜硫酸水素カリウム）＝ ADI：0〜0.7mg/kg体重
二酸化硫黄（無水亜硫酸）＝ ADI：0〜0.7mg/kg体重

⑤漂白剤の製造工程例

＜亜硫酸ナトリウム＞

亜硫酸ナトリウムには、結晶物（7水塩）および無水物があります。漂白剤以外の用途は、保存料、酸化防止剤として使用されています。

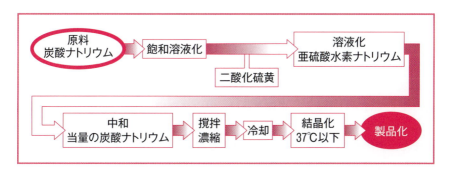

● 使用上の留意点

水溶性で強力な漂白作用は還元力による硫酸塩の生成によって行われます。また、酸により発生する二酸化硫黄は、食品の酸化による褐変を防止します。一般毒性も強いことから、取扱いは特に注意が必要です。使用基準が定められており、指定された食品の残存量も規制されていますが、食品の種類により差

があります。

毒性試験は、ウサギ経口 LD_{50} = 600～700mg/kg（二酸化硫黄として）と報告されています。

＜亜塩素酸ナトリウム＞

漂白剤として使用されますが、加工助剤としても使用されます。加工助剤の場合の表示は免除されます。

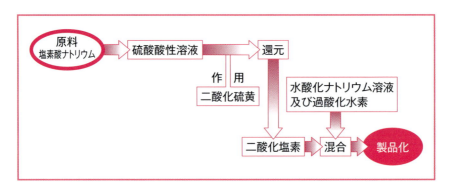

● 使用上の留意点

加熱すると白煙を出して分解します。アルカリ水溶液は遮光状態で安定します。強い酸化剤で有機物が存在すると爆発しますので注意します。保存は、冷暗所で行い、酸、硫黄、及びその化合物、油脂、その他の有機物との接触を避けます。

酸性溶液中で二酸化塩素を発生し、これが酸化漂白を行います。主に砂糖漬けに使用されており、さくらんぼ、ふき、ぶどう、もも等の漂白剤としても使用が認められています。ただし、毒性の強さから最終製品の完成前に分解、除去しなくてはいけません。毒性試験は、マウス経口 LD_{50} = 267mg/kg と報告されています。

また、突然変異、染色体異常とも陽性であることから、今後の研究によっては発がん性が立証される可能性もあるといわれています。

＜さくらんぼ、ふき、ぶどうの処理工程＞

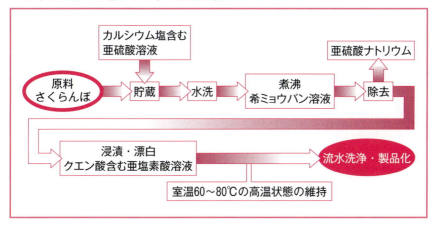

● 使用基準

　亜塩素酸ナトリウムは、かずのこ加工品（干しかずのこ及び冷凍かずのこを除く）、かんきつ類果皮（菓子製造に用いるものに限る）、さくらんぼ、食肉、食肉製品、生食用野菜類、卵類（卵殻の部分に限る）、ふき、ぶどう及びももの殺菌目的等で使用できます。使用量は、かずのこ加工品、生食用野菜類及び卵類は浸漬液1kgにつき0.50g以下、食肉及び食肉製品は浸漬液又は噴霧液1kgにつき0.50～1.20gであること。食肉及び食肉製品の場合は、pH2.3～2.9の浸漬液又は噴霧液を30秒以内で使用しなければいけません。

　その他、本品に酸を加えて発生する二酸化塩素が小麦粉の改良剤として利用されています。工業用としては、パルプや繊維製品の漂白等にも用いられています。

⑥ 主な漂白剤の特徴と用途
● 過酸化水素

　硫酸水素アンモニウムを電気分解した時に得られる過硫酸アンモニウムを過酸化水素と酸性アンモニウムに分解し、過酸化水素を水に吸収させて濃縮し、生成します。

　過酸化水素とは傷口の消毒薬で使用されているオキシフルのことで、強力な殺菌・漂白作用があります。かつて、この作用を利用してうどん、そば、かまぼこ等の魚肉ねり製品、のしいか、寒天等に広範囲に使用されていましたが、昭和55年、厚生省は発がん性を発表し使用の自粛を呼びかけ、「最終食品の完成前に過酸化水素を分解するか、除去しなければならない」という使用基準を

定めました。

　昭和56年には特例として「過酸化水素処理カズノコ標準的製造マニュアル（カタラーゼ及び亜硫酸塩で処理）」が示され、使用（血すじ等の漂白とアニサキスの除去）が再開されました。また、平成28年10月に使用基準が改正され、残存量として釜揚げしらす・しらす干し（0.005g/kg）が設定されました。

　その他の食品にあっては、最終食品の完成前に過酸化水素を分解し、又は除去しなければなりません。

　毒性試験は、ラット静脈 LD_{50} = 0.21mg/kg と報告されています。

＜かずのこ製造の場合＞

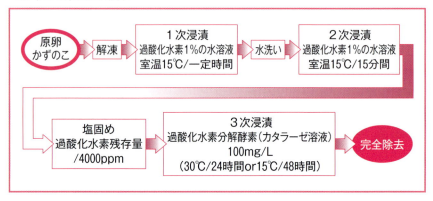

●使用上の留意点

　強力な漂白作用と殺菌作用があります。有機物に接触すると分解し、光、熱によってさらに分解が促進し、酸素を発生します。爆発性があり、皮膚にふれると水腫を生じます。

（8）防かび剤（防ばい剤）

　輸入かんきつ類やバナナ等の指定された果実に使用されます。外国からの輸送貯蔵中に発生するかびを抑えるもので、指定された品目に限って使用が認められています。防かび剤は微量でかびを防ぐ効果を発揮しますので、それぞれ厳しい使用基準が定められています。また、対象とする果実等の収穫後に使われますが、腐敗、変質を防止する目的で使用される薬剤であるため、食品衛生法では農薬ではなく「食品添加物」として定め、使用基準として「使用対象食品」と食品ごとに残存が許容される上限の「最大残存量」を定めています。（補足：食品用途を「防かび剤」、工業用途を「防黴剤」と分けることがあります。農薬用途は「殺菌剤」となります。）

①防かび剤の種類と使用制限

●使用上の留意点

　残留基準値が厳しく決められていますので、常に残存数値を認識しておくことをお勧めします。

品　　名	使用基準	
	対象食品	最大残存量
イマザリル	かんきつ類（みかんを除く）	0.0050g/kg
	バナナ	0.0020g/kg
ジフェニル	グレープフルーツ、レモン、オレンジ類	0.070g/kg
チアベンダゾール	かんきつ類	0.010g/kg
	バナナ（全果）	0.0030g/kg
	バナナ（果肉）	0.0004g/kg
オルトフェニルフェノール オルトフェニルフェノールナトリウム	かんきつ類	オルトフェニルフェノールとして0.010g/kg
フルジオキソニル	キウィー、パイナップル（冠芽[*1]は除く）	0.020g/kg
	かんきつ類（みかんを除く）	0.010g/kg
	ばれいしょ	0.0060g/kg
	アボカド（種子を除く）、あんず（種子を除く）、おうとう（種子を除く）、ざくろ、すもも（種子を除く）、西洋なし、ネクタリン（種子を除く）、パパイヤ、びわ、マルメロ、マンゴー（種子を除く）、もも（種子を除く）、りんご	0.0050g/kg
アゾキシストロビン	かんきつ類（みかんを除く）	0.010g/kg
ピリメタニル	あんず、おうとう、かんきつ類（みかんを除く）、すもも、もも	0.010g/kg
	西洋なし、マルメロ、りんご	0.014g/kg
プロピコナゾール	かんきつ類（みかんを除く）	0.008g/kg

	おうとう*2（果梗*3及び種子を除く）、あんず、ネクタリン、もも（以上は種子を除く）	0.004g/kg
	すもも（種子を除く）	0.0006g/kg

＊1 冠芽（クラウン）…パイナップルの実から上の葉のついた頭の部分のことです。
＊2 おうとう（桜桃＝さくらんぼ）は果梗及び種子を除去した果実全体に、あんず、すもも、ネクタリン及びももは種子を除去した果実全体に、かんきつ類（みかんを除く）は果実全体に、それぞれ適用します。
＊3 果梗（かこう）…個々の果実を支える柄の部分のことです。

● **イマザリル**

　水溶性で主にかび類に有効です。かんきつ類は、イマザリルを添加したワックス処理液に浸漬して使用されます。バナナは、添加した乳化液に浸漬するか、収穫時にスプレーして使用されます。

● **ジフェニル（DP）**

　使用に際しては貯蔵または運搬のための容器中に入れる紙片にしみ込ませて使用する場合に限られています。果実には、0.07g/kgを超えて残存してはいけません。水には溶けません。青かび病、緑かび病に有効です。蒸発しやすいのでジフェニルをしみ込ませた紙を果物の入った箱に入れ、揮発する蒸気でかびの発生を抑えます。

● **チアベンダゾール（TBZ）**

　バナナの軸腐れ病、かんきつ類の緑かび病に有効です。水には溶けません。かんきつ類は、チアベンダゾールを添付したワックス処理液に浸漬して使用されます。バナナは、添加した乳化液に浸漬するか、収穫時にスプレーして使用

されます。

●オルトフェニルフェノール（OPP）、オルトフェニルフェノールナトリウム（OPP-Na）

輸入かんきつ類では、主にレモンに使用されています。水溶性で白かび類に有効です。かんきつ類の表皮に散布するか、もしくは塗布などして使用されます。

●フルジオキソニル

糸状菌に対して胞子発芽、発芽管伸長および菌糸の生育阻害を示すことから防かび目的にも使用されます。

●アゾキシストロビン

植物病原菌に対して、病原菌胞子の発芽等の阻害作用を示すことから、収穫後のかんきつ類の防かび目的で使用されます。

●ピリメタニル

灰色かび病に対する活性が高く、黒星病、うどんこ病、青かび病、緑かび病にも有効です。収穫後の防かびの目的で、かんきつ類、仁果類に使用されます。

●プロピコナゾール

緑かび病＊の防除として有効です。ただし、プロピコナゾールだけではイマザリル耐性菌に十分な防除効果が得られず、フルジオキソニルを併用すると防除効果があるといわれています。近年、複数で使用することが増えています。

＊緑かび病…温州みかんなどのかんきつ類の病気で、糸状菌等の胞子が果実の傷口から侵入し果皮に緑粉状の菌叢が拡大します。

②表示上の注意

容器包装されたものについては、用途名と物質名の併記をします。
「例：防かび剤（フルジオキソニル、プロピコナゾール）」

店頭でのばら売り販売の場合は、用途名と物質名を店頭に消費者がわかるところに表示するように指導されています。留意点は、近年はDPやOPP、OPP-Na等を高濃度で使用しても薬効が低く、カビの発生が抑えられないことがあるようです。薬剤耐性菌が原因と考えられ、カビ菌の種類も多いことから、効果的な防かび剤の組み合わせ使用も増えています。防かび剤と表示はその都度、確認しましょう。

＜表示例＞

（9）ガムベースおよび光沢剤

　ガムベースとは、チューインガムの主原料です。
　特徴は、口の中で長く連続して噛むことができて、水に溶けない素材になっています。樹脂ゴムやゴムなどを主な原料として、適度な硬さと粘りをもつ原料、軟らかくさせる原料、均質化させる原料、の3種類で構成されています。チューインガムの噛み心地や風船ガムの膨れはそれぞれの原料の配合によって作られます。
　光沢剤とは、食品の表面を保護（湿気から守る、虫から守る、鮮度を維持する等）して見栄えを良くするための被膜剤です。
　食品の表面を被膜することにより菓子、チーズ等を湿気から守り、かんきつ類の防虫をしたり鮮度を保ちます。実際に使用されている光沢剤は、ワックス（ロウ）系統が多く、一部樹脂（シェラック）があります。使用の対象食品は、かんきつ類、チューインガム、キャンディ、チョコレート、米菓などの菓子類、豆類、乳製品、ベーカリー製品等、医薬品等の錠剤があります。

①ガムベースおよび光沢剤の種類

　ガムベースは、指定添加物として11品目あり、基礎剤5品目（アセチルリシノール酸メチル、エステルガム、酢酸ビニル樹脂、ポリイソブチレン、ポリブテン）、その他6品目（グリセリン脂肪酸エステル、炭酸カルシウム、リン酸三カルシウム等）あります。既存添加物は40品目（チクル等）あります。

　光沢剤は既存添加物として14品目（ミツロウ等）あります。

②ガムベース、光沢剤の使用基準

　ガムベースの指定添加物（酢酸ビニル樹脂等）には使用基準が定められています。光沢剤には使用基準はありません。

　ただし、タルク他（酸性白土、カオリン、ベントナイト、砂、珪藻土、およびパーライト等）の不溶性の鉱物性成分は、必要不可欠な場合以外は使用できないことになっています。これらは、1つの食品に何種類使用しても、その食品中の合算残存量（食品の0.5％以下、チューインガムのタルクについては5.0％以下）が決められていますので、注意が必要です。

③表示上の注意

　「ガムベース」は、一括名で表示します。「例：ガムベース」

　「光沢剤」は、一括名または物質名で表示します。「例：光沢剤もしくは、シェラック」

④ガムベース、光沢剤のADI評価

- エステルガム＝ADI：0〜25mg/kg体重
- カルナウバロウ（植物ワックス）＝0〜7mg/kg体重
- マイクロクリスタリンワックス＝0〜20mg/kg体重

⑤ガムベース、光沢剤の製造工程例
＜樹脂の場合＞

<ワックスの場合>

<タルクの場合>

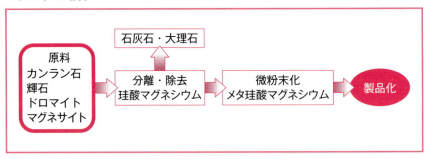

⑥主なガムベース、光沢剤の特徴と用途

- 植物性の樹脂を原料とするものには、アカテツ科（チクル、マッサンランドバチョコレート等）、トウダイグサ科（ゴム等）、カンラン科（エレミ樹脂等）、ハマビシ科（グアヤク樹脂等）があります。主にチューインガム等の弾力性や香料の維持に使用されます。
- 動物性の樹脂を原料とするものには、ラックカイガラムシの分泌液から得られた樹脂状成分（シェラック）があります。主にチューインガムを可塑化*して樹脂的な噛み心地を与えます。また、果実、菓子、チョコレートの表面の光沢性を作ったり湿気を抑えます（被膜）。

＊可塑化…口中で噛んだガムがその都度変形してもとの形に戻らない性質。

- 植物性のワックスを原料とするものには、イネ科（コメヌカロウ、サトウキビロウ等）、ウルシ科（ウルシロウ、モクロウ等）、その他、油糧種子ロウがあります。主に、チューインガムの柔軟性や菓子、糖衣食品、果実の光沢性、防湿性等、コーティング剤として使用されます。
- 動物性のワックスを原料とするものには、ミツバチの巣から抽出したミツロウ、綿羊の毛に付着しているロウ物質（ラノリン）があります。主に、チューインガムベースを可塑化して柔軟性のある噛み心地をつくります。また、光沢性や防湿性も与えます。
- 鉱物性のワックスには、原油を減圧蒸留して得られたパラフィンワックス等があり、チューインガムベースを可塑化し柔軟性のある噛み心地を作り

ます。コーティングとしては菓子、糖衣食品、果実等の光沢性や防湿性を与えます。
- 植物性の繊維質には、粉末パルプや粉末モミガラがあり、チューインガムの均一性や弾力性の緩和に使用されます。
- 鉱物性物質の無機質には、タルクがあり、チューインガムの歯への粘着防止や錠菓等の柔軟性を作るのに使用されます。

● 酢酸ビニル樹脂（ガムベース）

酢酸とエチレンを原料にして重合反応させて作られます。チューインガムに適度な弾性と粘性を与え、風船ガムでは被膜を作ります。果実や果菜の表皮に被膜を作り、保湿や保護をします。使用基準は定められています。

● チクル（ガムベース）

サポジラの分泌液を脱水、精製、固形化したものです。チューインガムベースに軽い弾力性のある噛み心地を与えます。

● ゴム（ガムベース）

パラゴムの幹枝より得られたラテックス（生ゴム）を酸性水溶液で凝固させて、水洗、脱水、精製して作ったものです。チューインガムベースに弾力性のある噛み心地を与えます。

● カルナウバロウ（光沢剤）

簡略名は植物ワックスです。ブラジルロウヤシの葉より剥ぎ取ったもの、もしくは煮だし抽出したものです。チューインガムベースを可塑化し、柔軟性のある噛み心地にします。コーティングに用いた場合は、菓子、糖衣食品（キャンデー等）、果実等の表面の光沢性、防湿性を与えます。

● マイクロクリスタリンワックス（光沢剤）

原油の減圧蒸留残さ油を脱レキ、脱ロウ、脱油して分離して得られたもの、もしくは熱時フルフラールで処理して得られたものです。チューインガムベースを可塑化し、柔軟性のある噛み心地にします。コーティングに用いた場合は、菓子、糖衣食品（キャンデー等）、果実等の表面の光沢性、防湿性を与えます。

(10) 苦味料

食品の味覚の向上や改善を図るために、苦味を付けたり、強めたりするのに

使用するものです。食品添加物としての苦味料には、苦味料製剤や香辛料、または香辛料抽出物があります。

食物の美味しさは五感（味覚、嗅覚、視覚、聴覚、触覚）で感じるものですが、そのうち重要な要素に味覚があります。

この味覚には、甘い、酸っぱい、しょっぱい、苦いの４つの味に、旨味を加えた５つの基本味があります。中でも、苦味は私達（動物）にとって、２つの役割があります。

１つは、食品の味を引きたてる役割です。適度な苦味や苦味を含む香辛料抽出物は食欲を増進させ、消化器系への刺激により消化を促進する効果もあります。

もう１つは、危険な食品から自己を守るための注意信号の役割です。つまり、毒物を誤食しないため、苦味に対して生理的に拒否反応をおこしたり、薬理作用を感知したりします。

①苦味料の種類

分　類	添加物名
（既存添加物）	
物質名で収載	：イソアルファー苦味酸、カフェイン（抽出物）、酵素処理ナリンジン、テオブロミン、ナリンジン
抽出物として収載	：レイシ抽出物、キナ抽出物、キハダ抽出物、ゲンチアナ抽出物、ジャマイカカッシャ抽出物、ニガヨモギ抽出物
多数の基原物質からの抽出物	：ウコン、ハッカ、ワサビ等74種類からの香辛料抽出物
一般飲食物添加物	：オリーブ茶、ダイダイ抽出物、ヨモギ抽出物、ホップ抽出物

②苦味料の製造工程例（イソアルファー苦味酸）

簡略名は「ホップ」です。主な成分は、イソフムロン類です。強い苦味を持っています。ほどよい苦味をつけるばかりではなく、味をひきしめますので、嗜好性を高める効果があります。ビールや発泡酒、飲料に使用されます。

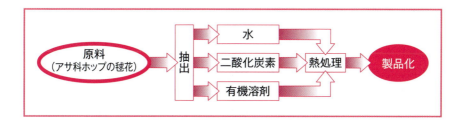

③苦味料の使用制限
　使用基準はありません。

④表示上の注意
　一括名で「苦味料」と表示するか、物質名「例：イソアルファー苦味酸」と表示します。
　香辛料抽出物およびその製剤の場合は、「香辛料抽出物」、「スパイス抽出物」、「香辛料」、「スパイス」のいずれかで表示します。なお、オリーブ茶については、「着色料」での用途もありますので注意が必要です。

⑤苦味料の安全性評価
　添加量も少なく、食品の成分として長年の食生活で食べてきたものです。

⑥主な苦味料の特徴と用途
●カフェイン
　コーヒー豆やお茶の葉から水または二酸化炭素で抽出して、分離、精製して得られたものです。苦味と香りを付けるために、コーラ、ガラナ、トニックウォーター、小びんドリンク、チューインガム等に使用されます。

●キハダ抽出物
　簡略名は「キハダ」です。ミカン科キハダの樹皮（生薬の黄柏）より、水またはエタノールで抽出したものです。
　アルカロイドの苦味成分を含んでおり、主な成分は、ベルベリンです。強い苦味は、殺菌、防腐作用があります。苦味健胃薬、整腸薬として、また飲料、漬物にも使用されます。

●酵素処理ナリンジン

簡略名は「ナリンジン」です。グレープフルーツ等のかんきつ類の果皮や果汁などに含まれている苦味成分です。ナリンジンとデキストリンの混合物に酵素を用いてグルコースを加えて作ります。

強い苦味を持っていますので、食品の苦味料として使用されます。また、難溶性フラボノイドの溶解安定化にも効果を発揮します。主に、飲料、缶詰、冷菓、菓子、デザート等に使用されます。

●ウコン

別名は「ターメリック」です。亜熱帯アジア諸国、台湾、ハイチ、ジャマイカ、ペルーを主産地とする多年生草本のショウガ科植物ウコンの根茎を乾燥・粉砕したものです。

香辛料に属しています。着色利用の場合は、香味に注意して使用されます（ウコンの粉末からの色素（黄色）は、水に溶けにくいため、粉末のまま添加する）。

たくあん漬け、カレー粉などに使用されます。

●香辛料抽出物

別名は「スパイス抽出物」です。香辛料（コショー、トウガラシ、シナモン等のスパイス）から抽出、蒸留等して原料として4つのタイプに使用しやすく加工したものです。

抽出で得られたものは「オレオレジン」、蒸留で得られたものは「精油＝エッセンシャルオイル」といわれます。

4つのタイプには、コーティングスパイス、ドライソルブルスパイス、乳化スパイス、液体スパイスがあり、香味（香り）を利用するものと、辛味（辛み）を利用するものに分かれます。

香味を利用するものには、オールスパイス、シナモン、クローブ等があります。

また、辛味を利用するものには、コショー、トウガラシ、ワサビ等が含まれます。ハム、ソーセージ、ドレッシング、ソース類等、様々な食品に使用されています。

使用基準はありません。表示は、「香辛料抽出物」、「スパイス抽出物」、「香辛料」、「スパイス」のいずれかを表示します。

中には、静菌効果を持つものもあり、日持向上剤、酸化防止剤としても使用されます。

(11) 酵素

　食品の製造や加工工程では、酵素の触媒作用を利用します。使用されるのは、食品添加物としての酵素類や、それを含む添加物製剤です。
　酵素は生体内でつくられる有機触媒で、単純たん白質からなるアポ酵素と複合たん白質からなるホロ酵素があります。生体内では化学反応を触媒する働きがあります。
　触媒の特徴は、無機触媒は高温高圧を必要としますが、有機触媒である酵素は常温常圧の状態で反応します。
　食品添加物として使用される酵素は、そのような常温常圧の状態で化学反応する酵素の性質を利用したものです。例えば、酒、みそ、しょうゆ、漬物、納豆等の伝統的な発酵食品は微生物の酵素の働きを利用したものです。

●酵素の特性

　タンパク質やでん粉、油を混合した溶液に酸を加えて加熱するとタンパク質やでん粉、油は分解します。これを酸分解といいます。
　しかし、同じようにタンパク質やでん粉、油を混合した溶液にアミラーゼというでん粉糖化酵素を入れると常温ででん粉だけに反応します。このように、酵素はある特定の成分（基質）にしか作用しない性質を持っています。これを酵素分解といいます。

●一般的な使用方法

　それぞれの酵素の機能を活かし、食品の製造や加工の過程で使用されています。しかし、最終製品に残存すると酵素の影響で食品の分解や変質がすすむ事があります。通常はその後の工程で加熱により酵素を失活（タンパク質なので熱により凝固して酵素活動が停止する）させたり、洗浄、ろ過等により除去します。ただし、一部の酵素はあえて最終製品に添加し、残存させることで酵素の影響を残し、食品を保持させる使い方をします。

①酵素の分類

　1961年、国際生化学連合（IUB）の酵素委員会は、酵素を6種に大分類し4個の数字で表示しています。
　また現在、既存添加物として68品目、一般飲食物添加物には1品目（乳酸菌）あります。

EC：enzyme code／酵素番号
EC 1．11．1．6　酸化還元酵素（カタラーゼ）
EC 2．7．1．1　転移酵素（ヘキソキナーゼ）
EC 3．2．1．1　加水分解酵素（α-アミラーゼ）
EC 4．1．1．1　脱離酵素（ピルビン酸デカルボキシラーゼ）
EC 5．3．1．5　異性化酵素（キシロースイソメラーゼ）
EC 6．2．1．4　合成酵素（リガーゼ）

②酵素の使用基準

使用基準はありません。

③表示上の注意

加工助剤とみなされるケースが多く、表示は免除されています。理由は、加工工程で加熱されたり、洗浄等により除去されることにより最終製品において効力がないからです。

ただし、最終製品において効果が有る場合は表示します。その場合は一括名で「酵素」と表示するか、もしくは使用する酵素の「物質名＝酵素名」で表示します。

④酵素のADI評価

添加量も少なく、食品の成分として長年の食生活で食べてきたものです。

⑤酵素の製造工程例（α-アミラーゼ）

製造方法には、何通りかの方法があります。

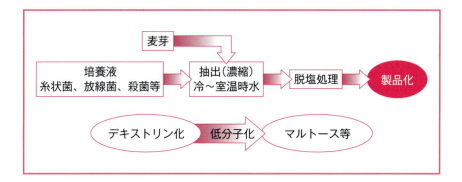

⑥主な酵素の特徴と用途
●加水分解酵素

α-アミラーゼ	でん粉糖の製造（液化）、アルコール発酵、食品全般（果汁、菓子、パン、穀物等）。
β-アミラーゼ	でん粉糖の製造、もち団子類の老化防止、食品全般。
イソアミラーゼ	でん粉糖の製造。
グルコアミラーゼ	清酒、でん粉糖の製造。
グルタミナーゼ	食品一般、みそ、しょうゆ、調味料の製造等。
インベルターゼ	製菓用（しょ糖結晶防止）。
ナリンジナーゼ	夏みかんの苦味除去。
ヘスペリジナーゼ	温州みかんの白濁防止。
ペクチナーゼ	果汁清澄用、果汁製造。
β-ガラクトシダーゼ	乳糖不耐症、濃縮乳製品。
トリプシン	乳の加工、畜肉、水産加工品。
パパイン	たん白質を分解する。畜肉、水産加工品、製菓等。
パンクレアチン	畜肉、水産加工品（α-アミラーゼ、リパーゼ、プロテアーゼ混合）。
プルラナーゼ	アミロペクチンを分解する。でん粉糖の製造。
ペプシン	畜肉、水産加工品。
リゾチーム	食品の微生物制御と日持ち向上。チーズ、みりん類、水産品、カスタードクリーム、サラダ類、麺類等。
リパーゼ	脂肪をグリセリンと脂肪酸に分解する。ミックスフレーバー等の製造、酒造米の改質、油脂・エステル類の分解や合成、エステル交換による油脂の改質。
レンネット	乳たん白質中の結合を切断してカゼインの凝固を行う。チーズの製造。

●**転移酵素**

トランスフェラーゼ	でん粉糖や各種糖転移物の製造等。
トランスグルタミナーゼ	畜肉、水産加工品、植物タンパク加工品。

（12）酸味料、pH 調整剤（水素イオン濃度調整剤）

　酸味料は、食品の製造や加工の工程で、味覚の向上を図るため、酸味を付けたり、強めたりするものです。また、保存性をあげたり酸化防止の役割もあります。

　pH 調整剤（水素イオン濃度調整剤）は、食品のアルカリ度や酸性度を調整し適切な pH 域を保つために使用しますが、味や食感だけではなく加熱殺菌の効果や保存性にも影響しますので食品の加工では欠かせないものになっています。

　ただし、中華麺の「かんすい」の場合は除きます。

①酸味料、pH 調整剤の種類

　添加物のなかには、両方（酸味料、pH 調整剤）の特性をあわせもつものが多くあり、酸味料はすべて pH 調整剤としても使用できます。

　分類　添加物名

（指定添加物）
有機酸類：クエン酸、クエン酸三ナトリウム、アジピン酸、グルコン酸、グルコン酸カリウム、グルコン酸ナトリウム、グルコノデルタラクトン、コハク酸、コハク酸一ナトリウム、コハク酸二ナトリウム、酢酸ナトリウム、DL－酒石酸、L－酒石酸、DL－酒石酸ナトリウム、L－酒石酸ナトリウム、乳酸、乳酸ナトリウム、氷酢酸（酢酸）、フマル酸、フマル酸一ナトリウム、DL－リンゴ酸、DL－リンゴ酸ナトリウム
無機系：リン酸、二酸化炭素
（既存添加物）：イタコン酸、フィチン酸、α-ケトグルタル酸（抽出物）
pH 調整剤だけに該当する指定添加物には DL－酒石酸水素カリウム、L－酒石酸水素カリウム、炭酸カリウム、炭酸水素ナトリウム、炭酸ナトリウム、ピロリン酸二水素二ナトリウム、リン酸水素二カリウム、リン酸二水素カリウム、リン酸水素二ナトリウム、リン酸二水素ナトリウムがあります。

②酸味料、pH 調整剤の使用基準

　酸味料、pH 調整剤はいずれも使用基準はありません。

③表示上の注意

　酸味料、pH 調整剤は様々な目的で使用されています。その使用目的と効果に従って用途名（酸味料、pH 調整剤）、もしくは物質名（例―クエン酸）で表示します。

● 「酸味料」表示の場合

　食品に酸味を付けたり強めたりしたときや味覚の改善や向上のために使用したとき。

● 「pH 調整剤」表示の場合

　食品の美味しさや保存に適切な pH 域（アルカリ度、酸性度）にしたとき。

④表示が免除される場合

　麺類などの製造の場合、日持ちを良くするために、pH 調整剤の水溶液製剤に麺類を完成直前に浸漬することがあります。この場合、食品での pH が 5.0 以上であるときは加工助剤とみなされ、表示が免除されます。

● 麺類で使用する理由

　生うどん等の生麺製造の場合、完成直前に茹湯に適当な pH 調整剤を添加すると、小麦粉成分の溶出を最小限（次頁「茹湯の pH 条件と小麦粉溶出量の変化」参照）に抑え、重量歩留まりが向上します。また、品質的にも麺肌や保存性が良くなることから、最近では、スパゲティやマカロニを茹でるときにも使用されています。

　pH 調整剤として 0.3％程度添加（pH5.6～6.0 の範囲）することにより、グラム陽性菌に対する抑制効果が認められています。

<**茹湯のpH条件と小麦粉溶出量の変化（DL－リンゴ酸ナトリウムの場合）**>

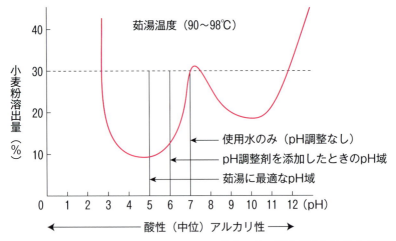

出典：第7版食品添加物公定書解説書

⑤ 酸味料、pH調整剤のADI評価

L－酒石酸（酒石酸） ＝	ADI：0～30mg/kg 体重
アジピン酸 ＝	ADI：0～5mg/kg 体重

⑥ 酸味料、pH調整剤の製造工程例（クエン酸）

みかんやレモン等に含まれている主な成分（酸味）ですが、でん粉等を原料として工業的に作られています。爽快な酸味は清涼飲料水等に広く利用されています。

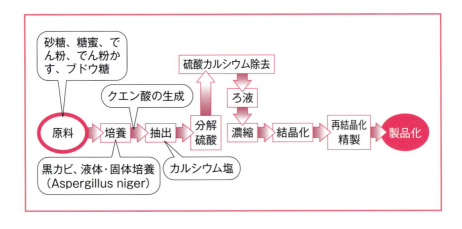

● **主な対象食品**

　清涼飲料水 (0.1～0.3％)、果汁、ゼリー、ジャム、冷菓、キャンデー (約１％)、フルーツ缶詰、漬物等に使用されます。pH 調整剤、膨張剤にも使用されます。

⑦主な酸味料、pH 調整剤の特徴と用途

● **コハク酸一ナトリウム**

　コハク酸溶液に炭酸ナトリウムもしくは、水酸化ナトリウムをモノ塩生成まで中和して、結晶化して作ります。

　主に魚肉練り製品、佃煮、貝缶詰、ソースの味の改善のために使用されます。かまぼこを例にとると、0.03～0.04％、佃煮には 0.2～0.4％ となっています。「酸味料」、「pH 調整剤」の他に、「調味料（有機酸）」として使用されます。

　毒性試験は、ラット経口 LD_{50} ＞ 8 g/kg と報告されています。

● **L−酒石酸**

　ブドウ糖の製造時に生成する酒石 Argol を原料として、炭酸カルシウム、塩化カルシウムを加えてカルシウム塩にします。これを希硫酸で分解し、遊離した d−酒石酸（L−酒石酸）を得たものです。

　清涼飲料水（0.1～0.2％）、果汁、キャンデー、ゼリー、ジャム、ソース、冷菓、缶詰、菓子類（約２％まで）に使用されます。

　毒性試験は、マウス経口 LD_{50} = 4360mg/kg と報告されています。

● **乳酸**

　乳酸の製造には、発酵法と合成法があります。発酵法は、ショ糖を中心とする糖類が用いられます。合成法は、アセトアルデヒドにシアン化水素を反応させて、これを加水分解して作ります。

　雑菌の繁殖を防止するための酸味料として、広く使用されています。醸造用としては、清酒、合成酒の酒母もろみの pH 調整（120～130ml/18L）に使用されます。清涼飲料水には、酸味を付けたり、菌を抑えたり、またにごり等の防止（0.05～0.2％）にも使用されます。製菓用では、菓子（ドロップ、ゼリー、シャーベット、アイスクリーム）の保存性を向上させたりします。その他、漬物、食肉、佃煮、ソース、製パン等にも使用されています。

　毒性試験は、ラット経口 LD_{50} = 3.73g/kg と報告されています。

● **アジピン酸**

　ベンゼンを原料として、次のように作られます。

チーズ、キャンデー、ゼリー等の酸味料、pH調整剤として使用されます。アルコール飲料やインスタントプリン等の香味増進料としても利用されます。

毒性試験は、ラット経口LD_{50} = 3,600mg/kgと報告されています。

● DL-リンゴ酸・DL-リンゴ酸ナトリウム

簡略名は「リンゴ酸」です。DL-リンゴ酸の製造には、抽出法と合成法があります。抽出法は果汁から取り出して作ります（量産が困難）。合成法は、マレイン酸およびフマル酸を反応させて作ります。

DL-リンゴ酸ナトリウムは、DL-リンゴ酸に炭酸ナトリウムもしくは、水酸化ナトリウムを加えて作ります。

リンゴ果汁、リンゴジャム、リンゴソース、リンゴの缶詰、清涼飲料水、あめ菓子、合成酒、無塩しょうゆ等に使用されます。乳化効果もあり、マーガリン、マヨネーズの製造時に乳化剤成分として使用されます。またイーストの生長増進剤として「膨張剤」としても使用されます。食品以外では、薬用入浴剤、化粧品原料、中和剤、金属封鎖剤として活用されます。

毒性試験は、1％の水溶液ラットLD_{50}では、およそ1600〜3200mg/kgと報告されています。

● フマル酸

芳香族炭水化物（ナフタレン、ベンゼン）の気相酸化法（加水分解）と発酵法（*Rhizopus*属の糸状菌）によって作ります。

清涼飲料水、洋酒類、冷菓、濃縮ジュース、ゼリー、果実缶詰、合成酒、漬物（0.2〜0.5％）等に使用されます。

毒性試験は、フマル酸一ナトリウム　ラット経口LD_{50}＝約8000mg/kgと報告されています。

● フィチン酸

米ヌカまたはトウモロコシの種子から得られたもので、室温時水または酸性水溶液で抽出したものです。主な成分は、イノシトールヘキサリン酸です。アルカリには安定しています。カルシウム塩、マグネシウム塩、タンパク質と反

応して沈殿します。

　清涼飲料水、乳製品、麺類、果実缶詰、水産缶詰、練り製品、食用油、酒類、マーガリン、漬物等に使用されます。

　強酸性で、金属腐食性もありますので、取扱いは要注意です。

● グルコン酸

　アルカリ溶液中でのグルコースを電解酸化する方法とグルコースをハイポブロマイトで化学的に酸化する方法、もしくはカビを用いてグルコースを発酵的に酸化してつくる方法があります。

　酒類、食酢、清涼飲料水等に0.01〜0.4％程度、単一か、もしくは他の酸味料と合わせて添加し、使用します。

　毒性試験は、ラット経口 LD_{50} = 1260mg/kg と報告されています〔総合食品安全辞典 679, （株）産業調査会事典出版センター（1994）〕。

● 酢酸ナトリウム

　結晶は酢酸に炭酸ナトリウムを加え、ろ過・結晶・精製、もしくは酢酸カルシウムを硫酸ナトリウムおよび少量のナトリウムで処理・ろ過・蒸発・乾固したものです。無水は酢酸を炭酸ナトリウムで中和、もしくは酢酸カルシウムに硫酸ナトリウムを加え、ろ過・蒸発、さらに120〜250℃で加熱してつくったものです。用途に応じて「調味料（有機酸）」「酸味料」「pH調整剤」と表示します。結晶は調味料の緩衝剤、漬物の悪臭・変色防止、外米の脱臭、練り製品の水晒し、ほか医療用、薬品製造の中間原料等に使用されます。無水は調味料の緩衝剤、清涼飲料水に使用されます。いずれも、使用基準はなく、性状は結晶性粉末です。毒性試験は、マウス経口 LD_{50} = 4.4〜5.6g/kg と報告されています。

● 氷酢酸

　簡略名「酢酸」は P. 451 を参照

（13）乳化剤

　乳化剤とは、本来混じり合わない水と油を混じりやすくするために添加されるものです。

　構造的には、界面活性により水と油の性質を変え、水中の油脂成分または油脂中の水成分を安定化させます。つまり、牛乳やマーガリンのような均一な外観の状態を乳化状態とよびます。これは、水に溶けやすい部分（親水基）と油

に溶けやすい部分（親油基）を含む構造をしているからです。

> - 水と油のような液状同士の原料を均一化させる。
> - 固体と液体の性質（界面）を変える。
> - 気体と液体の性質（界面）を変える。

　乳製品、調味料、油脂食品等の乳化効果、ココア飲料等の分散効果、野菜、果物の汚れ等の除去効果、菓子の起泡効果、豆腐等の消泡効果、焼き菓子の離型効果、パン等の老化防止作用、麺類の生地の改良効果、水産練り製品の冷凍変性防止機能など幅広く利用されています。

● **牛乳が白い理由**

　牛乳のたん白質の約80％はカゼインです。カゼインはカルシウムと結合しています。このカゼインカルシウムとリン酸カルシウムが複合体を作り、微粒子のコロイド状になっています。この微粒子が水中にほぼ均一に分散し（乳化状態）、光が散乱するために牛乳は白くみえるわけです。

①乳化剤の種類と用途

　指定添加物には36品目、既存添加物には12品目あります。また、乳化剤は、脂肪酸エステルとその他のものに分けられます。

分類	添加物名	主な食品
（指定添加物）脂肪酸エステル類：	グリセリン脂肪酸エステル	パン、ケーキ、マーガリン等
	ソルビタン脂肪酸エステル	クリーム
	ショ糖脂肪酸エステル	ケーキ、缶コーヒー
	プロピレングリコール脂肪酸エステル	ケーキ、クリーム
	ステアロイル乳酸カルシウム	パン
	ステアロイル乳酸ナトリウム	パン
その他のもの	クエン酸三ナトリウム、ポリリン酸ナトリウム	プロセスチーズ、チーズフード
	ポリソルベート20、ポリソルベート60、ポリソルベート65、ポリソルベート80	菓子類（ココア、チョコレート等）、ドレッシング類等
	ヒマワリレシチン	
	オクテニルコハク酸デンプンナトリウム	（化粧水等）

	…リウム	
（既存添加物）	植物レシチン、卵黄レシチン、酵素処理レシチン、酵素分解レシチン、分別レシチン	アイスクリーム、マーガリン、菓子類、調整粉乳等
	キラヤ抽出物、ダイズサポニン、植物性ステロール、胆汁末、動物性ステロール、ユッカフォーム抽出物	飲料、冷菓、菓子デザート類、その他食品一般等

②乳化剤の使用基準

　指定添加物のステアロイル乳酸カルシウムについては使用基準が定められています。その他のものについては、使用基準はありません。

③表示上の注意

　一括名、または物質名で表示します。
「例：乳化剤もしくは、グリセリン脂肪酸エステル」

④乳化剤のADIおよびMTDI評価

　乳化剤の中には、JECFA評価のADI値が設定されているものがあります。

ショ糖脂肪酸エステル＝ADI：0〜30mg/kg体重
ステアロイル乳酸カルシウム＝ADI：0〜20mg/kg体重
ソルビタン脂肪酸エステル＝ADI：0〜25mg/kg体重
プロピレングリコール脂肪酸エステル＝ADI：0〜25mg/kg体重
ポリリン酸ナトリウム＝MTDI*：70mg/kg体重（リンとして）
キラヤ抽出物＝ADI：0〜5mg/kg体重（暫定）
胆汁末＝ADI：0〜1.25mg/kg体重

＊ MTDI…最大耐用1日摂取量（Maximum Tolerable Daily Intake）のことです。必須栄養素であるリン（リン酸塩）のように、もともと食品に含まれている成分を表します。

⑤乳化剤の製造工程例（レシチン）

　レシチンとは、国際規格に準じたリン脂質の総称です。また、レシチンは3品目に分別されています。

●植物レシチンとは

　ダイズやアブラナ等の種子より得られた油脂より分離して得られたものです。成分はレシチンです。

●卵黄レシチンとは

　卵黄より得られる卵黄油より分離して得られたものです。成分はレシチンです。

●分別レシチンとは

　レシチンをエタノールまたは有機溶剤で抽出、分別精製し得られたものです。成分はケファリン、リポイノシトール等です。

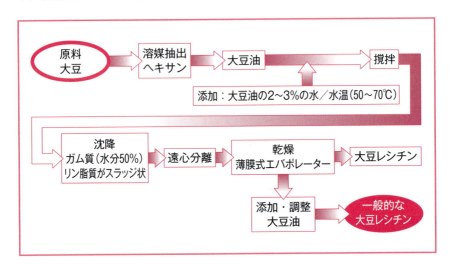

●主な対象食品と使用量と添加量の例

- マーガリン、ショートニングの添加量は0.1～0.5％で水滴分離防止、ビタミンA、Dを保護します。
- チョコレートの添加量は0.5～2.0％で粘度を低下させて製造を容易にします。カカオ脂を節約し、ブルーミングを防ぎ、製品に光沢と感触を与えます。
- アイスクリーム類の添加量は0.5％程度で、光沢を良くしフレーバーを固定して氷晶を防ぎ、舌ざわりを良くします。
- パン・ビスケット類の添加量は、小麦粉に対して0.1～0.5％で、老化を防ぎ、栄養価を高めます。
- うどん、マカロニの添加量は、小麦粉に対して0.5％程度で、こね時間を短縮し、コシの強い製品を作り、茹でた後も伸びにくくなります。

その他には、水産練り製品、みそ、しょうゆ、佃煮、スープ類、ミルク製品等にも使用されています。また、最近では、高血圧予防、コレステロール排泄等の生理効果が注目されています。

⑥ 主な乳化剤の特徴と用途

● 卵黄レシチン

卵黄から得られた卵黄油より、エタノール等によって分離して得られたものです。主な成分はレシチンです。脂肪酸は、アラキドン酸、DHA 等の高度不飽和脂肪酸で構成されています。主に医薬品（約 80％）として用いられていますが、食品用（約 15％）としてもアイスクリームの卵フレーバー、ミルクセーキのカスタードフレーバー、レシチン牛乳、調製粉乳、レシチン入り豆腐、マーガリン、チョコレート、パン、ビスケット等に使用されています。

● グリセリン脂肪酸エステル

油脂から得られる脂肪酸を過剰のグリセリンと混合し、熱を加えて作ります。

水と油を乳化、水の飛びはね防止（マーガリン 0.2～0.5％＝レシチン含む）作用があります。起泡作用（パン、ケーキ）、オーバーランの調整（アイスクリーム、生クリーム）や消泡作用（豆腐消泡剤）もあり、でん粉の老化防止や粘着防止（インスタントマッシュポテト 0.3％程度）の品質改良効果もあります。ガムベースの成分としての効果もあります。さらに、中鎖脂肪酸エステルは静菌作用があり、日持向上剤としても利用されています。

● ショ糖脂肪酸エステル

油脂から得られる脂肪酸の低級アルコールとショ糖を水を溶媒としてエステル交換させて作ります。

水と油を乳化する作用や湿潤、分散作用、粘度調整作用、でん粉の老化防止や保存性の向上等、品質改良の効果があります。コーヒークリーム（コーヒーホワイトナー）、アイスクリーム、ホイップクリーム、豆乳（調整豆乳、豆乳飲料）、缶コーヒー、ソース等に使用されています。その他に、原料の混和性や製品の保存性向上の目的から、インスタントカレー、キャンデー、チューインガム、魚肉練り製品等にも使用されています。

毒性試験は、ショ糖パーム油エステルにつき、ラット経口 LD_{50} ＝ 30g/kg と報告されています〔FAO Nutr. Meet. Rep. Ser. No.46A, WHO Fd. Add. 70 36（1970）〕。

● ステアロイル乳酸カルシウム

　合成乳酸を濃縮して重合乳酸をつくり、これにステアリン酸カルシウムを作用させて作ります。小麦粉に対して0.5％程度を添加することにより、小麦グルテンの性質を改良して、パン生地の発酵時間、温度等のバラツキを少なくし、老化を防止します。他にはケーキ、麺類等にも使用されています。使用基準は定められています。

　毒性試験は、ステアロイル乳酸をラットに経口投与したところ、30g/kgで死亡率は50％であったが25gまたは20g/kgの量では死亡例は見られなかったと報告されています。

● 植物性ステロール

　油糧種子から得られたフィトステロールが主成分です。食品全般に使用されています。

● 胆汁末

　別名はコール酸です。動物の胆汁を粉末化したものです。主な成分は、コール酸及びデソキシコール酸です。乳化力にすぐれています。菓子、水産加工品等に使用されます。

(14) 調味料

　食品に美味しさと旨味をつけるものです。
　食物の美味しさは味覚、嗅覚、視覚、聴覚、触覚の五感で総合的に感じるものですが、そのうち最も重要な要素に味覚があります。
　この味覚には、甘い（甘味料）、酸っぱい（酸味料）、しょっぱい（食塩）、苦い（苦味料）の4つの味に、旨味を加えた5つの基本味があります。食品のもつ旨味成分の研究は、食品添加物としての数々の調味料を生み出しました。

①調味料の種類

　食品衛生法上では、食品と食品添加物に分類されます。また、食品添加物としての調味料は、アミノ酸、核酸、有機酸、無機塩の4グループあります。

分類	品名
（食品）	みそ、しょうゆ、塩、砂糖、食酢、ソース、ケチャップ、香辛料、豆板醤、風味調味料、たん白加水分解物、酵母エキス、ビーフエキス、昆布エキス、たれ、つゆ類等
（指定添加物）	
アミノ酸グループ	DL－アラニン、グリシン、L－バリン、L－アスパラギン酸ナトリウム、L－アルギニンL－グルタミン酸塩、L－イソロイシン、L－グルタミン酸、L－グルタミン酸カリウム、L－グルタミン酸カルシウム、L－グルタミン酸ナトリウム、L－グルタミン酸マグネシウム、L－テアニン、DL－トリプトファン、L－トリプトファン、DL－トレオニン、L－トレオニン、L－ヒスチジン塩酸塩、L－フェニルアラニン、DL－メチオニン、L－メチオニン、L－リシンL－アスパラギン酸塩、L－リシン塩酸塩、L－リシンL－グルタミン酸塩
核酸グループ	5'－イノシン酸ニナトリウム、5'－ウリジル酸ニナトリウム、5'－グアニル酸ニナトリウム、5'－シチジル酸ニナトリウム、5'－リボヌクレオチドカルシウム、5'－リボヌクレオチドニナトリウム
有機酸グループ	クエン酸一カリウム、クエン酸三カリウム、クエン酸カルシウム、クエン酸三ナトリウム、グルコン酸カリウム、グルコン酸ナトリウム、コハク酸、コハク酸一ナトリウム、コハク酸ニナトリウム、酢酸ナトリウム、DL－酒石酸水素カリウム、L－酒石酸水素カリウム、DL－酒石酸ナトリウム、L－酒石酸ナトリウム、乳酸カルシウム、乳酸ナトリウム、フマル酸一ナトリウム、DL－リンゴ酸ナトリウム
無機塩グループ	塩化カリウム、ホエイソルト、リン酸三カリウム、リン酸水素ニカリウム、リン酸二水素カリウム、リン酸水素ニナトリウム、リン酸二水素ナトリウム、リン酸三ナトリウム
（既存添加物）	
アミノ酸グループ	L－アスパラギン、L－アスパラギン酸、L－アラニン、L－アルギニン、L－ヒドロキシプロリン、L－グルタミン、L－システイン、L－セリン、タウリン（抽出物）、L－チロシン、L－ヒスチジン、L－プロリン、ベタイン、L－リシン、L－ロイシン
無機塩グループ	塩水湖水低塩化ナトリウム液、粗製海水塩化カリウム
（一般飲食物添加物）	クロレラ抽出液、ホエイソルト（乳清ミネラル）

②調味料の使用基準
使用基準はありません。

③表示上の注意
一括名と使用した調味料のグループ名を表示します。

(例—Ⅰ) L-グルタミン酸ナトリウムとL-アラニンの併用。もしくは、L-アラニンとグリシンを併用した場合の表示は「調味料（アミノ酸）」となります。

2グループ以上の調味料を併用した場合は、主要と考えられるグループ名の後に「等」を付けて表示します。

(例—Ⅱ) L-グルタミン酸ナトリウムとL-アラニンとホエイソルトを使用した。この場合は、表示は「調味料（アミノ酸等）」となります。
(例—Ⅲ) リン酸水素二ナトリウムとホエイソルトを併用した。この場合の表示は、「調味料（無機塩）」となります。

●注意点
グルタミン酸のカリウム塩、カルシウム塩、マグネシウム塩、クエン酸のカリウム塩は、一括名「調味料」の表示ではなく、使用した添加物の「物質名」で表示します。

④調味料のADI評価
JECFAの評価では、安全性は確認されています。

⑤主な調味料の特徴と用途
(アミノ酸グループ)
●L-グルタミン酸ナトリウム
別名は「グルタミン酸ソーダ」です。発酵法により糖蜜やでん粉からブドウ糖を作り、これにグルタミン酸生成菌を働かせるか、酢酸にグルタミン酸生成菌を働かせて得たものに、水酸化ナトリウムまたは炭酸ナトリウムを反応させて作ります。昆布の旨味として幅広く使用されます。

毒性試験は、マウス経口 LD_{50} = 16,200mg/kg と報告されています。

● DL-アラニン

　アセトアルデヒドを原料として、ストレッカー法で合成して作ります。人工甘味料の甘味を和らげる（1～10%）、酸味のかどを取る（1～5%）、塩馴れを早める（5～10%）、発泡酒の老化を防ぐ（0.2～1.5%）、油類の酸化防止効果がある（0.01～1.0%）、漬物の味を向上させる等（0.2～0.3%）、合成酒、清涼飲料水、魚介塩蔵品、かまぼこ等に利用されています。

● L-バリン

　主として、発酵法と合成法によって作られます。ゴマを煎ったような香ばしい香りが得られるため、通常米菓1kg当たり1gまたは、4.5kgに10gの割合で使用されます。バリンは苦味、グリシン、アラニンがウニの甘味、グルタミン酸が旨味に関与しています。清酒、食酢、てんぷら（0.005～0.2%程度）等の風味の改善、サプリメント食品の滑沢剤として使用されます。その他栄養強化剤にも使用されます。

● L-アスパラギン酸ナトリウム

　フマル酸から微生物酵素によりアスパラギン酸を作り、中和して作られます。グルタミン酸ナトリウムに似た旨味を持っています。炭酸飲料（100g当たり15mg）で二酸化炭素を保持します。かまぼこ（100g当たり300～600mg）でこく、旨味、あしを増強します。

　清涼飲料水、果実飲料、炭酸飲料、かまぼこ、カレー、しょうゆ、合成酒、食酢、佃煮、魚介缶詰、野菜缶詰、味付けのり、漬物、パン、菓子、ヨーグルト、ミルクコーヒー等に使用されます。その他栄養強化剤にも使用されます。

● L-トリプトファン

　たん白質の加水分解物よりの分離法、発酵法、合成法等で得られます。調製粉乳や飲料への栄養強化や栄養補助、また抗酸化剤、医薬用（必須アミノ酸）としても使用されます。

● L-テアニン

　L-グルタミン酸を高圧下で加熱して、無水モノエチルアミンを反応させて作ります。

　緑茶の旨味成分です。L-テアニンの低い緑茶に風味増強の目的として使用されます。その他栄養強化剤にも使用されます。

●L−イソロイシン

　発酵法により作られます。必須アミノ酸として使用されます。医薬品、栄養強化剤に使用されます。医薬品としては、他にL−トレオニン、L−メチオニン、L−リシン塩酸塩等があります。

●クエン酸三ナトリウム

　炭酸ナトリウム溶液に発酵法で得られたクエン酸を加え、中和して作ります。鶏がらエキスなどのコク味を与えます。その他、酸味料として清涼飲料水、pH調整剤としてジャム、キャンデー、増粘剤としてプロセスチーズ、魚肉練り製品、乳化剤・安定剤としてシャーベット、アイスクリーム等に使用されます。

●コハク酸

　ベンゼンもしくはナフタレンを酸化（五酸化バナジウム）して、無水マレインを得ます。これを電解還元（ニッケル触媒）もしくは、接触還元（ニッケル触媒）して作ります。

　酸味があり、はまぐり、あさり、しじみ等の貝類の旨味成分です。

　主に清酒、合成清酒、みそ、しょうゆ等の調味料として使用されます。他には、「酸味料」、「pH調整剤」として使用されます。

　毒性試験は、コハク酸一ナトリウムでラット経口 $LD_{50}>8\,g/kg$ と報告されています。

●ベタイン

　アカザ科サトウダイコンの糖蜜より分離して得られたものです。主な成分は、ベタインです。イカ、タコの旨味成分です。耐熱性があり、通常の加工では安定します。塩辛、かに風味かまぼこ等の水産加工品の味覚調整と風味改善、コク味に使用されます。

●タウリン抽出物

　魚類または哺乳類の臓器（牛胆汁の加水分解）または肉より水（煮汁）で抽出して精製したものです。主な成分はタウリンです。タウリンはその分子内に硫黄をもつ「含硫アミノ酸」のひとつです。動物の胆液、肝臓、およびイカ、タコ、貝類等の肉エキス中に多く含まれています。魚介類（イカ、タコ、貝類等）の旨味に関連があり、水産加工品等の味覚の調整、風味改善に使用されます。

また、乳幼児の発育や種々の生理機能に関与していることから、調製粉乳や健康食品、栄養ドリンクにも使用されています。

<重複> DL－酒石酸ナトリウム、グルコン酸ナトリウム、DL－リンゴ酸ナトリウムは「(12) 酸味料、pH調整剤（水素イオン濃度調整剤）」を参照。
グリシンは「(18) 製造用剤 ②日持向上剤」を参照。

(核酸グループ)

● 5'-イノシン酸ニナトリウム

デンプンの糖化液を主原料としてイノシン酸生成菌にて発酵させて中和し、結晶化したものです。鰹節、煮干、豚肉、牛肉の旨味成分です。生肉や生野菜に含まれる酵素で分解します（旨味の低減）。L-グルタミン酸ナトリウムを主体として本品を5～12％混合した複合調味料が用いられています。

使用食品	食品の量	添加量（g）
かまぼこ	すり身 40kg に対して	10～25
即席ラーメン	スープ 10kg に対して	30～60
即席カレー	製品 10kg に対して	8～13
コンソメスープ	製品 10kg に対して	25～40
しょうゆ	製品 180L に対して	35～100
ソース	製品 180L に対して	100～150

● 5'-グアニル酸ニナトリウム

糖質原料より発酵法、発酵・合成組み合わせ法、RNA分解法のいずれかの方法で作ります。しいたけの旨味成分です。5'-イノシン酸ナトリウムと等量の混合物としてL-グルタミン酸ナトリウムと併用されます。水産練り製品、スープの素、食肉加工品、粉末ラーメンスープに使用されます。
毒性試験は、ラット経口 LD_{50} = 20g/kg と報告されています。

● 5'-リボヌクレオチドニナトリウム

糖質原料より発酵法、発酵・合成組み合わせ法、RNA分解法のいずれかの方法で作ります。鰹節やしいたけの旨味を与えます。L-グルタミン酸ナトリウムを主体として本品を8～12％混合した複合調味料が用いられています。発

酵食品（みそ、しょうゆ等）や生鮮食品に含まれる酵素で分解します。水産練り製品、スープの素、食肉加工品、粉末ラーメンスープ等に使用されます。

毒性試験では、ラット・マウス経口LD_{50}＞$10g/kg$と報告されています。

(無機塩グループ)
●塩化カリウム
カリ岩塩や塩水湖の水を、熱溶解法、浮遊法、電気分解法等の方法により結晶・精製して作ります。食塩の過剰な摂取を抑える為に、食塩の一部代替品、高血圧予防、肥満の防止の家庭用塩味料として、また低塩加工食品の調味料として使用されます。漬物、菓子、マーガリン、うどん、水産練り製品、佃煮、ハム、ソーセージ、パン、ドレッシング、ソース、ケチャップ、マヨネーズ、みそ、しょうゆ、各種缶詰、即席ラーメン、ドライミート、チーズ、ソーセージ、粉末調味料、ポテトチップ等の使用例があります。強化剤にも使用されます。

毒性試験は、ラット経口LD_{50}＝$2,600mg/kg$と報告されています。

●ホエイソルト
乳清（チーズホエイ）より、乳清たん白と乳糖を分離除去して精製したものです。成分は、カリウム、カルシウム、ナトリウム等の塩類です。乳ミネラルを多く含んでいます。キャラメル、ビスケットのカリウム、カルシウム等のミネラルやビタミンの補給に使用されます。減塩や旨味源として、畜肉・水産加工品の調味食品として使用されます。

●塩水湖水低塩化ナトリウム液
塩水湖の塩水を、天日蒸散により濃縮し、塩化ナトリウムを析出・分離し、ろ過したものです。主な成分は、アルカリ金属塩類およびアルカリ土壌金属塩類です。

●粗製海水塩化カリウム
海水を濃縮し、塩化ナトリウムを析出・分離させた後にろ過し、そのろ液を室温まで冷却し、析出・分離したものです。主な成分は、塩化カリウムです。減塩効果があり、食塩の代替品として使用されます。漬物、水産加工品、ハム等に使用されています。

(15) 香料

香料とは、「動植物から得られた物、またはその混合物で食品の着香の目的で使用される添加物」であり、食欲を増進する良い香りを食品に与えるものです。

人が毎日、健康で心豊かな生活をおくる為に、食事は基本的な役割を担っています。その、食事の中で欠かせないものに、美味しさがあります。美味しさの要素には味や舌触り等の物理的な官能の他に「食品の香り」があります。その香りは、美味しさを演出するための脇役的な役割を果します。

ひとつの香りの成分が約 35 万 800 種類といわれるように、食品がもつ香りの成分はたいへん微量で多くの種類が含まれています。そのため、ひとつの香りを製造するためには多数の香料が必要になります。

①香料の種類と製造例及び用途

食品の香料には、天然系の原料（肉類、魚介類、乳等およびその加工品、花、果実・種子、草木、根茎）から抽出した天然香料と、化学合成で得られた合成香料（指定添加物）があります。

実際の使用に関しては、これらの香料素材をベースに、いくつか組み合わせることにより目的とする混合された香料にします。これを「フレーバーベース」といいます。この「フレーバーベース」は、においが強いこともあり、使用する食品の性質に合わせて濃度を調整して添加されます。

＜製造工程から加工食品に至るまで＞

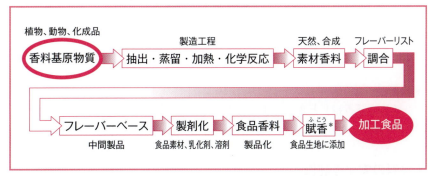

出典：食衛誌　Vol. 40, No. 30　　　　　　＊賦香＝香料を溶かす。

＜フレーバーの種類と特徴＞
● **エッセンス**
　含水エタノールで抽出、または溶解したものです。水溶性で揮発性が強いのですが、耐熱性に乏しい性質です。清涼飲料、発酵乳、乳酸菌飲料、冷菓、製菓等に均一に香りをつけるため使用されます。

● **オイル**
　食用油やプロピレングリコール、グリセリン、グリセリン脂肪酸エステル等に溶解したものです。加熱工程での耐熱性があります。マーガリン、焼き菓子等に使用されます。

● **エマルション**
　水に溶けない香料素材を乳化剤等で調整したものです。マイルドな香りと、耐熱性があります。飲料では、安定した混濁が得られます。調味食品等にも使用されます。

● **パウダー**
　フレーバーベースを賦形剤等で吸着させたもの、もしくは界面活性剤や賦形剤等で乳化したものです。香料成分の揮発が少なく持続性に優れています。チューインガム、粉末ジュース、インスタント食品、粉末スープ、畜肉・魚肉加工品、焼き菓子等に使用されます。

②香料の使用基準
　合成香料の酢酸エチル、シトラール等は着香の目的以外は使用できない等、一部のものに使用基準があります。天然香料には使用基準はありません。

③表示上の注意
　一括名で「香料」と表示します。もしくは、「(基原物質) 香料」とします。「例：香料もしくは、ストロベリー香料」

④香料の安全性評価
　香料は食品への添加量も少なく、ほとんどの香料成分は元々食品に含まれているものです。

⑤主な香料と用途

●果皮や果実から
　レモン、オレンジ、ライム、ゆず、りんご、いちご、メロン、ぶどう、バナナ、パイナップル、もも、さくらんぼ、グアバ、マンゴー、パパイア、ブルーベリー等の香りです。飲料、冷菓、製菓、ジャム等に使用されます。

●葉や小枝から
　ツバキ科カメリア・シネンシスの葉を原料とした紅茶、緑茶、ウーロン茶等の香りで飲料用、冷菓用に使用されます。ミントの香りではペパーミント、スペアミント等があり、ガム、歯磨き、化粧品等に使用されます。

●野菜から
　たまねぎ、トマト、にんじん等の香りです。飲料、調理食品に使用されます。

●種子から
　アカネ科コーヒーの種子からのコーヒー、カカオの種子（カカオ豆）からのココア、チョコレート等の香りです。主に飲料用、菓子用に使用されます。

●豆類から
　さや豆を発酵させたものです（バニラビーンズ）。アイスクリーム、チョコレート、焼き菓子、洋菓子に使用されます。

●香辛料から
　様々な料理に使用している、にんにく、しょうが、ペッパー、シナモン、クローブ、ナツメグ、わさび等の香りです。

●ナッツから
　ピーナッツ、アーモンド、栗等の香りです。主に洋菓子に使用されます。

●牛乳から
　ミルク、クリーム、バター、チーズ、ヨーグルト等の香りです。マーガリン、乳性飲料等に使用されます。

●畜肉、魚介類から
　牛、豚、鶏、かに、えび、うに、磯の香り等の香りです。えび風味の製品や

かに風味かまぼこ、各種スープ等に使用されます。

● **加工された食品から**

ウイスキー、ブランデー、ワイン、しょうゆ、ソース、すきやき、バーベキュー、やきそば、はちみつ、メープルシロップ、うめぼし等の香りがあります。

(16) 栄養強化剤

栄養素を強化するため、食品に使用するビタミン類やミネラル類、アミノ酸等のことで、食品に容易に添加できるものです。

健康な生活をおくるためには生理作用のあるビタミン、ミネラル、アミノ酸は必要不可欠なものです。しかし、ストレスや不規則な生活のために、普段の食生活からのビタミン、ミネラル、アミノ酸の摂取だけでは足りない場合があります。また、食品の製造の工程で減少することもあります。

① 栄養強化剤の種類

ビタミンには、水溶性（水に溶ける）のビタミンと、脂溶性（油に溶ける）のビタミンがあります。ミネラルには、カルシウム塩、鉄類や亜鉛・銅塩類があります。アミノ酸には、必須アミノ酸（体内では作れない）とそれ以外のアミノ酸があります。

分類	添加物名
（ビタミン類）	
水溶性ビタミン	ビタミンC、ビタミンB_1塩酸塩、ビタミンB_2等
脂溶性ビタミン	ビタミンA脂肪酸エステル、β-カロテン、ビタミンD_3、抽出ビタミンE等
（ミネラル類）	
カルシウム塩	乳酸カルシウム、クエン酸カルシウム、焼成カルシウム、酢酸カルシウム等
鉄類	クエン酸第一鉄ナトリウム、ピロリン酸第二鉄等
亜鉛・銅塩類	グルコン酸亜鉛、グルコン酸銅、硫酸亜鉛等
その他	水酸化マグネシウム、リン酸一水素マグネシウム、亜セレン酸ナトリウム
（アミノ酸類）	
必須アミノ酸	L-リシン塩酸塩、L-メチオニン、L-シスチン等
他のアミノ酸	L-アスパラギン酸ナトリウム、L-アルギニン等

②栄養強化剤の使用基準
　指定添加物では、亜鉛塩類、銅塩類、カルシウム塩類、ニコチン酸等、20数品目に使用基準が定められています。既存添加物ではカロテン類を着色料として使用する場合に使用基準が定められています。

③表示上の注意
　栄養強化の目的で使用した場合は、表示は免除されます。ただし、調製粉乳への使用の場合は、表示をします。

④栄養強化剤の安全性評価
　栄養強化成分は、食品が含む成分です。また、強化剤はJECFAでは、食品添加物には含まれていません。つまり、安全性評価の対象外となっています。

⑤主な栄養強化剤の特徴と用途
●L-アスパラギン
　簡略名は「アスパラギン」です。L-アスパラギンを多く含む植物性のたん白質を加水分解し、分離して得られたものです。成分はL-アスパラギンです。ルーピン、大豆もやし等の豆類、甜茶等の成長初期の植物中に多く含有します。L-アスパラギンは生体内で生合成される非必須アミノ酸です。脳や神経細胞の代謝機能の調節に関わっています。各種食品の風味改善、味覚改善等の調味料にも使用されます。

●抽出カロテン
　「プロビタンA」ともいわれています。抽出カロテンには、4品目（イモカロテン、デュナリエラカロテン、ニンジンカロテン、パーム油カロテン）あります。カロテンは体内でビタミンAに変換し、α-、β-、γ-、等の異性体があります。中でもβ型のカロテンがビタミンAへの変換率が最も高いと考えられています。

●デュナリエラカロテン
　別名「海藻カロテン」です。オーストラリア、米国西南部、イスラエル等の乾燥地帯で自然および管理培養（食塩濃度20％以上）しているデュナリエラ藻（真核光合成微生物）の全藻より熱時油脂、もしくは室温時ヘキサンでまたは加圧下二酸化炭素で抽出して得られます。主な成分は、カロテノイド（β-カロテン等）です。黄色をしています。油脂加工食品、麺類、菓子類、冷菓、

飲料、健康食品等に、また着色料としても使用されます。

（暫定）ADI：0〜20mg/kg体重と報告されています。

●ニンジンカロテン

別名「キャロットカロテン」です。ニンジンの根の乾燥物より熱時油脂、もしくは室温時ヘキサン、アセトンでまたは加圧下二酸化炭素で抽出して得られます。主な成分は、カロテノイド（カロテン等）です。黄色〜橙色をしています。麺類、菓子類、マーガリン、飲料、健康食品等に、また着色料としても使用されます。

●パーム油カロテン

アブラヤシの果実から得られたパーム油より、室温時シリカゲルで吸着し、ヘキサンで分離したもの、もしくはパーム油の不けん化物より熱時含水エタノールで分別したものです。主な成分は、カロテンです。黄色〜橙色をしています。麺類、菓子類、マーガリン、飲料、健康食品等に、また着色料としても使用されます。

●ヘム鉄

牛、豚の血液のヘモグロビンをたん白分解酵素で処理し、不要なペプチドを分離したものです。主な成分はヘム鉄です。鉄含有量は、1〜2％で、ペプチドは70〜90％です。食品の鉄強化（乳製品、菓子、健康食品等）に使用されます。

●イノシトール

別名「イノシット」です。米糠やトウモロコシのフィチン酸を分離する、もしくはサトウダイコンの糖液または糖蜜より分離して得られたものです。主な成分は、イノシトールです。ショ糖の2分の1の甘さです。調製粉乳に使用されます。

●シアノコバラミン

別名「ビタミンB_{12}＝V.B_{12}」です。放線菌、細菌の培養液より分離して得られたものです。ビタミンB_{12}の不足は、悪性貧血、成長不良をもたらします。調製粉乳、ビタミン強化食品等に使用されます。

● ヘスペリジン

別名は「ビタミンP」で、フラボノイドです。グレープフルーツ等の果皮、果汁、種子より、水またはエタノールもしくは有機溶剤で抽出、精製して作ります。毛細血管壁増強のビタミン様作用があることから、飲料、栄養強化剤に使用されます。

● クエン酸カルシウム

クエン酸を石灰水または炭酸カルシウムで中和して作ります。カルシウムの栄養強化として菓子類、みそ、納豆等に使用されます。使用基準は定められています。品質改良剤として使用した場合は、物質名「クエン酸カルシウム」と表示します。

● コレカルシフェロール

別名「ビタミンD_3」です。魚肝油から分離する、またはプロビタミンからの転換で作ります。ビタミンDは必須栄養素で栄養強化として、油脂加工品、調製粉乳等に、また医薬、家畜用として使用されます。

● 未焼成および焼成カルシウム

未焼成カルシウムは、貝殻、真珠層、造礁サンゴ、畜産動物の骨、卵殻を、選別・乾燥・殺菌・粉砕したものです。主な成分は炭酸カルシウムで、骨由来のものはリン酸カルシウムです。菓子類、飲料、健康・栄養食品等に使用されます。

焼成カルシウムは、うに殻、貝殻、造礁サンゴ、ホエイ、骨、卵殻を強熱(1000℃以上)で焼成したものです。主な成分は酸化カルシウムで、ホエイ、骨由来のものは、リン酸カルシウムです。カルシウム強化食品、砂糖・食塩の流動調整剤、シロップ清澄剤として使用されます。

● チアミン塩酸塩

簡略名は「ビタミンB_1」です。米糠、胚芽、酵母、豚肉、その他の豆類等に含まれています。合成法と米糠酵母より作る方法があります。ビタミンB_1は必須栄養素です。米、パン、みそ、しょうゆ、菓子、ジャム、調製粉乳等に使用されます。ビタミンB_1には他に、チアミン硝酸塩、チアミンラウリル硫酸塩、ジベンゾイルチアミン塩酸塩があります。

●ニコチン酸アミド

簡略名は「ナイアシン」です。ニコチン酸にアンモニアを反応させて作ります。水溶性ビタミンの一種です。ナイアシンは必須栄養素です。使用基準は、食肉および鮮魚介類（鯨肉含む）に使用できません。小麦粉（16.0mg/lb）、白米（7 mg/kg）、調製粉乳（4 mg/100g）、ハム、ソーセージ等の色調保持強化に使用されます。

●ピロリン酸第二鉄

第二鉄塩溶液にピロリン酸ナトリウム溶液を加えて作ります。匂いはなく、わずかに鉄味がします。鉄分の強化剤として、粉乳、菓子、パン等に使用されます。

●DL-メチオニン

簡略名は「メチオニン」です。メルカプタンとアクロレインを原料に作ります。必須アミノ酸の一種で、穀類に不足しがちなアミノ酸バランスを改善します。うに様の旨味効果もあります。スポーツドリンク、パン、麺類、漬物等に、また調味料として使用されます。

●L-リシン塩酸塩

簡略名は「リシン」です。糖類を原料として発酵法で作ります。必須アミノ酸の一種で、米、トウモロコシ等の植物性たん白質の栄養価を高めます。小麦粉、乾麺、スパゲティ、マカロニ、ラーメン、ビスケット、パン等やスポーツドリンクに、また医薬用（必須アミノ酸）としても使用されます。調味料としても使用されます。

●リボフラビン

別名は「ビタミンB_2」です。合成法もしくは発酵法で作ります。水溶性ビタミンの一種で、必須栄養素です。欠乏すると生体の成長が止まるといわれています。米、麺類、パン、ビスケット、チョコレート、佃煮、カレールウ、ソース等やスポーツドリンクに、また医薬用（発育促進、栄養失調、白内障、禿髪症、皮膚炎、夜盲症、神経病等）としても使用されます。着色料としても使用されます。

＜重複＞トコフェロール（V. E）、L-アスコルビン酸ナトリウム（V. C）は「（5）酸化防止剤」を参照。

（17）膨張剤

まんじゅうやケーキ、蒸しパン等をふっくらと膨張させるものです。

膨張剤はベーキングパウダー、ふくらし粉のことで、炭酸ガスやアンモニアガスがケーキやまんじゅうの生地の中で発生し、膨張するために全体にふっくらと仕上がるのです。

そのために膨張剤には、アルカリ性のガスを発生させる発生剤と、酸性の助剤が配合されています。詳しくは、一剤式および二剤式とありますが、現在では一剤式膨張剤が主に使用されています。

①主な膨張剤の種類

指定添加物に41品目あります。

分類	添加物名
ガス発生剤	炭酸水素ナトリウム、炭酸アンモニウム、塩化アンモニウム
酸剤	L-酒石酸水素カリウム、ピロリン酸二水素二ナトリウム、グルコノデルタラクトン、硫酸アルミニウムカリウム

②膨張剤の特徴

膨張剤はパン酵母（イースト菌）による発酵（ガス生成）とは異なり、加熱によって反応しガスを発生、膨張させます。つまり、発酵時間を必要としない分、食品の種類に合わせた時間（速く効くもの、遅く効くもの、持続するもの）で製造することができます。

●速く効くもの
　蒸しパンや蒸しケーキ、天ぷら等のように比較的低い温度でガスが発生します。

●遅く効くもの
　ホットケーキやどら焼き、人形焼等のように比較的高い温度でガスが発生しますので、短時間で加熱して作る焼き菓子に向いています。

●持続するもの
　スポンジケーキ等のように加熱時間が長く、じっくりと焼き上げるものに向いています。

③膨張剤の使用基準

それぞれの成分規格は定められていますが、一部を除いて使用基準はありません。成分規格とは、食品衛生法で定められた食品添加物の含量、性状、確認試験、純度試験、定量法のことです。

④表示上の注意

一括名で「膨張剤」または「ベーキングパウダー」または「ふくらし粉」と表示します。

⑤膨張剤の ADI 評価

膨張剤の中には、JECFA 評価の ADI 値及び MTDI 値が設定されているものがあります。
- L-酒石酸水素カリウム（重酒石酸カリウム）
  = ADI：0〜30mg/kg 体重
- ピロリン酸二水素二ナトリウム（ピロリン酸ナトリウム）
  = MTDI：0〜70mg/kg 体重（リンとして）
- リン酸二水素カルシウム（リン酸カルシウム）
  = MTDI：0〜70mg/kg 体重（リンとして）

⑥主な膨張剤の特徴と用途

炭酸水素ナトリウム

簡略名は重曹です。塩化ナトリウム溶液にアンモニアと二酸化炭素を反応させる、もしくは水酸化ナトリウムに炭酸ガスを反応させ、結晶として析出させて作ります。弱アルカリで加熱すると炭酸ナトリウムとなり、食品を黄色にします。ビスケットやホットケーキ、まんじゅうに使用されます。その他、かんすい、pH 調整剤としても使用されます。

毒性試験は、ラット経口 LD_{50} = 4,300mg/kg と報告されています。

塩化アンモニウム

多くの製法がありますが、塩化水素とアンモニアを反応槽へ導入して結晶を得ます。または硫酸アンモニウムと食塩の混合物を昇華させて作ります。もしくは、炭酸水素ナトリウム溶液にアンモニアと食塩を加え、塩化アンモニウムの結晶を精製して作ります。

常水温では中性ですが、加熱すると加水分解して微弱酸性を示します。また、加熱によりアンモニアガスが発生します。一般には、重曹と混合して使用されます。

菓子パンやせんべい、ウエハース、ビスケットに使用されます。その他、イーストフードとしても使用されます。

毒性試験は、ラット経口 LD_{50} = 1,650mg/kg と報告されています。

● **グルコノデルタラクトン**

グルコン酸カルシウムを硫酸、シュウ酸、またはイオン交換樹脂を用いて、グルコン酸液とし、減圧濃縮して作ります。

水に溶かすと強い酸味になります。加熱により、重曹等と反応して、均一に炭酸ガスを発生しますので、酸剤としての効果があります。ビスケット、ドーナツ、ホットケーキ等に使用されます。その他、酸味料、pH 調整剤、豆腐用凝固剤（主に絹ごし豆腐）、キレート剤等にも使用されます。

急性毒性は、ウサギ静脈 LD_{50} = 7,630mg/kg と報告されています。

● **L-酒石酸水素カリウム**

L-酒石酸を炭酸カリウム溶液で中和し、中性塩としたのち、更に L-酒石酸溶液を加えて析出させて作ります。熱湯に溶け、清涼な酸味をだします。加熱により重曹等と反応して炭酸ガスを発生し均一な起泡をつくります。酸剤としての効果があり、速効型です。蒸しパンや蒸しケーキ、スポンジケーキ等に使用されます。

毒性試験は、L-酒石酸として、マウス経口 LD_{50} = 4,360mg/kg と報告されています。

● **ピロリン酸二水素二ナトリウム**

リン酸に炭酸ナトリウムを加えてリン酸一ナトリウムをつくり、200℃ に加熱して作られます。水溶性で弱酸性です。重曹等と併用して、炭酸ガスを発生しますので、酸剤としての効果があります。持続型ですが、ゆっくりと焼き上げる焼き菓子やスポンジケーキに使用されます。かんすい、pH 調整剤、乳化剤（プロセスチーズ等）にも使用されます。

● **硫酸アルミニウムカリウム**

ボーキサイトに硫酸を加えて硫酸アルミニウムにします。これに硫酸カリウムを加えてミョウバンを結晶化させて加熱し、乾燥させたものです。

重曹等と併用して、炭酸ガスを発生しますので、酸剤としての効果があります。重曹との反応は比較的緩やかなため炭酸ガスの発生も長く持続します。味は渋く特徴があります。

ビスケットやスポンジケーキ、クッキーに使用されます。その他、漬物等の色を保つ等、品質改良剤（ミョウバン）として使用されます。

使用基準は定められています。

毒性試験は、イヌ経口 LD_{50} = 30〜50g〔池田良雄：薬物致死量集189、南山堂（1961）〕

●フマル酸一ナトリウム

芳香族炭化水素のベンゼンなどを原料としてつくられるフマル酸に炭酸ナトリウムを加えて作ります。水溶性で、重曹等と併用することにより、炭酸ガスを発生しますので、酸剤としての効果があります。ホットケーキ、蒸しパン、ビスケット等に使用されます。その他、酸味料（合成酒、清涼飲料等）、調味料、pH調整剤としても使用されます。

毒性試験は、ラット経口 LD_{50} = 約8,000mg/kg と報告されています。

●リン酸二水素カルシウム

リン酸と水酸化カルシウム、または炭酸カルシウムと反応させて作ります。水溶性で弱酸性です。重曹等と併用することにより、炭酸ガスを発生しますので、酸剤としての効果があり、遅効型です。ホットケーキ、どら焼き、人形焼等に使用されます。その他、栄養強化剤、イーストフードとしても使用されます。

使用基準は定められています。

毒性試験は、リン酸二水素ナトリウムとして、ウサギ静脈 MLD は 985〜1,075mg/kg と報告されています〔Eichler, O.：*Handb. exp. Pharmakol.* 10. 363（1950）〕。

(18) 製造用剤

食品添加物は種類も多く、多岐にわたっています。いろいろな目的で使用される食品添加物ですが、その用途を整理すると、
- ●食品を製造するときになくてはならない添加物
- ●食品の品質低下によって起こる事故（食中毒等）を防ぐ添加物
- ●食品の品質を高める添加物
- ●食品の風味や外観を向上させるための添加物
- ●食品の栄養価を維持、強化する添加物　に大別されます。

「食品を製造するときになくてはならない添加物」に含まれるものには、特定の用途「例―甘味料、酸味料等」に該当しないものがあります。そのような添加物や複合的に調合された添加物を一括して「製造用剤」といいま

す。製造用剤の食品表示は、一括名の場合「例―かんすい」と表示します。「加工助剤」や「キャリーオーバー」として使用する場合は表示は免除されます（加工助剤、キャリーオーバーについては、P. 338 参照）。

① 殺菌料

　食品やその原料、もしくは製造上使用する機器類（機械、調理器具、道具等）の殺菌のために使用するものです。指定添加物として3品目（次亜塩素酸ナトリウム、高度さらし粉、過酸化水素）あります（詳細は「（7）漂白剤」を参照）。

　殺菌料は短時間で効力を発揮しますので、食品や機器類に付着している微生物等を殺菌して食中毒を防ぎ、食品の保存性を向上させます。次亜塩素酸ナトリウム、過酸化水素は最終製品の完成前に完全に分解・除去することとなっている等、使用基準が定められています。表示は、加工助剤として免除されています。

　次亜塩素酸ナトリウム、高度さらし粉は主に野菜類（生野菜等）、魚介類に使用されます。過酸化水素はかずのこだけに使用されます。

● 高度さらし粉

　石灰乳に塩素を吹き込んで作られます。水道浄化剤、消毒剤等としても使用されます。

② 日持向上剤

　調理済食品（惣菜、サラダ等）の腐敗や変質を抑えるためのものです。

　年々、需要が高まっている調理済食品ですが、消費者が購入してから加熱処理がされないまま摂食する性質の食品が多いこともあり、日持向上剤を使用するケースが増えています。

　日持向上剤は、専用の添加物ではありませんが、静菌作用をもつ有機酸類（氷酢酸、酢酸ナトリウム）、アミノ酸・ビタミン類（グリシン、ビタミンB_1ラウリル硫酸塩）、中鎖脂肪酸（グリセリン脂肪酸エステル）、酵素（リゾチーム）、香辛料等の抽出物（シソ抽出物、チャ抽出物等）があります。

　保存料と比較すると静菌作用は弱い為（数日間程度）、チルド保管やpH調整剤等と併行して使用するとより効果が得られます。使用基準はありません。

　表示は物質名「例：グリシン」で表示します（日持向上剤という表示はありません）。

　主に、惣菜、漬物（浅漬け等）、水産練り製品、珍味等に使用されます。

●グリシン

　ゼラチンの加水分解から単離する、またはモノクロル酢酸にアンモニアを作用させる、もしくはホルムアルデヒドを原料とするストレッカー反応で作ります。

　抗菌作用として、枯草菌、大腸菌等の生育を阻害することから、保存料（例―ソルビン酸等）と併用が多く、使用基準はありません。

　栄養強化剤として使用する場合は表示は免除されます。

　調味料（えび、かに、いかの旨味）としても使用され、水産練り製品、たれ類、ソース、清涼飲料、冷凍食品、ハンバーグステーキ、カスタードクリーム等に使用されています。

　標準的な使用例は、らっきょう漬け（0.3％）、福神漬け（0.1％）、なす漬け（0.1％）、キムチ（0.2％）、はりはり（0.1％）、みそ漬け（0.1％）、なます（0.2％）、奈良漬け（0.2％）、焼き菓子中のラードの安定化（0.5％）、さつま揚げの原料魚（0.3〜1.5％）、インスタントラーメンの小麦粉（0.1〜0.5％）、一般塩蔵品の原料（0.3〜0.7％〜0.1〜0.5％）、となっています。

　毒性試験は、モルモット経口 LD_{50} ＝ 6.8〜8.0g/kg と報告されています〔食品添加物便覧　1999年版（食品と科学社）〕。

【補足説明】

　グリシンは動物性たん白質中に多く含まれています（腱コラーゲン中に27.2％）。最も簡単で、かつ不整炭素原子のない唯一のアミノ酸です。生体内でセリン等から生合成されるので必須アミノ酸ではありませんが、グリシンからクレアチン、グルタチオン、プリン等生理的に重要な物質が生合成されることが知られています。

●ビタミン B_1 ラウリル硫酸塩

　チアミン塩酸塩とラウリル硫酸エステル塩との交換反応により好収量で得られます。

　使用基準はありません。表示は、栄養強化剤として使用する場合は免除されます。界面活性作用が強く、乳化作用もあるため油脂類と混和され、マーガリン、マヨネーズ、カレールウ、白米、小麦粉、パン、うどん、しょうゆ、みそ、乳製品、菓子等にも使用されます。

　毒性試験は、チアミンセチル硫酸塩と同等と考えられています。チアミンセチル硫酸塩：マウス経口 LD_{50} ＝ 11.8g/kg と報告されています。

●氷酢酸

簡略名は酢酸です。アセトアルデヒドまたはエタノールを酸化させて作るか、メタノールと一酸化炭素またはアセチレンとメタノールを合成して作ります。酢酸を99％以上含み、低温で氷のような結晶になるため氷酢酸と呼ばれます。使用基準はありません。酸味料、pH調整剤としても使用されます。

酢酸の毒性試験は、イヌ経口 LD_{50} = 3,000（3,200〜3,880）mg/kg と報告されています。

③品質保持剤

食品を保湿しながら日持ちさせるものです。

●プロピレングリコール

プロピレンクロルヒドリンをアルカリ溶液で処理し蒸留して精製して作ります。

使用基準は生めん、いかくん製品2.0％以下、ギョーザ、シューマイ、春巻きの皮、ワンタンの皮1.2％以下、その他食品0.6％以下と定められています。

表示は、物質名「プロピレングリコール」で表示します。軟化剤としても使用されます。

ADI：0〜25mg/kg体重（プロピレングリコールとして）、毒性試験では、毒性は弱く、マウス経口 LD_{50} = 22〜23.9ml/kg と報告されています。

④豆腐用凝固剤

豆乳を固めるときに使用するものです。凝固剤には5品目ありますが、そのうち塩化カルシウム、硫酸カルシウムには使用基準があります。表示は、一括名（「豆腐凝固剤」または「凝固剤」）を表示します。ただし、塩化マグネシウム、粗製海水塩化マグネシウム含有物については、特例として、物質名を（にがり）と表示できます。「例：塩化マグネシウム（にがり）」

●塩化マグネシウム

海水を濃縮したものから塩化ナトリウムを取り出し、母液をさらに濃縮したのち、塩素処理を行って臭素を除き、さらに濃縮して作ります。豆腐の凝固剤、イーストフード等にも使用されます。

急性毒性は、マウス経口 MLD* = 1,050mg/kg と報告されています。

＊最小致死量のことです。

●塩化カルシウム

炭酸ナトリウム母液に石灰乳を加えてアンモニアを回収した残液を濃縮して、析出する食塩を除いてから濃縮して放冷固化したものです。強化剤にも使用されます。

急性毒性は、ラット経口 LD_{50} = 4,000（無水物）mg/kg と報告されています。

●粗製海水塩化マグネシウム含有物

海水より塩化ナトリウムを析出分離し、その母液から塩化カリウム等を析出した残りのものです。主な成分は塩化マグネシウムです。古くから豆腐を固めるものとして使用されてきました。

●硫酸カルシウム

多くの製法がありますが、代表的なものは塩化カルシウムと硫酸ナトリウムを反応させて作ります。使用基準が定められています。イーストフード、栄養強化剤としても使用されます。

●硫酸マグネシウム

多くの製法がありますが、酸化マグネシウム、水酸化マグネシウム、炭酸マグネシウムなどに硫酸を反応させて作ります。醸造用、漬物用、発酵用、乾燥剤用としても使用されます。

急性毒性は、モルモット皮下 MLD > 1,800mg/kg と報告されています。

●グルコノデルタラクトン

グルコン酸カルシウムを硫酸、シュウ酸、またはイオン交換樹脂を用いて、グルコン酸液とし、減圧濃縮して作ります。膨張剤原料、酸味料、キレート剤等にも使用されます。

急性毒性は、ウサギ静脈 LD_{50} = 7,630mg/kg と報告されています〔Gajatto, S. : *Arch. Farmacol. Sper. 68, 1* （1939）〕。

⑤消泡剤

食品の製造工程で発生する消えにくい泡を消し、製造を効率的にするものです。

代表的なものにはシリコーン樹脂があります。シリコーン樹脂は、珪石や珪砂などから得られたケイ素を塩化メチルと反応させて加水分解し、脱水縮合させて作ります。油性タイプと水系タイプ（エマルションタイプ）があります。

主に、しょうゆ、イースト、乳酸、アルコール、精糖、糖蜜、乳製品、ジャ

ム、果汁製品、豆腐、フライ食品等の食品の製造時に使用されています。

また、抗生物質の製造、ビタミン油の濃縮時にも利用されています。使用基準は定められています。

表示については、ほとんどが加工助剤、もしくはキャリーオーバーですので免除されています。

ADIは0〜1.5mg/kg体重と報告されています。

標準的な使用量の例は、スキムミルクの濃縮工程（3ppm）、フルーツジュース（3ppm）、清涼飲料（2〜3ppm）、チューインガムベース（3ppm）、調味エキスのびん詰（2ppm）、食用油の製造（2ppm）、ブドウ酒の製造（0.1ppm）となっています。

⑥かんすい

中華麺やワンタン等の個性的な風味や歯ごたえ、色合い（黄色）を作り出すものです。かんすいはアルカリ剤で炭酸カリウム、炭酸ナトリウム、炭酸水素ナトリウム、及びリン酸類のカリウム、またはナトリウム塩等、16品目あります。表示は、一括名「かんすい」で表示します。製造基準はありますが、使用基準は定められていません。ただし、かんすいの成分は、麺をゆでる時の湯液に大部分が溶け出します。

```
（JECFA評価のMTDI*）
  ピロリン酸四ナトリウム＝MTDI：0〜70mg/kg体重（リンとして）
  ポリリン酸ナトリウム　＝MTDI：0〜70mg/kg体重（リンとして）
  メタリン酸ナトリウム　＝MTDI：0〜70mg/kg体重（リンとして）
  リン酸水素二ナトリウム＝MTDI：0〜70mg/kg体重（リンとして）
 ＊MTDI…最大耐容1日摂取量
 （参考）・TDI…（耐容1日摂取量）
　　　　・PTWI…（暫定週間耐容摂取量）
```

●炭酸カリウム（無水）

塩化カリウム溶液に炭酸マグネシウムを加え、炭酸ガスを吹き込みマグネシウムの懸濁液と加熱分解させ、炭酸カリ溶液を作り結晶化させたもの、もしくは水酸化カリウム溶液に炭酸ガスを反応、結晶、析出させたものです。小麦たん白質に弾力性を与え、黄色に発色させます。pH調整剤、イーストフード、膨張剤、酸性中和剤としても使用されています。

毒性試験は、ラット経口LD_{50}＝1,870mg/kgと報告されています。

● 炭酸ナトリウム

　食塩の冷溶液をアンモニアガスで飽和し、加圧下に炭酸ガスを吹き込んで、培焼して炭酸ナトリウム（無水）ができます。これを水に溶かせて結晶を析出させて炭酸ナトリウム（結晶）が作られます。小麦たん白質に弾力性を与え、黄色に発色させて、中華麺特有の風味を与えます。pH調整剤、膨張剤、酸性中和剤（アミノ酸しょうゆの中和剤として大量に使用）としても使用されています。

● リン酸水素二ナトリウム（結晶、無水）

　リン酸を水で希釈したのち炭酸ナトリウムで中和し、リン酸ナトリウム溶液を得て、ろ過、放冷、析出して結晶化したものです。小麦グルテンに作用して麺のノビ、コシ、シマリ、色、においを向上させます。防腐効果も期待できます。プロセスチーズおよび加工品の乳化剤（原料チーズに対して2～3％程度）、pH調整剤、発酵助成剤、畜肉製品の結着剤、ジュースの分散、乳化安定剤として使用されています。

　毒性試験は、ウサギ静脈MLDは985～1,075mg/kgと報告されています。

⑦イーストフード

　パン、菓子類の製造でイーストの栄養源等の目的で使用するものです。塩化アンモニウム、炭酸カルシウム、硫酸カルシウム、リン酸二水素カルシウム等、17品目あります。

　表示は一括名「イーストフード」で表示します。

● 塩化アンモニウム

　多くの製法がありますが、塩化水素とアンモニアを反応槽へ導入して結晶を得ます。または硫酸アンモニウムと食塩の混合物を昇華させて作ります。もしくは、炭酸水素ナトリウム溶液にアンモニアと食塩を加え、塩化アンモニウムの結晶を精製して作ります。

　膨張剤、ふくらし粉として、せんべい、ビスケット、かりんとう等の菓子類に使用されます。使用基準はありません。

　毒性試験は、ウサギ経口、2g/animal、10分後死亡と報告されています〔池田良雄「薬物致死量集」南山堂（1961）〕。

● 炭酸カルシウム

　石灰石を焼成して水を反応させ水酸化カルシウムを得、炭酸ガスを通じて軽

質炭酸カルシウムとします。使用基準は定められています。栄養強化剤（パン、みそ、納豆、菓子、ふりかけ等）、膨張剤、ガムベースとしても使用されています。

● **リン酸二水素カルシウム**

リン酸2モルを水酸化カルシウムまたは炭酸カルシウム1モルと反応させて冷却（0℃）して生じる結晶をろ過し、アセトンで洗い、乾燥して1水塩としたもの、リン鉱石に鉱酸を作用させたものです。栄養強化剤（カルシウムとして食品の1％以下）、チーズの乳化剤、ガムベースに使用されています。使用基準は定められています。

MTDI（最大耐容1日摂取量）：70mg/kg体重（リンとして）と報告されています。

⑧離型剤

パン生地等がパン型や機械からすばやく、きれいに離型できるように、パン生地が付着するのを防ぐものです。食用油脂も使用されますが、耐熱性があり、酸化されにくく、不快臭がつかないことから、古くから流動パラフィン（別名：ミネラルオイルホワイト）が使用されています。

流動パラフィンは、石油から得た炭水化物の混合物で、分留・蒸留・精製されて作られます。使用基準はパン生地および培焼する際の離型以外には使用できない（パン中の残存量は0.1％未満）等、定められています。

クラスⅠ（中位粘度パラフィン系オイル）ADI：0～1mg/kg体重（暫定）

クラスⅡ（中位粘度ナフテン系オイル）ADI：0～0.01mg/kg体重（暫定）

⑨抽出用剤

食品原料から必要な成分を抽出するためのものです。抽出溶剤には主にヘキサン、アセトンがあります。

● **ヘキサン**

石油を分留して得た揮発油部分を原料としています。採油が困難な大豆やナタネ等の食用油脂（サラダ油、てんぷら油等）の抽出に使用されます。油脂抽出以外は使用できないこと、また最終製品に残存してはいけないため、油脂へ

の残留がないように多段精留を行う等、使用基準は定められています。表示は、加工助剤として免除されています。

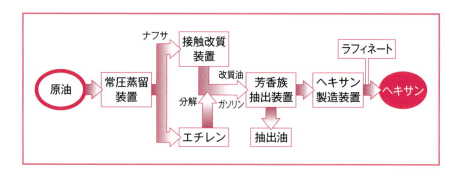

● **アセトン**

　天然ガス成分であるプロパンの脱水素で得られるプロピレンを酸化して作られます。
　ガラナ飲料を作るときのガラナ豆の有効成分を抽出する溶剤として使用されます。保存中の混濁や風味の変化が少ない良好な抽出液が得られます。また、食品加工油脂（チョコレート用油脂等）の分別にも使用されています。表示は加工助剤として免除されています。最終製品の前には除去しなければならない等、使用基準は定められています。

⑩ろ過助剤

　食品製造で、不純物を取り除き（吸着）、ろ過を効率よくするために使用するものです。
　ろ過剤には、カオリン（白陶土）、酸性白土、ベントナイト、タルク、ケイソウ土（不溶性鉱物性物質）、二酸化ケイ素（シリカゲル）、パーライト（不溶性鉱物性物質）等があります。
　食品の風味を損なわないように、不溶性の微粒子でできていますが、ろ過工程で除去されますので最終製品には残存しません。使用基準はすべてのろ過助剤に定められています。
　精糖、ビール、ブドウ酒、日本酒、しょうゆ、酢、清涼飲料水等に使用されています。
　表示は加工助剤として免除されています。

⑪ 酸・アルカリ剤

たん白質やでん粉の加水分解や果実等の剥皮、また中和するのに使用するものです。

酸剤には、塩酸、シュウ酸、硫酸、リン酸があります。アルカリ剤には、炭酸ナトリウム、水酸化ナトリウム、水酸化カルシウムがあります。塩酸、シュウ酸、硫酸、水酸化ナトリウムには最終製品の完成前に中和または除去することの使用基準があります。表示は、加工助剤として免除されています。グルタミン酸ナトリウムの製造、アミノ酸の製造、水飴（でん粉の分解）、みかんの缶詰、砂糖の精糖、しょうゆの製造、調味料、食用油、清涼飲料水等に使用されています。

⑫ 結着剤

ハム、ソーセージ、かまぼこ等の原料同士を結着させます。また、肉質の保水率を良くし、離液や冷凍での変質を防止するものです。

一般的にリン酸塩類が使用されており、正リン酸塩（リン酸一ナトリウム、リン酸二カリウム、リン酸三ナトリウム等）と重合リン酸塩（ピロリン酸ナトリウム、ポリリン酸ナトリウム、メタリン酸ナトリウム、メタリン酸カリウム等）があります。

重合リン酸塩は、リン酸が2分子以上結合したリン化合物（例—ピロリン酸四ナトリウムとポリリン酸ナトリウム、ピロリン酸四ナトリウムとメタリン酸カリウム、ピロリン酸二水素カルシウムとピロリン酸四ナトリウム、ポリリン酸カリウムとメタリン酸カリウム等）のことです。アルカリ性なので肉たん白質やペクチンを溶かし（可溶化）、保水性や結着性を高めます。また、肉製品の褐変（変色）を抑えたりします（金属イオンの封鎖）。練り製品は弾力性のある歯ごたえにします。

使用基準は定められていません。表示は物質名「例：リン酸塩（Na、K）」で表示します。

ハム、ソーセージ、魚肉練り製品、漬物、水産缶詰、麺類等に使用されています。また、プロセスチーズ等の乳化剤としても使用されています。

```
（JECFA 評価の MTDI）
ポリリン酸ナトリウム＝ MTDI：0～70mg/kg 体重（リンとして）
ピロリン酸四ナトリウム＝ MTDI：0～70mg/kg 体重（リンとして）
メタリン酸ナトリウム＝ MTDI：0～70mg/kg 体重（リンとして）
メタリン酸カリウム＝ MTDI：0～70mg/kg 体重（リンとして）
```

⑬グレーズ剤

冷凍魚介類などの鮮度保持をするための表面を被膜（氷の膜）するものです。

増粘剤のグァーガム、キサンタンガム、カルボキシメチルセルロースナトリウム等（「(4)増粘安定剤」を参照）があります。冷水に可溶で、海水にも耐えられる増粘剤があります。原理は、魚介類（例—えび、かに等）の表面を氷の膜で覆うことにより、物性が強化されます。

また貯蔵中の重量の減少防止、および含有している脂質の酸化から保護します。酸化防止剤と併用することもあります。アルギン酸ナトリウム以外は使用基準が定められています。グレーズ剤として使用した場合は加工助剤として表示は免除されます。

⑭小麦粉処理剤

小麦粉の漂白（酸化）や熟成、製パン性を良くしたり等、品質改良を促すものです。

過酸化ベンゾイル、過硫酸アンモニウム、希釈過酸化ベンゾイル、臭素酸カリウム、二酸化塩素等があり、それぞれの用途に合わせて使用されます。小麦粉以外は使用できない、最終製品には残存してはいけない等、それぞれ使用基準は定められています。

⑮色調安定剤

オリーブの実の色調を安定化させるためのものです。

オリーブの着色補助（1kg当たり0.15g以下）や、栄養強化剤（母乳代替品、離乳食、妊産婦・授乳婦用粉乳に鉄分の強化目的）として使用されますが、これ以外の使用はできない等使用基準は定められています。

● **グルコン酸第一鉄**

ブドウ糖から発酵法で作られるグルコン酸を鉄塩にする、もしくはグルコン酸バリウム、またはカルシウム塩と硫酸第一鉄を反応させて作ります。

国際的に安全性は高いと評価されています。毒性試験は、マウス経口LD_{50} = 3,700 ± 145mg/kg と報告されています。

⑯保水剤

魚肉ソーセージ、マヨネーズ、ドレッシングの保水と乳化の安定のために使用されます。

魚肉ソーセージにおいては、魚臭みが除かれ、風味が良くなり、保存中の変色を防ぐ効果があります。マヨネーズにおいては、味、風味、舌ざわり、光沢が良くなり、乳化も安定します。使用基準も定められています。表示は物質名「例：コンドロイチン硫酸ナトリウム」を表示します。

●コンドロイチン硫酸ナトリウム

主にサメ、ウシの鼻軟骨、ブタの肋軟骨を原料とし、アルカリ希薄溶液もしくは、中性塩抽出法で作ります。

毒性試験は、ラット、ウサギに1g/kgを6か月連続経口投与しても、異常を認めなかったと報告されています。

⑰吸着剤

食品の製造工程では従来、吸着剤として活性炭が使用されてきました。ところが、1980（昭和55）年以降は、砂糖の精製の脱色工程（色素吸着剤）で、酸化マグネシウムが使用されています。これによって、脱色効率が向上し、大量廃棄物に対する公害の軽減や、濃縮時の使用エネルギーの低減化を図り好影響をもたらしました。吸着の目的以外では使用できない等、使用基準も定められています。加工助剤、キャリーオーバー以外の表示は物質名「酸化マグネシウム」と表示します。

●酸化マグネシウム

にがりに消石灰を反応させて生じる水酸化マグネシウムを強熱する方法、もしくは炭酸マグネシウムを強熱する方法で作ります。

⑱固結防止剤

食塩の固結を防止するものです。

品目は、フェロシアン化物、フェロシアン化カリウム、フェロシアン化カルシウム、フェロシアン化ナトリウムとなっています。

使用基準は食塩に限り使用でき、使用量は無水フェロシアン化ナトリウムとして0.020g/kgと定められています。表示は物質名「フェロシアン化物」で表示します。ただし、その食塩を使用した加工食品の場合は、表示は免除されます。

ADI：0～0.025mg/kg（フェロシアン化ナトリウムとして）と報告されています。

⑲ **防虫剤**

　ピペロニルブトキシドの用途は殺虫剤、植物成長調整剤です。貯蔵中の穀類に直接混合したり、俵の表面を処理してコクゾウムシ等の虫の被害から穀類を防ぐために使用されます。また、タバコの光化学オキシダント障害の防止にも使用されます。食品添加物としての使用基準は、穀類について0.024g/kg以下と定められています。

● **ピペロニルブトキシド**

　食品添加物としては、1955（昭和30）年8月26日に認可されました。東京都衛生研究所は、ラットやマウスに投与した一連の試験で、肝臓腫瘍の誘発を認め、発ガン性を指摘しています。

　ただ、1982（昭和57）年の北九州市衛生研究所の調査では、小麦に平均0.05ppm、大麦に平均0.018ppmの検出が認められ、成人1人当たりの摂取量は、1.77μg/日/人でした。

　また、1998（平成10）年の東京都のベビーフード残留農薬調査で、輸入果実加工品から0.33ppm検出されました。原因は、プルーンの保管倉庫でくん蒸剤として使用したためと考えられました。

　ADI：0.03mg/kg体重と報告されています。

⑳ **粘着防止剤**

　D-マンニトールの用途は食品成分同士の粘着を防止するものです。

　ふりかけ類（顆粒を含むものに限る）、あめ類、らくがん、チューインガム、佃煮（昆布を原料とするものに限る）等の対象食品も限られている等、使用基準も定められています。

　表示は、物質名「D-マンニトール」で表示します。

● **D-マンニトール**

　製造方法は4通りありますが、現在では化学的に合成して作られます。ショ糖溶液の接触還元法では、D-ソルビトールが75％、D-マンニトールが25％の生成比になります。

　それ以外は、海藻からの液体抽出法、ブドウ糖液のアンモニア電解還元法、異性化糖または果糖の接触還元法等があります。

　毒性試験は、マウス経口LD_{50} = 22g/kgと報告されています〔*FAO Nutr. Meet. Rep. Ser. No. 40. WHO Fd. Add. 67. 19. 160*（1967）〕。

㉑ 被膜剤

果実や果菜の表面（表皮）を被膜して長時間保持させるものです。

実際の使用は、ワックスと水を均一に混合するための乳化剤の役割を果します。果実等の表面からの水分の揮発や呼吸作用を適度に抑えますので長持ちすることになります。果実や果菜の表皮の被膜としてしか使用できない等、使用基準も定められています。表示は物質名「モルホリン」で表示します。

● **モルホリン脂肪酸塩**

簡略名はモルホリンです。ジエタノールアミンを鉱酸で脱水して得られるモルホリンと脂肪酸を化合して作ります。

毒性試験は、モルホリン単独でラット経口 LD_{50} = 1.05g/kg と報告されています〔WHO : *IARC Monographs* 47, 199（1989）〕。

● **オレイン酸ナトリウム**

オレイン酸のエタノール溶液に水酸化ナトリウムまたは炭酸ナトリウムを加え、中和して作ります。

毒性試験は、ウサギ静注 LD_{50} = 0.455mg/kg と報告されています〔池田良雄「薬物致死量集」南山堂（1961）〕。

㉒ 糊料（「(4) 増粘安定剤」を参照）

食品の増粘性、安定性、ゲル化を促し、滑らかな食感をつくるものです。

アルギン酸ナトリウム、アルギン酸プロピレングリコールエステル、カルボキシメチルセルロースカルシウム、カルボキシメチルセルロースナトリウム、デンプングリコール酸ナトリウム、デンプンリン酸エステルナトリウム、ポリアクリル酸ナトリウム、メチルセルロース等があります。

㉓ 軟化剤

● **D-ソルビトール（ソルビトール、ソルビット）**

使用基準はなく用途により「軟化剤」と表示します。ブドウ糖を還元して作られます。甘さは砂糖の約60％で果実類、海藻類等に含有されるものです。高温高圧のもとでブドウ糖を水素添加し、イオン交換樹脂で精製して作ります。保湿性や安定性、清涼感を持つため、キャンディー、煮豆、つくだ煮、生菓子、冷凍すり身等に使用されます。

4. 判断に悩む食品添加物表示のポイント

1) 漬物の下漬け（塩漬け）等に使用される炭酸カルシウム（キュウリ組織の軟化防止に使用される）やミョウバン（硫酸アルミニウムカリウム…ナスの変色防止）は、その後の製造工程（水洗、脱塩、圧搾、脱水等）でほとんど除去される、もしくは最終製品への残存はほとんどなく、製品へ影響を与えないと考えられるため、加工助剤とみなされ、表示は免除されます。

2) キャリーオーバーの判断基準として、「最終製品に持ち越された食品添加物の量が、効果を発揮することができる量より少ない量しか含まれていないこと」の量的な残留基準値は、食品により使用する添加物の種類とその添加量に違いがあるため、一律基準値はなく個々に判断することになります。ただし、最終製品に対する効果を期待するような使用量の場合はキャリーオーバーとみなされません。

3) 「無添加」および「食品添加物不使用」の表示を見かけますが、単に最終工程の原料として使用していないだけでは誤認を生む場合があります。つまり、「加工助剤」および「キャリーオーバー」等の表示免除は「使用していない」意味ではないこと、また食品添加物に対する一般的な有用性と安全性に対する誤解と、食品添加物を使用した一般加工食品の信頼性の低下を招く可能性があるので、好ましくない表示とされています。

4) ハンバーグステーキ等にベーコンを細断して混合し、生地に均等に練りこんだりする場合がありますが、このような場合は発色剤（亜硝酸塩）の効果がないと考えられるのでキャリーオーバーとなります。

5) おでんに使用した、しょうゆ加工品に含まれる調味料（アミノ酸等）、甘味料（ステビア抽出物）等は、おでんへの移行量はわずかでも五感に影響を及ぼすのでキャリーオーバーには該当しません。表示が必要です。

6）栗饅頭の中の栗甘露煮に使用されている焼きミョウバン、黄色4号、次亜硫酸Na、重合リン酸塩等は栗甘露煮として形態をとどめていますので、その部分では添加物の効果があるため表示は必要です。

7）ピザにトッピングしたソーセージに含まれる、保存料、リン酸塩、調味料、着色料の場合、五感に感じる調味料、着色料は表示が必要ですが、保存料、リン酸塩はトッピング程度で微量のためキャリーオーバーとなります。ただし、ピザ中に占めるソーセージの割合が高い場合は、ソーセージに必要なすべての表示をします。

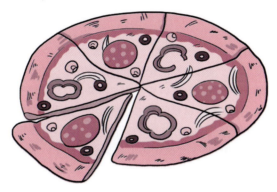

8）加工食品の充填包装時（例―果汁の缶飲料等）に使用する置換ガス類（窒素ガスや二酸化炭素等）は最終製品には加工助剤となります。

9）「わさび漬け」の原材料に使用する「酒粕」には、「アルコール」が5～10％程度含まれています。これを原材料として「わさび漬け」を製造した場合、製品には必ず「アルコール」が残留しますが表示は必要ありません。理由は、酒粕中の「アルコール」はお酒の醸造中に生成された食品成分だからです。

10）バタークリームの原材料のマーガリンに含まれる「β-カロテン」はバタークリームに表示が必要です。着色料、調味料、香料等の五感に影響与える添加物はキャリーオーバーにはなりません。

11）果汁飲料に含まれる「例：ナリンジン」による苦味を酵素（ナリンジナーゼ）により除去することがありますが、加熱により酵素は失活しますので加工助剤となります。ただし、アレルゲンがある場合は含む表示の対象です。

12) 食品の表面に殺菌目的で軽く噴霧した場合の「エタノール」は製品への残存が微量と考えられ加工助剤となります。ただし、食品に混ぜたり、浸漬や浸透させた場合は加工助剤にはなりません。

13) ウーロン茶、緑茶飲料の製造時、茶葉の抽出効率を高める目的で「炭酸水素ナトリウム」を原料水のpH調整用として使用します。炭酸水素ナトリウムを加えた熱水で茶葉から成分を抽出、中味の成分と反応して炭酸ガスと水、ナトリウムになります。添加した「炭酸水素ナトリウム」は残存しないため、加工助剤となります。調整用で添加するビタミンCは効果があるので加工助剤にはなりません。

14) ドーナツ、揚げパン、天ぷら類、フライ類の調理や製造に使用するフライヤーの揚げ油には、油はねや酸化防止のために「シリコーン樹脂」や「トコフェロール類」が添加されています。この場合、確実に製品に持ち越されますが「シリコーン樹脂」は量的にごく微量で、効果を発揮しないと考えられキャリーオーバーとなります。また、「トコフェロール類」は製品中の含有油脂量が例えば20％以下で酸化防止効果を持たない場合はキャリーオーバーとなります。

15) 食品原材料である醸造酢の原料に果実酒が使用されているケースの場合、果実酒に含まれる亜硫酸は、製造工程上、ほとんど消失するとされています。ただし、残存移行したとしてもごく微量なため、効果がないとしてキャリーオーバーとなります。

16) プロピレングリコール等を含んだ「精米改良剤」は古米の胴割れや白く光沢を増したり、味覚向上を目的に使用することがありますが、食品添加物を使用した精米を原材料に使用した米飯やおにぎり、お弁当等には「精米改良剤」に含まれる添加物を表示しなければなりません（ただし、キャリーオーバーに該当する場合を除きます）。

17) ソルビン酸製剤等に配合されている分散性向上のための副剤（グルコノデルタラクトン、ピロリン酸四Na、酢酸Na等）は製剤化のための必要最小限の量が含まれています。その為、使用する食品に対する効果がなければキャリーオーバーとみなされますので表示は不要です。ただし、キャリーオーバーとみなされない場合として、「酢酸Na」は使用する食品によりpH

調整効果をもたらしますので注意が必要です。

18) 一括名の「凝固剤」表示は、「豆腐製造に用いられる添加物とその製剤」と決められているので基本的に「こんにゃく」には使用できません。こんにゃくには、使用した物質名で「水酸化 Ca」または「消石灰」等と表示します。ただし、自治体（京都府）により、物質名と用途を表す名称として（こんにゃく用凝固剤等）と併記するところもあります。

19) クエン酸や酢酸 Na 等のように、一括名表示の「酸味料」、「pH 調整剤」等、2 種類以上の範囲に属している添加物を使用した場合、主たる使用目的に合わせて、最も適している一括名の表示をします。

20) 人参や甘藷等に自然に含まれている「カロテン」や、糖蜜に自然に発生している「カラメル」は既存添加物名簿に記載されていますが、このような原料を使用した加工食品の場合、添加されたものではないため、食品添加物とはみなされません。表示に際し①添加されたものか？②自然に含まれたものか？③発生した成分か？を確認し、添加されたものであれば、①表示が必要な使用か？②表示不要なキャリーオーバーか？加工助剤か？栄養強化目的か？を確認しましょう。

21) 食品添加物の表示は、化学合成品と化学合成品以外のものを区別しないで記載することが基本となっています。また、「天然」やこれに類似する表現の使用は認められていません。

22) 使用した食品添加物の原料が、遺伝子組換え作物である場合、食品添加物についての遺伝子組換えに関する表示は不要です。従って、取引先に通知したり、商品にその旨を表示したりする等、情報の通知義務についての法令上の規定はありません。ただし、可能であれば通知することは、取引や販売上、望ましいとされています。

23) 増粘剤のうち指定添加物である「CMC」と既存添加物であるカラギーナン、ペクチンを併用した場合等は「増粘多糖類」という既存添加物と一般飲食物添加物で認められている「簡略名表示」は不可です。「CMC」は指定添加物のため、正しくは「増粘剤（CMC、増粘多糖類）」となります。

24) カラギーナン、ペクチン等を増粘剤として併用した場合、用途名の「増粘剤」の表示は省略できますが、ジャム等「ゲル化」の目的に使用した場合は、用途名を併記しなければなりません。正しくは、「ゲル化剤（増粘多糖類）」または「ゲル化剤（カラギーナン、ペクチン）」となります。

25) 旨みを付与する原材料には、たんぱく加水分解物、○○エキス、調味料（アミノ酸）等がありますが、たんぱく加水分解物、○○エキスは食品原料で調味料（アミノ酸）は食品添加物です。従って、記載する順番は、食品原料の次に添加物となります。

26) ビタミン類を数種使用した場合の添加物名は、名称（L―アスコルビン酸）、別名（ビタミンC）、簡略名（アスコルビン酸、V.C）、類別名のいずれかで表示し、「ビタミンC、ビタミンA、ビタミンE」と表示します。簡略化（ビタミンA、E、C）は不可です。

27) 調味料のグリシンを日持ち向上を目的として、イノシン酸二Naと併用した場合の表示は、日持ち向上は「保存効果＝保存料」に該当しません。また、この場合、「調味料」の目的として使用していないので物質名で「調味料（核酸）、グリシン」と表示します。「調味料（核酸等）」とグリシンを一括名のなかに入れての表示は不可です。

28) 粉末パプリカを香辛料として使用したために最終製品が赤く着色してしまった場合でも着色の目的で使用していないため、「着色料」の表示は不要です。ただし、着色の目的で使用した場合は「着色料」の表示が必要です。

29) ブドウ果汁を用いてお菓子を製造すると紫色になることがあります。この場合も着色の目的で使用していないため、「着色料」の表示は不要です。ただし、着色の目的で使用した場合は「着色料」の表示が必要です。

30) 赤色40号とコチニール色素を併用した場合、「着色料（赤40、コチニール）」もしくは、「赤色40号、コチニール色素」のように用途名併記、もしくは省略物質名表記のいずれかで表示します。つまり、「着色料（赤40）、コチニール色素」のような混用しての表示は不可です。

31) パプリカ色素には「パプリカ」という簡略名がありませんので「着色料

（パプリカ）」の表示はできません。正しくは、「着色料（パプリカ色素）」となります。理由は、基原物質の「パプリカ」が食品としても摂取されるため、原材料表示が混同し、誤解を防ぐためです。

32) 加工食品の日持ち向上の目的でエタノールを2%程度添加した場合、「保存料」の併記は必要ありません。理由は、エタノールは揮散しやすいこと、また食品に使用する際は添加量に限度があること（物性の変化と風味の低下等）、通常の使用量では保存料と同等の効果が期待できないからです。従って、物質名「エタノール」または「酒精」と表示します。

33) 日持ち向上剤とは、比較的に保存性が低い食品が対象で、数時間から数日間の短い期間の品質を保持させることを目的に使用される添加物です。従って、添加物「保存料」のような保存効果はありません。

34) 乳酸菌、イースト菌、天然酵母、納豆菌等の微生物は食品原材料なので、添加物ではありません。微生物（生菌）の食品としての扱いは世界共通です。

35) 同じ一括名の範疇である「グリセリン脂肪酸エステル」と「レシチン」を乳化剤として併用した場合、一括名表示の「乳化剤」として表示します。もしくは「グリセリン脂肪酸エステル、レシチン」と物質名で表示します。一括名（乳化剤）と併用した物質名（レシチン）を「乳化剤（レシチン）」のように一括名「乳化剤」と物質名（レシチン）の混用表示は不可です。

36) β-カロテン、トウガラシ色素、アナトー色素のように簡略化した同一の類別名をもつ着色料を併用した場合、「着色料（カロテノイド）」または「カロテノイド色素」とまとめて表示します。もしくは物質名「β-カロテン、トウガラシ色素、アナトー色素」と表示します。ただし、類別名「カロテノイド色素」と物質名「β-カロテン、トウガラシ色素、アナトー色素」の混用表示「カロテノイド色素、トウガラシ色素、アナトー色素」は不可です。

37) 防かび剤を使用した輸入レモンをスライスして利用した場合、皮に浸み込んでいる防かび剤は洗浄では完全には除去できません。従って、キャリーオーバーにはなりませんので、用途名と物質名の表示をします。

第7章
期限表示と保存方法

1. 期限表示

1) 期限表示の意義

　消費者が食品を購入するときの重要な表示事項に「期限表示」があります。適切な可食期限を設定し表示することは当該食品の表示に責任を負う者の義務です。消費者が食品事故の被害者にならないように、また食品流通を適正にすること、さらに食品廃棄物の削減と不正規流通等の制御にもつながります。

　わが国の食料自給率からみると、期限設定を適切に行うことは資源としての限りある食料の無駄を省くことにもなります。その意味でも、正しい根拠に基づいた期限表示は不可欠です。

(1) 期限表示と事業者責任

　消費者を食品危害から守るため、また製造業者は製造物責任法上の製造物責任があること等の理由から食品の期限表示を理解し、正しく実行しなければなりません。

　もし、期限表示（消費、賞味）が適切に設定されていなかった場合は、それを設定した食品関連事業者（表示責任者）が、食品表示法に基づき責任を問われます。

　また、食品表示基準に定められた方法で表示されていなかった場合や期限表示が欠落した場合は、従前通り食品関連事業者（表示責任者）が責任を有していますが、食品表示基準に従った表示がされていない食品を販売してはならないと規定されていることから、表示責任者ではない場合でも、食品表示基準に合致しない不適正な期限表示の食品を仕入れ、販売した販売業者にも責任が及ぶことがあります。

(2) 食品の期限を設定する責任者

　期限の設定については、原則、当該食品の情報を一番理解している者が責任

を持って行います。例えば、輸入された食品は輸入者、輸入食品以外の食品は製造業者、加工業者、製造業者と合意のとれた販売業者（製造所固有記号等）となります。また、期限の設定後の具体的な表示には「消費期限」と「賞味期限」があります。

①消費期限とは

定義	定められた方法により保存した場合、腐敗、変敗その他の品質の劣化に伴い安全性を欠くこととなるおそれがないと認められる期限

　開封前の状態で、定められた方法により保存すれば食品衛生上の問題が生じないと認められる期限を示す年月日のこと。比較的劣化しやすい食品（弁当、調理パン、惣菜、生菓子、食肉、生めん等）が対象になります。消費期限が過ぎた食品は衛生上の危害が発生する可能性があると考えられていますので、消費期限および保存方法は、わかりやすく表示することが重要です。

②賞味期限とは

定義	定められた方法により保存した場合、期待される全ての品質の保持が十分に可能であると認められる期限

　開封前の状態で、定められた方法により保存した場合に期待されるすべての品質の保持が十分に可能であると認められる期限を示す年月日のこと。ただし、「消費期限」と違い、賞味期限を過ぎても、すぐに品質が劣化して食べられなくなるとは限りません。その場合の可食の判断は消費者がすることになります。品質の劣化が比較的穏やかな食品（スナック菓子、即席めん類、缶詰、牛乳、乳製品等）に表示されます。この期限が3か月以内の食品は、年・月・日を表示します。3か月以上の食品は、年・月だけの表示でもよいことになっています。

2）期限表示の設定

　期限設定を適切に行うためには当該食品に関する微生物試験、理化学試験、官能試験の科学的根拠を含め、原材料の品質および衛生状況等の知見や情報を有している必要があります。さらに、食品の性質に合わせた「安全係数（1未満の係数）」を設定し掛けることで、導き出された期限よりも短い期間を設定することが基本です。なお、安全係数は、個々の商品の品質のばらつきや商品

の付帯環境などを考慮して設定されますが、これらの変動が少ないと考えられるものについては、0.8以上を目安に設定することが望ましいとされています。

● **食品ごとの試験が難しい場合の対応策**

　食品スーパーマーケットの場合、お惣菜等の商品アイテムが多く、また商品サイクルが速いなどの理由により、食品ごとに試験や検査をすることが現実的に困難な場合（予算等）があります。そのような場合は、食品の特性を考え、その特性が類似している食品の試験・検査結果等を参考にして期限を設定することも認められています。

（1）期限設定試験

　食品の特性を考慮し、微生物試験、理化学試験、官能検査を設定します。

（補足：業界団体が設定している検査項目）

①微生物試験

　品質の劣化を微生物試験（食品衛生検査指針に基づく）により評価します。一般生菌数、大腸菌数、大腸菌群数、低温細菌残存の有無および芽胞菌残存の有無等を数値として捉えることが可能で根拠として有効です。

②理化学試験

　品質の劣化を理化学試験により評価します。粘度、濁度、比重、酸度、栄養成分、pH、Brix、塩分、酸価、過酸化物価、水分活性等の項目があります。

③官能試験

　食品の性質を人の視覚、味覚、嗅覚などの感覚を通して、一定の条件下で評価する方法です。適切な被験者（官能試験官）により、決められた官能試験法と官能試験用紙にて、五感で実施され、統計学的手法を用いた解析により結果を導きます。

（官能試験の考え方）

　基本的には、官能試験者（官）は3名以上で行います。留意すべき点は、測定機器等での試験と違い官能試験官の個人差や体調および時間帯等の影響を受けやすい性質があることです。ただし、機器測定法がない場合や、測定機器よりも人のほうが感度も高く、また対象とする食品の性質により官能試験でしか測れない場合等は大変有効です。それらにより得られた情報の正確性を確保するため、的確な環境と方法により実施し得られた結果を統計学的手法等で解析することで、偏りのないニュートラルな評価とする必要があります。

＜参考―食品官能試験（期限設定用）＞

◆試験サンプル：食品名　　　　　　　　　　　　　　　　　　
◆実施方法：個別による判定試験
◆試験サンプル：製造後　　　分後　　　℃　の状態で　　　　　にて摂取する
◆実施日時：平成　年　月　日　　：　～　　：　　　実施場所　　　　　　
★性別　女性・男性　　　歳代　　★所属（職種）　　　　　　
★健康状況　良好　・　普通　・　不良　（その理由　　　　　　　　　　　）
●次の項目に関し、最初に感じた感想を素直に選び○印をつけましょう。

項　目	解　答　欄				点数
	5点　　4点　　3点　　2点　　1点				
1．色調 （見た目）は？	大変良好・ほぼ良好・良好・変色あり・著しく劣る				
2．香味 （香りと味覚）	大変良好・ほぼ良好・良好・変色あり・著しく劣る				
3．食感	大変良好・ほぼ良好・良好・変色あり・著しく劣る				
4．総合評価は？	大変良好・ほぼ良好・良好・変色あり・著しく劣る				

上記1～3の合計　□

5．その他ご意見、ご感想がありましたらご記入下さい。
　　　　　　　　　　　　　　　　　　　　　　　　　　　　　　　　
　　　　　　　　　　　　　　　　　　　　　　　　　　　　　　　　

＜判定基準＞
　官能試験は試食を基本に行うこととする。指名された官能試験官（試験者）3名中2名に1点があるもの、および平均点が3点に達しない場合、可食期限を経過したものとする。
＜官能試験官の7条件＞
1　香水、整髪料、ローション等の匂いの強いものは使用しないでください。
2　口紅はつけないでください。
3　試験の60分以上前からは刺激の強い食品（コーヒー等）の喫食はしないでください。
4　試験前120分以上前から喫煙はしないでください。
5　試験前は必ず手指の洗浄を行ってください。
6　試験中の私語、会話はしないでください。
7　各項目は順次その都度記入してください。
＜官能試験の進め方＞
1　試食はあくまでも一般消費者の視点で考え、感想を素直に書きこんでください。
2　テストの前に質問項目は見ないでください。
3　まず、用意した水で口の中をクリアにしてください。
4　試食の前に試験サンプルの初回の評価（色調・香り）をしてください。
5　試食の際は、少量を口に含んで評価してください。その後は吐き出して必ず口中を水ですすぎクリアにしてください。同じ作業を何回か繰り返してください。
6　試食が終わりましたら、最初に感じた官能評価を大切にして各質問にお答えください。

比較式官能試験

試験日：　　年　　月　　日　　　　場所：
試験サンプル名：　　　　　　　　　製造後の時間経過：　　　時間後

●評価基準
・A（官能試験用サンプル）と対象品としてのB（同一冷凍サンプル）を比較評価する。
・B（同一冷凍サンプル）の解凍品を5段階評価の③（ニュートラル）としてA（試験用サンプル）と比較評価する。

●基準評価項目（5段階評価）

1．「色調・見た目」の点から比較品③と試食Sampleを評価してください。
5段階評価　⑤　　　　④　　　　**③**　　　　②　　　　①
大変良好　　　　　　　　　　　　　　　　　　　　　著しく劣る
←―――――――――――――――――――――――――→

2．「香りと味覚」の点から比較品③と試食Sampleを評価してください。
5段階評価　⑤　　　　④　　　　**③**　　　　②　　　　①
大変良好　　　　　　　　　　　　　　　　　　　　　著しく劣る
←―――――――――――――――――――――――――→

3．「食感」の点から比較品③と試食Sampleを評価してください。
5段階評価　⑤　　　　④　　　　**③**　　　　②　　　　①
大変良好　　　　　　　　　　　　　　　　　　　　　著しく劣る
←―――――――――――――――――――――――――→

4．「総合評価」の点から比較品③と試食Sampleを評価してください。
5段階評価　⑤　　　　④　　　　**③**　　　　②　　　　①
大変良好　　　　　　　　　　　　　　　　　　　　　著しく劣る
←―――――――――――――――――――――――――→

5．「購買意欲」の点から比較品③と試食Sampleを評価してください。
5段階評価　⑤　　　　④　　　　**③**　　　　②　　　　①
購入したい　　　　　　　　　　　　　　　　　　　　購入したくない
←―――――――――――――――――――――――――→

＜ご意見があればご記入ください。＞

（評価）
　　総合点（A＋B＋C＋D＋E）＝　　　　　官能評価（A＋B＋C）＝

④期限表示の省略

次の品目については期限表示を省略することができます。

①でん粉　②チューインガム　③冷菓　④砂糖　⑤アイスクリーム類　⑥食塩およびうま味調味料　⑦酒類　⑧飲料水および清涼飲料水（ガラス瓶入りのもの（紙栓を付けたものを除く）またはポリエチレン製容器入りのものに限る）　⑨氷

3）注意喚起としての適切な任意表示

　食品の期限表示は、健康危害と密接な関係にあるため注意が必要です。そのため、消費者に表示の内容が正しく伝わるように記載することが重要です。

（1）一括表示枠内の例

- 消費期限（期限を過ぎたら食べないようにしてください。）：平成○○年○○月○○日
- 消費期限：平成○○年○○月○○日までに食べきってください。
- 賞味期限（美味しく食べることのできる期限です。）：20××年○○月○○日
- 賞味期限（期限を過ぎても、すぐに食べられないということではありません。）：平成○○年○○月○○日
- 賞味期限：平成○○年○○月頃までおいしく召し上がれます。

（2）一括表示枠外もしくはポップ等の表示例

- 「お弁当やお惣菜は本日中にお召し上がりください。」
- 「お弁当やお惣菜は本日中にお召し上がりくださいます様にお願いいたします。」
- 「当店のお弁当やお惣菜の消費期限は当日限りとさせていただきます。」
- 「当店のお弁当やお惣菜の消費期限は安心・美味な当日限りとさせていただいています。」
- 「当店のお弁当やお惣菜の消費期限は安心・安全な当日限りとさせていただいています。」
- 「当店のお弁当やお惣菜の消費期限は安心して美味しくお召し上がっていただくため、本日限りとさせていただいていますので、ご理解の程よろしくお願いいたします。」

4）期限表示の表示方法

　原則は、消費者に分かりやすく記載します。基本は8ポイント以上の活字を使用します。表示可能面積がおおむね150cm^{2}以下のものは、5.5ポイント以上の活字を使用することが認められています。

（1）基本的なルール

　輸入品、国内品ともに、一括表示枠内に「消費期限」又は「賞味期限」の事項名を付して次に「　年　月　日」又は「　年　月」の順に表示します。ただし、枠内の表示が困難（スペース、印字および製造事情等）で一括表示枠外に記載する場合は、一括表示枠内の期限表示欄に表示箇所をわかり易く記載します（場所指定して表示）。

> 適切な表示例：「消費期限：この面の右上部に記載」「賞味期限：枠外右下部に記載」
> 不適切な表示例：「枠外に記載」「別途記載」「裏に記載」

（2）記載するときのルール
①3か月以内の表示例

　3か月以内の「消費期限」、「賞味期限」はA、B、Cのいずれの表示も可能です。

A　平成30年4月1日　　　30. 4. 1　　　30. 04. 01
B　2018年4月1日　　　2018. 4. 1　　18. 4. 1　　18. 04. 01

> ポイント1
> 「年月日」の間に「．」をつけない場合はCのようにすべて2桁以上で表示します。

C　300401　　20180401　　180401

②3か月以上の表示例

　賞味期限が3か月を超える場合はAおよびBまたはCの方法もしくはDのように「　年　月」だけの表示も可能です。

D　平成30年4月　　30. 4　　30. 04　　2018年4月　　18. 04
　　18. 4
（不適正な期限表示の例－1）

30401　　30041　　3041　　201841　　2018401　　18401　　1841
304　　20184　　184

③ロット番号、生産工場番号等を消費期限または賞味期限の後に続けて記載する場合

　消費期限や賞味期限とロット番号、生産工場番号等が明確に分かるように表示します。例えば、期限表示の後に記号「／」等をいれる、「LOT」等を記載してからロット番号等を続けて記載します。

E　　消費期限　　平成 30 年 4 月 1 日　H3041　←――ロット番号
　　　賞味期限　　30．4．1　LOT　H3041
　　　賞味期限　　18．4．1　／　H3041

（不適正な期限表示の例−2）

　　300401H3041　　20180401H3041

> ポイント 2
> 「年月日」の間には記号「／」を使用してはいけません。

（不適正な期限表示の例−3）

　　30／401　　30／0401　　30／4／1　　2018／0401　　2018．4／1
　　18／4．1　等

5）様々なケースから期限表示を考える

（1）いろいろな期限表示の食品の詰め合わせの場合は？

　購買者の求めに応じてその場で詰め合わせし、包装する場合は、外装には期限表示の必要はありません。ただし、すでにセット包装された商品は、1つの独立した商品と見なされますのでセットされたすべての食品のうち最も短い期限表示またはすべての食品の期限表示を外装に表示しなければなりません。
（注）お弁当やオードブル等、1つの容器に数種類の複合加工品を詰め合わせる場合は特に注意が必要です。

（2）添加物および添加物製剤の期限表示は？

　添加物及び添加物製剤については、品質の保持期間が長いこと等から賞味期限は省略できます。業者間で取引されるいわゆる業務用の食品添加物及び食品添加物製剤の賞味期限を任意表示する場合は、義務表示と誤認されないように

します。

例：「品質保証期限：平成30年4月1日」「品質保証期間：30．4．1」等

（3）流通過程で冷凍や解凍など、保存条件が変更された場合は？

　流通段階で適切に保存方法を変更し、消費期限又は賞味期限の表示の変更が必要となる場合は、変更された保存方法および新たな期限を再設定し、適切に表示し直さなければなりません。また、保存温度を変更した理由が消費者に分かるように注意事項等として記載する等により、誤解が生じないよう注意する必要があります。

①冷凍で納品された商品を、店内で保存温度を変更して陳列販売するケース

　冷凍で納品された商品を、スーパーマーケットの店内で保存温度を変更して陳列販売する場合、「保存温度変更者」等の表示は衛生上における変更行為としての責任上、記載をしましょう。また、冷凍状態で流通し、販売時に店頭にて解凍して冷蔵状態で販売される食品の場合、製造者から食品スーパーマーケットに販売される時点でその都度期限表示は必要です。スーパーマーケットが新たな期限設定を行う場合であっても、製造者の表示義務が免除されることはありません。

②流通の過程で冷凍されるケース

　流通段階で食品を凍結する場合は、当該食品の製造業者等が責任を持って温度管理を実施することで衛生上の危害を防止することが求められます。保存温度を変更した理由が消費者に分かるように注意事項等として記載する等も必要です。ただし、当該期限の再設定は、科学的・合理的根拠をもって適正かつ客観的に行われなければなりません。

（4）期限内の返品商品の期限は？

　一度出荷した後、期限内に返品された商品を再出荷することは、原則として認められません。やむを得ず再出荷することは、出荷後に定められた方法で正しく保存されていることが確認でき、品質劣化がほとんど生じない場合に限り認められるものです。ただし、その際は、科学的・合理的根拠に基づいて適切に期限を設定する必要があります。なお、返品された商品に対して、出荷時の期限表示を延長することは科学的・合理的根拠がないこととなるため、認めら

れません。→　無条件では再出荷はできません。

（5）期限を延長した2つのケースの場合は？

A　生食用として販売予定の鮮魚を、加熱調理用の鮮魚として販売する際に、消費期限を数日延長した。なお、加熱調理用の消費期限は、科学的根拠に基づき設定されていた。

B　製造当日を消費期限として表示した量り売りのお惣菜が売れ残った際に、その一部を冷蔵保管し、翌日に、その日を消費期限と表示して販売した。なお、販売者は消費期限を科学的根拠に基づき、製造日から4～5日と設定していた。

（考察）
　事例A、Bともに違反にはなりません。ただし、客観的には売れ残りの商品の期限を不適切に延長しているような印象を消費者だけではなく、社内的にも与える可能性があります。ひいては、社内・社外に対して「表示偽装では？」との不信を生み、信頼を損ねることにもなります。従って、安易に行うことは適切ではありません。誤解を生まないように適切に対応する必要があります。

（6）不適切な期限表示に伴う廃棄等

　ロット番号の特定や当該製品の製造年月日が特定できない製品の場合、回収・廃棄等の措置を講じなければならない違反等が確認された時は、同一の期限表示の全部の食品が回収・廃棄等の対象になることがあります。その点では、HACCP等の仕組みが有効となります。

（7）試験をして適正に設定された期限を超える期限表示をするとどうなる？

　原則、消費期限又は賞味期限の表示は、食品表示基準に従って行われるべきものです。従って、科学的な根拠に基づく設定期限を超える期限表示は、公衆衛生に危害を及ぼすようなおそれがある場合は食品衛生法第20条で禁止されている「公衆衛生に危害を及ぼすおそれがある虚偽の又は誇大な表示」に該当します。

（8）輸入食品に表示されている消費期限や賞味期限はそのまま使用できるか？

例：「Before End APR.17」「04－17」「14.11.2018」
　食品表示は、原則、邦文をもって当該食品の購入者が適正に選択できるよう

に読みやすく、また使用者が正しく使用できるように理解しやすい用語により正しく行います。表示例は、消費期限、賞味期限を示す事項名もなく、日付も「年→月→日」の順にはなっていないため消費者が判読できない、また誤認する可能性があります。従って、輸入業者が流通する前に、食品表示基準に則り、適正表示にしなければなりません。

(9) 表示期限を過ぎた食品の販売は違反か？

　食品の販売が禁止されるのは、当該食品が食品衛生法第6～10条等に違反している場合です。つまり、表示された期限を過ぎた食品を販売したとしても、当該食品が食品衛生法第6～10条等に抵触していない、即ち衛生上の危害を及ぼすおそれがなければ、当該食品の販売行為は食品衛生法により一律に禁止されているとはいえません。ただし、食品衛生を確保するためには、期限を過ぎた食品の販売等は慎むべきものであり、基本的には期限内に販売することが望まれます。

(10) 期限を過ぎた原材料を使用することについて

　消費期限を過ぎた原材料を使用することは安全性の点から避けるべきです。賞味期限を過ぎた原材料の使用は、必ずしも禁止されてはいません。ただし、使用する場合は品質責任の点から、社内基準としてHACCP管理表の逸脱行為に関する修正措置と使用記録、成分分析と評価記録等を設定する必要があります。つまり、科学的・合理的に検証し、確認するとともに、各工程の記録と保存などが必要になります。

(11) PL法（製造物責任法）と期限表示について

　製造・加工された食品はPL法の対象となります。
　製造物により消費者が危害を被った場合、賠償責任の有無はPL法に基づいて判断されます。（詳細はP.590参照）

2. 保存方法

食品は保存する温度や湿度、日光などにより大きく影響を受け易い性質を持っています。つまり、保存方法は期限内の食品の品質を保証する重要な要素ですので、適切に伝達する必要があります。

1） 保存方法の表示

期限表示は定められた方法によって保存することで、品質が保証されます。従って、期限表示と保存方法はセットとして捉え、消費者には解り易く、丁寧な表示をしましょう。
（記載例）
・「直射日光を避けて、温度の低いところで常温で保存してください」
・「直射日光を避けて、常温で保存」
・「直射日光・高温多湿を避けて、涼しい場所で常温で保存」
・「直射日光・高温多湿を避けて、涼しい場所で保存してください」
・「10℃以下で保存してください」
・「4℃以下で保存」
・「-15℃以下で保存して下さい」
・「-18℃以下で保存」　等

なお、表示箇所は期限表示にできるかぎり近接して表示します。記載箇所指定表示も可能です。

2） 保存方法の省略

常温で保存すること以外に保存方法に関し留意すべき特段の事項がないものについては、保存方法を省略することができます。ただし、「直射日光を避けて常温で保存すること」のような直射日光を避けなければならないものについては省略できません。

（1）保存方法が省略できる品目

食品表示基準では食品の特性から長期間の保存に耐えられる性質のものとして次の品目については省略できます。

> ①でん粉　②チューインガム　③冷菓　④砂糖　⑤アイスクリーム類　⑥食塩　⑦酒類　⑧飲料水および清涼飲料水（ガラス瓶入りのもの（紙栓を付けたものを除く）またはポリエチレン製容器入りのものに限る）　⑨氷

（2）食塩等の保存方法の表示

食塩はその特性から長期間の保存に耐え得るものであることから保存方法や消費期限、賞味期限が省略できます。ただし、原材料や添加物を混ぜ合わせることで保存性が低下するような場合には、保存の方法及び消費期限又は賞味期限を表示する必要があります。

（3）食品衛生法においては、食品の性質に合わせて保存方法の基準があるもの

●**直射日光を避けて保存するもの**
・即席めん類（油脂で処理したもの）

●**冷蔵庫で保存するもの**
・豆腐

●**10℃以下で保存するもの**
・清涼飲料水（紙栓付きガラス瓶（例：牛乳瓶））
・ミネラルウォーター類、冷凍果実飲料および原料用果汁以外の清涼飲料水のうち、pH4.6以上で水分活性（Aw）0.94を超え、食品中に存在する微生物を十分に殺菌していないもの
・非加熱食肉製品および特定加熱食肉製品のうち、水分活性（Aw）0.95未満のもの
・加熱食肉製品および鯨肉製品（気密性容器に充填し120℃／4分間加熱もしくはこれと同等以上の方法で殺菌したものは除く）
・魚肉練り製品（気密性容器に充填し120℃／4分間加熱もしくはこれと同等以上の方法で殺菌したものおよびpH4.6以下または水分活性（Aw）0.94以下のものは除く）
・食肉および鯨肉　　　・生食用かき　　　・ゆでだこ
・切り身またはむき身にした鮮魚介類（生かきは除く）の生食用のもの（凍結

させたものを除く）
・ゆでがに（飲食する際に加熱を要しないもので凍結させたものを除く）

● 8℃以下で保存するもの
・鶏の液卵

● 4℃以下で保存するもの
・非加熱食肉製品および特定加熱食肉製品のうち、水分活性（Aw）0.95以上のもの
・生食用食肉

● -15℃以下で保存するもの
・冷凍果実飲料　　・原料用果汁（冷凍に限る）
・冷凍食肉製品および冷凍鯨肉製品（冷凍鯨肉製品は気密性容器に充填し120℃／4分間加熱もしくはこれと同等以上の方法で殺菌したものは除く）
・鶏の凍結液卵　　・冷凍魚肉練り製品　　・冷凍食品
・凍結させた生食用食肉
・細切りした凍結食肉および凍結鯨肉であって容器包装されたもの
・生食用冷凍かき　　・冷凍ゆでだこ　　・冷凍ゆでがに

<参考―食品と原材料の保存温度の目安>

目安保管温度	主な対象食品
室温*	穀類加工品（小麦粉、でん粉）、砂糖、液状油脂、乾燥卵、清涼飲料水
15℃以下 10℃前後	ナッツ類、チョコレート、バター、チーズ、練乳 生鮮果実・野菜
10℃以下	魚肉ソーセージ、魚肉ハムおよび特殊包装かまぼこ、ゆでだこ、生食用かき、固形油脂（ラード、マーガリン、ショートニング等）、鶏の殻付き卵、乳・濃縮乳、脱脂乳、クリーム
5℃以下	鶏の液卵
4℃以下	生鮮魚介類（生食用鮮魚介類を含む）、生鮮食肉類
－15℃以下	冷凍食肉製品、冷凍鯨肉製品、細切りした凍結食肉および鯨肉であって容器包装されたもの、冷凍魚肉練り製品、冷凍ゆでだこ、生食用冷凍かき、冷凍食品（規格基準のある冷凍食品）、鶏の凍結液卵等

＊品質に影響を与える直射日光・高温多湿を避けた状態の屋内の温度のこと

第8章 遺伝子組換え食品の表示

1. 遺伝子組換え食品とは

1）遺伝子組換えとは

　今や遺伝子組換え作物（GM作物*）の栽培国と作付面積は増加の一途をたどり、2015年の全世界の個別の作付面積では、大豆は83％、とうもろこしは29％、ワタは75％、カノーラ（なたねのうち品種改良したもの）は24％が遺伝子組換え作物と言われています（国際アグリバイオ事業団（ISAAA）調査から）。すでに、わが国の輸入穀類のうち、遺伝子組換え作物は相当数にのぼると考えられています。

＊GMは、"genetically modified"（遺伝子組換えされた）の略称。遺伝子組換え作物は英語で"genetically modified organism"といい、略して「GMO」と呼ぶ。

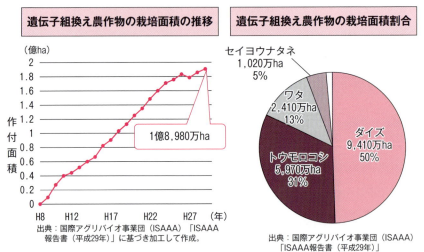

＜世界の遺伝子組換え農産物の栽培状況2017'＞

遺伝子組換え農作物の栽培面積の推移　　遺伝子組換え農作物の栽培面積割合

1億8,980万ha

セイヨウナタネ 1,020万ha 5％
ワタ 2,410万ha 13％
ダイズ 9,410万ha 50％
トウモロコシ 5,970万ha 31％

出典：国際アグリバイオ事業団（ISAAA）「ISAAA報告書（平成29年）」に基づき加工して作成。

出典：国際アグリバイオ事業団（ISAAA）「ISAAA報告書（平成29年）」

（1）古いバイオと新しいバイオ

　農林水産・食品の分野では、これまでの交配による品種改良などを「古いバイオ」と呼び、細胞融合技術（細胞と細胞を人工的に融合させて両方の性質を持つ細胞を作る）、細胞・組織培養技術（植物の細胞や組織である細胞のかたまりを養分のある液に植えつけて、１つの植物にまで成長させる）、遺伝子組換え技術＝組換えDNA技術などを「新しいバイオ」と呼んでいます。

（2）バイオ＝バイオテクノロジーについて

　バイオとは生物学（バイオロジー）と科学技術（テクノロジー）を合わせた造語で、生物の組織や細胞、遺伝子を活用して、有用な生物体を生産する技術のことを指しています。

　遺伝子組換え品種の主な特徴には、農薬の使用に影響（減）を与えるもの（害虫抵抗性やウイルス抵抗性品種等）、収穫量に影響（向上）を与えるもの（除草剤耐性品種等）などがあり、つまり目的の１つに世界的な人口増加の中での食糧増産があります。さらに動物としての機能性を高めるもの（高オレイン酸形質等）があります。

（3）遺伝子組換え技術（組換えDNA技術）について

　遺伝子組換え技術とは、遺伝子の一部を切り取り、その並び方を変えてもとの生物の遺伝子に戻したり、また別の種類の生物に組み入れたりする技術のことです。例えば、除草剤で枯れない品種は除草剤を分解するバクテリアのDNAを対象植物に入れ込むことで強い性質の品種が作出されます。
（代表的な組換え技術）
　遺伝子組換え技術には主に３つの方法があります（一部抜粋）。

①エレクトロポレーション法（電圧パルス）
　細胞壁を酵素等で溶かした裸の細胞に電圧パルスをかけて有用遺伝子を入れる方法。

②パーティクルガン法（遺伝子銃法）
　金やタングステンの微粒子に導入遺伝子をまぶし高圧ガス等で直接打ち込む方法。

③アグロバクテリウム法

植物のプラスミド(運び屋 DNA)の一部を切り、そこに導入有用遺伝子をつなぎ、植物細胞に接触感染させて培養する方法。

(4) 遺伝子組換え食品の安全性審査

遺伝子組換え食品の安全性の審査は食品安全委員会においても健康への影響評価等、科学的に実施されています。平成13年4月1日からは義務としての安全性審査を受けていない遺伝子組換え食品又はこれらを原材料に用いた食品は、輸入、販売等が禁止されています。

(安全性の審査をするうえでのポイント)
- 挿入遺伝子の安全性
- それらにより産生されるたんぱく質の有害性の有無
- アレルギー誘発性の有無
- 挿入遺伝子が間接的に作用し、他の有害物質を産生する可能性の有無
- もしくは遺伝子を挿入したことにより成分に重大な変化を起こす可能性の有無

について行われています。

2) 遺伝子組換え表示の対象と表示ルール

(1) 表示の対象

平成13年4月1日より遺伝子組換え表示の義務が始まり、平成29年1月1日現在では、安全性審査を受けた8作物33加工食品が義務表示の対象です。

対象農産物は、大豆(枝豆、大豆もやしを含む)、とうもろこし、ばれいしょ、なたね、綿実、アルファルファ、てん菜、パパイヤの8作物と、それらを原材料とした大豆加工食品(1〜15)、とうもろこし加工食品(16〜24)、ばれいしょ加工食品(25〜30)、アルファルファ加工食品(31)、てん菜加工食品(32)、パパイヤ加工食品(33)の33加工食品です。

また、従来のものと組成、栄養価等が著しく異なる特定遺伝子組換え農産物として、「高オレイン酸遺伝子組換え大豆」「高リシン遺伝子組換えとうもろこし」「ステアリドン酸産生遺伝子組換え大豆」も対象です。

(2) 遺伝子組換え表示と分別生産流通管理

遺伝子組換え農産物8作物及びこれらを原材料とする33加工食品は、「遺伝

子組換えである」「遺伝子組換えのものを分別」「遺伝子組換え不分別である」の表示が義務付けです。

①分別生産流通管理と義務表示
● **「遺伝子組換えである」もしくは「遺伝子組換えのものを分別」**
　分別生産流通管理*が行われたことを確認した遺伝子組換え農産物を原材料とした場合。

● **「遺伝子組換え不分別」**
　遺伝子組換えと非遺伝子組換えの農産物が分別生産流通管理*がされていない原材料の場合、遺伝子組換え農産物と非遺伝子組換えのものが混じっている可能性があります。

● **特定遺伝子組換え農産物の場合**
　義務表示：「大豆（高オレイン酸遺伝子組換え）」「とうもろこし（高リシン遺伝子組換え）」「大豆（ステアリドン酸産生遺伝子組換え）」

②分別生産流通管理と任意表示
　分別生産流通管理*が行われたことを確認した非遺伝子組換え農産物を原材料とした場合は当該原材料名だけの表示になります。ただし、<u>強調表示として、任意で「遺伝子組換えでない」「非遺伝子組換え」「遺伝子組換えでないものを分別」</u>と表示することができます。

> **＊分別生産流通管理**
> 食品表示基準で規定する分別生産流通管理（IPハンドリング：Identity Preserved Handling）とは、<u>遺伝子組換え農産物及び非遺伝子組換え農産物が生産、流通及び加工の各段階で、相互の混入が起こらないよう管理者が分別管理し、その旨を証明する書類により明確にした管理の方法</u>のこと。（例－バルク輸送される北米産の大豆およびデント種のとうもろこし）

　例の農産物については、（財）食品産業センターにて分別生産流通管理の「流通マニュアル」を作成・配布

● **任意表示における「意図せざる混入」の考え方**
　「遺伝子組換えでない」「非遺伝子組換え」「遺伝子組換えでないものを分別」の任意表示は分別生産流通管理が適切に行われたことが前提ですが、現実的には遺伝子組換え農産物の一定の混入は避けられないことから、分別生産流通管理が適切に行われていれば、<u>大豆およびとうもろこしについては５％以下の意図せざる混入があっても「遺伝子組換えでない」</u>等の旨の表示をすることがで

きる、としています。

　つまり、意図せざる混入かどうか？が判断基準となり、分別生産流通管理が適切に行われていない場合や意図的に混入させた場合は、5％以下の混入率とは関係なく、非遺伝子組換え農産物とはみなされませんので、「遺伝子組換えでない」等の表示はできません。

③5％ルールの考え方

　PCR法等の検出により混入率が5％以下の低いレベルであっても、分別生産流通管理が適正に行われたことの根拠がない場合や、5％より高い混入率の場合はいずれも不適正な分別生産流通管理として義務表示の「遺伝子組換え不分別」となります（「遺伝子組換えでない」表示は不可）。(財) 食品産業センターの「流通マニュアル」またはこれに準じた方法により分別生産流通管理が適切に行われた場合は認められます。

（3）遺伝子組換え表示の義務と省略

①義務表示の条件

　遺伝子組換え農産物8作物（大豆、とうもろこし、ばれいしょ、なたね、綿実、アルファルファ、てん菜、パパイヤ）のたんぱく質が最終製品に残るものに表示の義務があります。つまり、これらを原材料とする33加工食品において、製造および加工後も組み換えられたDNA又はこれによって生じたたんぱく質が、広く認められた最新の検出技術によってその検出が可能とされている食品（例えば、みそや豆腐、ばれいしょでん粉等）は、「遺伝子組換えである」「遺伝子組換えのものを分別」「遺伝子組換え不分別である」の表示が義務付けられています。

<表示例>

```
名称　　　　○○△△
原材料名　大豆（アメリカ、遺伝子組換え）、○○○、△△△、□□□・・・
　　　　　・・・・
```

```
名称　　　　△△△
原材料名　△○□、コーングリッツ（遺伝子組換え不分別）、△□○、・・・・
　　　　　・・・・
```

```
名称      □□□
原材料名  ○○○、ばれいしょでん粉（遺伝子組換えのものを分別）、△△△、・・・
          ・・・．
```

②表示が省略できる場合

　遺伝子組換え表示が省略できるケースがあります。製造の工程において、組み換えられたDNAやこれによって生じたたんぱく質が除去・分解され、最終製品に残らない、形が変わるとされるもの、つまり広く認められた最新の検出技術によってもその検出が不可能とされている食品（例えば、しょうゆ、大豆油、砂糖等）は表示の義務はありません。具体的には、非遺伝子組換え農産物から製造した食用植物油やしょうゆと遺伝子組換え農産物からのものと比較しても科学的に品質上の差異がないためです。ただし、非遺伝子組換え大豆の場合は任意で「遺伝子組換えでない」等の表示は根拠があれば可能です。

2. 表示の対象となっている加工食品

1） 品目別解説

（1）大豆の加工食品

●**表示の対象**

　①豆腐・油揚げ類　②凍り豆腐、おから、ゆば　③納豆　④豆乳類　⑤みそ　⑥大豆煮豆　⑦大豆缶詰・大豆瓶詰　⑧きなこ　⑨大豆いり豆　⑩①～⑨までを主な原材料とするもの（弁当、惣菜、味噌汁等）　⑪調理用の大豆を主な原材料とするもの（五目豆、ひたし豆等）　⑫大豆粉を主な原材料とするもの　⑬大豆たんぱくを主な原材料とするもの（ハンバーグ、ハム、かまぼこ、プロテインパウダー等）　⑭枝豆を主な原材料とするもの（弁当、惣菜、スナック菓子等）　⑮大豆もやしを主な原材料とするもの（弁当、惣菜、漬物等）があります。なお、主な原材料とは、全原材料中重量が上位3品目以内で、かつ食品中に占める重量が5％以上のものです。

●**ダイズ属で判断する**

　中生光黒や丹波黒等の黒豆、早生緑やキヨミドリ等の青大豆はマメ科ダイズ属なので表示の対象です。ただし、マメ科ササゲ属の小豆や緑豆、マメ科エンドウ属のグリーンピース、マメ科ソラマメ属の空豆、マメ科インゲン属のいんげん豆や大正金時、雪手亡はダイズ属ではないため表示対象にはなりません。

●**表示が省略できる品目**

　しょうゆ、大豆油があります。しょうゆはその製造過程で、大豆のたんぱく質がアミノ酸に分解され検出ができないこと、また大豆油は製造工程で、油分以外のものは精製・除去されるからです。

（2）とうもろこしの加工食品
●表示の対象

⑯コーンスナック菓子　⑰コーンスターチ　⑱ポップコーン　⑲冷凍とうもろこし　⑳とうもろこし缶詰・とうもろこし瓶詰　㉑コーンフラワーを主な原材料とするもの（コーンフラワー、ケーキミックス粉、菓子等）　㉒コーングリッツを主な原材料とするもの（コーンフレークを除く、菓子、パン、ケーキ等）　㉓調理用のとうもろこしを主な原材料とするもの（盛り合わせ用のカットとうもろこし、乾燥とうもろこし等）　㉔⑯〜⑳までを主な原材料とするもの（スナック菓子の詰め合わせ、天ぷら粉などのミックス粉、ビスケット等の菓子、弁当、惣菜等）があります。

●表示が省略できる品目

コーンフレーク、水飴、液糖（異性化液糖等）、デキストリン、コーン油などがあります。

（3）ばれいしょの加工食品
●表示の対象

㉕ポテトスナック菓子　㉖乾燥ばれいしょ（乾燥マッシュポテトの素等）　㉗冷凍ばれいしょ（冷凍フレンチフライポテト、冷凍マッシュポテト等）　㉘ばれいしょでん粉　㉙㉕〜㉘までを主な原材料とするもの（乾燥マッシュポテトを使用したベビーフード、ばれいしょでん粉を使用した食品、弁当、惣菜等）　㉚調理用のばれいしょを主な原材料とするもの（ばれいしょを調理してポテトサラダとして販売されるもの、真空パックの焼きいも等）です。

（4）なたねの加工食品

なたね油は遺伝子組換え表示の対象外です。なたね油は、原料を圧搾後、製造用剤（ヘキサン）を用いて油を効率よく取り出します。その後の精製工程により、組換え技術によって挿入された新しい形質のDNAやたんぱく質は食用なたね油にはほとんど残留しないと考えられています。遺伝子組換えのなたね油はサラダ油やマヨネーズ、マーガリン等に利用され、よく知られている品種がキャノーラです。

（5）綿実の加工食品

綿実油は遺伝子組換え表示の対象外です。綿実とは、「綿の種」です。綿実から作った食用油は天ぷら油、サラダ油などに利用されています。また、マー

ガリンなどの加工用にも使われています。国内では綿は栽培されておらず、海外からの輸入で、ほとんどが半製品の原油として輸入されています。

(6) アルファルファの加工食品
●表示の対象
㉛アルファルファを主な原材料とするもの（粉砕して固めた健康食品、乾燥させて茶にしたもの、カット野菜にアルファルファを混ぜて利用するもの等）です。

(7) てん菜の加工食品
●表示の対象
㉜調理用てん菜を主な原材料とするもの（製糖用品種群のてん菜並びにてん菜の天ぷら、チップス等）です。てん菜には、製糖用てん菜（シュガービート）、食用（根菜）ビーツ（テーブルビート）、葉を食べるふだんそう（不断草）、飼料用ビートがあります。

●表示が省略できる品目
てん菜から作った砂糖は、てん菜のDNAの残存が確認できないため、遺伝子組換え表示の対象外です。

(8) パパイヤの加工食品
●表示の対象
㉝パパイヤを主な原材料とするもの（シラップ漬け、乾燥パパイヤ、漬物、缶詰、ドライフルーツ、ジャム、ピューレ、果実飲料（パパイヤ果汁入りミックスジュース）、シャーベット、パパイヤ茶（葉を含む）等です。

(9) 特定遺伝子組換え作物
従来のものと組成、栄養価等が著しく異なる遺伝子組換え農産物のことです。特定遺伝子組換え農産物及びこれらを原材料とする加工食品が表示の対象です。

①高オレイン酸遺伝子組換え大豆
普通はオレイン酸の割合は約20％ですが、約80％にまで高めたものです。オレイン酸含量が高いので、熱による酸化が起こりにくく、血中コレステロール値を下げると考えられています。

②ステアリドン酸産生遺伝子組換え大豆

　従来の大豆では産生されないステアリドン酸を産生させる品種です。ステアリドン酸は、n−3系脂肪酸の一種であり、ヒトや動物が摂取すると　その一部が体内においてドコサヘキサエン酸（DHA）やエイコサペンタエン酸（EPA）に変わることが知られています。

● 表示の対象

　高オレイン酸大豆およびステアリドン酸産生大豆を主な原材料とするもの、または高オレイン酸大豆油およびステアリドン酸産生大豆油等です。従来は大豆油やしょうゆ等には表示義務はありませんでしたが、これらについては表示義務が生じることになります。

● 表示が省略できる品目

　脱脂されたことで高オレイン酸大豆およびステアリドン酸産生大豆の形質が除去されたものは表示が省略できます。（例：高オレイン酸脱脂大豆およびステアリドン酸産生脱脂大豆、もしくは当該脱脂大豆を原材料とするもの等）

③高リシンとうもろこし

　動物の成長に必要なリシン（必須アミノ酸の１つ）を高濃度に含むとうもろこしです。

● 表示の対象

　高リシンとうもろこしを主な原材料とするもの（高リシン形質が除去されたものを除く。）で、当該原材料とするもの。

● 表示が省略できる品目

　高リシンとうもろこし油は、遺伝子組換え表示の対象外です。高オレイン酸大豆およびステアリドン酸産生大豆と異なり、リシンは油中に残留しないので、通常の遺伝子組換えとうもろこしと同様の扱いとなり、表示義務はありません。

（10）その他注意すべき事項について

①遺伝子組換え表示は全原材料中重量が上位３品目以内で、かつ、食品中に占める重量が５％以上のものです（それ以下は省略可）。
②遺伝子組換え農産物（８作物）以外の農産物やその加工食品については、「遺伝子組換えでない」などの表示は優良誤認を招く等の理由から禁止です。
③添加物については遺伝子組換え表示の義務はありません。
④遺伝子組換え表示に、「GMO」「non-GM」等の表現はできません。
⑤「遺伝子組換え飼料不使用牛乳（卵）」や「遺伝子組換えでない牛乳（卵）」

等の表示はできません。遺伝子組換え飼料（とうもろこし等）について、組み換えられたDNA等は家畜体内で消化酵素により分解されてしまい、牛乳や卵には残らないと考えられています。ただし、根拠があれば一括表示事項欄の欄外に任意で表示することは可能です。

「遺伝子組換えでない牛乳（卵）」表示は、現時点では遺伝子組換え技術を用いて作られた牛乳（卵）が流通しているような誤解を与えることから表示できません。

⑥遺伝子組換え農産物が存在しない農産物に関して、「この〇〇は遺伝子組換えではありません」や「遺伝子組換え〇〇を使用していません」等の表示は食品表示基準第9条の禁止事項に当たるため表示できません。

⑦次の例のような分別生産流通管理を行っていない対象農産物を副原料として使用している加工食品や表示義務のない油を使用している加工食品に、商品全体について「遺伝子組換え原材料不使用」と強調表示することはできません。表示する場合は、分別生産流通管理の根拠があることを前提に、当該原材料に限定した表示が必要です。

・非遺伝子組換え大豆を主に使用した弁当の4番目の原材料に不分別とうもろこしを使用
・非遺伝子組換え大豆を使用した豆腐ハンバーグに、不分別とうもろこしのコーンスターチをつなぎに5％未満使用
・遺伝子組換え大豆を原材料にした油やしょうゆを使用した加工品
・非遺伝子組換えばれいしょのポテトチップスの揚げ油に不分別大豆油を使用

（不適正な表示）
【強調表示】「遺伝子組換え原材料不使用」
　　　　　＋
【一括表示】

名称	〇〇
原材料名	ばれいしょ（北海道、遺伝子組換えでない）、大豆油、〇〇、××
...	

または

名称	〇〇
原材料名	ばれいしょ（国産）、大豆油、〇〇、××
...	

（適正な表示）

【強調表示】「遺伝子組換え原材料不使用」
　　　　＋
【一括表示】

```
名称　　　　○○
原材料名　　ばれいしょ（国産）、大豆油、○○、
　　　　　　××
...
```

　　　　　　　　　　　または

```
名称　　　　○○
原材料名　　ばれいしょ（国産、遺伝子組換えで
　　　　　　ない）、大豆油、（遺伝子組換えでな
　　　　　　い）、○○、××
...
```

＜遺伝子組換え表示の対象となる農産物と加工食品＞

対象農産物	加工食品
大豆（枝豆及び大豆もやしを含む。）	① 豆腐・油揚げ類 ② 凍り豆腐、おからおよびゆば ③ 納豆 ④ 豆乳類 ⑤ みそ ⑥ 大豆煮豆 ⑦ 大豆缶詰および大豆瓶詰 ⑧ きなこ ⑨ 大豆いり豆 ⑩ ①から⑨までに掲げるものを主な原材料とするもの ⑪ 調理用の大豆を主な原材料とするもの ⑫ 大豆粉を主な原材料とするもの ⑬ 大豆たんぱくを主な原材料とするもの ⑭ 枝豆を主な原材料とするもの ⑮ 大豆もやしを主な原材料とするもの
とうもろこし	⑯ コーンスナック菓子 ⑰ コーンスターチ

	⑱ ポップコーン
	⑲ 冷凍とうもろこし
	⑳ とうもろこし缶詰およびとうもろこし瓶詰
	㉑ コーンフラワーを主な原材料とするもの
	㉒ コーングリッツを主な原材料とするもの（コーンフレークを除く。）
	㉓ 調理用のとうもろこしを主な原材料とするもの
	㉔ ⑯から⑳までに掲げるものを主な原材料とするもの
ばれいしょ	㉕ ポテトスナック菓子
	㉖ 乾燥ばれいしょ
	㉗ 冷凍ばれいしょ
	㉘ ばれいしょでん粉
	㉙ ㉕から㉘までに掲げるものを主な原材料とするもの
	㉚ 調理用のばれいしょを主な原材料とするもの
なたね	
綿実	
アルファルファ	㉛ アルファルファを主な原材料とするもの
てん菜	㉜ 調理用のてん菜を主な原材料とするもの
パパイヤ	㉝ パパイヤを主な原材料とするもの

形質	加工食品	対象農産物
高オレイン酸	1 大豆を主な原材料とするもの（脱脂されたことにより、左欄に掲げる形質を有しなくなったものを除く。） 2 1に掲げるものを主な原材料とするもの	大豆
ステアリドン酸産生		
高リシン	1 とうもろこしを主な原材料とするもの（左欄に掲げる形質を有しなくなったものを除く。） 2 1に掲げるものを主な原材料とするもの	とうもろこし

3. 新たな遺伝子組換え表示制度に係る内閣府令一部改正案の考え方

1) 遺伝子組換え表示制度改正案の概要

「遺伝子組換え表示制度に関する検討会報告書」（平成30年3月28日）を踏まえ、食品表示基準に規定されている遺伝子組換えに関する任意表示の制度の改正案が以下の内容で公表されました（2018年10月10日第46回食品表示部会資料）。

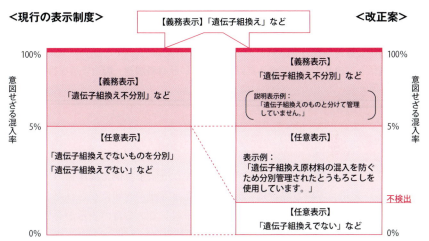

（注）「遺伝子組換え」表示及び任意表示については、事業者が分別生産流通管理を行っていることが前提。

（1） 分別生産流通管理を実施し、遺伝子組換え農産物の混入が5％以下のものは、適切に「分別生産流通管理している」旨の表示をすること。

（2） 遺伝子組換え農産物が不検出の場合は「遺伝子組換えでない」旨の表示を認めること、とする。

2）分別生産流通管理された原材料の任意の表示例

<混入率5％以下の大豆またはとうもろこしの場合>
①一括表示様式の枠内の原材料名欄の表示例

> 例：「とうもろこし（分別生産流通管理済み）」
> 例：「大豆（遺伝子組換えの混入を防ぐため分別）」

（禁止表示）

> 「大豆（遺伝子組換えでないものを分別）」

②一括表示様式の枠外に任意で表示する場合

> 例：原材料に使用しているトウモロコシは遺伝子組換えの混入を防ぐため分別生産流通管理を行っています。
> 例：大豆の分別管理により、できる限り遺伝子組換えの混入を減らしています。
> 例：遺伝子組換え大豆ができるだけ混入しないよう、生産・流通・加工の段階で適切な管理を行っています。
> 例：遺伝子組換え大豆ができるだけ混入しない原材料調達・製造管理を行っています。

3）「遺伝子組換え不分別」の対象

　大豆及びとうもろこしについて、意図せざる遺伝子組換え農産物の一定の混入（5％）を超えている場合は、分別生産流通管理が適切になされたことにはならない為、従前の通り「遺伝子組換え不分別」である旨の表示が必要です。

「遺伝子組換え不分別」の説明について

　原材料名「遺伝子組換え不分別」と表示した上で、枠外に、「使用しているとうもろこしは、遺伝子組換えのものと分けて管理したものではありません。」等と表示することで遺伝子組換え農産物と非遺伝子組換え農産物を分別していない旨が分かる説明は消費者に正しい情報伝達として有効です。

4) 遺伝子組換え表示制度改正に係る表示切替期間の考え方

① 新旧遺伝子組換え表示による混乱を避けるため、公布後、準備期間を経てから施行。
② 準備期間は、2023年3月31日までとする。
③ 2023年4月1日以降に製造・加工・輸入されるものについては、新たな遺伝子組換え表示制度に基づく表示としなければならない。

5) これからについて

　今後は、これらの方向性に沿って、また諸外国の表示制度に関する情報収集も随時行った上で、消費者が表示から正しく情報を読み取り自主的かつ合理的な食品の選択ができる制度構築を行います。また、当該制度の周知・普及の実施と合わせて、新たな表示制度の円滑な施行に万全を期すべきです。さらに、新たな表示制度の施行後は、表示制度の運用実態に関するモニタリング調査を適宜行い、その結果を踏まえた上で、必要に応じて制度の見直しを行うこととしました。

6) 今後の品種改良について

　近年、GM技術を用いた初の動物性食品など、これまで審査されたことのない種類の遺伝子組換え食品が開発されており、これらについても適切に安全性審査が行われる必要があります。また、ゲノム編集技術等の新しい育種技術（NBT）を活用した食品の開発が進展しています。そこで、厚生労働省は遺伝子を切断して働きを止めるゲノム編集技術により作出された食品は届け出だけで流通を認めるとしました。自然に起こる突然変異や従来の品種改良と判別がつかないという理由から規制の対象外となります。ただし、ゲノム編集として新しい遺伝子を挿入する方法の場合はこれまでの遺伝子組換え食品と同じように安全性審査が必要になります（2019年3月18日）。

　今後はこの技術を活用した食品の安全性を確保するため、国際的な議論等を踏まえながら検討を行い、その検討状況については、早期の段階から適切に情報発信し、国民に丁寧に説明するべきとされています。

第 9 章

原料原産地表示

原料原産地表示

　食品表示基準では、生鮮食品は「原産地」を表示し、加工食品は使用した「原材料名」を表示します。加工食品とは生鮮食品である農畜水産物等を原材料として、製造もしくは加工、または調理された食品です。
　「原料原産地表示」とは、加工食品（酒類を含む）に使用されている原材料の原産地の表示を義務づける制度です。

1）原料原産地表示施行の背景

　国際的にも生鮮食品の原産地表示は対象となっていますが、加工食品に使用される原材料の原産地表示は対象外となっています。また、現状は、生鮮食品の多くは国産品で占められていますが、加工食品の原材料は外国産等の輸入品が多く使用されるようになりました。理由は、国産と比べて外国産は季節的な調整ができること、また必要量の確保が可能で、かつ価格も使用しやすい範囲であること等が挙げられます。
　そのような中、生鮮食品だけではなく国内で製造・加工される加工食品の原材料の原産地についても消費者から情報として求められるようになりました。そこで、国は平成12年12月28日、農産物漬物に原料原産地表示の義務づけを初めて導入し、その後平成14年8月19日までに8品目を指定しました。
　さらに、平成18年10月2日（完全施行）から指定した20食品群にも原料原産地表示を義務づけました。平成21年10月1日以降より緑茶飲料とあげ落花生も対象品目として追加、また平成23年3月31日には2品目（黒糖および黒糖加工品、こんぶ巻）が追加され、22食品群（品目）＋4品目が義務表示の対象となりました。
　また、平成29年9月1日付けで「新たな原料原産地表示制度」が公布・施行され、輸入食品を除くすべての加工食品が原料原産地表示の対象となっています（猶予期間：2022年3月31日まで）。

<原料原産地表示の対象品目とその流れ>

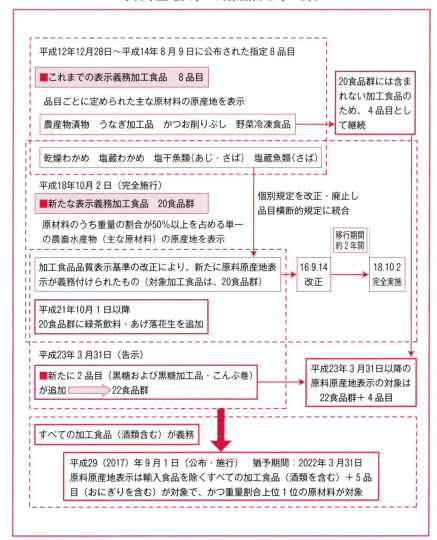

2）新たな原料原産地表示のルール

　食品表示基準における対象品目は輸入品以外のすべての加工食品（酒類を含む）となります。また、個別4品目には新たに「おにぎり」が追加され、5品目となりました。輸入品は従前通り「原産国表示」です。

(1) 基本的な考え方

表示の要件として、<u>使用した原材料に占める重量*の割合が最も高い原材料が対象</u>です。なお、重量割合上位1位の原材料が50％未満の22食品群の原材料も対象に含まれます。

＊水（＝加水等）の重量、または塩蔵品の「食塩」の重量は含めません。

(2) 対象となる加工食品

国内で製造した全ての加工食品が原料原産地表示の対象です。例えば、国内で製造された「うなぎ蒲焼」に使用した原材料の「うなぎ」が原産地表示の対象です。＊＊国内で実質的な変更をもたらしていないものは「原産国名」です。

＊＊原産国表示…P.526参照

＜対象外（省略等）の場合の注意点＞
①店舗内施設で製造し加工された食品

食品を製造し、又は加工した場所で販売する場合（いわゆるインストア加工を含む）と外食等の設備を設けて飲食させる場合は対象外です。ただし「仕入れ、解凍、小分け・再包装等」の行為は表示の対象です。

②輸入品

A国で漁獲され、B国で切り身にし、フライ種として衣をつけたニシン製品を輸入したものを国内で単に小分け・包装した製品は、輸入品に該当するため原産国名（B国）の表示となります。製品の内容について「実質的に変更をもたらす行為」が判断する上でのポイントとなります。

③省略対象

不特定又は多数の者に対して譲渡（販売を除く）する場合。また容器包装に入れずに販売する場合、および表示可能面積がおおむね30cm²以下の場合は、原料原産地表示は省略できます。

④任意の表示

対象外の原材料の原料原産地を任意で表示する場合は、原料原産地ルールにより表示しなければなりません。なお、自主的に表示することは、消費者が商品を選択する際に役立つものである等から、望ましいと考えられています。

（3）対象原材料の原産地表示

①生鮮食品
　国産品は国産である旨（都道府県名その他一般に知られている地名等も可）を、輸入品は原産国名を表示します。

②加工食品
　国産品は、国内で製造された旨を「国内製造」若しくは「○○製造」（○○は、都道府県名その他一般に知られている地名）等と、輸入品は外国で製造された旨を「○○製造」（○○は、原産国名）と表示します。なお、当該対象原材料に占める重量の割合が最も高い生鮮食品の名称と共にその原産地を表示することができます。

（4）表示方法

＜原産地の表示＞
①農産物
　生鮮品の表示のルールを参考にします。国産品は「国産」もしくは都道府県名または九州産等と表示できます。輸入品は「米国産」等、原産国名を表示します。

②水産物
　生鮮品の表示のルールを参考にします。国産は水域名、もしくは水揚げ港および属する都道府県名、養殖場が属する都道府県名等、輸入品は漁獲した漁船の船籍が属する国名を「原産国」として表示します。生産水域の名称は、「生鮮魚介類の水産水域名の表示のガイドライン」を確認します。

③畜産物
　生鮮品の表示のルールを参考にします。国産品は「国産」もしくは都道府県名、輸入品は外国名で家畜が最も長く飼育された主な飼養地を原産地・原産国として表示します。

④特色のある原材料の注意点
　特色ある原材料（特定の原産地のものなど）を使用したことを表示する場合

は使用割合の表示は義務です。一括表示枠外に特定の原産地を強調して表示する場合は<u>当該強調表示に近接した場所</u>又は一括表示の原材料名に割合表示が必要です。(食品表示基準第 7 条)

```
国産豚肉　80％使用
```

```
原材料名：豚肉（国産、A国、B国）、・・・
```

⑤基本的な表示方法

　複数の原材料の混合は、重量割合の最も高い原材料の原産地を表示します。表示方法は、「原材料名」欄の当該原材料の後に括弧を付して原産地を表示します。または、「原料原産地名」の事項名を立てて当該原材料の原産地を表示します。

```
原材料名　　：豚肉（A国）、○○○、・・・・
```

```
原材料名　　：豚肉、○○○、・・・・
原料原産地名：A国（豚肉）
```

＜国別重量順表示＞
①対象原材料の原産地

　国別に重量割合の高い原材料から順に国名を表示する「国別重量順表示」が原則です。原産地を原材料名に対応させて表示します。

```
原材料名　　：豚肉（アメリカ、カナダ）、・・
```

```
原材料名　　：豚肉、・・
原料原産地名：アメリカ、カナダ（豚肉）
```

```
原材料名　　：豚肉、・・
原料原産地名：枠外右部に記載
```
```
原料豚肉の原産地名：アメリカ、カナダ
```

②原産地が３か国以上ある場合

重量割合の高いものから順に国名を表示し、３か国目以降を「その他」と表示することができます。

```
原材料名：豚肉（アメリカ、カナダ、その他）、・・
```

```
原材料名　　：豚肉、・・
原料原産地名：アメリカ、カナダ、その他（豚肉）
```

```
原材料名　　：豚肉、・・          原料豚肉の原産地名：アメリカ、カナダ、
原料原産地名：枠外右部に記載                         その他
```

＜その他の外国産の原材料に係る表示＞
①国産の原材料と外国産の原材料を混合した場合

国レベルでカウントし、３か国以上のものを混合した場合に「その他」と表示できます。

（都道府県も併記した場合）

```
原材料名：豚肉（日本（ａ県、ｂ県）、Ａ国、その他）、〇〇〇、・・・・
```

- ただし、ａ県、ｂ県、Ａ国で３箇所とカウントせず、国レベルで日本、Ａ国の２箇所とカウントするため、「その他」表示による省略はできません。

（都道府県も併記した場合）

```
原材料名：豚肉（日本（ａ県、ｂ県）、Ａ国）、〇〇〇、・・・・
```

②遺伝子組換え表示の対象となる原材料

正しく伝わるように表示します。

```
原材料名：大豆（Ａ国、遺伝子組換えでない）
```

```
原材料名：大豆（Ａ国、Ｂ国）（遺伝子組換えでない）
```

不適正な表示例（Ａ国、Ｂ国のどちらが「遺伝子組換えでない」のか不明確）

原材料名：大豆（A国、B国・遺伝子組換えでない）

③「原産地名の意味を誤認させるような用語」に該当する表示

A国産のまあじを使用して静岡県沼津にて加工した場合、消費者は「沼津産」の強調表示を見て「沼津産まあじ」を沼津で干物にした、と誤認する可能性があります。

（誤認させる表示例）

沼津産
あじの開き

（誤認させない表示例）

美味しいあじの開き
加工地　　　：沼津
原料原産地名：A国（まあじ）

※「加工地：沼津」と「原料原産地名：A国」を区別して明記します。

名称：あじの開き
原材料名：まあじ（A国）、食塩／酸化防止剤（V.C）
内容量：二枚
賞味期限：0000．00．00
保存方法：10℃以下で保存して下さい。
製造者：新日本魚類加工株式会社
　　　　静岡県沼津市○○町○○番地○○号

＜又は表示と大括り表示＞

「国別重量順表示」が難しい場合は、一定の条件の下で、「又は表示」や「大括り表示」が認められています。

①又は表示とは？

原産地として使用可能性がある複数国を、使用が見込まれる重量割合の高いものから順に「又は」でつないで表示する方法です。ただし、過去の使用実績等に基づき表示します。

つまり、「A国又はB国」のように「又は」でつなげた表示は、「A国」と「B国」の原材料の順番が入れ替わるなどの可能性がある場合にのみ認められる表示です。

● **認める条件**

過去の一定期間における産地別使用実績または今後の一定期間における産地別使用計画からみて、国別重量順表示が困難な場合です。ただし、根拠書類の保管が条件とされます。

● **誤認防止**

「又は表示」をする場合は、過去の一定期間における使用実績または今後の一定期間における使用計画における対象原材料に占める重量の割合（一定期間使用割合）の高いものから順に表示した旨の注意書きが必要です。

例　※豚肉の産地は、平成〇年の使用実績順

原材料名：豚肉（アメリカ又はカナダ）、・・

※豚肉の産地は、平成〇年の使用実績順

（「その他」を用いた表示）

原材料名　　：豚肉、・・
原料原産地名：アメリカ又はカナダ又はその他（豚肉）

※豚肉の産地は、平成〇年の使用実績順

● **過去一定期間における産地別使用実績（「又は表示」および「大括り表示」の関係）**

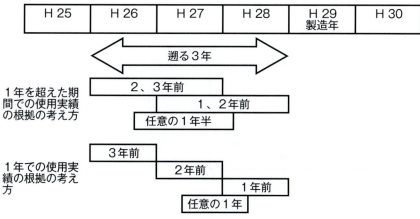

● 今後一定期間における産地別使用計画(「又は表示」および「大括り表示」の関係)

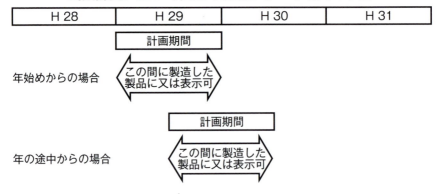

②大括り表示とは?

　3か国以上の外国の原産地表示を「輸入」と括って表示する方法です。なお、輸入品と国産品を混合して使用する場合には、輸入品と国産品との間で、重量割合の高いものから順に表示します。

●認める条件

　過去の一定期間における産地別使用実績又は今後の一定期間における産地別使用計画からみて、国別重量順表示が困難な場合には、「大括り表示」ができます。ただし、又は表示と同じく根拠書類の保管が条件とされます。

```
原材料名：豚肉(輸入)、・・
```

```
原材料名　　：豚肉、・・
原料原産地名：輸入(豚肉)
```

(国産が外国産より重量割合が高い場合)

```
原材料名：豚肉(国産、輸入)、・・
```

③大括り表示＋又は表示とは？

　過去の使用実績等に基づき、3か国以上の外国の原産地表示を「輸入」と括って表示できるとした上で、「輸入」と「国産」を、使用が見込まれる重量割合の高いものから順に、「又は」でつないで表示する方法です。

●認める条件

　過去の一定期間における国別使用実績又は今後の一定期間の国別使用計画からみて、大括り表示のみでは表示が困難な場合には、「大括り表示＋又は表示」ができます。根拠書類の保管が条件です。

●誤認防止

　「大括り表示＋又は表示」をする場合は、一定期間使用割合の高いものから順に表示した旨の注意書きが必要です。
例　※豚肉の産地は、平成〇年の使用実績順

```
原材料名：豚肉（輸入又は国産）、・・
```
※豚肉の産地は、平成〇年の使用実績順

```
原材料名　　：豚肉、・・
原料原産地名：輸入又は国産（豚肉）
```
※豚肉の産地は、平成〇年の使用実績順

④表示ルールのまとめ

- 「A国、B国、その他」：使用国数3以上で重量の割合の高いものから順に「、」でつないで表示。表示された順番で必ず使用する。
- 「A国又はB国又はその他」：使用国数3以上で使用実績等に基づく使用重量の割合の高いものから順に「又は」でつないで表示するが表示の順番で使用されているとは限らない。注意書きされた一定期間において、表示された順番で使用
- 「輸入」：外国の原産地を3以上で外国の産地表示を「輸入」などと括って表示。一定期間において、3以上の外国産の原材料を使用。

＜一定期間における産地別使用実績順と産地別使用計画順＞

①過去の産地別使用実績順に表示する場合の主な注意書き例

製造年から遡って3年以内の中で1年以上の実績であること。

例　※○○の産地は、平成29年の使用実績順
　　※○○の産地は、製造年の前年の使用実績順
　　※○○の産地は、一昨年の使用実績順
　　※○○の産地は、過去1年間の使用実績順
　　※○○の産地は、平成29年9月から平成30年8月までの使用実績順

---

②今後の使用計画順に表示する場合の主な注意書き例

当該計画に基づく製造の開始日から1年以内の予定であること。

例　※○○の産地は、平成30年の使用計画順
　　※○○の産地は、今年度の使用計画順
　　※○○の産地は、製造年の使用計画順
　　※○○の産地は、平成30年3月から平成31年2月までの契約栽培から推定した順
　　※○○の産地は、平成30年の使用計画順。平成31年の使用計画に変更がない場合は、継続して表示。

注）当該計画の期間内に製造された製品に限り、上記例を注意書きに使用することができます。

③重量割合の順位変動等について

　過去の実績や合理的な使用計画に基づき、表示をしようとする時を含む1年で重量割合の順位変動や産地切替えが行われる見込みのある場合

④期間について

- 「平成○年」の表示は特段の説明がない場合は1月から12月までのこと。
- 「平成○年度」の表示は特段の説明がない場合は4月から3月までのこと。

（注：元号に代えて、西暦を用いた場合も同様）

⑤ 「前年の使用実績順」の表示は、製造年が平成 30 年であれば平成 29 年を指し、製造年が平成 31 年であれば平成 30 年を指します

＜製造地表示＞

　対象原材料が加工食品（＝中間加工原材料等）の場合は、生鮮食品の原産地「○○産」と区別して、当該中間加工原材料を製造した場所を「○○製造」等とする方法で、原則は当該中間加工原材料の製造地を「○○製造」と表示します。また、「製造地表示」の製造とは、<u>製品の内容についての実質的な変更をもたらす行為</u>をいい、製品の小分け、詰め合わせ、単なる切断、単なる混合、冷凍等の加工行為とみなされるものは含まれません。

```
原材料名：りんご果汁（ドイツ製造）、‥
```

```
原材料名　　：りんご果汁、‥
原料原産地名：ドイツ製造（りんご果汁）
```

　ただし、中間加工原材料である対象原材料の生鮮原材料の原産地が判明している場合には、当該原材料名とともに、その原産地を表示することができます。

```
原材料名：りんご果汁（リンゴ（ドイツ、ハンガリー））、‥
```

```
原材料名　　：りんご果汁、‥
原料原産地名：ドイツ（りんご）、ハンガリー（リンゴ）
```

（又は表示）

```
原材料名　　：りんご果汁、‥
原料原産地名：ドイツ製造又は国内製造（りんご果汁）
```

　※りんご果汁の製造地は、平成○年の使用実績順

（大括り表示）

```
原材料名　　：りんご果汁、‥
原料原産地名：外国製造（りんご果汁）
```

第9章　原料原産地表示

● 「製造地表示」の製造とは

　製品の内容についての実質的な変更をもたらす行為をいい、製品の小分け、詰め合わせ、単なる切断、単なる混合、冷凍等の加工行為とみなされるものは含まれません。

<製造行為とならない主な具体例>

容器包装へのラベルの添付、修正、付け替え	容器包装に日本用の日本語ラベルを付すなど
詰め合わせ	販売のための外装に詰め合わせるなど
小分け	バルクで仕入れたものを小分けするなど 例：うなぎの蒲焼きをバルクで仕入れて小分けする、スパゲッティをバルクで仕入れて小分けする
切断	スライスするなどの単なる切断 例：ハムをスライスする
整形	形を整えるなど 例：ブロックのベーコンの形を整える
選別	形、大きさで選別するなど 例：煮干を大きさで選別する
破砕	少し砕くなど（粉末状にしたものを除く） 例：①挽き割り大豆、②岩塩を砕く
混合	同じ種類の食品を混合するなど 例：グラニュー糖を混合する
盛り合わせ	異なる種類の食品を容易に分けられるよう盛り合わせるなど 例：個包装されている、仕切り等で分けられているなど容易に分けられるように盛り合わせる
骨取り	除骨のみを行うなど 例：塩サバの骨抜き
冷凍	輸送又は保存のための冷凍など
解凍	自然解凍等により、単に冷凍された食品を冷蔵若しくは常温の状態まで解凍したもの 例：冷凍ゆでだこを解凍する
乾燥	輸送又は保存のための乾燥など
塩水漬け	輸送又は保存のための塩水漬けなど

加塩	既に塩味のついた食品を加塩など 例：塩鮭甘口にふり塩をし塩鮭辛口にする
調味料等の軽微な添加	少量の調味料を加えるなど 例：水煮にごく少量のしょうゆを加える 薬味を少量足すなど 例：大学芋にごまをまぶす
希釈	濃度を下げるために、水等を追加するなど 例：濃縮果汁の濃度を調整するために、水を加える（濃縮果汁を還元果汁まで希釈することを除く）
添加物の添加	添加物を添加するなど 例：①ぶどうオイルにビタミンEを栄養強化の目的で添加する、②干しえびを着色する、③オレンジ果汁を着香する
殺菌	容器包装前後に殺菌するなど 例：①ちりめんじゃこを加熱殺菌、②濃縮果汁を小分けする際に行う殺菌、③製品の固形物と充填液の両方を新たな容器に充填し加熱殺菌、④製品から固形物を取り出し新たな充填液を加えずに真空パック又はドライパックをして加熱殺菌
結着防止	固まらないように植物性油脂を塗布するなど 例：レーズンへ植物性油脂を塗布する
再加熱	揚げ直し、焼き直し、蒸し直しなど単なる加熱

<生鮮に近い食品と加工食品の整理>

生鮮食品として取り扱うこととなる原材料名 （「○○産」等と表示）	加工食品として取り扱うこととなる原材料名 （「○○製造」と表示）
はちみつ	精製はちみつ
海水、岩塩、天日塩（注）	塩、食塩、食用塩
鶏卵、卵、卵白、卵黄	液卵、乾燥卵、粉卵、凍結卵、濃縮卵
コショウ、ブラックペッパー、ターメリック、ウコン、クミン	コショウ粉末、ブラックペッパー粉末、ターメリックパウダー、ウコン粉末、クミン末

●対象原材料に占める重量割合が低い原産地の表示（誤認防止策）

「又は表示」の場合、使用割合が極めて少ない対象原材料の原産地についての誤認を防止するための措置として、一定期間における使用割合が５％未満である対象原材料の原産地については、当該原産地の後に括弧を付して、一定期間における使用割合が「５％未満」の旨を表示します。
（大括り表示＋又は表示）

原材料名　　：小麦、・・ 原料原産地名：輸入又は国産（５％未満）

※小麦の産地順・割合は、平成〇年の使用実績

（5）これまでの指定された個別４品目から個別５品目へ変更

①追加になった「おにぎり」の「のり」

- おにぎりに使用したのりの名称の次に、括弧を付して原そうの原産地を表示します。
  また、基本的には「のり」と「のりの原そう」の産地は同一の産地となります。

例：「のり（国産）」または「のり（原そう（国産））」

- 表示の対象は小売店等で、「のりが販売時には既に巻かれているもの」、「食べる前にのりを自ら巻くような形態で売られているもの」など。表示対象外は唐揚げ、たくあんなどの「食材（おかず）」と一緒に容器包装に入れたもの、巻き寿司、軍艦巻き、手巻き寿司等、お寿司に該当するもの。また、食品を製造し、または加工した場所で販売する場合（いわゆるインストア加工品）などのおにぎりです。
- おにぎりは、原材料に占める重量割合が最も高い原材料に加えて、のりについて原料原産地表示が必要です。また、米トレーサビリティ法に基づき米穀の産地も表示します。
- 表示方法は国別重量順表示を行い、「又は表示」や「大括り表示」は認められません。

②野菜冷凍食品

- 原材料全体に占める割合（重量）の多いものから上位３位まで、かつ原材料

の重量に占める割合5％以上が対象です。
- 原料原産地の後に括弧を付けて、野菜の名称を表示します。
- 2つ以上の原材料の場合は重量順に原産地を表示します。

（2つ以上の原材料の混合）

> 原料原産地名：アメリカ（スィートコーン、ニンジン）、国産（スィートコーン、ニンジン）

> 原料原産地名：アメリカ（スィートコーン、グリンピース）、国産（ニンジン）

（任意での重量％表示）

> 原料原産地名：アメリカ80％（スィートコーン、グリンピース）、国産20％（ニンジン）

- 国産品は「国産」と表示するか、もしくは都道府県名、市町村名、一般に知られている地名のいずれかを表示します。

（基本表示項目）

> 品目（名称）：
> 原材料名：
> 原料原産地名：
> 内容量：
> 賞味期限：
> 保存方法：
> 凍結前加熱の有無：
> 加熱調理の必要性：
> 原産国名および製造者：

③農産物漬け物

ぬか漬け、たくあん漬け、しょうゆ漬け、ふくじん漬け、かす漬け、なら漬け、刻みなら漬け、わさび漬け、山海漬け、らっきょう漬け、しょうが酢漬け、農産物塩漬け、梅漬け、梅干し等

- 原材料が5種類以上の場合は上位4種類までのもの（内容重量が300g以下は上位3種類まで）で、かつ原材料の重量に占める割合が5％以上のものです。
- 原材料に占める重量の割合の多い原産地、原材料名を表示します。

原料原産地名：中国（だいこん）、韓国（なす）、国産（きゅうり）	

＜表示例＞原材料（原菜等）と漬け原材料を分けて表示します。

名称	梅干し
原材料名	梅、漬け原材料（食塩、しそ）
原材料原産地名	国産（梅）
内容量	100 g
賞味期限	○○．△△．△△
保存方法	直射日光を避けて、常温で保存
製造者	株式会社　全国SM漬物 東京都千代田区神田０－０－０

③かつお削りぶし

　かつお削りぶしは「ふし」の原産地の表示が義務づけられています。都道府県名、市町村名、一般的に知られる地名もしくは国産、または原産国名を、また異なる原料原産地の混合は多い重量のものから表示します（注：中間加工原材料の製造地表示の導入に伴い「○○製造」の用語へ変更）。

＜表示例＞

名称	かつお削りぶし
原材料名	かつお・ふし（国内製造、インドネシア製造）
密封方法	不活性ガス充てん、気密容器入り
内容量	300 g
賞味期限	平成00年00月00日
保存方法	高温・多湿・直射日光を避け、常温で保存してください。
製造者	（株）全国SM　削り節本舗 東京都千代田区神田０－０－０

（注）カビ付けが２度以上は「かれぶし」「枯節」となります。

④うなぎ加工品

（原料原産地を表示する場合）

　甲社が国内産のうなぎを国内で加熱調理した「うなぎ蒲焼き」を業務用とし

てバルク販売し、乙社が最終包装した場合は、<u>国内で「商品の内容について実質的な変更をもたらす行為」</u>を行っているので、乙社が表示義務者であり、原料原産地表示の対象となります。

<国内製造、バルク製品仕入れ、小分け包装した場合>

```
名称    ：うなぎ蒲焼き
原材料名：うなぎ（国産）、しょうゆ（小麦・大豆を含む）、砂糖、ぶどう糖果糖
        液糖、発酵調味料（米、米こうじ、酒、砂糖、食塩）、水あめ、うな
        ぎエキス
添加物  ：加工デンプン、調味料（アミノ酸等）、着色料（カラメル、アナトー）、
        増粘多糖類
内容量  ：2尾
消費期限：平成00年00月00日
保存方法：10℃以下で保存してください
加工者  ：乙社
        ○○県○○市○○町1—2
```

（原産国を表示する場合―1）

A国から甲社がバルク輸入した「うなぎ蒲焼き」を単に小分けし最終包装した場合は、<u>製品の内容を実質的に変更する行為に当たらない</u>ので、原産国表示となり、小分け行為は加工食品における加工行為なので輸入品であっても加工者表示となります。

<バルク製品を小分けした加工者の場合>

```
名称    ：うなぎ蒲焼き
原材料名：うなぎ、しょうゆ（大豆・小麦を含む）、砂糖、ぶどう糖果糖液糖、
        発酵調味料（米、米こうじ、酒、砂糖、食塩）、水あめ、うなぎエキ
        ス
添加物  ：加工デンプン、調味料（アミノ酸等）、着色料（カラメル、アナトー）、
        増粘多糖類
内容量  ：2尾
賞味期限：平成00年00月00日
保存方法：10℃以下で保存してください
原産国名：A国
加工者  ：甲社
        △△県△△市△△町11—22
```

（原産国を表示する場合―2）

A国から甲社がバルク輸入した「うなぎ蒲焼き」を乙社が最終包装し、丙社

が表示内容を含めて責任を持ち販売した場合は、販売者として表示することができます。ただし、加工者の氏名と所在地の表示は必要です。

＜バルク製品を加工者が小分けして販売者が表示内容の責任を持つ場合＞

名称	：うなぎ蒲焼き
原材料名	：うなぎ、しょうゆ、砂糖、ぶどう糖果糖液糖、魚介エキス（魚介類）／加工デンプン、調味料（アミノ酸等）、着色料（カラメル、アナトー）、増粘多糖類、（一部に大豆・小麦・魚介エキス（魚介類）を含む）
内容量	：2尾
賞味期限	：平成00年00月00日
保存方法	：10℃以下で保存してください
原産国名	：A国
販売者	：丙社 □□県□□市□□町12—3
加工者	：乙社 ○○県○○市○○町1—2

＜補足＞

（東京都の消費者条例から）

平成21年6月1日から、都内で消費者向けに販売される調理冷凍食品の原料原産地表示がすでに義務付けされていますが、食品表示基準の改正に伴い、平成29年12月25日付で改正されました。

①対象食品

国内で製造され、都内で消費者向けに販売される調理冷凍食品が対象です。ただし、食品表示基準により原料原産地が義務付けられている品目および輸入品は除きます。

＜定義＞

> 調理冷凍食品とは、容器に入れ、または包装されたものであって、日本標準商品分類（平成2年6月総務庁）における畜産加工食品の酪農製品のアイスクリーム類、農産加工食品の菓子類に該当するもので冷凍されたものは除きます。

②対象原材料の範囲

- 原材料に占める重量の割合が上位3位以内で、かつ重量割合が5％以上のもの

- 商品名にその名称が付されたもの
  例：商品名「えびピラフ」の場合の「えび」、「ビーフハンバーグ」の場合の「ビーフ」
- 商品名と同じ面に使用している原材料名を記載してあるもの
  例：同一面に使用原材料の説明「牛肉10％増量しましたなどが記載されている場合

<表示例—冷凍ハンバーグ>

商品名	：ハンバーグ
原材料名	：牛ひき肉、たまねぎ、鶏卵、パン粉、食塩、香辛料／調味料（アミノ酸等）

上位3位以内で5％以上の原材料は、「牛ひき肉、たまねぎ、鶏卵」とすると、

原料原産地名：牛肉（ニュージーランド）、たまねぎ（中国）、鶏卵（国産）

となります。

（6）業務用食品

最終製品の重量割合上位1位の原材料となる輸入された業務用加工食品、おにぎりののり、一般加工食品用の小分け原料となる加工食品等、当該一般用加工食品の対象原材料となるものには原産国名の表示が義務です。また、一般用加工食品の重量割合上位1位となる業務用生鮮食品等、最終製品に表示する必要があるものは原産地の情報伝達は義務です。

（7）猶予期間

2022年3月31日までに製造され、または加工される加工食品（業務用加工食品を除く。）並びに販売される業務用生鮮食品及び業務用加工食品は、従前の表示が可能です。また、製造所または加工所で製造過程にある加工食品（長期醸造の酒類、果実酢等）は、2022年4月1日以降も表示が不要です。

（8）これまでの原料原産地表示の対象品目から引き続き注意が必要な加工食品

●**農産加工品**
（甘藷加工品）

かんしょ蒸し切り干しを輸入し、国内で再度風乾したものは、国内で製品の内容を実質的に変更する行為を行っていないため、蒸し切り干しを製造した原産国名表示になります。

(塩蔵品と添加物の組み合わせ)
　食塩以外に添加物等を使用したものであっても「塩蔵したきのこ類、塩蔵野菜及び塩蔵果実」とみなされる商品であれば、原料原産地の表示は必要となります。塩蔵品は、食塩を除いた原料で重量を計算します。

(緑茶)
　原料原産地は荒茶の製造国を表示します。

(こんにゃく)
　生芋とこんにゃく粉から製造するものがあります。いずれも「こんにゃく粉(こんにゃくいも(〇〇産))」と表示します。生芋とこんにゃく粉の製造地が同一の場合は「こんにゃく粉(〇〇産)」のように表示できます。ブレンドの場合、同等の状態に換算した重量の比較を行い表示します。

●畜肉加工品

(成型肉)
　サイコロステーキなどの成型肉は異種混合(牛肉、牛脂、豚肉等)した食肉に該当し、重量の高い畜種の食肉の原産地を表示します。単一畜種の食肉をただ単にサイコロ状にカットしただけのものは生鮮食品に該当し、原産地表示の対象です。

(フライ種)
　フライ種として衣を付けた食肉は「調理冷凍食品」に該当するかどうかを確認します。

(食肉と別添タレ)
　牛肉と豚肉の盛り合わせにタレを別袋で添付したものは、調味行為には当たらず、食肉加工食品とタレ加工食品を単に詰め合わせたもの、となります。つまり、食肉の原料原産地とタレの一括表示が必要となります。

●水産加工品

(塩たらこ、塩数の子)
　国別重量順表示、又は表示、大括り表示にて適正に表示します。表示根拠を記載し、根拠書類等を保持します。また、実質的な変更をもたらす行為(塩蔵)が最後に行われた場所で判断します。国内で塩蔵、成形、小分けした場合は原料原産地表示、A国で行われた場合は原産国表示となります。

（三陸種のわかめ）

　原則、産地名の意味を誤認させる表示は禁止です。「三陸種」表示は「三陸産わかめの種苗から育ったわかめ」を意味し、三陸産わかめの種苗がその品質を保持し育ったことを証明する必要があります。わかめの種苗の寿命は約2～3年と考えられているため、三陸の種苗をＡ国へ持ち込み、2～3年ごとに更新したものであることが説明できない限り、「三陸種」という表示を行うことは不適切であり、誤認を与える表示と考えられます。表示する場合は、「三陸種」表示と同程度の大きさの文字で原料原産地を「原そう・○○わかめ」等と表示します。

（短時間の湯通し行為）

　皮を湯通しした「たいの霜皮づくり」、湯通しして取り出した「あさりのむき身」、食塩や添加物（ｐＨ調整剤、ミョウバン等）を加えて加熱した「ゆでだこ」等はすべて原料原産地表示の対象です。

（加熱した海老）

　尾部（及び殻）のみを短時間の加熱により赤変させたものは対象です。

●その他加工品

（お刺身の盛り合わせ）

　3種盛り以上の盛り合わせでは、日々変わる原産地を表示ラベルに記載することは作業的にも難しいこと等から対象外です。ただし、消費者の関心が高いことから、水産庁は「刺身盛り合わせの原料原産地等表示自主指針」（平成15年6月）として事業者がボードやパネル等（下記例）で自主的に原料原産地表示を行うことが望ましいとされています。

（ボードでの表示例）

```
本日の刺身盛り合わせは次の原材料を使用しています。
みなみまぐろ：豪州、養殖、解凍
めばちまぐろ：インド洋（焼津港水揚げ）
かんぱち：鹿児島県沖
まだい：三重県沖
ぶり：宮崎県、養殖
```

```
※上記以外の原材料が入荷する場合もありますので、詳しくは売り場係員にお尋
　ねください。
```

3）原産国表示とは

（1）原産国の定義
　原産国とは、輸入製品の製造国を指し、「原産国名」として表示します。条件は、①製品輸入（容器包装済み食品）されたもの、②製品輸入されたものを国内で詰め合わせしたもの、③バルクで輸入されたものを国内で小分け容器包装したもの、④輸入されたもので、国内で実質的な内容の変更をもたらす行為を施していないものです。

　また、商品の内容についての<u>実質的な変更をもたらす行為に含まれない行為</u>とは、①商品にラベルを付け、その他表示を施すこと、②商品を容器に詰め、または包装をすること、③商品を単に詰め合わせ、または組み合わせること、④簡単な部品の組立てをすること、です。

（2）関税法基本通達から
　これに加え、関税法基本通達では、⑤単なる切断、⑥輸送または保存のための乾燥、冷凍、塩水漬けその他これに類する行為、⑦単なる混合、等が含まれます。

（3）原産国のまとめ
　これらをまとめると、次のようになります。
- 製品（輸入品）の製造国を「原産国名」として表示する。
- 製品の性質に実質的な変更を与える行為を最後に行った場所（国）が原産国となる。
- 製造工程が複数国にわたり、工程ごとの優劣がなく、別々の場所（国）で行った場合は、すべての国を原産国として表示する。
- 原料原産地（22食品群＋4品目）の対象品目と対象外品目を混同しない。

＜参考―これまでの対象となる 22 品目＞

＜農産加工品＞
1. 乾燥きのこ類、乾燥野菜および乾燥果実
    （乾燥しいたけ、かんぴょう、切り干し大根、干し柿、干しブドウ、干し芋等）
2. 塩蔵したきのこ類、塩蔵野菜および塩蔵果実
    （塩蔵きのこ、塩蔵ぜんまい、塩蔵山菜ミックス等）
3. ゆで、または蒸したきのこ類、野菜および豆類並びにあん
    （ゆでたけのこ、下ゆでした里芋、蒸かしサツマイモ、ゆでた大豆、生あん、乾燥あん、白あん等）
4. 異種混合したカット野菜、異種混合したカット果実その他野菜、果実およびきのこ類を異種混合したもの
    （カット野菜ミックス、カットフルーツミックス、生鮮食品のみの野菜サラダ等）
5. 緑茶および緑茶飲料
    （煎茶、玉露、抹茶、番茶、ほうじ茶、玄米茶、緑茶飲料等）
6. もち
    （まるもち、きりもち、草もち、豆もち等）
7. いりさや落花生、いり落花生、あげ落花生およびいり豆類
    （いりさや落花生、いり落花生、バターピーナッツ、炒った豆類に塩味を付けたもの等）
8. 黒糖および黒糖加工品
    （黒糖、黒糖みつ等）
9. こんにゃく
    （板こんにゃく、糸こんにゃく、刺身こんにゃく、しらたき等とこれらに青のり、ごま、ゆず等を使用したもの等）

＜畜肉加工品＞
10. 調味した食肉（生または解凍した牛肉、豚肉、鶏肉等）
    （塩コショウした食肉、タレ漬けした食肉、みそ漬けした食肉、ねぎを含むタレ漬け食肉、タレ漬けサイコロステーキ、香辛料や調味料を使用しハンバーグ状に固めたもの等）
11. ゆで、または蒸した食肉および食用鳥卵
    （ゆでた牛もつ、蒸し鶏、ゆで卵、温泉卵、うずら卵の水煮等）
12. 表面をあぶった食肉
    （鶏ささみのたたき、牛たたき等）
13. フライ種として衣をつけた食肉
    （衣付きトンカツ用食肉、衣付き鶏唐揚げ用鶏肉等）
14. 合挽肉その他異種混合した食肉
    （牛豚合挽き肉、サイコロステーキ、焼き肉セット（牛肉や鶏肉、豚肉等の異種の食肉を盛り合わせたもので生鮮食品のみで構成されるもの））

＜水産加工品＞
15. 素干魚介類、塩干魚介類、煮干魚介類またはこんぶ、干のり、焼きのり、その他干した海藻類
    （みがきにしん、たたみいわし、するめ、いわしの丸干し、あじ開き、煮干し、ちりめんじゃこ、干しサクラエビ、だしこんぶ、焼きのり、味付けのり、乾燥わかめ、干

しひじき、海藻類だけの乾燥海藻サラダ等）
16. 塩蔵魚介類および塩蔵海藻類
    （塩さば、塩数の子、塩たらこ、塩いくら、すじこ、塩うに、塩蔵わかめ、塩もずく等）
17. 調味した魚介類および海藻類
    （あまだいみそ漬け、味付け芽かぶ、もずく酢、いくらしょうゆ漬け、照り焼きブリ、食用油脂入りまぐろの剥き身等）
18. こんぶ巻
    （かんぴょう等で結んだ素こんぶ巻、味付けまたはゆでた魚介類等を具材にしたこんぶ巻き等）
19. ゆで、または蒸した魚介類および海藻類
    （ゆでだこ、ゆでかに、ゆでしゃこ、ゆでほたて、釜揚げしらす、蒸しだこ、ふぐ湯引き等）
20. 表面をあぶった魚介類
    （かつおたたき、尾部の殻をバーナーで短時間加熱したえび等）
21. フライ種として衣をつけた魚介類
    （衣付きカキフライのカキ、衣付きあじフライのあじ、衣付きムニエルのしたびらめ等）

<その他加工品>

22. 4または14に掲げるもののほか、生鮮食品を異種混合したもの
    （ねぎま串、生鮮食品のみの鍋物セット等）

第 ⑩ 章

栄養成分表示

1） 栄養成分表示とは何か

　加工食品の容器や包装には、栄養成分表示として、熱量、たんぱく質、脂質、炭水化物、ナトリウムなどの数値を記載している欄があります。もともとは健康増進法による食品の表示基準制度に基づいた表示で、食品に含まれる栄養素などの目安になるものです。

　食品表示法において栄養成分表示は義務表示となりました。原則として、一般用の加工食品、添加物に栄養成分表示が義務づけられています。

栄養成分表示 ＜本品1杯分（11g）当たり＞	
熱量	47kcal
たんぱく質	1.1g
脂質	1.4g
炭水化物	7.7g
食塩相当量	0.1g

2） 栄養成分表示の読み方

　栄養成分表示の対象となるのは一般の消費者に販売するすべての一般用加工食品、一般用添加物です。生鮮食品は鶏卵を除き対象にはなっていませんが、適正な表示を行う場合は栄養成分の含有量などに関する表示が可能です。

（1）栄養成分の基本5項目

　栄養成分表示をする場合は、必ず表示しなければいけない項目があります。「熱量」「たんぱく質」「脂質」「炭水化物」「ナトリウム」（食塩相当量で表示）の基本5項目です。これらの内容は次のような順序で表示しなければいけません。

<基本5項目の栄養成分と表示の順番>

熱量
たんぱく質
脂質
炭水化物
食塩相当量

ナトリウム塩（塩化ナトリウム、リン酸三ナトリウム等）を添加していない場合はナトリウム量と食塩相当量を表示します。表示の仕方は「ナトリウム △mg」とし、その次に括弧をつけて「食塩相当量　○g」とします。食塩相当量はナトリウムの量に2.54を乗ずることで算出できます。

栄養成分表示
＜本品1杯分（11g）当たり＞
熱量　　　　47kcal
たんぱく質　1.1g
脂質　　　　1.4g
炭水化物　　7.7g
ナトリウム　38mg
（食塩相当量　0.1g）

脂質、炭水化物については推奨表示、任意表示としてその内訳成分を表示できます。脂質の場合は飽和脂肪酸、n−3系脂肪酸、n−6系脂肪酸、炭水化物の場合は糖質、糖類、食物繊維の順で内訳成分を表示します。これらが内訳成分であることがわかるように成分名の前に「―」を付けて表示します。

コレステロールも表示できます。その場合は脂質の次にコレステロールを表示します。

なお、「その他の栄養成分」にはビタミン、ミネラルが該当します。これらは任意の表示です。

以上をまとめると、次のような表示例となります。

<＜栄養成分表示の順番＞>

```
熱量
たんぱく質
脂質
　―飽和脂肪酸
　―n−3系脂肪酸
　―n−6系脂肪酸
コレステロール
炭水化物
　―糖質
　　―糖類
　―食物繊維
食塩相当量
その他の栄養成分
```

(2) その他に記載したい栄養成分

前述した「その他の栄養成分」を表示したい場合は、基本5項目の後に続けて表示できます。ただし、栄養成分といってもどんなものであってもいいわけではなく、決められたミネラル類、ビタミン類となっています。

指定された栄養成分以外の栄養成分を表示しようとする場合は、栄養成分表示の枠外に記載するか、栄養成分表示の枠内線を引き、他の栄養成分と分けて表示しなければいけません。

次のケースは乾わかめです。推奨表示の食物繊維とその他の栄養成分としてカルシウム、鉄を表示しています。なお、糖質または食物繊維のいずれかを表示しようとする場合は、糖質および食物繊維の両方を表示します。

```
       栄養成分表示
     ＜1袋（20g）当たり＞
  エネルギー    31kcal
  たんぱく質    4.5g
  脂質        1.0g
  炭水化物      7.7g
   ―糖質      1.1g
   ―食物繊維    6.6g
  食塩相当量    1g
  カルシウム    190mg
  鉄         2mg
```

栄養成分表示の栄養素は、義務表示、推奨表示、任意表示をまとめると次のようになります。

> 熱量、たんぱく質、脂質、飽和脂肪酸、n-3系脂肪酸、n-6系脂肪酸、コレステロール、炭水化物、糖質、糖類〔単糖類または二糖類であって糖アルコールでないものに限る〕、食物繊維
> ミネラル類（亜鉛、カリウム、カルシウム、クロム、セレン、鉄、銅、ナトリウム（食塩相当量で表示）、マグネシウム、マンガン、モリブデン、ヨウ素、リン）
> ビタミン類（ナイアシン、パントテン酸、ビオチン、ビタミンA、ビタミンB1、ビタミンB2、ビタミンB6、ビタミンB12、ビタミンC、ビタミンD、ビタミンE、ビタミンK、葉酸）

（3）成分名の代替表記

　熱量、たんぱく質などの栄養成分の名称は、簡略名や代わりとして使える用語があります。たとえば、熱量はエネルギー、たんぱく質は蛋白質、ナトリウムはNa、などと表記してもかまいません。

```
熱量　　　→エネルギー
たんぱく質→蛋白質、たん白質、タンパク質、たんぱく、タンパク
ナトリウム→Na
カルシウム→Ca
鉄　　　　→Fe
ビタミンA →V．A、VA（なお、その他のビタミンも簡略化できます。たとえば
　　　　　　ビタミンCならV．C、VCです）
```

（4）食品単位で成分量を表示する

　表示する成分量は、食品単位当たりに含まれる熱量、たんぱく質、脂質、炭水化物、ナトリウム（食塩相当量）などの量を表示します。

　食品単位当たりというのは、100g、100ml、1食分、1包装などを1単位としたものです。つまり100g当たり、たんぱく質がどれだけ含まれているのか、1食分のパンにはどれだけの炭水化物があるのか、そういった単位で栄養成分量を表示するわけです。

　次の表示例はマヨネーズです。食品単位は「大さじ1杯14g当たり」となっています。惣菜の「ミニ天ぷら盛り合わせ」は、「1包装当たり」となっています。1つの容器に入ったものを食品単位にしているわけです。

＜マヨネーズの栄養成分表示＞

栄養成分表示 大さじ1杯（14g）当たり	
エネルギー	94kcal
たんぱく質	0.3g
脂質	10.1g
炭水化物	0.2g
食塩相当量	0.2g

<惣菜の栄養成分表示>

ミニ天ぷら盛り合わせ
栄養成分表示（1包装当たり）／熱量 636kcal・蛋白質 9.3g・脂質 35.0g・炭水化物 78.8g・食塩相当量 0.3g

（5）トランス脂肪酸の情報開示の指針

　栄養成分で表示すべき項目は前述した通りですが、留意すべき成分としてトランス脂肪酸があります。マーガリンやショートニングなどの加工油脂などに含まれています。
　トランス脂肪酸そのものの表示は義務ではありません。しかし消費者庁は「トランス脂肪酸の情報開示に関する指針」（平成23年2月21日）において、消費者の健康増進の観点からトランス脂肪酸を表示したほうがよいと判断。食品事業者に対して「トランス脂肪酸を含む脂質に関する情報を自主的に開示する取組を進めるよう要請する」とし、表示する場合のルールを設けました。
　表示の方式は栄養成分表示の枠内に、名称を「トランス脂肪酸」とし、その含有量を表示します。
　表示する順番は脂質の内訳成分としては、飽和脂肪酸、トランス脂肪酸、コレステロールの順に枠内に表示してください。含有量の単位はグラム（g）です。

（6）ゼロであっても項目を省略してはいけない

　栄養成分はその量を表示する必要があります。仮に該当する栄養成分の項目がゼロであっても、その項目を省略することはできません。もし、複数の項目がゼロである場合は、「たんぱく質とナトリウムは0」というように一緒に表示します。
　ただし条件があります。「0」と表示できるのは「0と表示することができる量」の数値基準を満たした場合のみです。この条件に当てはまらない場合は「0」と表示できません。
　以下に主な栄養成分の「0と表示することができる量」をまとめました。このほかの栄養成分の詳細については、食品表示基準の別表第9「0と表示することができる量」を参照してください。

＜0と表示することができる量＞

- たんぱく質、脂質および炭水化物は、100g（ml）当たり0.5g
- 飽和脂肪酸は、100g（ml）当たり0.1g
- コレステロールは、100g（ml）当たり5mg
- 糖類は、100g（ml）当たり0.5g
- ナトリウムは、100g（ml）当たり5mg
- 熱量は、100g（ml）当たり5kcal

（7）表示する文字の大きさは決まっている

　栄養成分表示の文字の大きさは、原則として8ポイント以上の活字で表示します。容器包装の表示面積が150cm^{2}以下の場合は、5.5ポイント以上の活字で記載することができます。

　表示できる面積が小さく、栄養成分表示の内容が入りきれないからといって、必須となっている栄養成分の一部を省略することはできません。

（8）栄養成分表示が省略できる場合

　栄養成分は義務表示ですが、次のような場合には省略することができます。ただし特定保健用食品および機能性表示食品は除きます。

- 容器包装の表示可能面積がおおむね30cm^{2}以下であるもの
- 酒類
- 栄養の供給源としての寄与の程度が小さいもの
- 極めて短い期間で原材料（その配合割合を含む）が変更されるもの
- 小規模事業者など、消費税を納める義務が免除される事業者が販売するもの

　「栄養の供給源としての寄与の程度が小さいもの」とは、コーヒー豆やその抽出物、ハーブやその抽出物、茶葉やその抽出物、スパイスなどが考えられます。

　「極めて短い期間で原材料（その配合割合を含む）が変更されるもの」とは日替わり弁当、複数の部位を混合しているもの（合挽肉、焼き肉セット切り落としなどの肉）などの切り身を使用した食肉加工品、白もつなどです。複数の部位を混合しているため、その都度、原材料が変わるものが該当します。

3）強調表示の読み方、付け方

　栄養成分表示は消費者の健康増進を促す観点から重要です。しかし消費者のメリットばかりではありません。加工食品の製造者などにとっても利点があります。栄養成分の強調表示ができるからです。
　ここからは栄養成分表示における強調表示を説明していきます。

ビタミンC含有食品

低カロリー飲料

カルシウムたっぷり

（1）強調表示の内容と栄養成分

　栄養成分の強調表示は「補給ができる旨」「適切な摂取ができる旨」「添加していない旨」に分けられます。これらの強調表示を使う場合、栄養成分とその成分量によって表示できる場合と、できない場合があります。

①補給ができる旨の強調表示ができる条件

　「補給ができる旨」とは「高い旨」「含む旨」「強化された旨」の3つの内容に使い分けられます。これらが使える栄養成分はたんぱく質、食物繊維、ミネラル類、ビタミン類です。

たんぱく質、食物繊維 【ミネラル類】 亜鉛、カリウム、カルシウム、鉄、銅、マグネシウム 【ビタミン類】 ナイアシン、パントテン酸、ビオチン、ビタミンA、ビタミンB_1、ビタミンB_2、ビタミンB_6、ビタミンB_{12}、ビタミンC、ビタミンD、ビタミンE、ビタミンK、葉酸

　食品表示基準には「高い旨」「含む旨」「強化された旨」の表示の基準値（別表第12）が栄養成分ごとに決められています。この基準値以上の成分量があ

れば、それぞれの強調表示が使用できます。

＜高い旨の表示の基準値＞

　高い旨の強調表示としては、「高」「多い」「豊富」「たっぷり」などがあります。別表第12を見ると、例えば、たんぱく質の基準値は食品100g当たり16.2g、液状の食品では100ml当たり8.1gです。

　仮に食品100g当たり16.2g以上のたんぱく質が入っている食品ならば、たんぱく質について「高」「多」「豊富」「強化」「増」「たっぷり」などの強調表示が使えます。

＜含む旨の表示の基準値＞

　含む旨は、「源」「供給」「含む」「入り」「含有」「使用」「添加」といった強調表示が使用できます。含む旨のたんぱく質の基準値は食品100g当たり8.1gです。したがって、この基準値以上のたんぱく質が含まれていれば、「源」「添加」などの強調表示ができます。

＜強化された旨の表示の相対的な値＞

　強化された旨の強調表示は「○％（g）強化」「増」「アップ」「プラス」などです。これらを見て分かるように、強化された旨とは比較対象品に比べて栄養成分の量がどれだけ増えたのかで、判断されます。

　ただし、たんぱく質と食物繊維は比較対象品より増加した成分量が基準値以上であり、なおかつその増加割合が25％以上という条件を満たせば、これらの強調表示ができます。

　例えば、食物繊維は比較対象品より増加量が3g以上あり、その増加割合が25％以上ならば強調表示ができます。

別表第12：栄養強調表示の基準値（高い旨、含む旨および強化された旨）

栄養成分	高い旨の表示の基準値		含む旨の表示の基準値		強化された旨の表示の基準値	
	食品100g当たり（括弧内は、一般に飲用に供する液状の食品100ml当たりの場合）	100kcal当たり	食品100g当たり（括弧内は、一般に飲用に供する液状の食品100ml当たりの場合）	100kcal当たり	食品100g当たり（括弧内は、一般に飲用に供する液状の食品100ml当たりの場合）	
たんぱく質	16.2g (8.1g)	8.1g	8.1g (4.1g)	4.1g	8.1g (4.1g)	

食物繊維	6g (3g)	3g	3g (1.5g)	1.5g	3g (1.5g)
亜鉛	2.64mg (1.32mg)	0.88mg	1.32mg (0.66mg)	0.44mg	0.88mg (0.88mg)
カリウム	840mg (420mg)	280mg	420mg (210mg)	140mg	280mg (280mg)
カルシウム	204mg (102mg)	68mg	102mg (51mg)	34mg	68mg (68mg)
鉄	2.04mg (1.02mg)	0.68mg	1.02mg (0.51mg)	0.34mg	0.68mg (0.68mg)
銅	0.27mg (0.14mg)	0.09mg	0.14mg (0.07mg)	0.05mg	0.09mg (0.09mg)
マグネシウム	96mg (48mg)	32mg	48mg (24mg)	16mg	32mg (32mg)
ナイアシン	3.9mg (1.95mg)	1.3mg	1.95mg (0.98mg)	0.65mg	1.3mg (1.3mg)
パントテン酸	1.44mg (0.72mg)	0.48mg	0.72mg (0.36mg)	0.24mg	0.48mg (0.48mg)
ビオチン	15μg (7.5μg)	5μg	7.5μg (3.8μg)	2.5μg	5μg (5μg)
ビタミンA	231μg (116μg)	77μg	116μg (58μg)	39μg	77μg (77μg)
ビタミンB_1	0.36mg (0.18mg)	0.12mg	0.18mg (0.09mg)	0.06mg	0.12mg (0.12mg)
ビタミンB_2	0.42mg (0.21mg)	0.14mg	0.21mg (0.11mg)	0.07mg	0.14mg (0.14mg)
ビタミンB_6	0.39mg (0.20mg)	0.13mg	0.20mg (0.10mg)	0.07mg	0.13mg (0.13mg)
ビタミンB_{12}	0.72mg (0.36mg)	0.24mg	0.36mg (0.18mg)	0.12mg	0.24mg (0.24mg)
ビタミンC	30mg (15mg)	10mg	15mg (7.5mg)	5mg	10mg (10mg)
ビタミンD	1.65μg (0.83μg)	0.55μg	0.83μg (0.41μg)	0.28μg	0.55μg (0.55μg)

ビタミンE	1.89mg (0.95mg)	0.63mg	0.95mg (0.47mg)	0.32mg	0.63mg (0.63mg)
ビタミンK	45μg (22.5μg)	30μg	22.5μg (11.3μg)	7.5μg	15μg (15μg)
葉酸	72μg (36μg)	24μg	36μg (18μg)	12μg	24μg (24μg)

②適切な摂取ができる旨の強調表示ができる条件

「適切な摂取ができる旨」とは「含まない旨」「低い旨」「低減された旨」の3つの内容に分けることができます。これらの強調表示ができるのは熱量、脂質、飽和脂肪酸、コレステロール、糖類、ナトリウムです。食品表示基準の別表第13に、これらの基準値が設けられています。

熱量、脂質、飽和脂肪酸、コレステロール、糖類、ナトリウム

＜含まない旨の表示の基準値＞

含まない旨とは「無」「ゼロ」「ノン」「レス」といった強調表示です。これらは対象となる栄養成分と熱量が、食品表示基準の別表第13にある基準値未満であれば、これらの強調表示を使うことができます。例えば、熱量が食品100g当たり5kcal未満であれば、「無」「ゼロ」といった強調表示が可能です。

＜低い旨の表示の基準値＞

低い旨の強調表示は「低」「控えめ」「少」「ライト」「ダイエット」などです。これらを使用したい場合は、食品表示基準の別表第13の低い旨の表示の基準値未満でなければいけません。例えば脂質が食品100g当たり3g未満であれば「控えめ」「ダイエット」などの強調表示が可能です。

＜低減された旨の表示の基準値＞

低減された旨の強調表示は、「○％（g）カット」「減」「オフ」「1／4」などがあります。これらの強調表示は、比較対象品に比べて低減された栄養成分の量が基準値以上であることと低減した量の割合が25％以上であることの2つの条件を満たす必要があります。

例えば熱量が比較対象品よりも40kcal以上低減され、その低減割合が25％以上ならば強調表示できます。

ただし例外規定があります。「みそ」「しょうゆ」はナトリウムを低減するのが難しいとされ、比較対象品よりもナトリウムの含有量が「みそ」では15％

以上、「しょうゆ」は20%以上の低減割合であれば、ナトリウムを低減した強調表示を認めています。

別表第13：栄養強調表示の基準値（含まない旨、低い旨および低減された旨）

栄養成分及び熱量	含まない旨の表示の基準値	低い旨の表示の基準値	低減された旨の表示の基準値
	食品100g当たり（括弧内は、一般に飲用に供する液状の食品100ml当たりの場合）	食品100g当たり（括弧内は、一般に飲用に供する液状の食品100ml当たりの場合）	食品100g当たり（括弧内は、一般に飲用に供する液状の食品100ml当たりの場合）
熱量	5kcal（5kcal）	40kcal（20kcal）	40kcal（20kcal）
脂質	0.5g（0.5g）	3g（1.5g）	3g（1.5g）
飽和脂肪酸	0.1g（0.1g）	1.5g（0.75g）ただし、当該食品の熱量のうち飽和脂肪酸に由来するものが当該食品の熱量の10%以下であるものに限る。	1.5g（0.75g）
コレステロール	5mg（5mg）ただし、飽和脂肪酸の量が1.5g（0.75g）未満であって当該食品の熱量のうち飽和脂肪酸に由来するものが当該食品の熱量の10%未満のものに限る。	20mg（10mg）ただし、飽和脂肪酸の量が1.5g（0.75g）以下であって当該食品の熱量のうち飽和脂肪酸に由来するものが当該食品の熱量の10%以下のものに限る。	20mg（10mg）ただし、飽和脂肪酸の量が当該他の食品に比べて低減された量が1.5g（0.75g）以上のものに限る。
糖類	0.5g（0.5g）	5g（2.5g）	5g（2.5g）
ナトリウム	5mg（5mg）	120mg（120mg）	120mg（120mg）

備考
①ドレッシングタイプ調味料（いわゆるノンオイルドレッシング）について、脂質の「含まない旨の表示」については「0.5g」を、「3g」とする。
②1食分の量を15g以下である旨を表示し、かつ、当該食品中の脂肪酸の量のうち飽和脂肪酸の量の占める割合が15%以下である場合、コレステロールに係る含まない旨の表示および低い旨の表示のただし書きの規定は、適用しない。

③比較対象品を記載して強化された旨、低減された旨を強調表示する条件

　強化された旨、低減された旨の強調表示は比較対象品に対してどれだけ増量、低減したか、その相対値を表示します。この場合、どのような食品と比較するのか、比較対象品が何であるのかを記載する必要があります。

　例えば、「自社従来品」「七訂増補日本食品標準成分表」「コーヒー飲料標準品」など、比べる食品を選び、その名称を記載した上で、「○％増量」「△割カット」などの強調表示が可能になります。

　この場合、同じ食品単位で比較していることを表示する必要があります。例えば、スティックタイプのインスタントコーヒーで「カロリーハーフ」と表示する場合は、「当社の○○コーヒーに比べて１杯当たりのカロリーが２分の１になります」などとします。

　比較対象品、増量や増量割合を記載せずに単に「高い」などと表示がなされた場合は、強化された旨の表示ではなく、高い旨の表示となります。

　低減された旨の強調表示も同様です。比較対象品、低減量や低減割合を記載せずに単に「低」などの表示がなされた場合は、低減された旨の表示ではなく、低い旨の表示となります。

　もちろん、高い旨、低い旨の基準値を満たしている必要があります。

④糖類、ナトリウム塩を添加していない旨の強調表示の条件

　糖類、ナトリウム塩の２つの栄養成分は一定の条件が満たされた場合に、これらを添加していない旨の無添加などの強調表示を行うことができます。

糖類、ナトリウム塩

＜糖類を添加していない旨の強調表示＞

　ここで言う糖類とは、果物などに含まれるブドウ糖や果糖の単糖類、麦芽糖やショ糖などの二糖類のことです。糖類を添加していない旨の表示は「糖類無添加」「砂糖不使用」その他これに類する表示をいいます。

　ただし、糖類を添加していない旨の強調表示ができるのは、次に掲げる要件の全てに該当する場合になります。

・いかなる糖類も添加されていないこと。
・糖類に代わる原材料または添加物を使用していないこと。糖類に代わる原材料とはジャム、ゼリー、甘味の付いたチョコレート、甘味の付いた果実片、非還元濃縮果汁、乾燥果実ペーストなどのことです。

・酵素分解その他何らかの方法により、当該食品の糖類含有量が原材料および添加物に含まれていた量を超えていないこと。
・当該食品の100gもしくは100mlまたは1食分、1包装その他の1単位当たりの糖類の含有量を表示していること。

<ナトリウム塩を添加していない旨の強調表示>

ナトリウム塩を添加していない旨の表示は「食塩無添加」その他これに類する表示をいいます。

ただし、ナトリウム塩を添加していない旨の強調表示ができるのは、次に掲げる要件の全てに該当する場合になります。

・いかなるナトリウム塩も添加されていないこと。ただし、食塩以外のナトリウム塩を技術的目的で添加する場合であって、当該食品に含まれるナトリウムの量が別表第13の第3欄に定める基準値以下であるときは、この限りではありません。
・ナトリウム塩に代わる原材料または添加物を使用していないこと。具体的にはウスターソース、ピクルス、ペパローニ、しょう油、塩蔵魚、フィッシュソースなどのことです。

(2)「うす塩味」と「塩分ひかえめ」の違い

栄養成分表示に基づいた強調表示は、あくまで成分ごとに決められた基準値などをもとにして表示されるものです。しかし、表現によっては栄養成分表示の対象にならないものがあります。

たとえば、「うす塩味」と「塩分ひかえめ」の表示です。どちらも同じような意味に思えますが、「うす塩味」という表記は、栄養成分表示とは無関係なものです。

というのも、「うす塩味」は塩分の量ではなく、味覚のことを指しているためです。味覚には個人差が非常にあります。味覚に訴える「うす塩味」「塩味ひかえめ」「甘さひかえめ」のような表示は、栄養表示には当たりません。

一方、「うす塩」「あさ塩」「減塩」「塩分ひかえめ」「あま塩」などの表示は、栄養表示の対象となります。

いずれにせよ、栄養成分表示に基づく強調表示はできるだけ、消費者に誤解を与えない表現に努めるべきでしょう。

第 ⑪ 章

保健機能食品の表示のしくみ

1. 健康増進法と食品表示基準で制度化された食品と健康

　私たちが毎日食べている野菜、果物、肉、魚などの生鮮食品や、缶詰、レトルト食品などの加工食品のことを一般食品と呼んでいます。
　これに対して、いわゆる健康食品といわれるものもあります。栄養補助食品、健康補助食品、サプリメントなどの名称で呼ばれています。しかし、健康食品という分類は法律で定義されているわけではありません。分類でいえば一般食品に入ります。
　その一方、法律で規定されているのが保健機能食品です。

1） 保健機能食品とは

　保健機能食品は食品表示法における食品表示基準で規定されています。ある一定の条件を満たした食品について、食品の機能性の表示を認めています。
　もともとは健康増進法によって、国への許可などの必要性や食品の目的、機能などの違いによって特定保健用食品、栄養機能食品が制度化されていました。現在はこれらのほかに機能性表示食品が追加されています。

2） 病者や妊産婦向けなどの特別用途食品

　健康増進法で規定されたものの中に特別用途食品があります。特別用途食品は「病者用」「妊産婦、授乳婦用」「乳児用」「えん下困難者用」「特定保健用」と、その特別の用途によって区分されています。
　アレルギーのある人向けのアレルギーの原因を取り除いたアレルゲン除去食品、えん下が困難な人向けのペースト状やゼリー状のえん下困難者用食品などのように、特別の用途に適する旨の表示をしようとする場合は、健康増進法に基づく国の許可を得ることが必要です。
　ちなみに、特定保健用食品は特別用途食品と保健機能食品の両方の制度に位置づけられています。

＜一般食品、保健機能食品、特別用途食品の分類＞

一般食品	生鮮食品	農産物、水産物、畜産物
	加工食品	製造または加工された食品
	いわゆる健康食品	健康補助食品、栄養補助食品、サプリメントなど
保健機能食品	機能性表示食品	機能性表示食品であることを科学的に示す根拠があり、当該成分などを含有する食品。消費者庁長官に届け出が必要
	栄養機能食品	脂肪酸、ビタミンCなどのビタミン類、カルシウムなどのミネラル類の補給のための食品
特別用途食品	特定保健用食品	虫歯の予防、血圧、血糖値、中性脂肪の低下など、健康の維持・増進のための食品。特定の保健の目的の表示には消費者庁長官の許可が必要
	病者、えん下困難者、妊産婦、乳児向けなどの食品	アレルゲン除去食品、えん下困難者用食品、低たんぱく質食品など。特別の用途の表示には消費者庁長官の許可が必要

2. 保健機能食品の表示のしくみ

　保健機能食品は平成13年4月に健康増進法、食品衛生法に基づいて制度化されました。おなかの調子を整えたり、脂肪の吸収をゆるやかにしたりするなど、特定の保健の目的が期待できる機能を持つものを保健機能食品としています。

　これに該当するのは、特定保健用食品、栄養機能食品に加えて、平成27年4月から制度化された機能性表示食品の3種類であり、食品表示基準に基づきそれぞれの表示の内容がルール化されています。以下に、その解説をしていきます。

1）特定保健用食品

　特定保健用食品は「トクホ」の愛称で呼ばれる保健機能食品の1つです。健康増進法によって、「食生活において特定の保健の目的で摂取する者に対し、その摂取により当該保健の目的が期待できる旨の表示をする食品」と、定義づけられています。

　「お腹の調子を整えたい」「血圧が高いから、血圧を上げないような食品を食べたい」「血糖値も上げたくない」などの病気ではないけれども、体調を維持したい人、健康を増進したい人たちに向けて作られたのが特定保健用食品です。

　健康増進法に基づき、消費者庁長官の許可などを受けることで「特別の用途」の1つである「特定の保健の用途」に適する旨の表示を行うことができます。

（1）特定保健用食品とは何か

　特定保健用食品を販売するためには、本当に血圧や、お腹の調子を整えることができるのかを、証明しなければいけません。そのデータなどをもって、消費者庁長官に申請し、許可されれば特定保健用食品として販売することができます。

これまで許可された特定保健用食品としては、お腹の調子を整えるための食品、血圧が高めの人向けの食品、血糖値が気になる人向けの食品、あるいはミネラルの吸収を助ける食品、血液中の中性脂肪を抑える食品や歯の健康維持等に役立つ食品などがあります。

- お腹の調子を整える食品
- 血圧が高めの人向けの食品
- コレステロールが高めの人向けの食品
- 血糖値が気になる人向けの食品
- ミネラルの吸収を助ける食品
- 食後の血清中性脂肪の上昇を抑える食品
- 虫歯の原因になりにくい食品
- 歯の健康維持に役立つ食品
- 骨の健康が気になる人向けの食品

　清涼飲料水や納豆、ビスケットなどの食品のほかに、錠剤やカプセルに入ったものもあります。
　もちろん、これらはあくまで食品であって、医薬品ではありません。ですから、「高血圧が治る」などと医薬品と間違えられるような表示はできません。

（2）表示すべき内容

　許可を受けた食品の容器包装には、消費者庁許可の特定保健用食品の文字とマークが表示されています。
　マークの他に表示すべき内容は次のとおりです。

- 特定保健用食品である旨
- 許可等を受けた表示の内容
- 栄養成分（関与成分を含む）の量および熱量
- 1日当たりの摂取目安量
- 摂取の方法
- 摂取する上での注意事項
- バランスのとれた食生活の普及啓発を図る文言
- 関与成分について栄養素等表示基準値が示されているものは、1日当たりの摂取目安量の栄養素等表示基準値に対する割合
- 調理又は保存の方法に関し特に注意を必要とするものは、その注意事項

　サンプルとして掲げたのは特定保健用食品の表示例です。●印の部分とマー

クが特定保健用食品として表示しなければいけない内容です。

```
●特定保健用食品
  商品名：〇〇〇〇
  名　　称：〇〇加工食品
  原材料名：〇〇、〇〇、〇〇
  賞味期限：枠外右下に記載
  内　容　量：〇〇g
●許可表示内容：腸内の〇〇を適正に増やし、お腹の調子を良好に保つ飲料です。
●栄養成分表示：1袋当たり
  熱量〇〇kcal　たんぱく質〇〇g　脂質〇〇g　炭水化物〇〇g
  食塩相当量〇〇mg　関与成分〇〇g
●1日当たりの摂取目安量：1日2袋を目安にお召し上がりください。
●摂取方法：水に溶かしてお召し上がりください。
●摂取上の注意事項：飲み過ぎあるいは体質・体調によりお腹がゆるくなることがあります。
●調理又は保存方法：直射日光を避け、涼しいところに保存してください。
  販売者：〇〇株式会社　東京都〇〇〇
●1日当たり摂取目安量の栄養素等表示基準値に占める割合：△△％
●食生活は主食、主菜、副菜を基本に食事のバランスを。
```

（消費者庁許可　特定保健用食品）

（3）許可表示内容と摂取上の注意事項

　特定保健用食品の表示でポイントとなるのは、食品に含まれるどのような成分が関与するのか、その食品を摂取することによりどのような健康の維持や増進に役立つのか、その内容と、摂取する上での注意事項です。

　許可表示内容には健康の維持や増進に関わる成分と、その保健の目的が記載してあります。摂取上の注意事項は、その食品のとりすぎによる影響などが書かれています。

　許可表示内容と摂取上の注意事項は、各メーカーが特定保健用食品として許可されたときに、申請した内容がそのまま掲載されています。このため、商品ごとにその内容は異なっています。

　実際にどのような特定保健用食品が許可されているのかを知りたい場合は、消費者庁のホームページにある「特定保健用食品許可（承認）品目一覧」で調べることができます。許可された食品ごとに、商品名、申請者、食品の種類、関与成分、許可を受けた表示の内容、摂取をする上での注意事項などがリスト

化されています。
　なお次に、許可表示内容と摂取上の注意事項の見本をあげます。

> ＜許可表示内容＞
> 　腸内の〇〇〇〇〇菌を適正に増やし、お腹の調子を良好に保つ飲料です。
> ＜摂取上の注意事項＞
> 　飲み過ぎあるいは体質・体調によりお腹がゆるくなることがあります。

（4）どのような成分が関与するのか

　これまで許可された特定保健用食品は、主に次のような内容のものがあります。それぞれの食品と、関与している代表的な成分を目的別に解説していきます。

①お腹の調子を整える食品

　お腹の調子を整える食品の関与成分としては、キシロオリゴ糖などの各種オリゴ糖、乳酸菌、寒天からとった食物繊維、小麦ふすま、ビール酵母から作る食物繊維、ラクチュロース、ポリデキストロース（食物繊維）などがあります。
　オリゴ糖はぶどう糖や果糖などがつながったもので、例えばキシロオリゴ糖、フラクトオリゴ糖、大豆オリゴ糖、ガラクトオリゴ糖などがあります。ラクチュロースは乳糖から抽出したオリゴ糖です。
　オリゴ糖や食物繊維などの働きで、腸内のビフィズス菌や乳酸菌を増やす清涼飲料水や、グァーガム分解物を主な原料にした粉末清涼飲料水があります。グァーガム分解物はグァー豆の種の成分を分解して作った食物繊維です。
　この他に、ガラクトオリゴ糖の入ったテーブルシュガー、生きたままの乳酸

菌が入ったはっ酵乳、オリゴ糖の入った炭酸飲料・乳酸菌飲料などがあります。食物繊維（難消化性デキストリン）を含んだ風味かまぼこもあります。

<関与する成分>

> キシロオリゴ糖などの各種オリゴ糖、乳酸菌、寒天からとった食物繊維、小麦ふすま、ビール酵母から作る食物繊維、ラクチュロース、ポリデキストロース（食物繊維）など

②血圧が高めの人向けの食品

　血圧が高めの人の食品もあります。関与する成分としては、杜仲葉配糖体、カゼインドデカペプチド、かつお節オリゴペプチド、ラクトトリペプチドなどがあります。

　杜仲葉配糖体は、漢方として使われる杜仲葉に多く含まれるゲニポシド酸のことです。血管を広げて血圧を抑える働きがあり、清涼飲料水に使われています。

　かつお節オリゴペプチドを配合したものには、粉末みそ汁、粉末清涼飲料水、乾燥スープなどがあります。その名のとおり、かつお節からとったもので、ペプチドとはアミノ酸がつながったもののことを意味します。

　カゼインドデカペプチドは牛乳に含まれるたんぱく質の一種であるカゼインから作られるもので、苦みがあります。血圧の上昇を抑制する働きがあります。食品としては清涼飲料水などがあります。

　ラクトトリペプチドも牛乳のたんぱく質の一種であるカゼインから作られます。お菓子や乳酸菌飲料に使われています。

<関与する成分>

> 杜仲葉配糖体、カゼインドデカペプチド、かつお節オリゴペプチド、ラクトトリペプチドなど

③コレステロールが高めの人向けの食品

　脂肪分をとりすぎると、血液中のコレステロールが増加し、いろいろな病気の原因になります。コレステロールの吸収を抑えるのがこの食品の目的です。関与する成分としては、大豆たんぱく質、キトサン、サイリウム種皮由来の食物繊維、リン脂質結合大豆ペプチド、植物ステロールなどがあります。

　サイリウム種皮は、オオバコ科の植物サイリウムの種の皮のことで、水にとけやすい食物繊維です。お腹の調子を整えると同時に、コレステロールの吸収

を抑えます。食品としては粉末清涼飲料水があります。

　水溶性食物繊維（低分子化アルギン酸ナトリウム）もコレステロールの吸収をしにくくし、お腹の調子を整える働きがあります。清涼飲料水に使われています。

　キトサンを含んだビスケットもあります。かにやえびの甲殻、いかや貝などに含まれるキチン質から取り出したものがキトサンです。

　大豆たんぱく質はコレステロールを低下させる働きがあります。ウインナーソーセージ、フランクフルトソーセージ、スープなどの食品があります。

　植物ステロールは大豆などから抽出する糖アルコールの一種です。血液中の悪玉コレステロールを下げる性質があり、マーガリンなどに使われています。

　リン脂質結合大豆ペプチドは大豆から作られた成分で、粉末飲料に使われています。

<関与する成分>

> 大豆たんぱく質、キトサン、サイリウム種皮由来の食物繊維、リン脂質結合大豆ペプチド、植物ステロールなど

④血糖値が気になる人向けの食品

　一般に、食事をした後は血糖値が上昇します。難消化性デキストリン、グァバ葉ポリフェノール、小麦アルブミン、L-アラビノースなどの成分は、糖の吸収をおだやかにする作用があります。

　難消化性デキストリン入りの清涼飲料水や充てん豆腐、グァバ葉ポリフェノールを含む清涼飲料水、小麦アルブミン入りの粉末スープ、L-アラビノース入りのテーブルシュガーがあります。

　難消化性デキストリンはジャガイモを分解して作った、水に溶けやすい食物繊維です。お腹の調子を整える効果とともに、血糖値に作用します。

　小麦に含まれる水溶性のたんぱく質を小麦アルブミンといいます。これも糖質の消化吸収をおだやかにする働きがあります。

　天然素材のL-アラビノースは、サトウダイコンから砂糖をしぼった後のパルプ（シュガービートパルプ）を、加水分解して作られたものです。砂糖（ショ糖）の消化・吸収をおだやかにします。

<関与する成分>

> 難消化性デキストリン、グァバ葉ポリフェノール、小麦アルブミン、L-アラビノースなど

⑤ミネラルの吸収を助ける食品

　一般的にカルシウムは、消化器内で酸やアルカリの影響を受けて、吸収されにくくなります。それを吸収しやすくするのがこの食品の目的です。関与する成分としては、CCM（クエン酸リンゴ酸カルシウム）、CPP（カゼインホスホペプチド）、フラクトオリゴ糖、ヘム鉄などがあります。

　CCMは、カルシウムに食品に使われるクエン酸とリンゴ酸をある一定の割合で混ぜたものです。こうするとカルシウムがいつも溶けた状態になり、吸収されやすくなります。清涼飲料水に使われています。

　CPPは、牛などの乳を原料にして作られた成分です。これをカルシウムや鉄などと結びつけた状態にして食品に入れると、吸収されやすくなります。食品としては、清涼飲料水、豆腐があります。

　フラクトオリゴ糖は砂糖から作られます。身体の中に入ると消化されずに大腸まで到達し、そこで酸に変わります。この酸がカルシウムを溶かして、吸収しやすい形にしてくれます。錠剤形のお菓子や乳飲料、麦芽飲料があります。

　身体に吸収しやすい形にした鉄分をヘム鉄といいます。動物の血液中にあるヘモグロビンを原料にしたものから作られています。

<関与する成分>

CCM（クエン酸リンゴ酸カルシウム）、CPP（カゼインホスホペプチド）、フラクトオリゴ糖、ヘム鉄など

⑥食後の血清中性脂肪の上昇を抑える食品

　食後の血液中の中性脂肪の上昇を抑える食品もあります。関与する成分は、グロビンたんぱく分解物、EPA（イコサペンタエン酸）、DHA（ドコサヘキサエン酸）などです。

　グロビンたんぱく分解物は、赤血球のヘモグロビンに含まれるグロビンというたんぱく質を、酵素分解して作ったもので、中性脂肪の吸収を抑え、分解を促す効果があります。食品としては清涼飲料水があります。

　中性脂肪を低下させる働きのあるものに、EPA、DHAがあります。EPAはいわし、さばなどの油に多く含まれている不飽和脂肪酸の1つです。DHAも不飽和脂肪酸の1つですが、まぐろに豊富に含まれています。EPA、DHA入りの清涼飲料水があります。

<関与する成分>

グロビンたんぱく分解物、EPA（イコサペンタエン酸）、DHA（ドコサヘキサエン酸）など

⑦虫歯の原因になりにくい食品

　虫歯の原因になりにくいチョコレート、キャンディ、ガムなどがあります。関与する成分は、マルチトール（還元麦芽糖水飴）、パラチノース、茶ポリフェノール、還元パラチノース、エリスリトールです。

　マルチトール、還元パラチノース、エリスリトールは糖アルコールの一種です。これらはでんぷん、ぶどう糖などから作られるもので、甘味料として使われています。カロリーが低く、虫歯の原因になりにくいのが特徴です。

　パラチノースと茶ポリフェノールを原料に使ったチョコレートもあります。パラチノースは砂糖をもとにして作られます。茶ポリフェノールはお茶に含まれる物質の総称で、渋みのもとになるカテキン、エピカテキンなどがあります。

<関与する成分>

マルチトール（還元麦芽糖水飴）、パラチノース、茶ポリフェノール、還元パラチノース、エリスリトール

⑧歯の健康維持に役立つ食品

　虫歯になりにくくする物質や、歯の表面を修復する働きをもつ食品もあります。関与する成分は、CPP-ACP（カゼインホスホペプチド・非結晶リン酸カルシウム複合体）、キシリトール、マルチトール、リン酸一水素カルシウム、フクロノリ抽出物（フノラン）、還元パラチノースがあります。

　CPP-ACPは、牛乳のたんぱく質であるカゼインと無機質（非結晶性リン酸カルシウム）からできた物質です。歯のエナメル質が溶けるのを抑えるだけでなく、溶けた歯を修復する働き（再石灰化）があります。商品としてはガムがあります。

　キシリトール、フクロノリ抽出物、リン酸一水素カルシウムを配合したガムもあります。キシリトールは糖アルコールの1つで、白樺やとうもろこしの芯から作ります。フクロノリ抽出物は、海藻のフクロノリから抽出した物質です。主成分は多糖類です。リン酸一水素カルシウムは、食品添加物の1つです。これらを一緒にすると、歯の再石灰化を増強する働きがあります。

＜関与する成分＞

CPP-ACP（カゼインホスホペプチド・非結晶リン酸カルシウム複合体）、キシリトール、マルチトール、リン酸一水素カルシウム、フクロノリ抽出物（フノラン）、還元パラチノース

⑨骨の健康が気になる人向けの食品

　女性の場合、女性ホルモンが少なくなると、骨がすかすかになる骨そしょう症にかかるケースがあります。この分野の食品は、女性ホルモンの代わりとなるものを含んでいるものがあり、それによって症状を抑えようというものです。

　関与する成分としては、大豆イソフラボン、乳塩基性たんぱく質があります。

　大豆やカカオ、ぶどう、野菜などはフラボノイドという物質を多く含んでいます。大豆イソフラボンはその仲間です。大豆の「えぐみ」の成分として知られています。

　大豆イソフラボンは女性ホルモンのエストロゲンと似たような作用をもっており、骨が弱くなるのを抑える働きがあります。大豆イソフラボンの入った清涼飲料水などがあります。

　乳塩基性たんぱく質は牛の乳や母乳に含まれる天然のたんぱく質で、骨の密度を高める働きがあります。

＜関与する成分＞

大豆イソフラボン、乳塩基性たんぱく質

2）栄養機能食品

　栄養機能食品は、ビタミン類やミネラル類などの栄養補給のための食品です。身体の健全な成長、発達、健康の維持に必要な栄養成分の補給・補完を目的としたもので、ビタミンCや鉄分が不足気味だから補いたい、そういった

人たちに向けた食品です。国の許可は必要ありません。

これらはあくまで食品であって、医薬品や医薬部外品ではありません。治療が目的ではないのです。そこを間違えないでください。

（1）ビタミンやミネラルなどを補う食品

私たちが健康な生活を送るためには、ビタミンやミネラルなどの栄養成分をきちんととる必要があります。しかし、忙しい毎日の生活の中では、思うようにはいきません。このため不足した栄養成分を補うことを目的として登場したのが栄養機能食品です。

栄養機能食品の表示が認められるのは、1種類の脂肪酸、6種類のミネラルおよび13種類のビタミンです。

国では栄養機能食品の対象となる栄養成分について、人が1日に摂取する目安となる基準（上限値と下限値）を設けています。この基準に合えば、許可の申請をしなくとも、「栄養機能食品」と表示して、販売することができます。

栄養機能食品の対象となる栄養成分は表のとおりです。

＜栄養機能食品の対象となる栄養成分の種類＞

脂肪酸	n-3系脂肪酸
ミネラル類	カルシウム、鉄、マグネシウム、銅、亜鉛、カリウム
ビタミン類	ビタミンA、ビタミンD、ビタミンE、ビタミンB_1、ビタミンB_2、ビタミンB_6、ビタミンB_{12}、ナイアシン、葉酸、ビオチン、パントテン酸、ビタミンC、ビタミンK

（2）表示しなければいけない項目

対象となったビタミン、ミネラルなどについて栄養機能食品として販売するためには、特別な許可をもらう必要はありません。しかし、栄養機能食品として販売するためには、守らなければいけない表示ルールがあります。

①表示すべき内容

栄養機能食品として表示しなければいけない内容は、次のとおりです。

- 栄養機能食品である旨および機能表示する栄養成分の名称
- 栄養成分の機能
- 栄養成分の量および熱量（1日当たりの摂取目安量当たりの量）

- 1日当たりの摂取目安量
- 摂取の方法
- 摂取する上での注意事項（注意喚起表示）
- 1日当たりの摂取目安量に含まれる機能表示を行う栄養成分の栄養素等表示基準値に占める割合
- バランスの取れた食生活の普及啓発を図る文言
- 消費者庁長官の個別審査を受けたものではない旨
- 栄養素等表示基準値の対象年齢および基準熱量に関する文言
- 調理又は保存の方法に関し特に注意を必要とするものは、その注意事項
- 特定の対象者に対し注意を必要とするものは、その注意事項

　では、具体的に栄養機能食品はどのようにして必要な事項を表示しているのでしょうか。サンプルとしてあげているのはビタミンCの栄養機能食品です。●印の部分が栄養機能食品として表示しなければならない内容です。それぞれの表示すべき内容を項目別に解説していきます。

●栄養機能食品（ビタミンC）
●ビタミンCは、皮膚や粘膜の健康維持を助けるとともに、抗酸化作用を持つ栄養素です。
　商　品　名：○○
　名　　　称：ビタミンC含有食品
　原 材 料 名：○○、○○、○○・・・○○
　賞 味 期 限：枠外右下に記載
　内　容　量：○○g（1粒○○g×○○粒）
　販　売　者：○○○株式会社　東京都○○区○○
●栄養成分表示：2粒当たり
　エネルギー：○○kcal　たんぱく質：○○g　脂質○○g
　炭 水 化 物：○○g　食塩相当量：○○mg　ビタミンC：200mg
●1日当たりの摂取目安量：1日当たり2粒を目安
●1日当たりの摂取目安量に含まれる機能表示を行う栄養成分の栄養素等表示基準値（18歳以上、基準熱量2,200kcal）に占める割合：ビタミンC　500%
●摂取の方法：そのままかむか、あるいは十分な水と一緒にお召し上がりください。
●摂取する上での注意事項：本品は、多量摂取により疾病が治癒したり、より健康が増進するものではありません。1日の摂取目安量を守ってください。
●調理又は保存の方法：保存は高温多湿を避け、開封後キャップをしっかりしめてお早めにお召し上がりください。
●食生活は、主食、主菜、副菜を基本に、食事のバランスを。
●本品は、特定保健用食品と異なり、消費者庁長官による個別審査を受けたものではありません。

②栄養成分の名称を併記

栄養機能食品はこの商品が「栄養機能食品」であること、並びに機能表示を行う栄養成分を「栄養機能食品」の後に括弧を付けて併記する必要があります。サンプルでは以下の項目がそれに相当します。

> 栄養機能食品（ビタミンC）

複数の栄養成分が含まれている場合は次のように表示します。

> 栄養機能食品（ビタミンD、ビタミンE）

含まれている栄養成分が4つ以上の場合は、任意の3つを表示してください。

③栄養成分の機能を表示すること

サンプル例では栄養機能表示として、次のような記載があります。

> ビタミンCは、皮膚や粘膜の健康維持を助けるとともに、抗酸化作用を持つ栄養素です。

ビタミンCの働きをこの文章で消費者に伝えているわけです。文章の内容は栄養機能食品の対象となる栄養成分ごとに決まっています。

ビタミンAならば、「ビタミンAは、夜間の視力の維持を助ける栄養素です。ビタミンAは、皮膚や粘膜の健康維持を助ける栄養素です」と記載します。

ビタミンB_1ならば、「ビタミンB_1は、炭水化物からのエネルギー産生と皮膚や粘膜の健康維持を助ける栄養素です」と表示します。勝手に文章を作ってはいけません。

<脂肪酸、ミネラル類およびビタミン類の栄養機能表示>

名　称	栄　養　機　能　表　示
n-3系脂肪酸	n-3系脂肪酸は、皮膚の健康維持を助ける栄養素です。
カルシウム	カルシウムは、骨や歯の形成に必要な栄養素です。
鉄	鉄は、赤血球を作るのに必要な栄養素です。

マグネシウム	マグネシウムは、骨や歯の形成に必要な栄養素です。 マグネシウムは、多くの体内酵素の正常な働きとエネルギー産生を助けるとともに、血液循環を正常に保つのに必要な栄養素です。
銅	銅は、赤血球の形成を助ける栄養素です。 銅は、多くの体内酵素の正常な働きと骨の形成を助ける栄養素です。
亜鉛	亜鉛は、味覚を正常に保つのに必要な栄養素です。 亜鉛は、皮膚や粘膜の健康維持を助ける栄養素です。 亜鉛は、たんぱく質・核酸の代謝に関与して、健康の維持に役立つ栄養素です。
カリウム	カリウムは、正常な血圧を保つのに必要な栄養素です。
ナイアシン	ナイアシンは、皮膚や粘膜の健康維持を助ける栄養素です。
パントテン酸	パントテン酸は、皮膚や粘膜の健康維持を助ける栄養素です。
ビオチン	ビオチンは、皮膚や粘膜の健康維持を助ける栄養素です。
ビタミンA	ビタミンAは、夜間の視力の維持を助ける栄養素です。 ビタミンAは、皮膚や粘膜の健康維持を助ける栄養素です。
ビタミンB_1	ビタミンB_1は、炭水化物からのエネルギー産生と皮膚や粘膜の健康維持を助ける栄養素です。
ビタミンB_2	ビタミンB_2は、皮膚や粘膜の健康維持を助ける栄養素です。
ビタミンB_6	ビタミンB_6は、たんぱく質からのエネルギー産生と皮膚や粘膜の健康維持を助ける栄養素です。
ビタミンB_{12}	ビタミンB_{12}は、赤血球の形成を助ける栄養素です。
ビタミンC	ビタミンCは、皮膚や粘膜の健康維持を助けるとともに、抗酸化作用を持つ栄養素です。
ビタミンD	ビタミンDは、腸管でのカルシウムの吸収を促進し、骨の形成を助ける栄養素です。
ビタミンE	ビタミンEは、抗酸化作用により、体内の脂質を酸化から守り、細胞の健康維持を助ける栄養素です。
ビタミンK	ビタミンKは、正常な血液凝固能を維持する栄養素です。
葉酸	葉酸は、赤血球の形成を助ける栄養素です。 葉酸は、胎児の正常な発育に寄与する栄養素です。

④国が決めた１日当たりの摂取目安量に入っているか

　どんなにビタミンやミネラルが身体にいいからといって、大量にとってはかえって悪い影響を与えることがあります。栄養機能食品にも、当然、それは当てはまります。

　これらに関係する表示が、「栄養成分量および熱量」「１日当たりの摂取目安

量」「1日当たりの摂取目安量の栄養素等表示基準値に占める割合」です。

ビタミンCの表示例では、これらに関する表示が「栄養成分表示」「1日当たりの摂取目安量」「1日当たりの摂取目安量に含まれる機能表示を行う栄養成分の栄養素等表示基準値に占める割合」となっています。

＜各栄養成分の摂取目安量＞

栄養成分名	1日当たりの摂取目安量に含まれる栄養成分の上限値・下限値
n-3系脂肪酸	0.6g～2.0g
亜鉛	15mg～2.64mg
カリウム	840mg～2,800mg
カルシウム	600mg～204mg
鉄	10mg～2.04mg
銅	6.0mg～0.27mg
マグネシウム	300mg～96mg
ナイアシン	60mg～3.9mg
パントテン酸	30mg～1.44mg
ビオチン	500μg～15μg
ビタミンA	600μg～231μg
ビタミンB_1	25mg～0.36mg
ビタミンB_2	12mg～0.42mg
ビタミンB_6	10mg～0.39mg
ビタミンB_{12}	60μg～0.72μg
ビタミンC	1,000mg～30mg
ビタミンD	5.0μg～1.65μg
ビタミンE	150mg～1.89mg
ビタミンK	150μg～45μg
葉酸	200μg～72μg

機能表示を行う栄養成分には1日当たりの摂取目安量があります。国は栄養成分ごとに上限値と下限値を決めており、この範囲内に1日の摂取量が収まっている必要があります。例えば、ビタミンCの上限値は1,000mg、下限値は30mgです。

栄養素等表示基準値に占める割合は「日本人の食事摂取基準（2015年版）」

がもとになっています。機能表示を行う栄養成分の1日当たりの摂取量を、栄養素等表示基準値に対する割合（百分率または割合）で表します。例えばビタミンCの栄養素等表示基準値は100mgです。1日の摂取目安量が400mgのビタミンCを含む栄養機能食品ならば、ビタミンCの栄養素等表示基準値に占める割合は400％となります。

⑤摂取する上での注意事項を表示する

　表示項目には、「摂取の方法及び摂取する上での注意事項」があります。サンプル例では、「本品は、多量摂取により疾病が治癒したり、より健康が増進するものではありません。1日の摂取目安量を守ってください」となっています。

　この内容は、ビタミンCについての注意喚起です。注意喚起の内容は、カルシウム、ビタミンCなどの栄養成分ごとに決められています。その内容をそのまま記載しなければいけません。

⑥バランスのとれた食生活普及のための表示

　保健機能食品には、バランスのとれた食生活の普及啓発を進めるため、以下の文言を表示する義務があります。表示する箇所は容器包装の前面となっています。

> 食生活は、主食、主菜、副菜を基本に食事のバランスを。

⑦個別審査を受けていないと表示

　栄養機能食品の表示に必ず入れなければいけない文言があります。

> 本品は、特定保健用食品と異なり、消費者庁長官により個別審査を受けたものではありません。

　この文言は、共通して入れるべき項目です。あくまで責任は製造するメーカーにあることを消費者に伝えることが目的です。

＜各栄養成分の注意喚起表示＞

栄養成分	注意喚起表示
n-3系脂肪酸	本品は、多量摂取により疾病が治癒したり、より健康が増進するものではありません。1日の摂取目安量を守ってください。
カルシウム	〃
鉄	〃
ナイアシン	〃
パントテン酸	〃
ビオチン	〃
カリウム	本品は、多量摂取により疾病が治癒したり、より健康が増進するものではありません。1日の摂取目安量を守ってください。腎機能が低下している方は本品の摂取を避けてください。
ビタミンA	本品は、多量摂取により疾病が治癒したり、より健康が増進するものではありません。1日の摂取目安量を守ってください。妊娠3か月以内又は妊娠を希望する女性は過剰摂取にならないよう注意してください。
ビタミンB_1	本品は、多量摂取により疾病が治癒したり、より健康が増進するものではありません。1日の摂取目安量を守ってください。
ビタミンB_2	〃
ビタミンB_6	〃
ビタミンB_{12}	〃
ビタミンC	〃
ビタミンD	〃
ビタミンE	〃
ビタミンK	本品は、多量摂取により疾病が治癒したり、より健康が増進するものではありません。1日の摂取目安量を守ってください。血液凝固阻止薬を服用している方は本品の摂取を避けてください。
葉酸	本品は、多量摂取により疾病が治癒したり、より健康が増進するものではありません。1日の摂取目安量を守ってください。葉酸は、胎児の正常な発育に寄与する栄養素ですが、多量摂取により胎児の発育がよくなるものではありません。
マグネシウム	本品は、多量摂取により疾病が治癒したり、より健康が増進するものではありません。多量に摂取すると軟便（下痢）になることがあります。1日の摂取目安量を守ってください。乳幼児・小児は本品の摂取を避けてください。

銅	本品は、多量摂取により疾病が治癒したり、より健康が増進するものではありません。1日の摂取目安量を守ってください。乳幼児・小児は本品の摂取を避けてください。
亜鉛	本品は、多量摂取により疾病が治癒したり、より健康が増進するものではありません。亜鉛の摂り過ぎは、銅の吸収を阻害するおそれがありますので、過剰摂取にならないよう注意してください。1日の摂取目安量を守ってください。乳幼児・小児は本品の摂取を避けてください。

⑧表示する文字サイズの大きさ

栄養機能食品に関する表示事項は、8ポイント以上の文字の大きさで記載します。ただし、容器や包装の表示可能面積がおおむね150c㎡以下の場合は、5.5ポイント以上の文字で印刷してもかまいません。

⑨誤認を与える機能表示の禁止

栄養機能食品として機能の表示が認められているのは1種類の脂肪酸と19種類のミネラル、ビタミンであり、なおかつ、これらの含有量が基準を満たしている必要があります。

このため、機能表示を行う栄養成分や、商品に含有している他の成分について、消費者に誤認を与えるような機能表示や強調表示は認められません。例えば、ダイエット食品といった内容の表示や、含有する他の成分を強調する表示は禁止されています。

3）機能性表示食品

機能性表示食品は保健機能食品として、平成27年4月に創設された制度です。事業者が責任をもって、健康の維持や増進に役立つ特定の保健の目的が期待できることを科学的に裏付け、消費者庁長官に届け出れば食品に機能性を表示することができます。

機能性表示食品はあくまでも消費者庁長官に届け出たものであり、個別の許可を受けた食品ではありません。この点に注意してください。

（1）対象は容器包装に入った加工食品および生鮮食品

機能性表示食品の条件を満たせば機能性表示食品であることを表示できます。対象となるのは容器包装に入れられた加工食品、生鮮食品です。

ただし、一部例外があります。特別用途食品、栄養機能食品、アルコールを含有する飲料、栄養成分の過剰な摂取につながる食品は機能性表示食品の対象外になります。

「過剰な摂取」とは、例えば当該栄養成分の1日当たりの摂取量が健康増進法の食事摂取基準で定められている目標量を上回ってしまうなど、当該栄養素を必要以上に摂取するリスクが高くなるといった場合のことです。

（2）どうすれば機能性表示食品と表示できるのか

機能性表示食品はどのような機能性関与成分をもっているのか。その安全性、およびその機能性を裏付ける科学的な根拠を事業者が用意し、販売日の60日前までに消費者庁長官に届け出る必要があります。ただし、国はその安全性や機能性の審査を行いません。従って、事業者は消費者にそのことを伝える必要があります。

機能性表示食品として国に届け出た情報は、消費者庁のウェブサイトで公開されます。消費者が詳しい内容を知りたい場合はウェブサイトで確認できるようになっているわけです。

（3）どのような人たちを対象とする食品なのか

機能性表示食品の対象となる消費者は病気など、疾病にかかっていない人です。病気を煩っている人、未成年者や妊産婦、授乳婦は対象にはなりません。

（4）表示すべき内容

食品表示基準において、機能性表示食品の表示すべき内容は決められています。以下に、必要な表示項目と、主な項目の内容を説明します。なお、詳細は「食品表示基準について（別添　機能性表示食品）」（平成27年3月消食表第139号）を参照してください。

●機能性表示食品である旨

容器包装などに、通常、商品名が記載されている面に「機能性表示食品」と表示します。

●科学的な根拠

機能性表示食品であることを示す、科学的根拠を有する機能性関与成分および当該成分または当該成分を含有する食品が有する機能など、消費者庁長官に届け出た内容を表示します。

ただし、「診断」「予防」「治療」「処置」など、明らかに医薬品と誤認されるような内容を表示してはいけません。これらは加工食品、生鮮食品ともに同じ

です。
- ●1日当たりの摂取目安量当たりの栄養成分の量および熱量
  この表示項目は栄養成分表示を参照してください。
- ●1日当たりの摂取目安量当たりの機能性関与成分の含有量
  消費期限または賞味期限（生鮮食品の場合は販売期間）を通じて含有する値を栄養成分表示の次（枠外）に表示します。具体的には以下のように「機能成分関与成分」と項目を立て、一定の値または下限値および上限値により表示します。

機能性関与成分○○　△△g

　生鮮食品や単一の農林水産物のみを原材料とした加工食品の場合は、機能性関与成分の含有量にばらつきが生じることがあります。こういったケースでは以下のような注意書きが必要です。
　「○○（機能性関与成分）の含有量が一定の範囲内に収まるよう、栽培・出荷等の管理を実施しています。しかし、△△は生鮮食品ですので、□□（ばらつきの要因）などによって、○○（機能性関与成分）の含有量が、表示されている量を下回る場合があります。」

- ●1日当たりの摂取目安量
  消費者庁長官に届け出た内容を表示します。その場合、「1日摂取目安量」と簡略化して表示すること、「1日当たり○gを目安にお召し上がりください。」などの文章で表示することが可能です。
- ●届出番号
- ●食品関連事業者の連絡先
  食品関連事業者（原則として、届出者が想定される）の連絡先である旨を記載し、表示内容に責任を有する者の電話番号を表示します。生鮮食品の場合は氏名または名称、住所及び電話番号を表示します。
  併せて電話番号の記載があるウェブサイトのアドレス（二次元コードその他これに代わるものを含む）を表示してもかまいません。
- ●機能性および安全性について国による評価を受けたものではない旨
  機能性表示食品は国の評価を受けているわけではありません。したがって、「本品は、事業者の責任において特定の保健の目的が期待できる旨を表示するものとして、消費者庁長官に届出されたものです。ただし、特定保健用食品と異なり、消費者庁長官による個別審査を受けたものではありません。」と表示します。

- ●摂取の方法

　摂取の方法である旨を記載して、科学的根拠に基づく摂取時期、調理法を表示します。例えば、「1日1本を目安にお召し上がりください」と表示します。
- ●摂取をする上での注意事項

　摂取する上での注意事項である旨を記載して、医薬品等との飲み合せ、過剰摂取を防止するための注意喚起などを表示します。なお、文字のフォントを大きくする、四角で囲む、色をつけるなど、他の表示事項よりも目立つよう表示することが望ましい、とされています。
- ●バランスのとれた食生活の普及啓発を図る文言
- ●調理または保存の方法に関し特に注意を必要とするものにあっては当該注意事項

　消費者庁長官に届け出た内容を表示します。
- ●疾病の診断、治療、予防を目的としたものではない旨

　「本品は、疾病の診断、治療、予防を目的としたものではありません。」と表示します。
- ●疾病に罹患している者、未成年者、妊産婦（妊娠を計画している者を含む）および授乳婦に対し訴求したものではない旨

　「本品は、疾病に罹患している者、未成年者、妊産婦（妊娠を計画している者を含む）及び授乳婦を対象に開発された食品ではありません。」と表示します。
- ●疾病に罹患している者は医師、医薬品を服用している者は医師、薬剤師に相談した上で摂取すべき旨

　「疾病に罹患している場合は医師に、医薬品を服用している場合は医師、薬剤師に相談してください。」と表示します。
- ●体調に異変を感じた際は速やかに摂取を中止し医師に相談すべき旨

　「体調に異変を感じた際は、速やかに摂取を中止し、医師に相談してください。」と表示します。

（5）表示が禁止されている表現など

　機能性表示食品はあくまで事業者の責任で届け出て販売されたものであり、もちろん医薬品ではありません。当然、禁止されている表現などがあり、これらを表示してはいけません。以下にその例をあげます。

①疾病の治療効果または予防効果を標榜する用語

　「花粉症に効果あり」「糖尿病の方にお奨めです」「風邪予防に効果あり」な

どの表現はできません。

②消費者庁長官に届け出た機能性関与成分以外の成分を強調する用語

強調する用語とは、「○○たっぷり」「△△強化」のような表示のことです。ただし、栄養成分の補給ができる旨の表示および栄養成分または熱量の適切な摂取ができる旨の表示をする場合を除きます。

③消費者庁長官の評価、許可等を受けたものと誤認させるような用語

「消費者庁承認」「消費者庁長官許可」「○○省承認」「○○省推薦」「○○政府機関も認めた」「世界保健機関（WHO）許可」等国や公的な機関に届け出た、承認を受けた、と誤認させる表現は禁止されています。

④食品表示基準別表第9の第1欄に掲げる栄養成分の機能を示す用語

別表第9の第1欄に掲げる栄養成分とは、熱量、たんぱく質、脂質、炭水化物、食物繊維などのほかに、ビタミン類、ミネラル類のことです。

第 12 章

有機食品、特別栽培農産物の表示のしくみ

1. 有機食品の表示の仕方

　消費者の健康志向はますます高まっています。健康でありたいと思うのはごく当たり前のことです。そのことが、有機栽培や無農薬といった、古くて新しい生産方式への取組みを促し、それを消費者が支持するという構造ができつつあります。

1）高まる有機食品への期待

　農林水産省が初めて有機栽培などのガイドラインを設けたのは平成4年でした。それが「有機農産物等に係る青果物等特別表示ガイドライン」です。
　その後、ガイドラインは改定され、平成12年には有機農産物および有機農産物加工食品の有機JAS規格が定められ、平成13年4月から、有機JASマークがスタートしました。そこで最も重要なことは、「有機」の定義を明確化したところにあります。それにより有機JASマークが付けられた農産物、農産物加工食品以外に、「有機栽培」「オーガニック」などの表示ができなくなりました。
　平成17年10月には、牛、豚、鶏などの畜産物を対象とした有機畜産物、有機畜産物加工食品が有機JAS規格に加わりました。
　これを機に有機の農産物や畜産物などを使った加工食品は、有機加工食品という名称に統一され、有機加工食品の範囲は有機農産物加工食品、有機畜産物加工食品、有機農畜産物加工食品の3つに分けられることになりました。
　さらに、農林水産省は平成26年に「有機農業の推進に関する法律」に基づいて、「有機農業の推進に関する基本的な方針」を策定しました。この基本方針によって、有機農業の技術向上、流通の整備を行う方針をかかげ、有機農業の拡大を推進しています。

2）徐々に増える有機農業者

　有機農業は着実に広まっています。農林水産省の有機農業の取組み面積のデータを見ると、少しずつですが増加しています。平成26年の有機農業の取組み面積は2万2000ヘクタールであり、そのうち有機JAS認証の面積は1万43ヘクタールでした。

<有機農業の取組み面積>

（単位：ha）

		H21	H22	H23	H24	H25	H26
全体		16,000	17,000	19,000	20,000	20,000	22,000
	有機JAS	9,084	9,401	9,529	9,889	9,937	10,043

注：有機JASの面積は、翌年の4月1日現在の認証面積である。
資料：農業環境対策課推計、食品製造課調べ

3）登録認証機関の役割

　有機JASマークを勝手に付けることはできません。第三者の登録認証機関によって認証された農家や製造業者が、ルールに従って生産したものだけに有機JASマークを付けることが許されます。
　これらの審査は、登録された第三者の機関が行います。登録認証機関としては非営利法人（NPO）、民間検査機関、検査団体など、数多くあります。
　登録認証機関によっては、有機JAS規格に独自の規格を追加しているところもあります。例えば有機JAS規格で使用が認められている農薬であっても、その使用を認めないといった独自ルールです。有機JAS規格は最低限の条件が定められており、それ以上の厳密さを求めることはルール違反ではありません。
　格付けされた有機食品には、有機JASマーク、登録認証機関名、認証番号（有機加工食品は対象外）が表示されることになります。

　登録認証機関の仕事は農家のような生産者を認証するだけではありません。有機農産物を使って加工食品を作る製造業者、小分け業者、輸入業者の認証も行います。一連の作業は認証されたものが行う必要があるわけです。

　なお、小分け業者とは、送られてきた野菜や果物などを小分けして、袋詰めなどの作業を行う業者のことです。農産物は通常、箱に詰めるなどしてスーパーなどに送られてきます。

　箱から取り出して包装容器に小分けすれば、有機JASマークを再添付しなければいけません。この作業は小分け業者の認証を受けたものしかできません。

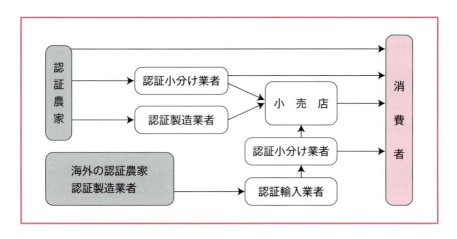

4）有機農産物とは何か

　有機農産物の対象となるのは、米や野菜などの農作物です。これらを使った加工食品が有機農産物加工食品です。認証された有機農産物や有機農産物加工食品には、有機JASマークを付けることができます。

（1）有機農産物はどのように栽培されるのか

　有機農産物と認められるためには、その生産条件があります。

　有機JAS規格によれば、有機農産物は化学的に合成された肥料を使わず、農薬の使用を避けて、生物の機能を活用した方法で栽培するというのが基本となっています。

　生物の機能を活用するというのは、落ち葉や牛糞などの堆肥、ミミズや昆虫などで土作りを行うという意味です。ほかにも、アブラムシを食べるテントウムシ、害虫を食べる鳥、カエル、スズメバチなど、害虫を駆除する生き物を生かすことなどが、認められています。

　ただし、これらの方法で生産を維持できない場合や、病害虫などが発生して農作物が危機的な状態になる場合は、殺菌剤や殺虫剤など一部の農薬などの使用を認めています。

（2）2、3年以上かかる有機栽培の土作り

　有機農産物を生産する圃場は厳しいルールがあります。

　圃場は、果物、お茶、アスパラガスなどのような多年生の農産物では3年以上、米や野菜のような1年生の農産物では種まきなどの前から2年以上、定められた方法で土作りを行わなければいけません。その上で栽培された農作物が、初めて有機農産物と認められます。

　つまり、有機栽培用の土作りをスタートしてから、果物などは4年目から、米や野菜などは3年目から、晴れて有機農産物と認められるわけです。

　有機栽培を始めてから12か月以上が経過した圃場で生産した農作物は、「転換期間中」の扱いになります。この場合は「転換期間中」と記載すれば、有機農産物の表示が可能になります。

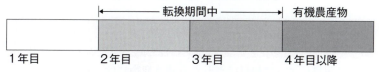
＜果物などの多年生の農産物の圃場＞

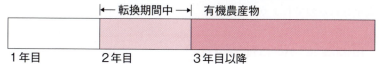
＜米、野菜などの1年生の農産物の圃場＞

（3）一般の圃場とはっきり区分けすること

　有機栽培を行う圃場は、農薬や化学肥料を使う一般的な農法（これを慣行農法と呼びます）の圃場との間に、適当な間隔を設けておくことが必要です。他の圃場から農薬や化学肥料が飛んでくる可能性があるためです。田んぼで使う用水に農薬入りの水が流れ込まないようにする必要もあります。

（4）収穫から出荷までの管理も必要

　有機農産物を収穫してから出荷するまでの管理も必要です。グレープフルーツなどのかんきつ類では、かびの発生を防ぐために防かび剤を使うことがあります。防かび剤を使えば有機JASマークは取り消されます。ジャガイモの発芽を防止するために放射線で処理することも、禁止されています。

　遺伝子組換え技術を使った農産物は、たとえすべての生産条件に合致していても、有機農産物の表示はできません。

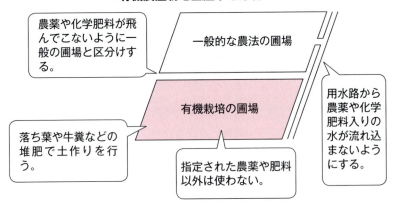

＜有機農産物を生産する条件＞

5）有機農産物の表示方法

　有機JAS規格によって格付けされた有機農産物には、有機JASマークが付けられ、「有機」「オーガニック」の表示が許されます。では、具体的にどのように表示されるのでしょうか。

（1）有機農産物の名称のつけ方

　有機JASマークの付いた有機農産物の名称は、「有機農産物」「有機栽培農

産物」「有機農産物○○」などと表示します。○○の中には、にんじん、大根など農産物の一般的な名称を入れます。

<表示することができる有機農産物の呼称>

```
「有機農産物」
「有機栽培農産物」
「有機農産物○○」または「○○（有機農産物）」
「有機栽培農産物○○」または「○○（有機栽培農産物）」
「有機栽培○○」または「○○（有機栽培）」
「有機○○」または「○○（有機）」
「オーガニック○○」または「○○（オーガニック）」
```

有機栽培の米ならば「有機栽培米」、有機栽培のジャガイモならば「ジャガイモ（有機農産物）」などとなります。

```
有機栽培米
```

```
ジャガイモ（有機農産物）
```

有機農産物は生鮮食品です。当然、食品表示基準を守らなければいけません。したがって、名称のほかに原産地を表示する必要があります。

①転換期間中の有機農産物の名称

転換期間中の圃場で生産した有機農産物は、名称の前または後に「転換期間中」と表示しなければいけません。有機農産物に転換期間中のものを混ぜて販売した場合も、「転換期間中」と表示します。

```
みかん（有機農産物）転換期間中
```

②有機無農薬と表示できるか

有機JASマークが付いている有機農産物の中には、無農薬で栽培しているものがあります。この場合は、「有機無農薬」という表示が可能です。同じように、無化学肥料であれば「有機無化学肥料」、無農薬、無化学肥料で栽培したものであれば「有機無農薬無化学肥料」といった表示もできます。

③紛らわしい名称は使えない

有機JASマークの付いていない農産物に、消費者が有機農産物と間違えるような紛らわしい表示をしてはいけません。次のような名称は紛らわしい表示として禁止されています。

<有機JASマークのない農産物に使ってはいけない表示>

有機、有機農法、完全有機農法、完全有機、海外有機、準有機、有機率○%、有機特別栽培、有機産直、有機○○（商標登録）、有機移行栽培、雨よけ有機栽培、有機無農薬、無農薬有機、有機低農薬、低農薬有機、有機減農薬、減農薬有機、有機微農薬、微農薬有機、有機完全無農薬、低農薬による有機栽培、有機土栽培、オーガニック、organic

<有機JASマークがなくとも表示してよい例>

有機質肥料使用、有機質肥料減農薬、有機肥料を使用して栽培したトマト

（2）スーパーなどで有機農産物を販売する場合

有機農産物は箱などに詰められてスーパーに送られてきます。これらを販売する場合は、袋詰めなどの小分けをして販売するか、箱詰めのまま販売するかなどによって、表示などの取り扱いが異なります。

①小分けして販売する

有機農産物を小さな袋などに小分けして販売する場合は、有機JASマークを再添付する必要があります。これら一連の作業が行えるのは認証された小分け業者だけです。小分け業者の認証を受けていない小売店がこれらの作業を行うのは違反です。

すでに小分けされ、有機JASマークが再添付された袋詰めの有機農産物を仕入れてそのまま販売するなら、小分け業者である必要はありません。

次の表示例は、小分けされ、有機JASマークが再添付された袋詰めのメキシコ産バナナのラベルです。名称、原産地のほかに、生産行程管理者、認証輸入業者、認証小分け業者など、かかわったすべての認証業者が表示されています。

<小分けして販売する有機栽培バナナの表示例>

名　　　　称	有機栽培バナナ
原　産　地	メキシコ
農林規格認証番号	○○○○○○○○○○
生産行程管理者	メキシコ・バナナ
住　　　　所	メキシコ市○○○○○○○○
連　絡　先	○○○○○
輸　入　業　者	㈱全国スーパーマーケット貿易
住　　　　所	東京都千代田区神田０－０－０
連　絡　先	○○○○○○○○○○
登録認証機関	○○○有機認証協会
住　　　　所	東京都千代田区○○○○○
連　絡　先	○○○○○○○○○○
小　分　業　者	㈱全国スーパーマーケットフーズ
住　　　　所	東京都千代田区○○○○○
連　絡　先	○○○○○○○○○○

②箱に入れたまま店舗で販売する

　小分け業者の認証を受けていない店舗であっても、一般の農産物と混ざらないように有機農産物の特別コーナーを設け、次のような方法で販売すれば、有機JASマークを再添付する必要はありません。
- 有機JASマークが入った箱を開けて、箱のまま販売することができます。
- 箱から取り出した有機農産物を陳列台に盛りつけ、箱に記されている有機JASマークを切り取って売り場に掲示すれば販売することができます。

箱から取り出した有機農産物を陳列用の木箱や籠で販売する場合

6）有機畜産物とは何か

　食品ではありませんが、有機農産物飼料や有機加工飼料にも有機 JAS 規格があります。畜産物では、どのような餌を与えるのかも重要になるからです。
　有機やオーガニックの表示ができるのは、有機畜産物 JAS 規格の認証を受けた畜産物だけです。これに違反すれば罰せられることになります。

（1）有機畜産物の対象となる家畜、家きん

　有機畜産物の対象となるのは家畜と家きんですが、すべてが有機 JAS マークの対象になっているわけではありません。
　家畜は、「牛」「馬」「めん羊」「山羊」「豚」の5種類です。家きんは、「鶏」「うずら」「アヒル」「かも」（アヒルとの交雑種を含む＝あいがも）となっています。
　ただし、これらの家畜や家きんであっても条件があります。基本的には、家畜の場合は出産前に6か月以上有機飼育された母親の子で、なおかつ出生のときから有機飼育されていること、鶏などの家きんは、ふ化のときから有機飼養されたものであることが条件です。
　以上は基本であり、ほかにも条件があります。それについては有機畜産物 JAS 規格を参照してください。

＜有機畜産物の対象となる家畜、家きん＞

家畜	牛、馬、めん羊、山羊、豚
家きん	鶏、うずら、アヒル、かも（あいがもを含む）

（2）有機畜産物の表示の仕方

　有機畜産物の名称は、「有機畜産物」「有機畜産物〇〇」「オーガニック〇〇」などと表示します。〇〇の中には、牛、豚、鶏などの畜産物の一般的な名称を入れます。

＜表示することができる有機畜産物の呼称＞

「有機畜産物」
「有機畜産物〇〇」または「〇〇（有機畜産物）」
「有機畜産〇〇」または「〇〇（有機畜産）」
「有機〇〇」または「〇〇（有機）」
「オーガニック〇〇」または「〇〇（オーガニック）」

注意したいのは、有機畜産物の食肉であっても生鮮食品であることには違いはないことです。このため、食品表示基準、食肉の公正競争規約などで決められた表示をあわせて行う必要があります。

（3）有機畜産物の生産方法

　有機畜産物の基本的な生産方法は、有機飼料を与えながら、なおかつストレスを与えない環境で牛や豚、鶏などを育てることにあります。そのための基本ルールも決められています。

①餌は有機飼料であること

　有機畜産物を育てる上で第一に大切なことは餌です。餌は家畜の糞尿で作った堆肥で育てた有機飼料を与えることが前提です。もちろん、抗生物質や遺伝子組換え技術で生産した飼料は使ってはいけません。

　国内の畜産農家はメーカーなどから飼料を購入するケースが多いといわれています。このため、購入した餌が有機飼料であることを保証するために、有機飼料JAS規格も設けられました。

②健康な飼育環境

　健康な牛や豚、鶏を育てるには、飼育環境も重要なことです。有機畜産物JAS規格では、家畜や家きんに、できるだけストレスを与えないようにするため、細かなルールが決められています。

　例えば、日当たりや風通しのいい清潔な畜舎であること、牛などが自由に出入りできる飼育場であることなどが求められています。

　飼育するための面積も決められています。例えば、体重340kgを超える牛の飼育面積は1頭当たり5㎡となっています。鶏はカゴに入れて飼うケージ飼いを実質的に禁止しています。

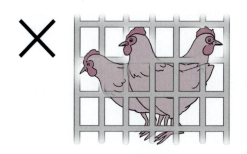

7）有機加工食品とは何か

　有機農産物や有機畜産物は生鮮食品として出荷されるほかに、加工食品の原材料としても使われます。これらの有機食品を原材料として作った加工食品が有機加工食品です。

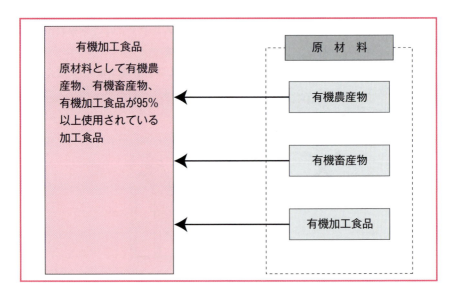

（1）使用する原材料の 95%以上が有機原料

　有機加工食品とは原材料のうち、有機農産物、有機畜産物、有機加工食品の重量割合が、水や食塩、加工助剤を除いたものの 95%以上使用しているものに認められます。加工助剤とは加工の途中で加えられたもので、最終製品には残らないものをいいます。

　もちろん、有機農産物、有機畜産物、有機加工食品のいずれか 1 つの原料を使っている場合であっても、その重量が全体の 95%以上あれば有機加工食品となります。有機の原材料を 95%以上使うことは、一般に「95%ルール」と呼ばれています。

（2）3つに大別される有機加工食品

　有機加工食品は有機農産物、有機畜産物、有機加工食品が原材料となります。
　このうち有機農産物を原料として 95％以上使ったものは有機農産物加工食品になります。例えば、緑茶、しょうゆ、みそ、納豆、豆腐などがあります。
　原材料のうち 95％以上が有機畜産物を使ったものは有機畜産物加工食品と呼びます。具体的な商品としては、牛乳、乳製品、あるいはローストビーフ、チャーシュー、玉子焼きなどが考えられます。
　このほかに、原料に有機農産物と有機畜産物と合わせて 95％以上を使う加工食品もあります。こういったものは有機農畜産物加工食品となります。例えば、ハンバーグ、肉じゃが、ビーフシチュー、肉まん、ロールキャベツなどが考えられます。

＜有機加工食品の分類と商品例＞

有機加工食品の区分け	商 品 例
有機農産物加工食品	しょうゆ、みそ、納豆、豆腐、お茶など
有機畜産物加工食品	牛乳、乳製品、ローストビーフ、チャーシュー、玉子焼きなど
有機農畜産物加工食品	ハンバーグ、肉じゃが、ビーフシチュー、肉まん、ロールキャベツなど

（3）使ってはいけない原材料

　有機加工食品に使える原材料は有機農産物、有機畜産物、有機加工食品の 3 つです。当然のことながら、これらの原材料に放射線を照射した食品や遺伝子

組換え食品は使用できません。

また、化学的に合成された食品添加物や薬剤の使用は極力避ける必要があります。ただし食品添加物は、L－アスコルビン酸（ビタミンC）やクエン酸など、一部の使用が認められています。

一般的な加工食品や食肉、魚などの水産物も原材料として使用することはできます。しかし、これらの使用割合は5％以下でなければいけません。

（4）製造方法も規定されている

有機加工食品の製造者は認証製造業者であることが前提です。認証を受けていない製造業者が作ったものに有機JASマークを付けることはできません。スーパーであっても認証製造業者になれば、有機加工食品を作り、有機JASマークを付けて販売することはできます。

認証製造業者には製造工程などに厳しいルールが設けられています。例えば、原材料を工場に搬入し、加工して製品にするまでの間で、一般的な農産物や畜産物などが混ざらないように分別しなければいけません。加工食品を作るラインも一般のラインと区分けする必要があります。一般的な加工食品を作るのと同じラインを使えば、原材料が混ざる可能性があるからです。

製造、加工の方法は、物理的または生物の機能を利用した方法と、決まっています。

物理的方法には、機械的方法を含み、粉砕、混合、成型、加熱・冷却、加圧・減圧、乾燥、分離（ろ過、遠心分離、圧搾、蒸留）等の加工方法をいいます。

生物の機能を利用した加工方法とは、かび、酵母、細菌を利用した発酵などの方法をいいます。

当然のことながら、有機加工食品を製造するときには、農薬、洗浄剤、消毒剤などの薬剤で汚染されないように管理する必要があります。

8）有機加工食品の表示の仕方

認証された有機加工食品には有機JASマークが添付されています。表示については、有機加工食品の表示ルールのほかに、食品表示基準などに基づく必要があります。

（1）使えるのは「有機」「オーガニック」

有機加工食品の表示として認められているのは「有機」「オーガニック」の2つであり、「有機○○」「○○（オーガニック）」などと表示します。○○の

中には加工食品の一般的な名称が入ります。例えば「オーガニック豆腐」「有機ハム」などです。

<有機加工食品として認められる名称>

「有機○○」または「○○（有機）」
「オーガニック○○」または「○○（オーガニック）」
※有機農畜産物加工食品のうち、「○○」に記載する一般的な名称が、有機農産物加工食品の一般的な名称と同じものについては、別に農林水産大臣が定めるところに従います。

食品表示基準では、有機加工食品は特色のある原材料を使ったものとして扱われています。原材料名の欄には有機であることの表示が必要です。例えば「有機にんじん」「有機豚」といった表示となります。

有機加工食品が原材料の原産地表示が義務づけられている加工食品に当てはまる場合は、当然、原産地名も記載する必要があります。

```
名　　称　　有機煎茶
原材料名　　有機栽培緑茶（静岡県）
内 容 量　　200g
賞味期限　　枠外右下に記載
製 造 者　　株式会社全国スーパーマーケット茶
　　　　　　東京都千代田区神田０－０－０
```

（2）転換期間中の有機農産物を使用する場合

有機加工食品に使った原材料のうち、有機農産物が転換期間中のものについては、「転換期間中」の表示をする必要があります。この場合は加工食品の一般的な名称の前か後に「転換期間中」と記載します。

なお、転換期間中とは有機栽培へ移行する期間中にある田んぼや畑のことです。詳しくは「（4）有機農産物とは何か」を参照してください。

（3）有機JASと紛らわしい名称をつけてはいけない

有機JASマークの付いていない加工食品に、「有機」「オーガニック」といった名称をつけてはいけません。また、消費者が有機加工食品と誤認しやすいような、紛らわしい表示をしてもいけません。表示してはいけない例は次のようなものがあります。

有機的サラダ、有機認証ケチャップ、有機基準適合ソーセージ

2. 特別栽培農産物の表示の仕方

　有機農産物と特別栽培農産物は、法律的な側面から大きく異なります。有機農産物や有機農産物加工食品は、有機JAS規格によって格付けされたものにしか使用できません。一方、特別栽培農産物は、農林水産省が設けた「特別栽培農産物に係る表示ガイドライン」によって栽培された農産物に使用するものです。ガイドラインには法的な拘束力はありません。
　もう1つ異なるのは、有機農産物に比べると、特別栽培農産物の生産条件のほうが、緩やかであるということです。

1）特別栽培農産物とは何か

　特別栽培農産物であるためには、「特別栽培農産物に係る表示ガイドライン」に従うことが必要です。ガイドラインには農産物の適用対象と生産の原則が定められています。
　対象となる農産物は不特定多数の消費者に販売されているものであって、適用の範囲は次のようになります。

<適用の範囲>

- 未加工の野菜・果実
- 乾燥調製した穀類・豆類・茶等

　農産物の栽培方法にもルールがあります。生産の原則は次の2点がポイントになっています。

<生産の原則>

- 土壌の性質に由来する農地の生産力を発揮させる。
- 農業生産に由来する環境への負荷をできる限り低減した栽培方法を採用して生産する。

　簡単にいえば、土壌の力を高め、なおかつ環境に負荷を与えない栽培方法に

よって、農産物を生産しましょうということです。

2）特別栽培農産物の条件

　特別栽培農産物であるためには、ガイドラインに定められた生産のルールや表示のルールを満たす必要があります。

（1）ガイドラインのポイント

　ガイドラインで重要なのは、栽培に関係する化学肥料や農薬の使用量、ならびにこれらを使用した旨を消費者に知らせる表示方法です。

①生産の原則

　特別栽培農産物は定められた生産の原則にのっとった方法で栽培する必要があります。

　具体的には、その地域で行われている一般的な農産物の栽培方法に比べて、対象となる化学肥料の使用量や、農薬の使用回数を5割以下に減らしたり、あるいは農薬、化学肥料を使用したりしない農法です。

②農薬と化学肥料の使用条件

　特別栽培農産物とするためには、生産の原則と同時に、農薬と化学肥料の使用量、回数について、次の2つの条件をクリアする必要があります。

> ・使用する節減対象農薬の使用回数が、その地域の一般的な農法の5割以下であること。
> ・使用する化学肥料の窒素成分量が、その地域の一般的な農法の5割以下であること。

　まず、農薬について説明します。ここでいう節減対象農薬とは何でしょうか。農薬には殺虫剤、除草剤、誘因剤、あるいは害虫を防除するための天敵も含まれます。これらのうち、化学的に合成されたものが化学合成農薬です。この中には、フェロモン剤、生石灰など有機農産物JAS規格で使用が認められている化学合成農薬があります。これらを除いた化学合成農薬のことを、節減対象農薬と呼んでいます。

　化学肥料の削減ポイントは窒素成分です。かつて日本の農業は窒素肥料をあまりに多く使いすぎてきました。このため特別栽培農産物では、窒素成分量を減らすことに主眼を置いています。化学肥料の要素であるリン酸、カリウムに

ついては5割以下という基準は適用されません。

③節減割合の基準は地方公共団体が作る

　農薬や化学肥料の使用がどれだけ削減されたのかは、地方公共団体が作ったその地域の慣行農法を基準にします。これは農薬などの使用は地域によって差があるためです。例えば東北のような涼しい地域と九州のような暑い地域では害虫の発生状況は異なります。このため、その地域の慣行農法の基準を地方公共団体が作り、それに比べて削減できたかどうかを判定するわけです。なお、地方公共団体は都道府県または市町村でもかまいません。

(2) 4つの栽培パターンがある特別栽培農産物

　特別栽培農産物の生産パターンはいろいろ考えられます。例えば対象となる農薬を使わず、化学肥料の使用量を半分以下にするケース、逆に化学肥料を使わずに農薬の使用回数を半分以下にするケースなどが出てきます。これらを組み合わせると、4つの栽培パターンがあります。

<特別栽培農産物と認められるケース>

	農薬不使用	農薬5割以下に削減	慣行
化学肥料不使用	A	B	C
化学肥料5割以下に削減	D	E	F
慣行	G	H	I

注：慣行とはその地域で一般に行われる化学肥料、農薬の使用量（回数）を使って栽培する農法のことを意味します。
　A、B、D、Eのケースが特別栽培農産物の条件に合致します。それ以外のケースは特別栽培農産物には該当しません。

　4つの生産パターンで栽培された農産物はいずれも、特別栽培農産物と呼びます。
　注意したいのは、農薬不使用であっても、化学肥料の使用量が基準を満たしていなければ、特別栽培農産物とはならないことです。化学肥料不使用であっても、農薬の使用回数が慣行農法と同じならば、特別栽培農産物とはなりません。

3）どのような表示を行うのか

特別栽培農産物の食品表示は、一括表示と一括表示枠外に記載する内容の2つがあります。

（1）一括表示に記載する内容

一括表示には、化学合成農薬、化学肥料の削減、不使用などの状況、栽培責任者、確認責任者などの氏名、住所、連絡先を表示します。

①名称は特別栽培農産物

名称は「農林水産省新ガイドラインによる表示」と表示した上で、「特別栽培農産物」とします。「特別栽培農産物」の代わりに、「特別栽培レタス」「特別栽培米」などと、農産物の具体的な名称を入れることもできます。

②節減した農薬の表示

農薬をどれだけ削減したかによって表示のパターンは3つあります。

すべての農薬を栽培期間中に全く使用していない場合は次のようになります。

```
農薬：栽培期間中不使用
```

節減対象農薬（化学合成農薬から有機農産物JAS規格で使用が認められている農薬を省いたもの）を使用していない場合は次のようになります。

```
節減対象農薬：栽培期間中不使用
```

節減対象農薬を使用した場合は、その地域の一般的な農法で使用される回数との比較で何割削減したかを次のように表示します。△には削減した数値が入ります。

```
節減対象農薬：当地比△割減
```

次のような表示もできます。○○は地域名が入ります。

```
節減対象農薬：○○地域比△割減
```

③節減した化学肥料の表示

　栽培期間中の化学肥料は窒素成分量をもとにしてその使用量を表示します。窒素成分を含む化学肥料を全く使用していない場合は次のようになります。

```
化学肥料（窒素成分）：栽培期間中不使用
```

　栽培期間中に窒素成分を含む化学肥料を使用している場合は、その地域の一般的な農法で使用される化学肥料の窒素成分量に比べて、何割削減したかを表示します。○には削減した数値を入れます。

```
化学肥料（窒素成分）：当地比○割減
```

　なお、窒素成分を含まない化学肥料、化学肥料以外の肥料は表示の対象外です。使っても使わなくても表示の必要はありません。
　以下のケースでは、栽培期間中に節減対象農薬は使用していません。窒素成分を含む化学肥料は、この地域の一般的な農法に比べて5割減らしています。

```
　　　　　農林水産省新ガイドラインによる表示
　　　　　　　　　特別栽培農産物
節減対象農薬：栽培期間中不使用
化学肥料（窒素成分）：当地比5割減
栽培責任者　　○○　○○
住　　　所　　△△県△△町△△△
連絡先TEL　　□□□－□□□－□□□□
確認責任者　　○○　○○
住　　　所　　△△県△△町△△△
連絡先TEL　　□□□－□□□－□□□□
```

④栽培した人、それを確認した人の表示

　一括表示には化学合成農薬、化学肥料の表示のほかに、栽培した栽培責任者、特別栽培農産物であることを確認した確認責任者、特別栽培米の場合は精米確認者、輸入したものはその輸入業者、以上の名称、住所、連絡先をあわせて表示しなくてはいけません。なお、栽培責任者と確認責任者が同一であってはいけません。

（2）一括表示のいろいろなパターン

　以上、農薬、化学肥料などの表示の仕方を説明しました。では具体的に、どのようなパターンで一括表示は記載されているのでしょうか。

①農薬の使用状況の表示

　節減対象農薬を使用した場合は一括表示とは別に、その名称、用途、使用回数を表示する必要があります。その使用状況は一括表示とセットで農産物の容器などに添付します。なお、化学肥料についてはセット表示欄での表示は必要ありません。

②一括表示枠に記載する内容

　それでは、具体的にみてみましょう。次にかかげる特別栽培農産物のケースは「節減対象農薬：当地比5割減」「化学肥料（窒素成分）：当地比5割減」で栽培しています。

　使用している節減対象農薬は3種類で、使用資材名、用途、ならびに使用回数を表示します。使用資材名は商品名ではなく、主成分を示す一般的な名称を記載します。

＜一括表示＞

農林水産省新ガイドラインによる表示
特別栽培農産物
節減対象農薬：当地比5割減
化学肥料（窒素成分）：当地比5割減
栽培責任者　○○　○○
住　　　所　△△県△△町△△△
連絡先TEL　□□□―□□□―□□□□
確認責任者　○○　○○
住　　　所　△△県△△町△△△
連絡先TEL　□□□―□□□―□□□□

<使用状況を示す表示>

節減対象農薬の使用状況		
使用資材名	用　　途	使用回数
□□□	殺菌	1回
△△△	殺虫	2回
○○○	除草	1回

　農薬の使用状況の表示は一括表示とセットで容器や包装などに添付します。ただし、容器などに制約があって添付できない場合は、ホームページで使用状況を記載することもできます。その場合は一括表示枠内にホームページのアドレスなどを記載してください。

③略式表示の方法

　テープで束ねたりシールを貼付したりして販売する特別栽培農産物は、表示できる面積が狭くなります。そこで、略式の方法も認められています。記載する内容は、名称、ガイドラインに準拠していること、栽培責任者（または確認責任者名のみを記載）です。

<略式表示のサンプル>

```
特別栽培農産物
節減対象農薬：○○地域比5割減
化学肥料（窒素成分）：○○地域比5割減
農水省新ガイドラインによる表示
○○農協
（詳しい内容は http://www.○○.△△をご覧ください）
```

第13章 製造物責任法と食品表示

1） 製造物責任法（PL法）施行の背景

　一般的に、加工食品は食品メーカー（製造業者）が製造し、食品卸売業者を経て食品スーパーマーケットやコンビニエンスストア等の小売店が消費者に販売しています。PL法施行（平成6年7月1日）以前は、加工食品を喫食したことを原因として消費者が健康危害等を被った場合、消費者が製造業者に対して不法行為責任（民法第709条）における損害賠償を求めるに当たり、製造業者の過失と損害の発生の因果関係を証明する必要がありました。

　しかし、現実的には当該因果関係を証明するに当たり、製造に関する情報や証拠はすべて製造業者側が持っていること等から、消費者が因果関係を明らかにするうえで製造業者の故意・過失を証明することは困難な状況にありました（補足：一般的には食品製造に関して消費者が精通していないことも不利）。

　このような背景から、被害者となった消費者を救済するための措置として、PL法が制定されました。その結果、加工食品の欠陥により消費者が被害を受けた時には、過失の有無や因果関係等には関係なく、その加工食品を供給した事業者（企業等）の責任を認めるものとなりました。すなわち、製造業者（事業者）の不法行為責任における過失の立証負担の軽減として、成立要件であった「過失」を「欠陥」に変えるものです。従って、<u>被害を受けた消費者は、製品である加工食品に欠陥があったこと、その欠陥が原因で事故が発生したこと</u>、のみを証明すればよいことになります。

2）食品表示と製造物責任法（PL法）の密接な関係

> （目的）
> 　製造物の欠陥により人の生命、身体又は財産に係る被害が生じた場合における製造業者等の損害賠償の責任について定めることにより、被害者の保護を図り、もって国民生活の安定向上と国民経済の健全な発展に寄与することを目的とする。
> （製造物責任）
> 　製造業者等は、その製造、加工、輸入等した製造物で、その引き渡したものの欠陥により他人の生命、身体又は財産を侵害したときは、これによって生じた損害を賠償する責めに任ずる。ただし、その損害が当該製造物についてのみ生じたときは、この限りでない。

（1）対象が広く責任期間も長い法律内容

　PL法上、「製造業者等」は、食品自体の中身もさることながら、ラベル表示にも責任があります。また、ここでいう「製造業者等（以下単に「製造業者」という。）」とは、**製造業者、輸入者、実質的に製造者と認められる者**で、製品の輸入やOEM（委託生産）及び用途転用した場合も含まれ、いわゆる「とめがた」と呼ばれる食品も無関係ではありません。

　「製造物責任」とは、製造物（製造、加工、輸入等）の欠陥により、消費者が損害を被った場合、直接、製造業者の食品メーカーに対し無過失責任を負わせ、損害賠償責任を追及できるものですが、責任を追及できる者とは、消費者だけでなく損害を受ければ第三者でも責任を追及できるとしています。さらに、「製品への表示」の内容で、「当該製造物を引き渡した時から10年」の責任期間が生じ、昨今は10年間の保管を推奨するケースもあります。

（2）製造物責任法における「責任ある表示」と「表示上の責任」

①責任ある表示

　PL法における表示の対応は、製品の責任期間がいつまでで、警告表示の目的と指示文、また、絵表示の整合性など、製品出荷当時の『警告表示の在り方や考え方』、特に加工食品の「保存方法」や「保証可食期限」、また食べ方等を

示す「使用方法」については食生活が変化し多様化する中、見直しや更新が必要です。つまり、製造業者として責任ある表示＝責任がとれる表示が求められます。

具体的なPL表示対策は、実際の原料成分の設計（重量比）、製造、検査・試験等、国の基準や義務を怠った食品であっても当然、PL法の『製造業者等』に該当し、起こしてしまった食品事故の責任は必ず取らなければなりません。

②「業として」の製造物責任法と食品表示法

PL法においては、表示上の責任を負う者は「業として」行うものと限っており、「業として」同種の行為を反復継続して行うことを意味しています。また、「業として」とは、ある行為が反復継続して行われることで、営利目的であるか否かは問わないものとなっています。

この点について、食品表示基準での対象者は、食品表示法に規定されている「食品関連事業者等」であり、食品の製造・加工・輸入・販売を「業とする者」が対象で販売行為を行う者を指しています。なお、不特定又は多数の者に対する販売以外の譲渡も販売に含めて規制しています。

3）表示上の責任主体

無過失責任としての製造物責任は報償責任（利益を得ている者にその欠陥に起因する損失を負担させるべき）、危険責任（流通させた者に危険が現実化した損失を負担させるべき）、信頼責任（消費者は事業者を信頼する以外に安全を確保する手段を持たないこと）にその根拠があります。

無過失責任に基づく製造物責任の「責任主体」とは、製造物の販売業者をもって賠償義務者とする考え方と製造業者（表示製造業者を含む）および輸入業者を特定することができない場合は供給業者をもって二次的な賠償義務者とする考え方に大別されています。

PL法では「責任主体」を「製造業者等」に限定し、⑴製造業者および輸入業者 ⑵表示製造業者 ⑶実質的製造業者 をもって「製造業者等」と定義しており、非製造業者（販売業者や供給業者）を対象外とするとともに、「実質的製造業者」を加えています。

【食品表示基準から】

食品表示基準では、定められた方法で表示されていなかった場合は、食品関連事業者（表示責任者）が責任を有していますが、食品表示基準に従った表示

がされていない食品を販売してはならないと規定もあることから、表示責任者ではない場合でも、食品表示基準に合致しない不適正な期限表示の食品等を仕入れし販売した販売業者にも責任が及ぶことがあります。つまり、PL法における「実質的製造業者」の責任主体と考え方は重なります。

（1）製造業者（加工業者）および輸入業者

　PL法においては、「当該製造物を業として製造、加工又は輸入した者」（「製造業者」）をもって、その責任主体である「製造業者等」に含まれるものと定義しており、最終製品の製造業者、製造物を構成する部品や原材料の製造業者も含まれます。

　つまり、部品や原材料の製造業者も最終製品の製造業者とともに製造物の「欠陥」について製造物責任を負う責任主体となります。

　海外で製造された製造物の場合は国内に供給することで当該危害を持ち込んだ輸入業者が責任主体となります。理由は消費者が海外製造業者を相手に訴訟は困難であること、さらに食品衛生法では、輸入者に品質および表示の責任があること等があります。

> ここでいう「製造」と「加工」とは、
> 　「製造」とは、原材料に人の手を加えることによって、新たな物品を作り出すことであり、「加工」とは、原材料の本質を保持させつつ新しい属性ないし価値を付加すること（＝衛生状態を変化させる行為）。（食品表示法の定義）

（2）表示製造業者

　PL法においては、「当該製造物にその製造業者と誤認させるような氏名等の表示をした者」および「自ら当該製造物の製造業者として当該製造物にその氏名、商号、商標その他の表示をした者」と定義されています。

イ．「当該製造物にその製造業者と誤認させるような氏名等の表示をした者」とは、自らは製造、加工、輸入等は行っていませんがいわゆる表示基準上の事項名等の記載がない、また単にブランド名を記載することで社会通念上、当該製品の「製造業者」と誤認してしまう表示をした者です。

ロ．「自ら当該製造物の製造業者として当該製造物に氏名等の表示をした者」とは、製造や加工、輸入を行っていない場合に製造業者、加工業者、輸入業者として表示した者が該当します。ケースとしては、国内の系列の子会社が製造した製造物を親会社が製造したような表示です。

(3) 実質的製造業者

　PL法においては、「当該製造物の製造、加工、輸入又は販売に係る形態その他の事情からみて、当該製造物の実質的な製造業者と認めることができる氏名等の表示をした者」と定義されています。実質的な製造業者として認めることができる表示をした者とは、製造や加工、輸入を行っていないが製造業者、加工業者、輸入業者として認める表示をした者として、「販売者：株式会社ABC　製造者：DEF株式会社」と表示をした場合は、製造者だけでなく販売者も責任を負うことになります。製造者の他に「製造元」「謹製」「輸入者」「輸入元」などの表示があります。

(4) その他、製造物責任法に関する表示

イ．PB（プライベートブランド）商品として販売者が商品企画をした製品を製造業者にOEM（委託生産）を依頼し、当該製造物に製造所固有記号の記載をもって販売者の表示だけをした場合等は、消費者は販売者を製造業者と認識します。委託生産を依頼した販売者は、その製造物の一手販売を行う等、当該製品の製造業者とともにPL法に基づく賠償責任を負う責任主体になります。

ロ．いわゆる「とめがた」と呼ばれる加工食品の販売業者はその製造物の一手販売を行う等、契約上もしくは暗黙の了解で限定された販売内容となっていることがあり、その場合、製造物の製造や販売に深く関与していると考えられます。このように単なる販売業者にとどまらず、実質的な製造業者として評価することのできる者に対しても、製造業者や表示製造業者と同様の製造物責任を課すもの、と考えられます。

ハ．レストランや料理店での料理の提供行為は、調理および給仕という役務の提供と料理の提供の両方を行っています。製造物である料理の欠陥により消費者が被害を受けた場合（例—食中毒やアレルギー発症等）、製造物責任の対象とすることができるか否かについては個々の判断によるものとしています。ただし、料理という製造物の引き渡しを伴う以上、役務提供契約であってもPL法の適用の範囲とする考えもあります。すでに、これまでファースト・フード店で購入したジュースに含まれる硬質物によって咽頭部を負傷した事例、割烹料亭において提供された魚に含まれる自然毒によって食中毒が生じた事例においては、いずれもPL法に基づく製造物責任が認められています。

ニ．製造所固有記号制度では、原則、同一製品を2以上の工場で製造する場合

に限り使用することができます。2工場の内訳が自社A工場と他社B工場に委託製造しているケースでは、本社の表示責任者は自社工場製品においては「製造者」、他社工場製品では「販売者」となるため、事項名の「製造者」「販売者」は省略可能となり、前段（2）イに相当することが考えられます。

4）製造物責任の免責について

（1）専門職員の重要性

　食品の安全性の確保と、消費者の取扱い上の誤りによる健康危害等が起きないようにするためには、製造業者は必要な情報を確実に伝える必要があります。特に健康危害と密接な関係にある表示項目として、アレルゲン、消費・賞味期限、保存方法、使用方法（＝食べ方）等を一括表示様式の枠内もしくは枠外に表示します。また、カタログやPOP等を使用してわかり易く表示します。さらにそれらの全ての情報に整合性が求められます。

　その中のどれか一つに食い違いがあれば、実質的な製造業者に対して「表示上の欠陥責任」を問われることになります。

　現在、食品表示の違反は一瞬で企業の信用を失墜させるほどの大きな問題です。そうならないために、日頃から食品表示の専門職員（NSAJ認定食品表示管理士等）が常に食品原料の情報を確認し、正しい食品表示が記載されているかをチェックする必要があります（補足：食品衛生は食品衛生管理士・管理者）。

（2）対象となる製造業者にとっての免責について

　製造物による製造業者等の損害賠償の責任については、すべての請求事案が「欠陥」として確定するわけではなく、免責になる場合があります。つまり、製造業者は、当該加工食品に欠陥があるとされた場合でも一定の事情を立証できれば損害賠償を免責される（第4条）ことがあります。

　その免責事由には、「開発危険の抗弁」と、「部品・原材料製造業者の抗弁」があり、どちらか一方が立証されれば、製造業者は製造物責任を免れることができますが、いずれのケースでも製造業者側に立証責任があります。

①「開発危険の抗弁」の要約

　製造物の引き渡し時点の科学技術の水準では欠陥があるかどうか判断できなかった場合、製造業者側は責任を免れることができる、とするもの。

> <例>
> 　主に食肉製品や菓子類の着色料としてアカネ色素は認可されていましたが、平成16年に発ガン性が確認されたため、その後使用禁止になりました。それまで、発ガン性は認められていませんでしたので、「開発危険の抗弁」によりアカネ色素の製造業者等は品質に対する責任はない、ということになります。

② 「部品・原材料製造業者の抗弁」の要約

　製造物が他の製造者の部品又は原材料を使用した場合、その欠陥が他の製造業者が行った設計に関する指示に従ったことにより生じ、かつその欠陥が生じたことについては過失がない、とするもの。

> <例>
> 　加工食品の例では、一部の複合原材料に欠陥があったために消費者が健康危害を被った場合、最終製品の製造業者も複合原材料の製造業者も本法にいう製造業者として、製造物責任を負うことになります。しかし、複合原材料の製造業者が最終製品の製造業者の下請けの関係にあり、最終製品の製造業者による設計・指示に従って複合原材料が作られたとすると複合原材料の製造業者に製造物責任を負わせるのは酷なため、このような抗弁が認められています。

5）製造物責任法の対象食品

　PL法の対象となるのは製造・加工された食品です。未加工の農林水産物等は対象外です。ただし、加工、未加工については社会通念をもとにケース毎に判断されることになります。例示では、加工は製造としての加熱（焼く、煮る、蒸す、煎る等）、味付け、粉ひき、搾汁等を指し、未加工は単なる切断、冷凍、冷蔵、乾燥等となっています。

（例）

加 工 品	牛乳、小麦粉、砂糖、菓子類、みそ、ジュース、ハム・ソーセージ等
未加工品	生乳、鶏卵、豆類、青果物、冷凍・冷蔵した生鮮食肉類や生鮮魚介類等

6）対象食品の「欠陥」について

　製造業者の消費者に対する賠償責任の有無は、PL法により判断されます。PL法とは製造物により消費者危害が起こった場合、消費者が製造業者に対して損害賠償請求をする上で必要な要件を、製造業者の「過失」から「欠陥」に変更するものです。また、「欠陥」には製造上の「欠陥」と指示・警告上の「欠陥」があります。

　製造上の「欠陥」には品質と表示の欠如による安全性の「欠陥」があります。品質上の欠如には、製造物として本来、有していなければならない安全性が欠如している品質をさし、例として製造上のHACCP工程表におけるSSOPやGMP等の管理基準を逸脱したことによる安全性の「欠陥」が考えられます。

　この場合の「欠陥」には、生物的危害（有害微生物等の汚染）、物理的危害（危険異物の混入等）、化学的危害（農薬・殺虫剤の汚染等）、容器包装ミス等が挙げられます。

　指示・警告上の「欠陥」には、表示上の欠如が該当し、製造物が有している横断的および個別的危険性について、事故の防止・回避のための情報として製造業者側が消費者（需要者）に対して表示もしくはイラスト等で適切に情報提供しなかった場合があります。具体的には、製造物の原材料名、アレルゲン表示、期限表示、保存方法、加熱後摂取等の食品表示基準違反の表示、また調理方法、使用方法、食べ方、取り扱い方法に関する不適切な説明文や記載・イラスト・写真内容等です。

7）期限表示から製造物責任法を考察する

　期限表示は、食品表示法に基づく食品表示基準であり、行政上の取締りは食品表示法に基づいて行われ、製造者の消費者に対する賠償責任の有無は、PL法により判断されます。食品衛生法の規格基準等への適合・不適合と製造物の欠陥の有無の判断とは必ずしも一致するものではありませんが、<u>製造物の欠陥の有無を判断する上での重要な考慮事項になると考えられます。</u>

（1）営業者の民事責任と期限表示

　適正な期限表示がされた食品で、食中毒が起こった場合は、その期限内か？期限後か？が営業者の民事責任を判断する上で考慮事項になると思われます。ただし、賞味期限は衛生的な要因だけではなく、風味等も勘案して設定される

場合もあります。

　食中毒を含む健康危害が起こった場合の営業者の消費者に対する民事責任は、民法やPL法等に照らし、表示のみならず種々の要素を勘案して、営業者に過失があったか、商品に欠陥があったか等を考慮して最終的には裁判所が判断することとなります。<u>つまり、期限後であっても営業者が免責されることにはならないといえます。</u>

（2）期限切れの食品を販売して食中毒が発生した場合

　消費者に対する製造業者や販売業者の民事責任は、発生原因や過失の有無等、表示以外の種々の要素も勘案し、民法やPL法等に照らして最終的には裁判所が判断します。

　<u>製造業者については、食品の欠陥による製造物責任</u>等が、<u>販売業者については、民法による債務不履行責任（参考　民法第415条）、不法行為責任（参考　民法第709条）</u>等が問われることとなり、原因の如何によっては、両方の責任が認められることもあります。

　実際にどちらが消費者に対して賠償を行うかは、<u>被害を受けた消費者の選択によることとなり</u>、製造業者と販売業者のどちらがどの程度最終的に負担するかは、<u>原因に対する寄与の程度や契約関係等によって裁判所が判断します。</u>

8）食品における注意・警告表示例

　事前の注意・警告表示の目的は、消費者（使用者）が製品を適正に取り扱うことで、危険を回避させ、健康被害等の発生を未然に防ぐことです。しかし、過度な注意・警告表示は不安を高める等、本来の目的を逸脱します。あくまでも合理的に予想される危険や誤使用までと考えられます。

●**期限表示に関する表示例**
- 消費期限（期限を過ぎたら食べないようにしてください。）：平成〇〇年〇〇月〇〇日
- 消費期限：平成〇〇年〇〇月〇〇日までに食べきってください。

●**摂食に関する一括表示枠外の表示例**
- 製造者が期限内の早い時期に食べるほうがより美味しい！との理由から、「お早めにお召し上がり下さい」と一括表示様式の枠外に表示することができます。
- 密封された生菓子の詰め合わせやジャムなど、容器包装を開封する等により、密封状態が破壊されることで外気に触れ、品質の維持が保てなくなる食

品があります。つまり、表示された期限までの品質の保持が難しくなります。このような食品の場合は、一括表示枠外等に「開封後はお早めにお召し上がり下さい」と表示、もしくは説明書をつける等、消費者へ情報提供することが有効です。

● **開封後の取り扱いに関する表示例**
・開封後は必ず冷蔵庫に保管し、お早くお召し上がりください。
・開封後は必ず冷蔵庫に保管し、期限内に関わらずお早めにお召し上がりください。
・開封後は保存がききませんので必ず使い切ってください。
・開封後はふた付きの容器に移し替え、冷蔵庫で保管しお早目（○日以内）にご使用ください。

● **湯煎加熱の表示例**
・凍ったまま袋から取り出し、お鍋の沸騰した○リットルのお湯に次の時間を目安に茹でてください（調理時間は目安です）。

一人前6個／約○○秒	二人前12個／約○分	18個（三人前）／約○分○秒

・湯煎後の開封は中身が吹き出すおそれがありますので火傷をしないようご注意ください。
・加熱後の開封は中身が吹き出すおそれがありますのでフキンなどをあててください。
・使用法をよく読んで熱湯をこぼさないように注意してご使用ください。

● **電子レンジの場合の使用方法の表示例**
【冷凍食品　お召し上がり方】
・凍ったままの商品を一個ずつトレイを切り離しラップをかけて加熱してください。

500W	:	2個／約○○秒	○個／約○分	6個／約○分○秒
600W	:	2個／約○○秒	○個／約○分	6個／約○分○秒

（電子レンジ調理の注意喚起文の例）
・オート（自動）はやめてください。必ず調理時間を設定してください。
・ターンテーブルの場合は商品を真ん中におかないでください。ターンテーブルでない場合は真ん中においてください。
・調理時間は目安です。一度に加熱する場合は6個までです。それ以上は加熱が足りずムラが生じることがあります。
・冷たい場合は○○秒ずつ追加加熱してください。

・加熱後はトレイや中身が熱くなっていますので取り出す時は注意してください。
・袋ごと加熱するのはやめてください。包材のアルミが加熱により発火の恐れがあります。

●油で調理するケースの表示例
【惣菜半製品の冷凍された食品のお召し上がり方】
・凍ったまま袋から取り出し、下記内容を目安に揚げてください。家庭用の天ぷら鍋に目安○Lの揚げ油を入れ、油の温度が170〜180℃になりましたら入れてください。

調理個数	揚げ油の温度	調理時間
2個	170〜180℃	○分○秒〜△分△秒
8個	170〜180℃	○分○秒〜△分△秒

●フライ調理の注意喚起文の表示例
・調理時間は目安ですので、火力、油の量、調理個数により多少異なります。
・生肉を使用していますので、中心部まで十分に加熱してお召し上がりください。
・油の量が少ないと調理不良の原因になりますので、多めの油で調理してください。
・一度にたくさん入れますと油の温度が下がり加熱不足になります。また衣が破れたりします。
・加熱しすぎると衣が破裂する恐れがありますので注意してください。
・油で揚げるときは油がはねて、やけどをする危険がありますのでご注意ください。
・表面に霜がついていることがありますのでご注意ください。等

(参考)

> 製造物責任法(平成6年7月1日法律第85号)
> (目的)
> 第1条 この法律は、製造物の欠陥により人の生命、身体又は財産に係る被害が生じた場合における製造業者等の損害賠償の責任について定めることにより、被害者の保護を図り、もって国民生活の安定向上と国民経済の健全な発展に寄与することを目的とする。
> (定義)
> 第2条 この法律において「製造物」とは、製造又は加工された動産をいう。
> 2 この法律において「欠陥」とは、当該製造物の特性、その通常予見され

る使用形態、その製造業者等が当該製造物を引き渡した時期その他の当該製造物に係る事情を考慮して、当該製造物が通常有すべき安全性を欠いていることをいう。
3 この法律において「製造業者等」とは、次のいずれかに該当する者をいう。
一 当該製造物を業として製造、加工又は輸入した者（以下単に「製造業者」という。）
二 自ら当該製造物の製造業者として当該製造物にその氏名、商号、商標その他の表示（以下「氏名等の表示」という。）をした者又は当該製造物にその製造業者と誤認させるような氏名等の表示をした者
三 前号に掲げる者のほか、当該製造物の製造、加工、輸入又は販売に係る形態その他の事情からみて、当該製造物にその実質的な製造業者と認めることができる氏名等の表示をした者

（製造物責任）
第3条 製造業者等は、その製造、加工、輸入又は前条第3項第2号若しくは第3号の氏名等の表示をした製造物であって、その引き渡したものの欠陥により他人の生命、身体又は財産を侵害したときは、これによって生じた損害を賠償する責めに任ずる。ただし、その損害が当該製造物についてのみ生じたときは、この限りでない。

（免責事由）
第4条 前条の場合において、製造業者等は、次の各号に掲げる事項を証明したときは、同条に規定する賠償の責めに任じない。
一 当該製造物をその製造業者等が引き渡した時における科学又は技術に関する知見によっては、当該製造物にその欠陥があることを認識することができなかったこと。
二 当該製造物が他の製造物の部品又は原材料として使用された場合において、その欠陥が専ら当該他の製造物の製造業者が行った設計に関する指示に従ったことにより生じ、かつ、その欠陥が生じたことにつき過失がないこと。

（期間の制限）
第5条 第3条に規定する損害賠償の請求権は、被害者又はその法定代理人が損害及び賠償義務者を知った時から3年間行わないときは、時効によって消滅する。その製造業者等が当該製造物を引き渡した時から10年を経過したときも、同様とする。
2 前項後段の期間は、身体に蓄積した場合に人の健康を害することとなる物質による損害又は一定の潜伏期間が経過した後に症状が現れる損害については、その損害が生じた時から起算する。

（民法の適用）
第6条 製造物の欠陥による製造業者等の損害賠償の責任については、この法律の規定によるほか、民法（明治29年法律第89号）の規定による。

第⑭章

弁当や惣菜の表示

食品スーパーマーケット等の小売店では、近年特に販売が堅調な食品に「お弁当」や「お惣菜」があります。

1）弁当や惣菜を販売するときの表示のルール

お弁当やお惣菜の販売には大きく3つのケースがあります。
イ．お客さんの注文に応じて、対面販売するケース（繁忙時に備えて事前に見込み数を包装しての販売も含む）
ロ．店舗内施設で調理・製造して小分け包装して販売するケース
ハ．お弁当やお惣菜を仕入れて販売するケース

<表示のポイント>

① 店舗内調理施設（同一敷地内、バックヤード等）で調理・製造したお弁当やお惣菜を対面販売する場合は、消費者に直接、品質について説明できる関係にあることから表示は省略できます。

② 「食品を製造し、または加工した場所で販売する場合」は、一部の項目は省略できます。つまり、店舗内調理施設（同一敷地内、バックヤード等）で調理・製造したお弁当やお惣菜を小分けして陳列し販売する場合は、「原材料名」「内容量」「栄養成分表示」「原産国名」「原料原産地名」「食品関連事業者」等の項目は省略できます。ただし、「名称」「添加物」「アレルゲン」「保存方法」「期限表示」「製造者」等の安全上必要な項目の表示は必要です。

③ 調理施設の有無にかかわらず小型店舗で、包装されたお弁当やお惣菜の仕入れ販売、または業務用食材を単に小分け包装し販売する場合は、一般的な義務事項とされるすべての項目の表示が必要となり、省略はできません。

④ 「加工食品または生鮮食品を設備を設けて飲食させる場合」は、表示は必要ありません。つまり、レストラン、食堂、喫茶店等の外食事業者による食品の提供および外食事業者による出前等や、製造・加工した食品を仕入れて、その場で飲食させる場合は、表示は不要です。ただし、単なる販売は製造者、加工者または販売者のいずれかが表示する必要があります。

2）弁当・惣菜の基本表示事項

名称：一般的な名称を記載（例：幕の内弁当、切干大根煮など）
原材料名：原材料に占める重量の割合の多い順に記載。アレルゲン、遺伝子組換え食品の表示を記載
添加物：添加物に占める重量の割合の多い順に記載。アレルゲン表示を記載
内容量：グラムなどの単位を明記して記載。「1人前」、「1食」でも可
消費期限もしくは賞味期限：弁当類は、必要に応じて時間まで記載
保存方法：「直射日光および高温多湿を避け、涼しい場所で常温で保存」もしくは品質（寿司弁当等）により「10℃以下で保存」などと記載
製造者（食品関連事業者）：氏名または名称、住所を記載

●弁当の基本的な表示例

名　　称	幕の内弁当
原材料名	ご飯、野菜かき揚げ（小麦・卵を含む）、鶏唐揚げ（小麦を含む）、焼鯖、スパゲッティ（小麦を含む）、エビフライ（小麦・卵を含む）、煮物（里芋、人参、ごぼう、その他）（大豆・小麦を含む）、ポテトサラダ（卵・大豆を含む）、メンチカツ（小麦・卵・牛肉を含む）、付け合わせ（小麦・卵・大豆を含む）
添加物	調味料（アミノ酸等）、pH調整剤、着色料（カラメル、カロチノイド、赤102、赤106、紅花黄）、香料、膨張剤、甘味料（甘草）、保存料（ソルビン酸K）
消費期限	○○. ○○. ○○
保存方法	直射日光及び高温多湿を避けてください
製造者	○○食品株式会社 ○○県○○市○○町　○—○—○

●サンドイッチの基本的な表示例

名　　称	調理パン
原材料名	パン（小麦・卵を含む）、卵サラダ（大豆を含む）、野菜サラダ、チーズ（乳成分を含む）、ハム（豚肉を含む）、レタス
添加物	イーストフード、V.C、調味料（アミノ酸等）、カゼインNa（乳由来）、リン酸塩（Na）、発色剤（亜硝酸Na）、保存料（ソルビン酸K）、pH調整剤、乳化剤、酸味料、香料、コチニール色素、安定剤（キサンタンガム）

消費期限	○○. ○○. ○○
保存方法	10℃以下で保存
製 造 者	○○食品株式会社
	○○県○○市○○町　○－○－○

●惣菜の基本的な表示例

名　　称	マカロニサラダ
原材料名	マカロニ（小麦・乳成分を含む）、マヨネーズ（卵・大豆を含む）、きゅうり、人参、玉ねぎ、ハム（豚肉を含む）、香辛料、食塩、砂糖、食酢
添 加 物	調味料（アミノ酸等）、酸化防止剤（V.C）、コチニール色素、カゼインNa（乳由来）、増粘多糖類、発色剤（亜硝酸Na）、リン酸塩（Na）
消費期限	○○. ○○. ○○
保存方法	10℃以下で保存
製 造 者	○○食品株式会社
	○○県○○市○○町　○－○－○

（1）弁当、惣菜の名称

　原則、名称は一般的な内容を記載します。
- お弁当は、幕の内弁当、のり弁当、とんかつ弁当、いくら弁当、かに弁当、すき焼き肉弁当、いなり寿司など。
- お惣菜は、煮豆、つくだ煮、コロッケ、マカロニサラダ、天ぷらなど。
- 「松阪牛肉弁当」等、特色のある原材料の場合は100％でなければ「松阪牛肉弁当（牛肉に占める松阪牛の割合○％）」のように使用した割合を表示します。
- その他、注意すべき用語として「スペシャル」「特選」「最高級」等があります。

（2）弁当、惣菜の内容量の表示

　お弁当やお惣菜の内容量は、内容重量で表示する以外に、「1食」「1人前」「1個」などの内容数量で表示できます。内容量が省略できる理由は、お弁当、おにぎり、サンドイッチ、お惣菜等は消費者が外見から容易に判断できるからです。

（3）弁当、惣菜の期限表示

「弁当及びそうざいの衛生規範」ではお弁当は調理時間まで記載すること、となっています。食品表示基準では、消費期限の「年月日」の表示を義務付けていますが、「時間」の表示は義務付けていません。しかし、品質変化（劣化等）が早いお弁当類やお惣菜は、「年月日」に加え、品質に応じて「時間」まで表示することは消費者に有益と思われます。

3）弁当の原材料名と添加物の表示

お弁当には駅弁のように透明ではない容器のものと食品スーパーマーケットのように透明（上蓋）容器のものがあり、それぞれ表示のルールに違いがあります。

（1）透明でない容器弁当の場合

駅弁や御重弁当のように、透明でない容器に入れられたお弁当の場合は、商品を見ておかずを確認することができないため、原材料名の簡素化はできません。つまり、一般加工食品と同じように必要な表示事項を記載します。なお、弁当の中身をディスプレイや写真で分かるようにしても、原材料表示を簡素化できません。

（2）透明容器弁当の場合

外部から見て、その原材料が分かる「おかず」は、簡素化して表示することが可能です。

簡素化しないですべての原材料等を表示した例をもとに、①おかず類をまとめて「おかず」と表示する場合と、②メインとなるおかずを表示し、それ以外は「その他おかず」「その他付け合わせ」と表示する場合を以下に例示します。ただし、いずれの場合もすべてのおかず類、付け合せ類に含まれるアレルゲンと添加物の表示は省略できません。

＜透明容器弁当の表示例＞

注）3パターンのアレルゲン表示は個別表示で繰り返し省略のないケース。繰り返し省略や一括表示は、ある原材料だけにアレルゲンが含まれていると誤認を与えないようにする。

簡素化しないですべての原材料等を表示した例

原材料名	ご飯、鶏唐揚げ（小麦を含む）、煮物（里芋、人参、ごぼう、その他）（小麦・大豆を含む）、焼鮭、スパゲッティ（小麦・大豆を含む）、エビフライ（小麦・卵・大豆を含む）、ポテトサラダ（卵・大豆を含む）、大根刻み漬け、付け合わせ
添加物	調味料（アミノ酸等）、pH調整剤、グリシン、着色料（カラメル、カロチノイド、赤102、赤106、紅花黄）、香料、膨張剤、甘味料（甘草）、保存料（ソルビン酸K）

①おかず類をまとめて「おかず」と簡素化した例

原材料名	ご飯、おかず、（一部に小麦・卵・大豆・さけ・えび・鶏肉を含む）
添加物	調味料（アミノ酸等）、pH調整剤、グリシン、着色料（カラメル、カロチノイド、赤102、赤106、紅花黄）、香料、膨張剤、甘味料（甘草）、保存料（ソルビン酸K）

②メインとなるおかず以外を「その他おかず」と簡素化した例

原材料名	ご飯、鶏唐揚げ（小麦を含む）、煮物（里芋、人参、ごぼう、その他）（小麦・大豆を含む）、焼鮭、その他おかず（小麦・卵・大豆・えびを含む）
添加物	調味料（アミノ酸等）、pH調整剤、グリシン、着色料（カラメル、カロチノイド、赤102、赤106、紅花黄）、香料、膨張剤、甘味料（甘草）、保存料（ソルビン酸K）

（3）簡素化＝省略できる「おかず」の範囲

　外観からその原材料が明らかなおかずとは、そのおかずが、お弁当の外観から何であるかが分かるもの、確認できるものを指しています。例えば、「鶏の照り焼」「焼鮭」「目玉焼き」「厚焼き玉子」「筑前煮」「ポテトサラダ」などです。一方、フライものや天ぷらものは衣で包まれているため、外観からでは中身が分かりませんので省略はできません。

①例外として「おかず」「その他おかず」等と簡素化できるケース

●外観から主要原材料の推定が可能なものとして、形状（尾部付など）からエビであることが分かるエビフライやエビ天ぷら、衣を透して中身が見える野菜の天ぷら類、1/2カット等の切り口からポテトコロッケであることが分か

るコロッケなど。
- 主要なおかずであって、お弁当の名称の「ロースカツ弁当」のロースカツ、「サケ&メンチ弁当」のメンチカツなど。もしくはその旨のシールを商品表面に添付してあり、内容物が明確なもの。

②「付け合わせ」の表示

のり佃煮、小梅等、付け合わせ的に少量添えられ、日々変化するものは「付け合わせ」等の名称表示が可能です（強調表示をしている場合は除く）。

③省略できる「おかず」と省略できない「おかず」の混在表示

鶏唐揚げ、焼鮭、卵焼き等の省略可能なものと、トンカツやクリームコロッケのように外観から中身が分からないため「おかず」と省略できないものが混在する場合は、以下のようになります。

【基本表示】

原材料名	ご飯、トンカツ、鶏唐揚げ、煮物（里芋、人参、ごぼう、その他）、焼鮭、卵焼き、クリームコロッケ、スパゲッティ、ポテトサラダ、大根刻み漬け、付け合わせ

【省略できない「クリームコロッケ」までを重量順に表示】

「クリームコロッケ」以下を「その他おかず」または「その他付け合わせ」と表示する。

○	原材料名	ご飯、トンカツ、鶏唐揚げ、煮物（里芋、人参、ごぼう、その他）、焼鮭、卵焼き、クリームコロッケ、その他おかず

【省略できない「トンカツ」「クリームコロッケ」のみの表示は、消費者に誤認を与える可能性があるため不可】

×	原材料名	ご飯、トンカツ、クリームコロッケ、その他おかず

（4）簡素化した場合のアレルゲン表示の注意点

原則、「おかず」「その他おかず」に含まれるすべてのアレルゲンは省略不可です。

例えば、「ご飯、豚生姜焼、厚焼玉子、さば塩焼き、…」の場合は下記の通りです。

①個別表示の場合

「ご飯、おかず（卵・さば・豚肉・大豆・小麦・…を含む）」

②一括表示の場合

「ご飯、おかず、…、（一部に卵・さば・豚肉・大豆・小麦・…を含む）」

③任意の親切表示の場合

簡素化するとアレルゲンを含む「おかず」を特定しにくくなるため、別途表示する方法があります。この場合、原材料は重量順でなくアレルゲンを含む原材料のみを記載できます。

上記義務に併せて、表示シール、ポップ、紙の添付、ウェブサイトの利用等で提供します。

［アレルゲンを含む原材料名］
・豚生姜焼（豚肉、しょうゆ（大豆・小麦を含む））
・厚焼玉子（卵、大豆油）
・さば塩焼き（さば）

4）複合原材料の表示

複合原材料とは、「鶏の唐揚げ」「鶏のつくね」「厚焼き玉子」「切干昆布煮」「切干大根煮」など、2種類以上の原材料からなるものです。つまり、お弁当のおかずになるお惣菜ともいえます。基本的には複合原材料名の後に括弧を付けて、原材料に占める重量の割合順に記載しますが、省略できるケースがあります。

（1）複合原材料の原材料表示が省略できるケース

①複合原材料の製品の原材料に占める重量の割合が５％未満の場合

②複合原材料の名称からその原材料が明らかな場合

　名称に主要原材料が明示（鶏唐揚げ、鯖味噌煮等）されているもの、名称に主要原材料を総称する名称が明示（ミートボール、魚介エキス、植物性たんぱく加水分解物等）されているもの、JAS規格、食品表示基準別表第３、公正競争規約で定義のあるもの（ロースハム、マヨネーズ等）、一般に原材料が周知されているもの（かまぼこ、がんもどき、ハンバーグ等）です。

　単なる焼き物、蒸し物、和え物、揚げ物、煮物等の名称は原材料を特定していませんので省略できません。例として、「煮物（里芋、人参、ゴボウ、コンニャク、しょうゆ、砂糖、水飴、みりん、食塩）」等と表示します。なお、当該複合原材料の重量順が３位以下の原材料であって、かつ、５％未満のものは「その他」と表示できます。

5）複合原材料の分割表示

　複合原材料表示を構成する原材料を分割して表示した方が分かりやすい場合は、構成する原材料を分割して表示します。

（1）分割表示の条件

　加工食品の原材料名の表示は、最終製品を製造する事業者が使用する状態の原材料を、一般的名称で表示することが原則とされました。その上で、中間加工原料を個々に分割して表示する場合の条件は下記のようになります。

- 中間加工原料を使用した場合であって、<u>消費者がその内容を理解できないような、いわゆる一般的な名称とはいえないもの</u>
- 複数の原材料を単に混合しただけ等の、中間加工原料としての<u>情報提供に乏しい複合原材料の場合</u>

（2）たれに使用する複合原材料を分割して表示

原材料名：しょうゆ、しょうゆ加工品（しょうゆ、醸造酢）、レモン果汁

原材料名：しょうゆ、醸造酢、レモン果汁

（3）複合原材料「ミックス粉」の次に（　）で原材料を表示、重量順で3位以下、かつ、複合原材料に占める重量の割合が5％未満のものは「その他」と表示

| 原材料名：えび、ミックス粉（小麦粉、デキストリン、食塩、その他） |

「その他」の原材料をすべて分割して表示

| 原材料名：えび、小麦粉、デキストリン、食塩、砂糖、脱脂粉乳 |

6）その他留意すべきポイント

（1）弁当商品の裏面の一括表示ラベルについて

　お弁当やお惣菜はひっくり返して表示を確認することは、商品にダメージを与えることもあり困難です。一括表示ラベルは原則、商品の表面や側面等の見やすい箇所に表示すること、となっていますので、原材料名を「おかず」などの簡素化＝省略規定を活用することで、ラベルをコンパクトにする方法があります。

　このようにしても、内容物が隠れてしまうため必要な表示事項をどうしても表面、側面に表示できない場合は例外として、原材料名を裏面に表示することもやむを得ないものとされています。

　この場合の裏面ラベルの原材料名は「おかず」等の省略表示はせず、適切に情報提供を行うことが必要です。また、消費者がその場で確認できるよう、表面の一括表示部分に「原材料名は裏面に表示」と表示し、ポップ等も含め情報提供します。また、アレルギー表示等の安全性に関する表示事項は別途、表面に行うようにします。

（2）名称、原材料名、内容量等の表示事項の順番と表示ラベルの様式や枚数について

　消費者向け製品については、分かりやすく一括して表示されていれば、順番を変更して表示することや、プライスラベルによる表示なども可能です。

　ラベルは1枚のラベルで表示すべきですが、物理的にできない場合には、2枚に分けての表示もやむを得ないと考えられています。

第15章

食品および表示に関する法律

1. 計量法（所管府省：経済産業省）
平成4年5月20日法律第51号

1）計量法とは？

　今や、食品スーパーマーケットは国民の食生活を支えるライフライン的な役割を果たしています。計量法（平成4年5月20日法律第51号）とは消費者が食品スーパーマーケット等で食料品を購入する際、表示されている量目が正確に行われるように計量の基準を定め、正しく計量・表示を行うための法律で、経済産業省が所管しています。

　政令で指定された特定商品を、重さや体積の量目で販売する際には、<u>定められた誤差（量目公差）</u>の範囲内で計量します。また、<u>定められた物象の状態の量のことを「特定物象量」</u>といい、<u>定められた法定計量単位（g、kg、ml、L等）</u>により表示します。

> （目的）
> 第1条　この法律は、計量の基準を定め、適正な計量の実施を確保し、もって経済の発展及び文化の向上に寄与することを目的とする。……
> （特定商品の計量）
> 第12条　政令で定める特定商品の販売の事業を行う者は、特定商品をその特定物象量を法定計量単位により示して販売するときは、政令で定める誤差を超えないように、その特定物象量の計量をしなければならない。……
> （密封をした特定商品に係る特定物象量の表記）
> 第13条　政令で定める特定商品の販売の事業を行う者は、その特定商品をその特定物象量に関し密封＊をするときは、量目公差を超えないようにその特定物象量の計量をして、その容器又は包装に経済産業省令で定めるところによりこれを表記しなければならない。……

※密封をした特定商品の「密封」とは
　　当該食品を計量後に容器等に入れ、内容量の増減ができない状態の容器または包装した商品形態を指しています。つまり、密封か否かが判断基準になります。「密封されていない」とは、容器または包装を破棄しなくても内容量の増減で再包装

も可能である状態を指しています。例えば、ビニール袋等に詰め、開口部を輪ゴム、コヨリ、針金、セロハンテープ、ホッチキス等により、簡易にとめた状態です。ただし、注意が必要なラップ包装については、内容量が増減できないようにしたラップ包装として、フィルム自体またはフィルムと皿が融着している等の状態は「密封」に該当します。また、「密封」は加工、製造行為とも関係していますので十分に注意をはらう必要があります（営業許可含む）。

（1）特定商品

消費者の食生活に密接な食肉、野菜、魚介類などの一定の食品を特定商品（29分類）として、それらの「量」の表わし方（質量、体積、面積等）を定めています。

（2）表示規則

特定商品に指定された食品を容器や包装などに密封して販売する場合は、表示ラベルに内容量（正味量）を表記すると同時に、表記した事業者名や住所も記載します。

2）特定商品の量目立ち入り検査

国が定めた特定商品が表示通りの量目になっているか？表示方法が適正に行われているか？を実際に販売されている商品を任意に抜き取り、チェックすることが特定商品の量目立ち入り検査です。これまで、検査する時期は商品の流通量の多いお中元（6〜7月）やお歳暮（11〜12月）の時期に行われています。

（1）検査の対象

主に百貨店、食品スーパーマーケット、一般小売店および製造事業所（メーカー）等の事業者が対象です。特に、これまでの検査結果から、消費者の購入度が高い食品スーパーマーケットを中心に行われています。

検査の主な内容としては、実際に販売されている特定商品の「表示内容量」と「実際内容量」の差が、計量法で定められている許容誤差＝量目公差の範囲内にあるか否かを確認することです。その際は、「内容量」だけではなく「事業者名・住所」「計量単位」の表示の有無等も確認します。計量法に基づいて表示することで食品表示基準の表示を満たしたことになります。

（2）違反をするとどうなる？

　立ち入り検査の結果、検査した全商品のうち不適正な計量表示（量目公差を超えて不足していた内容量表示）が行われていた商品の割合が5％を超える事業所を「不適正事業所」とし、計量法違反として改善措置の対象となります。不適正事業所と認定された業者に対しては、「改善指導」が行われる事になります。また、その後の検査で違反が改善されていないことが確認された場合は、次のように計量法に基づいて指導されることになります。

改善勧告	都道府県知事および特定市町村長は、計量法違反により消費者が不利益を被ると認められる場合には、必要な措置をとるべきことを勧告する。
↓	
氏名の公表	勧告に従わないときは、その旨を公表する。
↓	
改善命令	正当な理由なく勧告に従わないとき、勧告した措置をとるべきことを命令する。
↓	
告　発	命令に従わないとき、厳しく処せられる。

3）食品スーパーマーケット等における表示上の留意点

（1）豆腐等、内容量を一定にするのが難しい製品について

　原則は、内容重量または個数を「200g」、「1丁」のように表示します。計量法に基づく特定商品かどうかが重要ですが、豆腐は特定商品に該当しないため、内容量を外見上容易に識別できる場合は表示を省略できます。

（2）「内容量を外見上容易に識別できる」について

　「内容量を外見上容易に識別できるもの（特定商品の販売に係る計量に関する政令（平成5年政令第249号）第5条に掲げる特定商品を除く。）」に該当すれば、内容量の表示の省略が可能です。具体的には、容器包装された製品が容器包装を開かずに、内容数量を外見から容易に判別することができる場合です。
　例えば、「刺身の盛り合わせ」は「6点盛り」「3人前」等の表示が可能で一

般的ですが、種類や入数等を外見上容易に識別できるため内容量表示が省略できます。

（3）添付のたれ、ソース、からし等の内容量表示について

当該品は計量法では内容量表示が義務付けられていないこと、また食品表示基準においても内容量表示は省略可能です。当該小袋の添付調味料等は一般的には当該商品の付随的なものと考えられています。

（4）個数が一定にならない製品の記載について

内容重量で管理すると個数が一定にならない製品（例えば、1kgパック）について、「内容量：1kg（〇～〇個入り）」のように、内容重量に括弧を付して幅を持たせた個数表示が可能です。

4）正しい計量は信頼の絆

内容量表示は消費者に健康被害を直接与えるものではないことも計量法違反が後を絶たない一因かもしれません。しかし、わずか数グラムの計量誤差が食品スーパーマーケットと消費者との信頼関係に歪みを与え、長年築いてきた信頼関係が揺らいでしまうかもしれません。食品の信頼は食品関連事業者との信頼が基本ということからも、間違いのない適正な計量表示をしなければなりません。

5）特定商品の量目公差

計量法の参考資料です。計量法第12条では、特定商品は量目公差に従った適正な計量をすること、第13条では容器包装に密封した特定商品は内容量を質量（重量）や体積（容量）で表示することを義務付けています。

ただし、実際の売場、品目の性質、販売方法等の条件によっては、該当・仕分けが難しいものや解釈が複雑で範囲が特定できない商品があります。その場合は再度、確認をしてください。

計量法第12条第1項の政令で定める商品（「特定商品」）

号	分類		特定物象量	公差表	上限	左記のうち、第13条第1項該当商品（密封時表記商品）
1	精米及び精麦		質量	①	25kg	全て
2	豆類（未成熟のものを除く。）及びあん、煮豆その他の豆類の加工品	(1) 加工していないもの	質量	①	10kg	全て
		(2) 加工品	質量	①	5kg	あん、煮豆、きなこ、ピーナッツ製品及びはるさめ
3	米粉、小麦粉その他の粉類		質量	①	10kg	全て
4	でん粉		質量	①	5kg	全て
5	野菜（未成熟の豆類を含む。）及びその加工品（漬物以外の塩蔵野菜を除く。）	(1) 生鮮のもの及び冷蔵したもの	質量	①②③は表1・表2・表3	10kg	
		(2) 缶詰及び瓶詰、トマト加工品並びに野菜ジュース	質量又は体積	①又は③	5kg又は5L	全て
		(3) 漬物（缶詰及び瓶詰を除く。）及び冷凍食品（加工した野菜を凍結させ、容器に入れ、又は包装したものに限る。）	質量	②	5kg	全て（らっきょう漬以外の小切り又は細刻していない漬物を除く）
		(4) (2)又は(3)に掲げるもの以外の加工品	質量	①	5kg	きのこの加工品及び乾燥野菜

6	果実及びその加工品（果実飲料原料を除く。）	(1)	生鮮のもの及び冷蔵したもの	質量	②	10kg		
		(2)	漬物（缶詰及び瓶詰を除く。）及び冷凍食品（加工した果実を凍結させ、容器に入れ、又は包装したものに限る。）	質量	②	5kg	全て	
		(3)	(2)に掲げるもの以外の加工品	質量	①	5kg	缶詰及び瓶詰、ジャム、マーマレード、果実バター並びに乾燥果実	
7	砂糖			質量	①	5kg	全て（細工もの又はすき間なく直方体状に積み重ねて包装した角砂糖を除く）	
8	茶、コーヒー及びココアの調製品			質量	①	5kg	全て	
9	香辛料			質量	①	1kg	破砕し、又は粉砕したもの	
10	めん類			質量	②	5kg	全て（ゆでめん又はむしめんを除く）	
11	もち、オートミールその他の穀類加工品			質量	①	5kg	全て	
12	菓子類			質量	①	5kg	ビスケット類、米菓及びキャンデー	ナッツ類、クリーム、チョコレート等をはさみ、入れ、又は付けたものを除くものとし、1個の質量が3g未満のもの
							油菓子	1個の質量が3g未満のもの

第15章 食品および表示に関する法律

						水ようかん	くり、ナッツ類等を入れたものを除くものとし、缶入りのもの
						プリン及びゼリー	缶入りのもの
						チョコレート	全て（ナッツ類、キャンデー等を入れ、若しくは付けたもの又は細工ものを除く）
						スナック菓子	全て（ポップコーンを除く）
13	食肉（鯨肉を除く。）並びにその冷凍品及び加工品			質量	①	5kg	全て
14	はちみつ			質量	①	5kg	全て
15	牛乳（脱脂乳を除く。）及び加工乳並びに乳製品（乳酸菌飲料を含む。）	(1)	粉乳、バター及びチーズ	質量	①	5kg	全て（アイスクリーム類を除く）
		(2)	(1)に掲げるもの以外のもの	質量又は体積	①又は③	5kg又は5L	
16	魚（魚卵を含む。）、貝、いか、たこその他の水産動物（食用のものに限り、ほ乳類を除く。）並びにその冷凍品及び加工	(1)	生鮮のもの及び冷蔵したもの並びに冷凍品	質量	②	5kg	冷凍貝柱及び冷凍えび
		(2)	乾燥し、又はくん製したもの、冷凍食品（加工した水産動物を凍結させ、容器に入れ、又は包	質量	②	5kg	干しかずのこ、たづくり及び素干しえび
							煮干し、又はくん製したもの
							冷凍食品（貝、いか及びえびに限る。）

	品		装したものに限る。）及びそぼろ、みりんぼしその他の調味加工品				調味加工品（たら又はたいのそぼろ又はでんぶ及びうにの加工品に限る。）
		(3)	(2)に掲げるもの以外の加工品	質量	①	5kg	塩かずのこ、塩たらこ、すじこ、いくら及びキャビア
							缶詰、魚肉ハム及び魚肉ソーセージや、節類及び削節類、塩辛製品並びにぬか、かす等に漬けたもの
17	海藻及びその加工品			質量	②	5kg	全て（生鮮のもの、冷蔵したもの、干しのり又はのりの加工品を除く）
18	食塩、みそ、うま味調味料、風味調味料、カレールウ、食用植物油脂、ショートニング及びマーガリン類			質量	①	5kg	全て
19	ソース、めん類等のつゆ、焼肉等のたれ及びスープ			質量又は体積	①又は③	5kg又は5L	全て
20	しょうゆ及び食酢			体積	③	5L	全て
21	調理食品	(1)	即席しるこ及び即席ぜんざい	質量	①	1kg	全て
		(2)	(1)に掲げるもの以外のもの	質量	②	5kg	冷凍食品、チルド食品、レトルトパウチ食品並びに缶詰及び瓶詰
22	清涼飲料の粉末、つくだに、ふりかけ並びにごま塩、洗いごま、すりごま及びいりごま			質量	①	1kg	全て
23	飲料（医薬用のものを除く。）	(1)	アルコールを含まないもの	質量又は体積	①又は③	5kg又は5L	全て

		(2)	アルコールを含むもの	体積	③	5L	全て

表1

表示量		許容誤差
5g 以上	50g 以下	4％
50g 超	100g 以下	2g
100g 超	500g 以下	2％
500g 超	1kg 以下	10g
1kg 超	25kg 以下	1％

表2

表示量		許容誤差
5g 以上	50g 以下	6％
50g 超	100g 以下	3g
100g 超	500g 以下	3％
500g 超	1.5kg 以下	15g
1.5kg 超	10kg 以下	1％

表3

表示量		許容誤差
5ml 以上	50ml 以下	4％
50ml 超	100ml 以下	2ml
100ml 超	500ml 以下	2％
500ml 超	1L 以下	10ml
1L 超	25L 以下	1％

（補足説明）

許容誤差：((表示量－実際の内容量)÷表示量)×100

2. 景品表示法(所管府省:消費者庁（公正取引委員会）)
昭和37年5月15日法律第134号

1) 景品表示法とは？

　商品や取引に関連する不当な表示や景品類から消費者の利益を保護するための法律です。独占禁止法では、誇大広告や不当な景品による販売行為は「不公正な取引方法」として禁じています。その独占禁止法の特例法として広告や表示の取り締まりと公正な競争を促すために「不当景品類及び不当表示防止法」（いわゆる景品表示法）が制定されました。

　制度の目的は、一般消費者の利益を保護することです。具体的には、消費者の商品選択の判断を惑わせる、行き過ぎた景品の提供の禁止と誇大な、また虚偽の表示宣伝を禁止する法律です。平成21年9月以降は、同法に違反した事業者に出される命令については、「排除命令」から「措置命令」に名称が変更されています。

> （目的）
> 第1条　この法律は、商品及び役務の取引に関連する不当な景品類及び表示による顧客の誘引を防止するため、一般消費者による自主的かつ合理的な選択を阻害するおそれのある行為の制限及び禁止について定めることにより、一般消費者の利益を保護することを目的とする。

（1）景品類の提供について

　社会通念上の景品類には、いわゆる粗品やおまけ、賞品等がありますが、景品表示法上の「景品類」とされるものは、消費者を誘引するための手段としてのもの、サービスの提供につけるもの、物品・金銭その他の経済利益等を指しています。これらに該当する場合は、景品表示法に基づく景品規制が適用されます。つまり、景品類の制限及び禁止として、不当な顧客の誘引を防止するために必要があると認めるときは、景品類の最高額や総額、種類や提供の方法、

その他景品類の提供に関する事項を制限したり、景品類の提供を禁止することができます。

①共同懸賞
　商店街・ショッピングモールなどの複数の事業者が参加して行う懸賞は、「共同懸賞」として実施することができます。

②一般懸賞
　商品・サービス利用のお客様へ、くじ等の偶然性、特定行為の優劣等によって景品類を提供することを「懸賞」といい、共同懸賞以外のものは「一般懸賞」と呼ばれます。

③総付景品（そうづけけいひん）
　「ベタ付け景品」等とも呼ばれ、商品・サービスの利用者や来店者に対して、もれなく提供する金品等がこれに当たります。購入申し込み順又は来店の先着順により提供される金品等もこれに該当します。
　それぞれ提供できる景品類の限度額等が定められています。限度額を過大に超える提供を行った場合には、提供をした事業者に対し、景品類の提供に関する事項を制限又は景品類の提供を禁止されることがあります。

（2）誇大な、虚偽の表示宣伝について

　表示の対象は事業者が供給するすべての商品＝食品です。景品表示法では「景品提供の制限」と「不当表示の制限」が根幹であり、食品の表示は「不当表示の制限」によって規定され、誇大な、虚偽の表示宣伝等の広告を取り締まります。事業者間の公正な競争を確保するため、商品、容器、包装に記載されている表示、ラベル、新聞、雑誌、ポスター、チラシ、パンフレット、テレビ、ラジオ、インターネット、実演販売、その他の販促物などほとんどの表示や広告等が法律の対象です。

①一般事項の表示基準
　「完全」「最高」などの表示、乳飲料の「濃厚」「特選」、生めんの「手打」「特産信州そば」、ハム、ソーセージの「手造り」「塩分ひかえめ」、ビールの「生」、ウイスキーの「熟成年数」、ビスケットで「バタービスケット」と表示する場合の表示基準を規定しています。

②不当表示の禁止

　不当な表示の禁止について規定しています。景品表示法は、著しく優良または有利であると一般消費者に誤認されるおそれのある表示を不当な表示として禁止しています。公正競争規約はこれを受けて、それぞれの商品特性に応じて、かつて不当な表示として問題になったケース、今後予想されるケースなどについて取り込んで具体的かつできる限り詳細に不当表示として禁止される事項を規定しています。

③過大包装の禁止

　「過大包装」の禁止について規定しているものが16規約あります。過大な容器包装は、中身が多く入っているように見せかけることによって、「実際のもの又は当該事業者と競争関係にある他の事業者に係るものよりも取引の相手方に著しく有利であると一般消費者に誤認されるため」景品表示法で禁止する不当な表示に該当するものです。

2）優良誤認となる商品表現の不当表示

　不当に顧客を誘引し、公正な競争が阻害されるおそれがあると認められる次の表示を禁止しています。

（1）著しく優良と示す不当表示（景品表示法第5条第1号）

　食品の品質である原材料、純度、添加物、効能、鮮度、栄養価等やJAS規格、国・地方公共団体が定めた規格等、その他の内容として原産地、期限表示、製造方法等について実際のものよりも*著しく優良（虚偽表示や誇大表示等）であると一般消費者に示す表示を優良誤認となる不当表示としています。すなわち、不当に顧客を誘引し、一般消費者による自主的かつ合理的な選択を阻害するおそれがあると認められる表示をしてはならないと規定されていることから、いわゆる「優良誤認表示」となります。

　（優良誤認表示として差止めが認められるケースとは）

　「商品又は役務の品質、規格その他の内容について、実際のもの又は当該事業者と同種若しくは類似の商品若しくは役務を供給している他の事業者に係るものよりも*著しく優良であると誤認される表示をすること」（景品表示法第30条第1号）に該当する場合となります。

＊「著しく優良であると示す」表示とは？
　事業者の判断ではなく、一般の消費者が「著しく優良」と認識してしまう表示や

表現のこと。「著しく」とは表示や表現の程度が許容範囲を超えていて、一般の消費者が商品・サービスを選択する際に影響を与える場合をいう。

（2）その他の誤認されるおそれのある不当表示（告示）

①食品の原産国に関する不当表示について

　原産国を一般消費者が判別することが困難と考えられる不当表示
例—国内で生産された食品に、外国の国名、地名、国旗や外国の事業者名、外国の文字等の表示がなされている場合、また外国で生産された食品にその食品の原産国以外の国名、地名、国旗、その原産国以外の外国の事業者名、和文による文字等の表示がなされている場合。
（原産国の定義）
　上記でいう「原産国」とは、当該商品の内容について実質的な変更をもたらす行為が行われた国をいいます。実質的な変更をもたらす行為に含まれない行為とはラベルを付けたり、商品を詰め合わせしたり、また包装したりすること、さらに食品表示基準においても詰め合わせする行為や単に小分け容器包装する行為等は実質的な変更をもたらす行為に含まれない行為となっています。

②その他、内容についての不当表示例

・馬肉または鯨肉の大和煮に「牛肉大和煮」と表示した場合。
・着色した甘い水に果汁を混合し「果汁100％」または「ジュース」と表示した場合。
・水飴が混入されたはちみつに「天然はちみつ」と表示した場合。
・魚肉練り製品に「かに足」「ホタテ風貝柱」等と表示した場合。
・カラフトシシャモの卵に「エビの卵」「数の子」「明太子」等と表示した場合。
・根拠のない過剰な表現と表示例

> 最高の○○（原材料名など）の表示、本場中国で売り上げNo.1（客観的事実に反する場合）の表示、○○の強烈な威力！飲むだけで、何もしなくても…等の表示、誰もが体験する驚異的効果等の表示、世界最古の実践医学に基づく最高峰の効力等の表示、世界中の愛用者達が証明する100％の確実効果等の表示、世界に類を見ない高い成功率等の表示、国へ健康食品として届出済等の表示、日本は健康補助食品として指定等と表示、医療現場使用No.1の商品です等の表示。

3）有利誤認となる取引条件の不当表示（景品表示法第5条第2号）

　食品の価格、数量、サービス、保証期間、支払い条件等について、実際のものよりも著しく有利であると一般消費者に誤認される表示を意味しています。不当に顧客を誘引し、一般消費者による自主的かつ合理的な選択を阻害するおそれがあると認められる表示をしてはならないと規定されており、当該表示がいわゆる有利誤認表示となります。

（1）二重価格表示について

　二重価格の表示とは、当該販売価格「例―本日限り半額250円」よりも比較対象とする高い価格「例―当店通常価格500円」を併記して表示するものです。そもそも、適正な二重価格の表示内容は景品表示法における<u>一般消費者の適正な商品選択と事業者間の価格競争の促進</u>に役立ちます。
　ところが、多くの販売量を目論むあまり、当該販売価格「例―本日限り半額250円」の安さを強調するため、比較対象とする価格を根拠のない価格「例―当店通常価格2500円」を表示することで一般消費者に「価格が安い！」との誤認を与える場合は不当な二重価格（＝おとり価格表示）となります。
（二重価格表示のサンプル例）

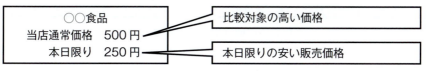

①同一ではない商品の価格を比較対象価格とする場合
- 比較対象品の価格と当該品の販売価格との価格差には商品の品質の違いがあるため、二重価格表示の価格差が「安くてお得！」とする根拠にはなりにくいため誤認表示＝不当表示となるおそれがあります。
- 事業者が実際に販売している異なる二つの商品について現在の販売価格を比較することは問題ありません。
- 加工食品は、銘柄や品質、規格等に同一性があるか、否かで判断されますが、生鮮食品（農産物や水産物等）は商品の同一性を判断することは難しいので、タイムサービス品のように消費者が同一性を明らかに判断できる場合以外は、不当表示となるおそれがあります。

②比較対象価格に用いる価格の条件

二重価格に使用する比較対象の価格は　イ．過去の販売価格　ロ．希望小売価格　ハ．競争事業者　の販売価格等の事実に基づいた表示を用います。もし、比較対象の価格が虚偽のものである場合は、一般消費者に当該販売価格が「安い！」との誤認を与え、不当表示に該当するおそれがあります。比較対象の価格を記載する場合は、どのような内容の価格であるかを正確に表示します。内容を曖昧にした表示は、一般消費者に誤認を与え、不当表示に該当するおそれがあります。

（2）これまでの販売実績価格との二重価格表示について

これまでの販売実績価格を比較対照の価格にした二重価格表示があります。例えば「当店通常価格」や「セール前価格」等です。一般消費者は「当店通常価格」や「セール前価格」等でセール前の相当期間は販売されており、セール期間中の販売価格は安くなっている、と認識すると考えられています。この場合のポイントは「最近相当期間の販売価格」ということになります。

①「最近相当期間にわたって販売されていた価格」について

- 「相当期間」とは、必ずしも連続した期間に限定されるものではなく、断続的にセールが実施される場合であれば、比較対照の価格で販売されていた期間を全体としてみます。
- 「販売されていた」とは、通常販売において当該商品を販売（行為）していたこと。つまり、消費者への販売実績は必要ありません。ただし、販売形態が通常と異なる場合や、単に比較対照価格の実績作りとみられる場合は、「販売されていた」とはみられない場合があります。

②「最近相当期間にわたって販売されていた価格」か否かの判断基準

当該価格で販売されていた時期及び期間や対象商品の一般的な価格変動の状況や当該店舗における販売形態等を考慮したうえで、個々の事案ごとに検討される、となっています。

「当店通常価格」が「最近相当期間にわたって販売されていた価格」とは、
- 割引販売価格の表示をしようとする時点から遡り、8週間において過半を占める期間に販売されていた価格のこと。ただし、その商品が販売されていた期間が8週間未満の場合は、その期間の過半を占める期間に販売されていた価格のこと。

●前記の要件を満たす場合であっても、次の場合は除く。
　イ．その価格で販売されていた期間が通算して2週間未満の場合
　ロ．その価格で販売されていた最後の日から2週間以上経過している場合

③将来の販売価格を比較対象価格とする二重価格表示

　将来の時点における販売価格を比較対象価格とする二重価格表示の場合、実際に販売することのない価格であるときや、ごく短期間のみ当該価格での販売のときなどは、一般消費者に安い！と誤認を与えるため、不当表示に該当するおそれがあります。従って、将来の販売価格を用いた二重価格表示を行うことは、適切でないと考えられます。

④タイムサービスの二重価格表示

　陳列していた商品（生鮮食品等）の性質から、その日のうちに完売したいときにタイムサービスでの値引き販売等が行われます。一定の営業時間に限り「○○円引き」「3割引き」等のシールを貼ったり、ポップで告知したりして販売価格の引下げを行ったりします。このような二重価格表示は、商品の同一性が明らかなので通常は、不当表示に該当するおそれはないと考えられています。
（タイムサービスでの値引き販売表示のPOP例）

```
毎日17時よりタイムサービス

　　○○食品全品　3割引
```

⑤その他、販売価格の安さを強調するその他の表示について

　販売価格の安さの理由を説明する「倒産品処分」「工場渡し価格」等の用語や、安さの程度を説明する「大幅値下げ」「他店より○○安い」等を用いた表示が行われることがあります。

　販売価格が安いという印象を与えるこれらの表示において、販売価格が通常時等の価格と比較してほとんど差がなかったり、適用対象となる商品が一部に限定されているにもかかわらず、表示された商品の全体について大幅に値引きされているような表示を行うなど、実際と異なって安さを強調するものである場合は、不当表示に該当するおそれがあります。

4）食品業界が自主的に設けた規約

　不当景品類及び不当表示防止法（第31条）では、事業者又は事業者団体は内閣総理大臣の認定を受けて、不当な顧客の誘引を防止し、一般消費者による自主的かつ合理的な選択及び事業者間の公正な競争を確保することを目的とした公正競争規約を認めています。つまり、公正競争規約は事業者団体が自主的に設けた当該業界のルールです。

（1）公正競争規約

　食品表示基準を基本とし、イ．食品の定義を定めるもの　ロ．表示の基準を定めるもの　ハ．特定の用語の意味と禁止表示を定めるもの　ニ．その他、等級基準等をそれぞれの品目別に「公正競争規約」として規定しています。規格や表示があいまいで問題のあったものについても基準を設け、適正な表示と品質内容の違いを整理することで、消費者の正しい商品選択に役立てるものです。

● **公正取引協議会**
　公正取引協議会に参加している事業者及び参加していない事業者はこの公正取引規約を守らなければなりません。

● **公正取引委員会**
　公正取引委員会は政令により、景品表示法違反のための調査の権限を消費者庁長官から委任されています。

（2）公正競争規約の認定要件

　内閣総理大臣は認定の申請に関し公聴会等により次の4つの要件に適合すれば認定します。
- 不当な顧客の誘引防止と消費者の合理的な選択、事業者間の公正な競争であること。
- 消費者、関連事業者の利益を不当に害するおそれがないこと。
- 不当に差別的でないこと。
- 規約の参加、脱退は不当に制限しないこと。

＜表示に関する公正競争規約の対象＞

◆食品一般
1、飲用乳　2、発酵乳・乳酸菌飲料　3、ナチュラルチーズ、プロセスチーズ及びチーズフード　4、アイスクリーム類及び氷菓　5、はちみつ類　6、ローヤルゼリー　7、辛子めんたいこ食品　8、削りぶし　9、食品缶詰　10、トマト加工品　11、粉わさび　12、生めん類　13、ビスケット類　14、チョコレート類　15、チョコレート利用食品　16、チューインガム　17、凍豆腐　18、食酢　19、果実飲料等　20、コーヒー飲料等　21、豆乳類　22、マーガリン類　23、観光土産品　24、レギュラーコーヒー及びインスタントコーヒー　25、ハム・ソーセージ類　26、食肉　27、包装食パン　28、即席めん　29、みそ　30、ドレッシング類　31、しょうゆ　32、もろみ酢　33、食用塩　34、鶏卵

◆種類
1、ビール　2、輸入ビール　3、ウイスキー　4、輸入ウイスキー　5、単式蒸留しょうちゅう　6、泡盛

5）措置命令と罰則

事業者が不当表示の規定に違反した場合は、内閣総理大臣は調査を行い、事業者はそれに対して弁明の機会を与えられますが違反が認定された場合は次の命令・検査・罰則等の対象になります。（第7条第1項）

①措置命令

違反行為の差し止め、違反行為の再発を防止するために必要な事項、これらの実施に関連する公示、その他必要な事項が命令できる。

②報告の徴収および立ち入り検査

内閣総理大臣は措置命令を行うために事業者に対して、業務、財産に関する報告、帳簿書類等の提出を求めることができ、また、事業所の立ち入り検査を行うことができます。

③罰則

措置命令に違反した場合は個人について2年以下の懲役または300万円以下の罰金、法人について3億円以下の罰金。報告の徴収に対して虚偽の報告を行ったり、立ち入り検査を拒み、妨げ、忌避した場合は個人および法人について1年以下の懲役または300万円以下の罰金となっています。

6）事業者が講ずべき景品類の提供及び表示の管理上の措置についての指針

● 事業者が講ずべき表示等の管理上の措置の具体的事例

（1）景品表示法の考え方の周知・啓発の例
・朝礼・終礼において、関係従業員等に対し、表示等に関する社内外からの問合せに備えるため、景品表示法の考え方を周知すること。等

（2）法令遵守の方針等の明確化の例
・法令遵守の方針等を社内規程、行動規範等として定めること。
・パンフレット、ウェブサイト、メールマガジン等の広報資料等に法令遵守に係る事業者の方針を記載すること。等

（3）表示等に関する情報の共有の例
・社内イントラネットや共有電子ファイル等を利用して、関係従業員等が表示等の根拠となる情報を閲覧できるようにしておくこと。等

（4）不当な表示等が明らかになった場合における迅速かつ適切な対応の例
　表示等管理担当者＊、事業者の代表者又は専門の委員会等が、表示物・景品類及び表示等の根拠となった情報を確認し、関係従業員等から事実関係を聴取するなどして事実関係を確認すること。等

＊表示等管理担当者：表示等に関する事項を適正に管理するための担当者（専任）又は担当部門

7）課徴金制度

　不当表示による顧客の誘引を防止するため、不当表示を行った事業者に対して課徴金制度が平成28年4月1日に施行されました。主な制度の概要は、次の通りです。

（1）課徴金制度の概要（一部抜粋）

①課徴金納付命令（第8条）
対象行為：優良誤認表示、有利誤認表示を対象とする。
賦課金額の算定：対象商品・役務の売上額に3％を乗じる。
対象期間：3年間を上限とする。
主観的要素：違反事業者が相当の注意を怠った者でないと認められるときは、課徴金を賦課しない。
規模基準：課徴金額が150万円未満となる場合は、課徴金を賦課しない。

②課徴金額の減額（第9条）
違反行為を自主申告した事業者に対し、課徴金額の2分の1を減額する。

③除斥期間（第12条第7項）
違反行為をやめた日から5年を経過したときは、課徴金を賦課しない。

8）その他、景品表示法で留意すべきポイントについて

①「特選（撰）」、「極上」といった高級感を示す表示について
　社会通念上は「特選（撰）」、「極上」といった用語は品質、製造方法が同種の商品に比べて優れている等と一般の消費者に認識させるものと考えられます。そのため、実際には特に強調できるような優良性を示す事実がない等、客観的な根拠に基づかない場合は不当表示に該当するおそれがあります（ただし、公正競争規約で基準を定めているものがあります）。

②デザイン等を請け負う広告代理店の表示内容の責任について
　広告代理店やメディア媒体（新聞社、出版社、放送局等）は、商品・サービスの広告の制作等に関与していても、当該商品・サービスを供給している者でない限り、表示規制の対象とはなりません。ただし、食品メーカー、卸売業者、小売業者等、当該商品・サービスを供給していると認められる者により行われる場合に規制の対象となります。
　一般消費者に表示情報を提示する役割を担うこともあること、クライアント

がうっかり違反をしてしまうことなど、当該広告が不当表示にならないように留意する必要があります。

③不適正な内容のポップやチラシの責任について

　食品スーパーマーケット等の小売業者が製造業者もしくは食品問屋から仕入れた商品の誤った商品情報や商品規格書等に基づいて、当該商品に関するチラシ広告やポップを作成したために不当表示となった場合、チラシやポップの表示内容を考案し、決定したのは食品スーパーマーケットなので食品スーパーマーケットは表示規制の対象になります。この場合、小売業者に過失があるかどうかは問いません。

④PB商品の表示責任について

　食品スーパーマーケット等小売業者が製造業者にPB商品として表示責任者となり、製造委託だけではなく、容器包装の一括表示様式の事項内容、宣伝文、取り扱い方、食べ方等の表示作成もすべて当該製造業者に任せていた場合、表示の責任は食品スーパーマーケットにあります。この場合、食品スーパーマーケットは、製造業者に表示の内容の決定をゆだねていることから、当該製造業者とともに表示規制の対象となります。

⑤表示の裏付けとなる「合理的な根拠を示す資料」について

　表示の裏付けとなる資料が客観的に実証された内容のものであること、もしくは試験・調査によって得られた結果、専門家、専門家団体若しくは専門機関の見解又は学術文献のいずれかであること、また表示された効果、性能と提出資料によって実証された内容が適切に対応していること、となっています。

⑥店内や店頭における景品表示法が対象とする表示について

　容器包装された食品の表示、パンフレット、説明書面、ポスター、看板、インターネット等あらゆるものが含まれ、店内・店頭のメニュー上の表示、陳列物、説明も表示に該当し、景品表示法の規制対象です。

（参考文献）
　「お肉の表示ハンドブック2015」発行者：全国食肉公正取引協議会　平成27年3月発行

（当該期間からの二重表示の例）

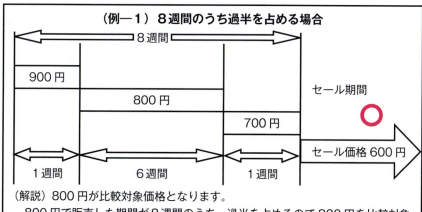

（解説）800円が比較対象価格となります。
　800円で販売した期間が8週間のうち、過半を占めるので800円を比較対象価格として二重価格表示ができます。

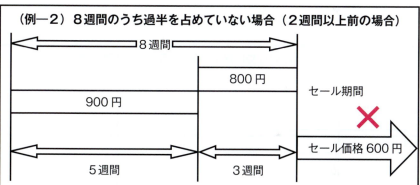

（解説）比較対象価格が無いため二重価格表示はできません。
・800円で販売した期間が8週間の過半を占めないため、800円を比較対象価格とした二重価格表示はできません。
・900円で販売した期間が8週間の過半を占めているが、最後に販売した時から2週間以上経過しているため、900円を比較対象価格とした二重価格表示はできません。

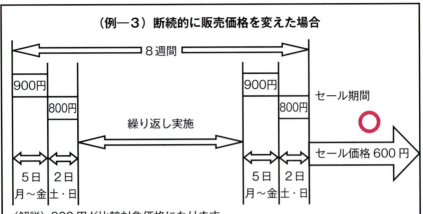

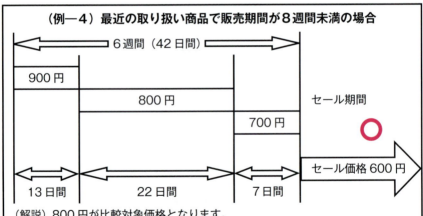

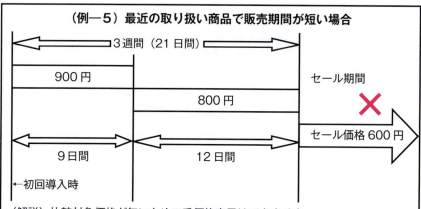

（解説）比較対象価格が無いため二重価格表示はできません。
　800円で販売した期間が3週間のうち、過半を占めているが2週間未満なので800円を比較対象価格とした二重価格表示はできません。

3. 独占禁止法（所管府省：公正取引委員会）
昭和22年4月14日法律第54号

1) 独占禁止法とは？

近年、公正取引委員会による小売店（食品スーパーマーケット等）を含む食品関連事業者を対象とした「独占禁止法」に関する警告や指導例が散見されます。そもそも「独占禁止法」とは、正式な名称は「私的独占の禁止及び公正取引の確保に関する法律」といいます。

独占禁止法では、誇大広告や不当な景品による販売行為は「不公正な取引方法」として禁じ、独占禁止法の特例法として広告や表示の取り締まりと公正な競争を促すために制定されたのが「不当景品類及び不当表示防止法（＝景品表示法）」です。

本来、独占禁止法は我が国の自由経済社会において、企業が守るべきルールを定め、公正かつ自由な競争を妨げる行為を規制することが目的です。それにより、消費者は購入条件（価格、品質等）に合った商品を自由に選択することができ、かつ事業者間の健全な競争がうまれ、結果消費者の利益が確保されることになります（「競争政策」と呼ぶ）。

また、独占禁止法を補完する「下請法（正式名称：下請代金支払遅延等防止法）」があります。市場における公正で自由な競争を守るために、公正取引委員会はこの2つの法律を執行します。

2) 独占禁止法に関する規制内容のポイント

(1) 私的独占の禁止（独占禁止法第3条）

私的独占には2つのケースがあります。「排除型私的独占」とは、事業者が単独または他の事業者と共同して不当な低価格販売などで競争相手を市場から排除したり、新規参入者を妨害して市場を独占しようとする行為です。片や、

「支配型私的独占」とは、事業者が単独または他の事業者と共同して、株式取得などにより、他の事業者の事業活動に制約を与え市場を支配しようとする行為です。市場を独占した事業者は価格や品質の企業努力を怠り、結果、消費者の利益が損なわれます。このような「私的独占」は禁止ですが、正当な競争の結果、市場を独占するようになった場合は、違法にはなりません。

（2）不当な取引制限（カルテル等）の禁止（独占禁止法第3条）

複数の事業者が連絡を取り合い商品の価格や生産数量などを各事業者が決めずに共同で取り決める行為を「カルテル」といいます。「カルテル」により、消費者は価格による商品選択ができず、高い価格等で設定されたりします。結果、経済を停滞させるため厳しく規制されています。その他、公共の入札に際しての「入札談合」の行為も対象です。

（3）不公正な取引方法の禁止（独占禁止法第19条）

「自由な競争が制限されるおそれがあること」「競争手段が公正とはいえないこと」「自由な競争の基盤を侵害するおそれがあること」等、公正な競争を阻害するおそれがある場合は禁止です。独占禁止法のほか、公正取引委員会の告示する内容には、「一般指定（全業種に適用）」と「特殊指定（特定の事業者・業界に適用）」があります。一般指定では取引拒絶、拘束条件付取引、再販売価格の拘束、不当廉売などがあり、特殊指定は大規模小売業者が行う不公正な取引方法、特定荷主が行う不公正な取引方法、及び新聞業の3つについて指定されています。

①共同の取引拒絶について

競争関係にある事業者が共同で特定の事業者との取引を拒んだり、第三者に特定の事業者との取引を断わらせたりすること。

②再販売価格の拘束について

メーカーが指定した価格で販売しない小売業者等に対して、卸価格を高くしたり、出荷を停止したりして、小売業者等に指定した価格を守らせること。

③優越的地位の濫用について

取引上優越した地位にある事業者が、取引先に対して不当に不利益を与えること。例えば、大手スーパーマーケットが納入業者に対して、押し付け販売、返品、従業員派遣や協賛金負担などを強いる不当な行為は禁止です。

また、下請法（下請代金支払遅延等防止法）は、親事業者と下請事業者との間の取引を公正にし、下請事業者の利益を保護する法律で、親事業者による受領拒否、下請代金の支払遅延・減額、返品、買いたたき等の行為を規制しています。

④非価格制限行為について
　「有力なメーカー」が競争品を対象に流通業者の取扱いを制限する（市場閉鎖の効果）、また営業地域の厳しい制限で価格維持が生じる場合などは「不公正な取引方法」となり違法です。この場合の「有力なメーカー」とは市場シェアが20％を超えることが判断になります。ただし、市場シェアが20％以下の事業者や新規参入者が競争品の取扱い制限を行っても違法とはなりません（セーフハーバー：法規定が適用されない数値範囲のこと）（流通・取引慣行ガイドラインより）。

（4）事業者団体の規制について（独占禁止法第8条）
　事業活動を行っている事業者以外の社団、財団、組合等の事業者団体も規制の対象です。事業者団体とは「事業者としての共通の利益を増進することを主たる目的とする2以上の事業者の結合体又はその連合体」のことです。事業者団体による競争の実質的な制限、事業者の数の制限、会員事業者・組合員等の機能または活動の不当な制限、事業者に不公正な取引方法をさせる行為等を禁止しています。

（5）企業（事業者）の結合規制
　企業結合を行った会社グループが単独、または他事業者と協調的行動を採ることで市場価格や供給数量などを実質的に制限可能な場合は、当該企業結合を禁止しています。当該企業結合を行う場合は公正取引委員会に届出・報告を行うこととなっています。

（6）独占的状態の規制
　その他、競争の結果、50％超のシェアを持つ事業者等により市場の弊害が認められる場合には、競争を回復するための措置として当該事業者の営業の一部譲渡を命じる場合があります。

3）「独占禁止法」に違反した場合の罰則規定

　独占禁止法に違反してしまった場合、公正取引委員会は、違反した事業者に対して、その違反行為を除くために必要な措置を命じます（排除措置命令）。

　私的独占やカルテル及び一定の不公正な取引方法については、違反事業者に対して、課徴金が課されます。また、カルテル、私的独占、不公正な取引方法を行った企業に対して、被害者は損害賠償請求ができます。この場合、事業者は故意・過失の有無を問わず責任を免れることができません（無過失損害賠償責任）。

　さらに、カルテル、私的独占などを行った事業者や業界団体の役員に対しては、罰則規定が定められています。

　排除措置命令では、例えば価格引上げ等の決定の破棄とその周知（価格カルテル）、また再発防止対策として独占禁止法遵守のための行動指針の作成などがあります。また、排除措置命令等の法的措置でない場合であっても、違反するおそれがある行為があるときは、「警告」を行い、行為の取りやめ等の指示、さらに、違反につながるおそれがある行為がみられたときには「注意」となります。

　独占禁止法違反の事件の審査により違反事実が認められると、行政処分は事前手続を経て排除措置命令・課徴金納付命令が行われ、刑事処分相当の場合であれば、検事総長への告発が行われます。これまでの課徴金納付命令の最高額は約270億円（平成22年11月、対象者数5社）／1事件であり、1社に対する最高額は約131億円です（平成27年3月31日現在）。

4）「独占禁止法」における食品の不当廉売について

　国は農業競争力強化プログラムで、生産者が有利な条件で安定取引できるよう流通業界の見直しを課題に挙げてきました。小売店（食品スーパーマーケット等）での販売競争を正常化させるために、不公正取引への監視を徹底する方針で進めています。今後はそのような点からも「不当廉売」に関する公正取引委員会の監視はこれまで以上に厳しいものになります。

(1) 不当廉売表示として独占禁止法に抵触する場合

　社会通念上、販売価格が明らかに採算度外視によるものであり、結果、当該小売店等の周囲の事業者の営業に影響し、地域での独占状態を招くことが考えられる場合は独占禁止法の不当廉価販売（不当廉売）の対象となります。つまり、正当な理由がないのに、商品販売に係る費用を著しく下回る対価で継続して販売することで、他事業者の事業活動を困難にさせるおそれがあるもの、が対象となります（独占禁止法第2条第9項第3号）。重要なことは不当廉売に該当するかどうか？を判断することです。
　つまり、
① 廉売の態様として、打ちだし価格の積算根拠と費用基準、継続性などに経済合理性があるか？
② 地域の他の事業者の営業活動を困難にさせる可能性はないか？
③ その他、廉売を行うことの事業者としての正当な理由があるか？
　等が判断基準となります。
　上記の要件に該当しないのであれば、独占禁止法に抵触する可能性は低いと思われます。
　つまり、①に関しては、当該食品の販売にかかる費用（実質仕入価格＋仕入れ経費＋販売経費の一部）−実質仕入れ価格（仕入れ原価−値引き−リベート）＝損失額の場合→法定不当廉売になる可能性があり、また定期性を持たせた繰り返し販売も不当廉売の対象と考えられます。
　②に関しては、地域の他の事業者の営業活動を困難にさせない範囲であること、③に関しては通常は「価格競争」は保護・促進されるべきものと考えられているため、事業者の効率性によって達成した低価格であること、また生鮮食料品のようにその品質が急速に低下する性質のものや、季節商品のようにその販売の旬を過ぎたものについての、いわゆる見切り販売やお値打ち品として販売＝在庫処分等の理由がある場合は対象外と考えられます。
　その他広告宣伝の状況も対象になります。具体的には、新聞折込等で事前に広告していることなども不当廉売の対象になります。廉売を行っている事業者の事前告知や繰り返し行われる営業行為、また営業方針等から、消費者が客観的に特別安価で定期的に購入できることが認知され、予測される場合です。
　毎日継続することとは関係なく、毎月または毎週末等の曜日を決めた繰り返し廉売であっても、需要者の購買状況により、継続して供給しているとみることができるケースでは対象となる可能性があります。
　補足すると、法定不法廉価の規定には、独占禁止法の規定と公正取引委員会

の告示によるものの2つがあります。独占禁止法の規定を法定不当廉価（販売）といいます。さらに、独占禁止法上、公正取引委員会に「不当な対価」の設定として禁止する取引の「指定」が委任されています（独占禁止法第2条第9項第6号）。これを受けて公正取引委員会の「告示」の中で「不当廉価（販売）」が禁止取引として規定されています。

5）その他のケースから独占禁止法を考える

（1）小売店が人気商品と売れ残り商品をセットで販売した場合

　異なる商品の抱き合わせ販売は取引の強制であり、不当に行われる場合には不公正な取引方法（抱き合わせ販売）として禁止です。問題は、取引の相手方に対して不当に不利益を与える場合です。

（2）小売店の販売価格を食品メーカーが指定し、守らない場合は取引を中止する等の行為

　小売店に自社商品の販売価格を指示し、これを守らせることを再販売価格維持行為といいます。再販売価格維持行為は、競争手段の重要な要素である価格を拘束するため、原則として禁止されています。さらに、従わない小売店に経済上の不利益を課したり、出荷停止することも禁止されています。

＜参考―不当廉売に関する独占禁止法上の考え方の一部抜粋から＞

改正：平成29年6月16日

2　不当廉売規制の目的

　独占禁止法の目的は公正かつ自由な競争を維持・促進すること。……企業努力による価格競争は、本来、競争政策が維持促進しようとする能率競争（良質・廉価な商品を提供して顧客を獲得する競争をいう。）をなすもの。<u>価格の安さ自体を不当視</u>するものではないが価格の安さを常に<u>正当視するものでもない</u>。企業の効率性によって達成した低価格で商品を提供するのではなく、採算を度外視した低価格によって顧客を獲得しようとするのは、独占禁止法の目的からみて問題がある場合があり……正当な理由がないのにコストを下回る価格……継続することができないような低価格によって競争者の顧客を獲得することは……正常な競争過程を反映せず、廉売を行っている事業者（廉売行為者）自らと……事業者の事業活動を困難にさせるおそれがあり、公正な競争秩序に影響を及ぼすおそれがある場合もあるからである。

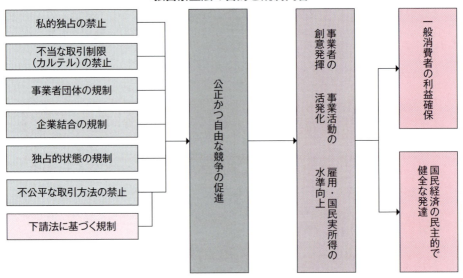

4. 不正競争防止法（所管府省：経済産業省）平成5年5月19日法律第47号

　この法律は事業者間の公正な競争やこれに関する国際約束の的確な実施を確保するためのもので、国民経済の健全な発展に寄与することを目的としています。事業者間の公正な競争を阻害する行為を「不正競争」として類型化し、他人の商品等表示を勝手に流用したり、また誤認を招く表示（原産地や品質等）をしたり、さらに類似した商品名を使用したりすること等を禁止しています。

　また、このような行為をもとに営業上の利益を侵害された者には「差し止め請求権」と「損害賠償」等を認めており、さらに行為者に対しては刑事罰を科すもの、となっています。あくまでも事業者を対象とした法律なので消費者保護のための法律ではありませんが、食品の表示規制は、事業者を守るとともに、結果、消費者をも保護する側面があるのも事実です。

＜不正競争防止法のポイント＞
1　不当な表示の禁止
　　不正競争防止法は、原産地や品質などの誤認をさせるような表示を禁止しています。
2　不正競争防止法の目的
　　不正競争防止法は、事業者等が公正な条件で競争する市場を守ることを目的としています。

（定義）
第2条　この法律において「不正競争」とは、次に掲げるものをいう。
十四　商品若しくは役務若しくはその広告若しくは取引に用いる書類若しくは通信にその商品の原産地、品質、内容、製造方法、用途若しくは数量若しくはその役務の質、内容、用途若しくは数量について誤認させるような表示をし、又はその表示をした商品を譲渡し、引渡し、譲渡若しくは引渡しのために展示し、輸出し、輸入し、若しくは電気通信回線を通じて提供し、若しくはその表示をして役務を提供する行為

5. 食品のマーク

(1) 農林水産省に関係する様々な食品に付与されるマーク

　農林物資の品質改善、生産の合理化、取引の単純な公正化等を図るため、農林水産大臣が制定した規格による検査の基準を満たした食品にのみ決められたマークを付ける事が出来ます。また、各マークの下部には認証機関名を記載します。
　現在、JAS 規格には、3つの主な基準があります。
①品位、成分、性能、その他品質に関する基準→ハム・ソーセージ、果実飲料等の一般食品の JAS 規格
②生産方法についての基準→有機 JAS 規格、生産情報公表 JAS 規格
③流通の方法についての基準→定温管理流通 JAS 規格

① JAS マーク

ベーコン類（ベーコンを除く。）　骨付きハム　ラックスハム　ソーセージ（ボロニアソーセージ　フランクフルトソーセージ　ウインナーソーセージ　リオナソーセージ　セミドライソーセージおよびドライソーセージを除く。）　マカロニ類　炭酸飲料　トマト加工品（トマトケチャップを除く。）　削りぶし　風味調味料　乾燥スープ　即席めん　ドレッシング　異性化液糖および砂糖混合異性化液糖　醸造酢　植物性たん白　食用精製加工油脂　豆乳類　畜産物缶詰・瓶詰（コンビーフ缶詰・瓶詰を除く。）　マーガリン類　干しめん　農産物漬物　全糖ぶどう糖　ショートニング　精製ラード　にんじんジュースおよびにんじんミックスジュース　水産物缶詰・瓶詰　果実飲料　農産物缶詰・瓶詰（たけのこ缶詰・瓶詰（全形および2つ割りに限る。）、たけのこ大型缶詰（全形（傷を除く。）および2つ割りに限る。）、もも缶詰・瓶詰（2

つ割りに限る。）、なし缶詰・瓶詰（２つ割りに限る。）ならびにフルーツみつ豆缶詰・瓶詰を除く。）　パン粉　そしゃく配慮食品

たけのこ缶詰・瓶詰（全形および２つ割りに限る。）、たけのこ大型缶詰（全形（傷を除く。）および２つ割りに限る。）、もも缶詰・瓶詰（２つ割りに限る。）、なし缶詰・瓶詰（２つ割りに限る。）　フルーツみつ豆缶詰・瓶詰　ベーコン　ハム類（骨付きハムおよびラックスハムを除く。）　プレスハム　ボロニアソーセージ　フランクフルトソーセージ　ウインナーソーセージ　リオナソーセージ　セミドライソーセージ　ドライソーセージ　しょうゆ　ジャム類　ウスターソース類　トマトケチャップ　ハンバーガーパティ　チルドハンバーグステーキ　チルドミートボール　ぶどう糖（全糖ぶどう糖を除く。）　煮干魚類　干しそば　コンビーフ缶詰・瓶詰

② 特色 JAS マーク

熟成ハム類　熟成ソーセージ類　熟成ベーコン類　地鶏肉　手延べ干しめん　りんごストレートピュアジュース
生産情報公表牛肉　生産情報公表豚肉　生産情報公表農産物　生産情報公表養殖魚
定温管理流通加工食品
人工種苗生産技術による水産養殖産品

※従来の特定 JAS マーク、生産情報公表 JAS マーク、定温管理流通 JAS マークの３つのマークは、平成 30 年 12 月の改正により、上記の特色 JAS マークに統合されました。

③有機 JAS マーク

有機 JAS 規格を満たす以下のような食品に付いています。

● **有機農産物**
環境に配慮して農薬や化学肥料に頼らずに作られた農産物等

● **有機畜産物**
有機飼料をエサとし、野外へ放牧するなどストレスを与えないように飼われた家畜の肉や乳、卵等

● **有機加工食品**
有機農産物や有機畜産物を原材料として作られた加工食品で、このマークが付いていない食品は、「有機〇〇」「オーガニック〇〇」などと表示してはいけません。

④地域特産品認証マーク（Eマーク）

その地域で生産された原材料で作られた特産品です。地域特産品の品質表示の適正化の推進が目的です。
3Eマーク食品とも呼ばれています。

⑤地理的表示（GI マーク）

登録された産品の地理的表示と併せて付すもので、産品の確立した特性と地域との結び付きが見られる真正な地理的表示産品であることを証するものです。
登録されていない、または基準を満たしていない農林水産物等に本マークを使用することはできません。

（2）消費者庁に関係する様々な食品マーク

一定の基準を満たした食品であって消費者庁長官が許可または承認（海外で生産し、日本国内で販売する商品の場合）した製品にのみ決められたマークを付けることができます。

①特定保健用食品（トクホ）（疾病リスク低減表示・規格基準型を含む）

「血圧を正常に保つことを助ける」「おなかの調子を整えるのに役立つ」など、健康への作用を持つ成分を含んでいて、有効性や安全性が科学的に証明されていることを国が認めている食品が対象です。このマークのない食品には、健康への作用を表示してはいけません。

②条件付き特定保健用食品

特定保健用食品と比べて、有効性が十分に証明されていないけれども、ある程度の有効性が確認されている食品に付いています。
許可表示：「○○を含んでおり、根拠は必ずしも確立されていませんが、△△に適している可能性がある食品です。」

③特別用途食品

許可基準型病者用食品（低たんぱく質食品、アレルゲン除去食品、無乳糖食品、総合栄養食品）　個別評価型病者用食品　妊産婦・授乳婦用粉乳　乳児用調製乳（乳児用調製粉乳、乳児用調製液状乳）　えん下困難者用食品（えん下困難者用食品、とろみ調整用食品）

備考：区分欄には、乳児用食品にあっては「乳児用食品」と、幼児用食品にあっては「幼児用食品」と、妊産婦食品にあっては「妊産婦用食品」と、病者用食品にあっては「病者用食品」と、その他の特別の用途に適する食品にあっては、特別の用途を記載すること。

（3）HACCP の承認に関係するマーク

HACCP システムによって衛生管理していると厚生労働大臣が承認した工場で作られた「乳・乳製品」「清涼飲料水」「食肉製品（ハム、ソーセージなど）」「魚肉練り製品（かまぼこ、魚肉ソーセージなど）」「容器包装詰加圧加熱殺菌食品（缶詰、レトルト食品など）」に付いています。

（4）公正マーク

景品表示法をもとにして関係する業界が自主的に設けたルールに公正競争規約があります。規約は食品の基準、表示の基準、不当表示の基準等を品目別に取り決めています。その規約に従い、適正な品質と表示として認められた商品に「公正マーク」が付されています。

①飲用乳の公正マーク（全国飲用牛乳公正取引協議会）

飲用乳の表示に関する公正競争規約に従い、適正な表示をしていると認められるものにつけられます。
牛乳　特別牛乳　成分調整牛乳　低脂肪牛乳　無脂肪牛乳　加工乳　乳飲料

②はちみつの会員証紙（(一社)全国はちみつ公正取引協議会）

はちみつ類の表示に関する公正競争規約に従い、協議会の会員の商品につけられます。
はちみつ　精製はちみつ　加糖はちみつ　巣はちみつ　巣はちみつ入りはちみつ

③辛子めんたいこ食品の公正マーク（全国辛子めんたいこ食品公正取引協議会）

辛子めんたいこ食品の表示に関する公正競争規約に従って製造し、若しくは販売し、又は輸入して販売する辛子めんたいこ食品に表示することができます。

④食用塩の公正マーク（食用塩公正取引協議会）

食用塩の表示に関する公正取引競争規約に従い適正な表示をしている事業者は、食用塩の容器、包装等の見やすい場所に表示することができます。

⑤冷凍食品の認定証マーク（（一社）日本冷凍食品協会）

日本冷凍食品協会の定めた「自主的基準」に適合した製品につけられます。

水産冷凍食品　農産冷凍食品　畜産冷凍食品　調理冷凍食品等

（5）各省にまたがる包材等に関する義務表示のリユース・リサイクルの識別表示マーク

「資源の有効な利用の促進に関する法律（資源有効利用促進法）」に基づき、分別回収を促進するためのマークです。指定の材質は、消費者が容易にわかるように、材質に合わせて表示することが義務付けられています。資源の再生利用が目的です。

①スチール缶

鋼製の缶（内容積が7L未満のもの）で、飲料（酒類を含む。）が充てんされたもの

②アルミ缶

アルミニウム製の缶（内容積が7L未満のもの）で、飲料（酒類を含む。）が充てんされたもの

③ PETボトル

ポリエチレンテレフタレート（PET）製の容器（内容積が150ml以上のものに限る。）で、以下のものが充てんされたもの

- 飲料（酒類、ドリンクタイプの発酵乳、乳酸菌飲料及び乳飲料を含む。）
- しょうゆ
- しょうゆ加工品
- アルコール発酵調味料
- みりん風調味料
- 食酢
- 調味酢
- ドレッシングタイプ調味料

④ 紙製容器包装

紙製の容器包装で、以下のもの（アルミニウムを使用していない飲料用紙パック、段ボール製の容器包装、表面積が1300cm^{2}以下で特定の商品の包装を目的としない包装紙を除く。）

- 箱、ケース
- カップ形の容器及びコップ
- 皿、袋
- 上記に準ずる構造、形状のもの
- 容器の栓、ふた、キャップなど
- 商品の保護、固定のため当該容器に加工、固着された容器（細切された緩衝材を含む。）
- 包装紙

⑤プラスチック製容器包装

プラスチック製の容器包装で、以下のもの（PET マークの対象容器包装を除く。）

- ●箱、ケース
- ●びん、たる、おけ
- ●カップ形の容器及びコップ
- ●皿、くぼみのあるシート状の容器、袋
- ●チューブ状の容器
- ●上記に準ずる構造、形状のもの
- ●容器の栓、ふた、キャップなど
- ●商品の保護、固定のため当該容器に加工、固着された容器（緩衝材を含む。）
- ●包装フィルム

（6）その他、包材等に関する任意のリユース・リサイクルの識別表示マーク

法的な表示義務はありません。リユース・リサイクルを進めるために業界団体等が製品の素材や回収ルートがあることを表示するマークもあります。

①アルミなし紙パック

資源有効利用促進法において、識別表示が義務化されず、業界団体において自主的に表示を行っているものです。

②段ボール

国際的に共通な段ボールのリサイクルシンボルです。
識別表示は義務化されていません。

③リターナブルガラス瓶（日本ガラスびん協会が認定したものに限る）

業界団体において自主的に表示を行っているものです。

6. 営業許可と食品表示

1）はじめに

「弊社でこの冷凍食品を解凍し、小分けし、個包装して販売可能ですか？その時の注意点は？」

「弊社の工場でこのお惣菜を小分けし、香辛料を添加し、個包装して販売することはできますか？」

「当バックヤードで認められている食品加工の範囲を教えて下さい。」……等々

食品関連事業者である食品スーパーマーケットや食品メーカー、食品流通問屋からこのような質問が増えているだけでなく、各地で営業許可と食品表示に関する齟齬を原因とするトラブルも起こっています。その原因のひとつに食品関連事業者において、営業許可に関する理解が不十分であることが考えられます。食品事故や食品衛生法違反を起こしてからでは間に合いません。そこで、ここでは食品の営業許可と食品表示について解説します。

2）食品営業許可の分類

食品営業許可には共通の法許可業種として34種類があり、大きく次の①～④に分類されます。ポイントはそれぞれが対象とする食品です。また、34法許可業種とは別に各都道府県において別途条例許可業種もありますので注意が必要です。さらに、許可に必要な施設基準には共通の施設基準と各業種別の施設基準があります。

①調理業（店舗営業）
飲食店営業・喫茶店営業

②製造業

菓子製造業・あん類製造業・アイスクリーム類製造業・乳製品製造業・食肉製品製造業・魚肉ねり製品製造業・清涼飲料水製造業・乳酸菌飲料製造業・氷雪製造業・食用油脂製造業・マーガリンまたはショートニング製造業・みそ製造業・醬油製造業・ソース類製造業・酒類製造業・豆腐製造業・納豆製造業・麺類製造業・そうざい製造業・缶詰または瓶詰食品製造業・添加物製造業

③処理業

乳処理業・特別牛乳搾取処理業・集乳業・食肉処理業・食品の冷凍または冷蔵業・食品の放射線照射業

④販売業

乳類販売業・食肉販売業・魚介類販売業・魚介類せり売営業・氷雪販売業

3）営業形態と主な食品

①飲食店営業

食品を調理し、または設備を設けて消費者に飲食させる営業のこと（菓子、飲料含む）。その場で対面販売するスーパーマーケットのお弁当やお惣菜の調理、加工はこれに該当します。仕出し屋、弁当屋、一般食堂、料理店、すし屋、そば屋、旅館、レストラン、カフェ、居酒屋等。

対象となる食品は、調理パン、お弁当、寿司弁当、おにぎり、お惣菜、たこ焼き、焼き鳥等です。

②喫茶店営業

喫茶店、サロンその他設備を設けて酒類以外の飲物または茶菓を客に飲食させる営業のこと。

原則として食事を提供する場合は飲食店営業許可が必要になります。

③菓子製造業

社会通念上「菓子」と理解されているものです。和菓子（鯛焼き、大判焼き、おはぎ、餡餅、草餅、団子、まんじゅう、せんべい、羊羹、ういろう、赤飯）、洋菓子（ケーキ、クレープ、クッキー、プリン、ゼリー、ドーナツ、蒸しパン、チョコレート、生キャラメル、飴）、パン（サンドイッチ・調理パンを除く）

等の製造業のことです。
　ただし「餡」の単品販売は含まれません。

④あん類製造業
　生あん、ねりあん、さらしあん等のあんの製造業のことです。

⑤アイスクリーム類製造業
　アイスクリーム、アイスシャーベット、アイスキャンデー、その他液体食品またはこれに他の食品を混和したものを凍結させた食品の製造業のことです。

⑥乳製品製造業
　粉乳、練乳、発酵乳、クリーム、バター、チーズ、その他乳を主原料とする食品の製造業のことです。

⑦食肉製品製造業
　ハム、ソーセージ、ベーコン、焼き豚、ローストビーフ、鶏チャーシュー、食肉を50％以上使用した加工品（ハンバーグ、肉団子等）、その他これらに類するものの製造業のことです。

⑧魚肉ねり製品製造業
　かまぼこ、ちくわ、魚練り天ぷら、魚肉ハム、魚肉ソーセージ、鯨肉ベーコン、その他これらに類するものの製造業のことです。

⑨清涼飲料水製造業
　ジュース、ミネラルウォーター、豆乳等の製造業のことです。

⑩乳酸菌飲料製造業
　乳酸菌飲料の製造業のことです。

⑪氷雪製造業
　氷の製造業のことです。

⑫食用油脂製造業
　サラダ油、天ぷら油等の食用油脂の製造業のことです。

⑬ マーガリンまたはショートニング製造業

　マーガリン、ショートニングの製造業のことです。

⑭ みそ製造業

　米みそ、麦みそ、大豆みそ等のみその製造業のことです。

⑮ 醤油製造業

　醤油、加工醤油、生揚げ醤油等の製造業のことです。

⑯ ソース類製造業

　ウスターソース、果実ソース、果実ピューレー、ケチャップ、マヨネーズ、焼き肉のたれ等の製造業のことです。

⑰ 酒類製造業

　酒、果実酒、本みりん等の製造業のことです。

⑱ 豆腐製造業

　豆腐、油揚げ、厚揚げ等の製造業のことです。

⑲ 納豆製造業

　納豆類の製造業のことです。

⑳ めん類製造業

　日本そば、うどん、中華めん等の生めん、ゆでめん、乾めん（そば、うどん、そうめん、冷麦、中華めん）の製造業のことです。

㉑ そうざい製造業

　社会通念上、惣菜と理解されるもので、煮物（佃煮、煮しめ、肉じゃが、鮎の甘露煮等）、あえ物（ごまあえ、白和え、サラダ等）、焼き物、（焼鳥、焼き魚、炒め物、ウナギの蒲焼き、串焼き等）、酢の物、揚げ物（唐揚げ、天ぷら、フライ等）、蒸し物（しゅうまい、茶碗蒸し等）、きんぴら、餃子、ゆでがに、ゆでだこ、ゆずみそなど通常副食（おかず等）として食されるものの製造業のことです。また、スーパーマーケットのように対面販売する場合は、飲食店営業でも製造販売できます。<u>食肉製品製造業、魚肉ねり製品製造業または豆腐製造業を除きます。</u>

㉒かん詰またはびん詰食品製造業
　密栓または密封したかん詰またはびん詰食品の製造業のことです。ジャム、水産缶詰等。

㉓添加物製造業
　食品衛生法第11条第1項の規定により規格が定められた食品添加物の製造業のことです。

㉔乳処理業
　牛乳（脱脂乳その他牛乳に類似する外観を有する乳飲料を含む。）または山羊乳を処理し、または製造する営業のことです。

㉕特別牛乳搾取処理業
　牛乳を搾取し、殺菌しないか、または低温殺菌の方法によって、これを厚生労働省令で定める成分規格を有する牛乳に処理する営業のことです。

㉖集乳業
　生牛乳または生山羊乳を集荷し、これを保存する営業のことです。

㉗食肉処理業
　食用に供する目的でとさつし、もしくは解体し、または解体された鳥獣の肉、内臓等を分割し、もしくは細切する営業のことです。

㉘食品の冷凍業または冷蔵業
　冷凍食品＊の製造もしくは小分け加工、または食品の冷凍冷蔵保管業のことです。
　＊食品衛生法でいう「製造し、又は加工した食品（清涼飲料水、食肉製品、鯨肉製品、魚肉練り製品、ゆでだこ及びゆでがにを除く）及び切り身又はむき身にした鮮魚介類（生かきは除く）を凍結したものであって、容器包装に入れられたもの」です。保存温度は食品衛生法では－15℃以下。（一社）日本冷凍食品協会では－18℃以下

㉙食品の放射線照射業
　ばれいしょの発芽防止のための放射線照射加工業のことです。

㉚ 乳類販売業

　直接飲用に供される牛乳、山羊乳もしくは乳飲料（保存性のある容器に入れ、150℃以上で15分間以上加熱殺菌したものを除く。）または乳を主要原料とするクリームを販売する営業のことです。

㉛ 食肉販売業

　生の食肉、冷凍品＊の販売のことです。牛肉、豚肉、鶏肉、羊肉、骨、臓器の細切等。
＊一般的に冷凍されたすべての食品を指し、輸入冷凍食肉や冷凍魚類等です。

㉜ 魚介類販売業

　店舗を設け、鮮魚介類（冷凍品、一夜干し含む）を販売する営業のことです。塩干魚介類および活魚介類の販売や魚介類せり売営業に該当する営業を除きます。

㉝ 魚介類せり売営業

　鮮魚介類を魚介類市場においてせりの方法で販売する営業のことです。

㉞ 氷雪販売業

　氷を仕入れて小売業者へ販売する営業のことです。

（参考）東京都においては都条例許可として次の業種も対象になっています。
①つけ物製造業（塩漬けおよびぬか漬け以外の漬物を製造する営業のこと。塩漬けおよびぬか漬け製造は報告。）
②製菓材料等製造業（フラワーペースト等製菓材料ならびにジャムおよびマーマレード類を製造する営業のこと。）
③粉末食品製造業（粉末ジュース、インスタントコーヒー等、粉末食品を製造する営業のこと。）
④そう菜半製品等製造業（ギョウザ、コロッケ、ハンバーグその他のそう菜の半製品、こんにゃく、ちくわぶその他のそう菜材料およびしそ巻、たいみそその他のそう菜類似食品を製造する営業のこと。）
⑤調味料等製造業（チャーハンのもと、だしのもと、調味料等およびカレー粉、香辛料等を製造する営業のこと。）
⑥魚介類加工業
⑦液卵製造業（鶏の液卵を製造する営業のこと。）

⑧食料品等販売業（弁当類、そう菜類、乳製品、食肉製品、魚介類加工品その他の調理加工を要しないで直接摂食できる食品を販売する営業のこと。）

（参考文献）厚生労働省　東京都

4）営業許可制度の見直しおよび営業届出制度の創設

　15年ぶりに食品衛生法の改正が平成30年6月13日に公布。現行の営業許可制度について実態に応じた営業許可業種への見直しや、現行の営業許可業種（政令で定める34業種）以外の事業者の届出制の創設を行います。

●許可とは
　一般には禁止されている行為を特定の場合に解除して適法に行えるようにすることです。

●届出とは
　ある種の行為をすることを行政に知らせることで適法に行えるようにすることです。

施行日：平成30年6月13日から3年を超えない範囲内

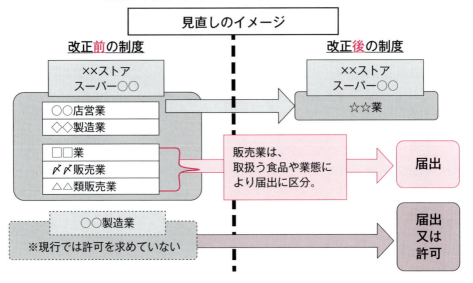

＜営業許可制度の見直しおよび営業届出制度の創設＞

7. 製造所固有記号

1） 製造所固有記号制度のこれまで

　当該制度は昭和34年に食品衛生法施行規則の一部を改正する省令により制定されています。
　改めて、平成27年4月1日施行の食品表示法（食品表示基準）では、これまで通り「製造所の所在地及び製造者の氏名又は名称」の表示は義務付けとなっています。具体的には、食品の工程が加工の場合は「加工所の所在地及び加工者の氏名又は名称」、輸入品は「輸入業者の営業所の所在地及び輸入業者の氏名又は名称」、乳は「乳処理場（特別牛乳は特別牛乳搾取処理場）の所在地及び乳処理業者（特別牛乳は特別牛乳搾取処理業者）の氏名又は名称」を表示することとなっています。この「製造所の所在地及び製造者の氏名又は名称」の表示を、あらかじめ消費者庁長官に届け出た製造所固有記号の表示をもって代えることができる制度が製造所固有記号制度です。
　主な目的は食品危害等、衛生上の事故等が発生した場合、国が危害の拡大を防止するために、当該製品の製造所の所在地及び製造者の氏名又は名称を特定することです。

2） 新たな製造所固有記号制度

　平成28年4月1日施行の製造所固有記号制度は、従前の制度と比べ、以下の通り変更されました。

（1）製造所固有記号を使用する要件

　原則として**同一製品**を**2以上の製造所**で製造している場合（**例外含む**）は使用できるようになります。
●同一製品とは製品規格（原材料、添加物（配合）、内容量等の表示）が同じで、

同じ包材（デザインや表示等）であることです。

● 2以上の製造所とは、A. 自社工場＋自社工場≧2工場で製造、もしくはB. 他社工場（製造委託）＋他社工場（製造委託）≧2工場で製造、またはC. 自社工場＋他社工場（製造委託）≧2工場で製造、のA．B．Cの3パターンあります。

　A．の一括表示様式内の事項名は「製造者」
　B．の一括表示様式内の事項名は「販売者」
　C．の一括表示様式内の事項名は、自社工場の製造品については「製造者」になりますが、他社工場の製造品については「販売者」となりますので、この場合に限り事項名「製造者」、「販売者」の表示はしなくてもよいことになります。事項名がなくても表示責任者としての名称、住所が表示されているからです。

同一製品を自社工場と他社工場（製造委託）で製造している場合
＜製造者または販売者の事項名を省略して表示した例＞

```
名称
原材料名
添加物
内容量
賞味期限
保存方法
　　　　　●●株式会社　＋Aa
　　　　　東京都千代田区霞が関■―■―■
```

お客様ダイヤル　0120（○○）○○○○

● 例外として、届出時点では2以上の工場でなくても、使用有効期間内に2以上の工場で製造する計画がある場合は、製造計画書を添付し届出することで、「2以上の製造所で製造している場合」となります。

　また、製造された製品を仕入れ、**最終的に衛生状態を変化させる小分け（加工）作業を行った場合**、製造所固有記号の対象外である「加工所」扱いになりますが、同一製品を2以上の場所で加工している場合には、引き続き製造所固有記号が使用できるようになりました。
（注）従来の食品衛生法でも小分け作業の場合は使用可
　例えば、うなぎ蒲焼をバルクで仕入れて小分けし、包装するなど衛生状態の変化が生じる場合がこれに該当します。

（条件―1）
　甲本社（食品スーパーマーケット）がうなぎ蒲焼をバルクで仕入れ、自社工場（A）と自社工場（B）で加工（小分け包装）したものを甲社が経営する系列店舗で販売する場合です。

・自社工場（A）で加工した商品（製造所固有記号は「A 1」）

```
・・・・・・・・・・
製造者　　　甲社　＋A 1
　　　　　△△県△△市△△1―1
```

（条件―2）
　当該うなぎ蒲焼を自社工場（A）と他社工場（C）の2工場で加工（小分け包装）し、表示責任者である甲社が自社工場（A）との関係は「製造者」、他社工場（C）との関係は「販売者」となる場合です。この場合は、前述したように事項名を省略することができます。

・自社工場（A）で加工した商品（製造所固有記号は「A 1」）

```
・・・・・・・・・・
　　　　　甲社　＋A 1
　　　　〇〇県〇〇市〇〇町〇―〇
```
お客様相談センター　　0120―000―000

・他社工場（C）で加工した商品（製造所固有記号は「C 1」）

```
・・・・・・・・・・
　　　　　甲社　＋C 1
　　　　△△県△△市△△町△―△
```
お客様相談センター　　0120―000―000

● 1つの製造所で製造している場合であっても、他の法令の規定により、最終的に衛生状態を変化させた場所および当該行為を行った者に関する情報の管理が厳格に行われているような場合であって、かつ、当該法令その他関係法令に基づく表示から最終的に衛生状態を変化させた者または場所が特定できる場合には、「2以上の製造所で製造している場合」と同様に取り扱うこととなります。

（2）該当しないケースの例

● 通常品と原材料、添加物の配合等規格は同一だが、包材のデザインが違う製

品
- 通常品と規格は同一だが、内容量が異なり、包材の大きさも異なる製品
- 外見から内容量の表示を省略できる加工食品であって内容量が異なる製品の場合
- 同一敷地内の工場Aと工場Bの住所の住居番号が同じ場合は「同一製品を2以上の製造所で製造している場合」に該当しません。ただし、製造所の住所の住居番号に相違がある場合は、製造所は同一と解されないため「同一製品を2以上の製造所で製造している場合」に該当することになります。
- 業務用加工食品

　業務用加工食品は、消費者には販売されないこと、また業者間では製品規格書や製品仕様書等で製造所所在地、名称等の情報を知ることができますので製造者が把握できないという事態は生じないと考えられます。従って、業務用加工食品は同一製品を2以上の製造所で製造していなくとも、製造所固有記号を使用することができます。また、一般用加工食品に課せられています応答義務もありません。ただし、業務用加工食品に製造所固有記号を使用する場合でも、製造所固有記号制度届出データベースによる届出が必要です。

3）事業者の応答の義務化

　販売された加工食品や添加物の情報について、消費者からの問い合わせに対して応答の義務があります。

（1）問い合わせに対応するための連絡先の義務表示

　製造所固有記号を使用する場合、その製造所の情報について、消費者からの問い合わせに応答するための表示が必要です。

①回答する者の連絡先（ダイヤル等）を記載する

```
製造者　　甲社　＋Ａ１
　　　　　△△県△△市△△町〇〇－〇〇
```
お客様相談室　0120―000―000

　その他、「お客様相談室」「製造所固有記号についてのお問合せ先」「お客様

ダイヤル」「お客様相談センター」等の記載もあります。

②製造所所在地等を表示したウェブサイトのアドレス等を記載する
例）製造所固有記号についてのお問合せ先：
　　　　　　　　　＜ホームページアドレス＞　http//www.label.co.jp/

③当該製品の製造を行っているすべての製造所所在地等の情報を記載する
例）製造所固有記号　　A1（A工場：○○県○○市○○町○—○）
　　　　　　　　　　　A2（B工場：△△県△△市△△町△—△）

4）製造所固有記号の届出

新規の届出、内容変更の届出、取得記号の廃止届出、有効期間後の更新届出等の届出は全てオンライン（製造所固有記号制度届出データベース）になります。届け出る製造所固有記号は下記の通りです。（注：業務用加工食品も含む）

（1）製造所固有記号に使用できる文字と記載のルール

製造所固有記号は、アラビア数字、ローマ字、平仮名若しくは片仮名又はこれらの組合せで、文字数が10文字以内であることとなっています。ただし、「−」、「・」、「.」、「＿」、スペースなどの記号等はこれまで同様に使用できません。また、製造所固有記号を表示する際は、食品表示基準第3条第1項の表の製造所又は加工所の所在地（輸入品は輸入業者の営業所の所在地、乳は乳処理場（特別牛乳は特別牛乳搾取処理場）の所在地）及び製造者又は加工者の氏名又は名称（輸入品は輸入業者の氏名又は名称、乳は乳処理業者（特別牛乳は特別牛乳搾取処理業者）の氏名又は名称）の項の3に規定する製造所固有記号の前に必ず「＋」を冠して表示してください。（注：新制度での業務用加工食品も含まれます）

```
例：販売者　　甲社　＋A1
```

（補足）
　「＋」の意味：旧制度の製造所固有記号と新制度の製造所固有記号とを区別するためです。

（2）実際に食品を製造している工場と小分け包装を行う工場が異なる場合

　当該食品の製造工場と最終的に衛生状態を変化させる小分け包装を行う工場が異なる場合、製造所固有記号の届出は、小分け包装を行う工場の食品関連事業者（製造者と同様の扱いを受ける加工者）を届け出ることになります。これは、食品の小分け包装を行った工場が、最終的に衛生状態を変化させる行為（製造又は加工）が行われた場所に該当し、公衆衛生の見地から、その工場を表示する必要があるためです。

（3）経過措置期間の取り扱いについて

　消費者の混乱を避けるため、旧基準に基づく表示と新基準に基づく表示の混在は、原則として認められないことから、イ．新基準に基づき表示した包材を製品に使用する場合は、新制度に基づき取得した製造所固有記号、ロ．経過措置期間を適用し、旧基準に基づき表示した包材を製品に使用する場合は、旧制度に基づき取得した製造所固有記号を使用します。

経過措置期間中（2016年4月1日〜2020年3月31日）

包　材	記　号	可否
新	新	○
旧	旧	○
新	旧	○※
旧	新	×

※新制度において、製造所固有記号を取得できる場合にあっては、新制度に基づく製造所固有記号の届出に関する手続等が完了するまでの間とする。

経過措置期間経過後（2020年4月1日〜）

包　材	記　号	可否
新	新	○
旧	旧	×
新	旧	×
旧	新	×

（出典：消費者庁）

5）製造所固有記号の変更に伴う確認点

（1）製造所固有記号を使用しない場合の表示

　「菓子パン」を1か所の工場で製造していて表示責任者である製造者と製造所が違う場合は、製造者と製造所の両方を記載します。

```
名称　　　　菓子パン
原材料名　　小麦粉、小豆、砂糖、鶏卵、ショートニング、…
　︙
保存方法　　直射日光を避けて保存
製造者　　　（株）〇〇製パン
　　　　　　　　〇〇県〇〇市〇〇町〇―〇
```
製造所　△△県△△市□□町△―△（A工場）

- 上記の場合、製造者と製造所が同一の場合は「製造者」のみになります。
- 製造所の文言は、「製造者」「製造場所」等も可。

（2）製造と加工の定義統一による「加工者」「加工所」の表示

　「製造」から「加工」に区分された食品の事項名は「加工者」及び「加工所」を表示します。例えば、1か所の工場でブロックのベーコンを仕入れ→スライス→小分け包装して販売する場合

加熱食肉製品（加熱後包装）

```
名称　　　　ベーコン
原材料名　　豚ばら肉、食塩、砂糖、大豆たん白、香辛料、…
　︙
保存方法　　10℃以下で保存
加工者　　　（株）〇〇食肉加工
　　　　　　　　東京都〇〇市〇〇町〇―〇
```
加工所　群馬県△△市△△町△―△（群馬工場）

- 上記の場合、加工者と加工所が同一の場合は「加工者」のみになります。
- 製造と加工の両方を同一事業者が行った場合は「製造者」表示になります。
- 加工所の文言は、「加工者」「加工場所」等も可。

8. 食品衛生法の一部改正とHACCP
公布：平成30年6月13日

　我が国の食をとりまく環境変化や国際化等に対応し、食品の安全を確保するため、広域的な食中毒事案への対策強化、事業者による衛生管理の向上等の措置を講ずることの一環として、HACCP制度が導入されました。

1）HACCP方式の優位性

　食品表示違反と食中毒等の食品事故はそのほとんどは想定外を原因としています。ただし、想定内、想定外ともに、消費者を食品危害から守るためには適正な防除手段が望まれてきました。

　HACCP方式は予め危害分析し、食品事故を防止する技術です。具体的には原料入荷から加工・製造・保管・出荷までの各工程において、予め危害を予測し（＝危害要因の分析）、その危害を防止（予防、消滅、許容レベルまでの減少）するために重要な工程を管理点（CCP）として設定します。さらに、設定した管理点を継続的に監視・記録（モニタリング）することで、異常を確認後は速やかに決められた対応策＝修正措置を取り解決します。結果、危害を引き起こす可能性のある製品の製造や出荷を防ぐことが可能になります。また、適正表示のための正確な情報伝達の仕組み、および追跡調査（トレーサビリティ）のための情報整理という点を加味することで表示の適正化も可能になります。

　現在、HACCPによる衛生管理は国際標準となっています。また、これまで、国際的にも最も予想が立てにくいフードディフェンス（フードテロ等）対策においてもHACCPの応用が基本となってきました。

2）HACCPによる衛生管理の制度化

　国は原則として、すべての食品等事業者を対象に、一般衛生管理に加え、HACCPに沿った衛生管理の実施を求めることにしました。ただし、食品事業者の規模や業種等を考慮した一定の営業者については、取り扱う食品の特性等

に応じた衛生管理とすることになります。(施行日:平成30年6月13日から2年を超えない範囲内)

＜HACCPに基づく二通りの衛生管理計画＞

事業者の規模や業種に応じて、対象とする食品等事業者は次のいずれかのHACCPに準拠した衛生管理の実施が求められます。

・HACCPに準拠した衛生管理として、食品衛生上の危害の発生を防止するために特に重要な工程を管理するための取組み
・HACCPの考え方やシステムを取り入れた衛生管理として、取り扱う食品の特性等に応じた取組み

3）HACCPに沿った衛生管理に関するQ&Aからの一部抜粋

＜設備について＞

HACCPは原材料、製造・調理の工程等を衛生管理に応じて計画策定、記録保存を行うものでソフトの基準であり、必ずしも施設設備等ハードの整備を求めるものではありません。

＜対象事業者について＞

「HACCPの考え方を取り入れた衛生管理」の対象事業者とは、具体的には、①小規模な製造・加工事業者　②併設店舗で小売販売のみを目的とする事業者（菓子製造販売、食肉販売、魚介類販売、豆腐製造販売等）　③提供する食品の種類が多く、変更が頻繁な業種（飲食店、給食施設、そうざい・弁当の調理等）
④低温保存が必要な包装食品の販売等一般衛生管理のみの対応で管理が可能な業種などを想定。また、一つの事業所において食品の製造および加工に従事するものの総数が50人未満等を検討しています。

＜準備期間について＞

公布日の平成30年6月13日から2年以内に施行予定ですが、施行後さらに1年間の経過措置期間を設けており、結果として3年間程度の準備期間が設けられています。

＜認証と営業許可の関係＞

認証や承認の制度ではありません。実施状況は、保健所等によって、営業許可の更新時や通常の定期立入検査等の際に、HACCP7原則の考え方に基づいて、衛生管理計画の作成や実践がなされているか監視指導が行われます。また、営業許可の更新時や届出の際、衛生管理計画は許可の可否の判断基準には含まれません。

＜HACCP関連の資格者について＞
　食品衛生責任者、食品衛生管理者以外の新たな有資格者の営業施設への設置は予定していません。

＜衛生管理計画不備と行政処分について＞
　衛生管理計画の策定及びその遵守を行わない場合は保健所等による行政指導が行われます。行政指導に従わず、人の健康を損なうおそれがある飲食物や食品等を製造等した場合、改善期間として営業の禁停止などの行政処分が行われることがあります。

＜食品衛生法とHACCP＞
　従来の食品衛生法第3条を遵守するための効率的な手法はHACCPシステムです。

＜食品衛生法　第1章　総則＞
〔目的〕
第1条　食品の安全性の確保のために公衆衛生の見地から必要な規則その他の措置を講ずることにより、飲食に起因する衛生上の危害の発生を防止し、もって国民の健康の保護を図ることを目的とする。
第3条
① 食品等事業者（食品や添加物を採取、製造、輸入、加工、調理、貯蔵、運搬、販売、または器具、容器包装を製造、輸入、販売する人、法人、学校、病院、その他の施設にて継続的に不特定多数の者に食品を供与する人、法人のこと）は、販売食品や原材料等の安全性確保のための知識や技術を習得し、自主検査の実施やその他の必要措置を講じなければなりません。
② 食品等事業者は販売食品等による危害の発生防止については、食品等事業者に対して販売食品等と原材料の販売を行った者の名称、その他必要な情報を記録・作成・保存しなければなりません。
③ 食品等事業者は販売食品等による危害の発生防止をするため、②に規定する国、行政機関への提供、原因食品の廃棄、その他必要措置を適確かつ迅速にとらなければなりません。

あとがき

『いのちを守る食品表示』は平成15（2003）年11月に「基礎編」（著者 武末髙裕）と「応用編」（著者 山口廣治）の2分冊で初版が刊行されました。以来、版を重ねてきましたが、食品表示法に対応した改訂版を刊行するにあたり1冊にまとめられました。

本書の構成は従来に比べて大幅に変わりましたが、「いのちを守る」ための食品表示というコンセプトは変わることはありません。

食品表示法の目的は消費者の食の選択と食の安全を担保することにあります。本書は刊行当初からこの考え方を貫いてきました。本書が執筆されるきっかけとなったのは食と命に関わる様々な事件が多発したことにあります。食の信頼は失われつつありました。

生産者、メーカー、販売者など、食に関わる人たちはこの問題にどう立ち向かうべきか。どうすれば食の信頼を取り戻すことができるのか。とりわけスーパーマーケットなど販売に関わる人たちはどう対応すればいいのか。そのひとつの解として、食品表示を学び、それを生かすために本書が刊行されたのです。

消費者は正しい食の情報を知る権利があります。その情報を提供するのは食を販売する小売店、生産者、食品メーカーなどの飲食関連事業者です。皆さんはこれらの情報を正しく消費者に伝える責任があります。

スーパーマーケットなどの小売店は生産者と消費者をつなぐ存在です。消費者と接し、食品表示を読み解き、食の情報を知らせることも小売りの重要な役目であり、サービスのひとつ。そうとらえていただきたいのです。

食はどのような場所で、どのように生産され、何を加えて、どのように製造されているのか。これら一連の情報は実に多様であり、複雑であり、膨大です。これらが食品表示を消費者に分かりにくくしている原因のひとつでもあります。

食品表示は安全安心な食品を選択するのに必要な情報を消費者にどうすれば分かりやすく正しく伝えられるか。消費者、食品関連事業者、行政、学識経験者などが集まり、多くの時間と議論が重ねられました。その結果、平成27

(2015)年4月、食品表示法が施行されました。

　食品表示法と食品表示基準によって食品表示はかなり整理されました。しかし複雑さも残っています。これらすべての問題に答えを出すにはまだ時間を必要とするでしょう。よりよい食品表示とは何か。試行錯誤は続きます。

　最後に、本書を読むにあたっていくつか注意していただきたい点をあげておきます。本書には表示ラベルのサンプルが記載されています。これら表示ラベルに書かれている事業所名、住所などは架空のものです。実在の団体などとは一切関係はありません。

　また、本書は平成31（2019）年1月時点の食品表示法などの法令をもとに執筆されています。法律の改正状況などによっては本書の内容とタイムラグが発生する場合があることをお断りしておきます。

　本書は一般社団法人全国スーパーマーケット協会が実施する「食品表示管理士検定」の公式テキストです。刊行にあたっては一般社団法人全国スーパーマーケット協会の横山清会長、三浦正樹専務理事に多大なご協力をいただきました。編集にあたっては中央法規出版株式会社池田丈氏から多くの助言を得ました。

　ここに改めて、皆さまに謝意を表します。

　平成31（2019）年4月吉日

武末　髙裕

参考文献・資料

- 「いのちを守る食品表示別冊『食品表示法解説2016』」新日本スーパーマーケット協会（2016）
- 「食品表示マニュアル」食品表示研究会、中央法規出版
- 「丸善食品総合辞典」五十嵐脩ほか、丸善（2005）
- 「食品表示の裏をよむ：安全、おいしい、おトクがわかる」NACS東日本支部食部会、悠々社（1999）
- 「食品小六法　平成16年版」食品法令研究会、水産社（2003）
- 「食品表示Q&A四訂」食品表示研究会、中央法規出版（2010）
- 「知っておきたい食品の表示　平成28年6月版・消費者向け」消費者庁（2016）
- 「早わかり食品表示ガイド　平成28年6月版・事業者向け」消費者庁（2016）
- 「大切です！食品表示」東京都（2015）
- 「食品の安全性に関する用語集」内閣府食品安全委員会（2016）
- 「食品安全性セミナー1　食中毒」細貝祐太郎ほか、中央法規出版（2001）
- 「図解　食品衛生学」市川富夫ほか、講談社（2001）
- 「図解　応用微生物の基礎知識」西山隆造、オーム社（1995）
- 「食品加工の知識」太田静行、幸書房（1997）
- 「全国食物アレルギー即時型反応疫学調査結果（平成13年度）」厚生労働省食物アレルギー研究班、厚生労働省（2002）
- 「小児アレルギーシリーズ『食物アレルギー』」海老澤元宏、診断と治療社（2007）
- 「アレルギー特定原材料等由来の食品添加物等の表示方法について」日本食品添加物協会（2001）
- 「米アレルギー研究会からのメッセージ」米アレルギー研究会、米アレルギー研究会
- 「アトピーを治す大辞典」帯津良一、二見書房（1997）
- 「アレルギー・膠原病患者の看護」医学書院（2002）
- 「食物アレルギーの増加について」日本小児科学会雑誌　第106巻第11号、海老澤元宏ほか（2002）
- 「大豆の科学」山内文男ほか、朝倉書店（1999）
- 「小麦粉製品の知識」柴田茂久ほか、幸書房（2000）
- 「食品添加物インデックスPLUS　第2版」公益社団法人日本輸入食品安全推進協会、中央法規出版（2015）
- 「加工でん粉の基礎知識と現状について」菅野祥三、農畜産業振興機構（2010）
- 「食品添加物公定書解説書（第8版）」谷村顕雄、廣川書店（2007）
- 「食品添加物便覧」食品と科学社（2014）

- 「よくわかる暮らしのなかの食品添加物」日本食品添加物協会、光生館（2002）
- 「わかりやすい食品添加物」大森義仁ほか、社会保険出版社（1995）
- 「食品添加物表示ポケットブック」日本食品添加物協会（2015）
- 「既存添加物名簿収載品目リスト注解書」日本食品添加物協会技術委員会、日本食品添加物協会（1999）
- 「食品の範囲ガイド」日本食品添加物協会（2005）
- 「栄養成分表示ハンドブック」東京都（2016）
- 「製造物責任法（PL法）を学ぶ『第6回製造物責任法における責任主体』」朝見行弘、国民生活センター（2012）

参考法令等

- 食品表示法（平成25年法律第70号）
- 食品表示基準（平成27年3月20日内閣府令第10号）
- 食品表示基準について（平成28年11月17日消食表第706号消費者庁）
- 食品表示基準Q&A（平成27年12月24日消食表第660号消費者庁）
- 生鮮食品・業務用食品の表示に関する調査会報告書（平成26年6月13日消費者委員会 食品表示部会 生鮮食品・業務用食品の表示に関する調査会）
- 魚介類の名称のガイドライン（消費者庁）
- 生鮮魚介類の生産水域名の表示のガイドライン（平成15年6月水産物表示検討会）
- 刺身盛り合わせの原料原産地等表示自主指針（平成15年6月水産物表示検討会）
- 和牛等特色ある食肉の表示に関するガイドライン（平成19年3月20日食肉の表示に関する検討会）
- 栄養表示に関する調査会 生鮮食品・業務用食品の表示に関する調査会加工食品の表示に関する調査会 報告書とりまとめ（平成26年6月25日消費者委員会 食品表示部会）
- 食品表示法における酒類の表示のQ&A（平成28年3月国税庁）
- 清酒の製法品質表示基準を定める件（改正平成27年国税庁告示第13号）
- 果実酒等の製法品質表示基準を定める件（平成27年10月30日国税庁告示第18号）
- 果実酒等の製法品質表示基準のQ&A（平成28年6月国税庁）
- 食品表示法に基づく栄養成分表示のためのガイドライン第1版（平成27年3月消費者庁）
- 食品、添加物等の規格基準（昭和34年12月28日厚生省告示第370号）
- 「食品添加物表示Q&A」（平成3年6月厚生省生活衛生局食品化学課）
- 食品の新たな機能性表示制度に関する検討会報告書（平成26年7月30日）
- 有機農業の推進に関する法律（平成23年8月30日法律第105号）
- 有機農業の推進に関する基本的な方針（平成26年4月25日農林水産省）
- 有機農産物及び有機加工食品のJAS規格のQ&A（平成28年7月農林水産省）
- 有機畜産物及び有機飼料のJAS規格のQ&A（平成28年2月農林水産省）
- 特別栽培農産物に係る表示ガイドライン（平成19年3月23日18消安第14413号農林水産省）

索引

英文索引

α-アミラーゼ	419
ADI	288, 326
β-アミラーゼ	258, 276, 419
β-ガラクトシダーゼ	419
β-カロテン	463, 467
CAC	329
CMC	391, 465
CODEX	332
d-α-トコフェロール	396
D-ソルビトール	461
D-マンニトール	460
D-リボース	376
dl-α-トコフェロール	397
DL-アラニン	433
DL-メチオニン	444
DL-リンゴ酸	424
DL-リンゴ酸ナトリウム	424
DP	45, 408
ε-ポリリシン	386
Eマーク	648
FAO	329
FAO／WHO合同食品添加物専門家委員会	329
GIマーク	648
HACCP	668
—の承認に関係するマーク	650
IgE	207
IPハンドリング	489
JAS規格	114
JAS法	15
JASマーク	646
JECFA	288, 329
LD_{50}	329
L-アスコルビン酸	395
L-アスパラギン	441
L-アスパラギン酸ナトリウム	433
L-イソロイシン	434
L-グルタミン酸ナトリウム	432
L-酒石酸	423
L-酒石酸水素カリウム	447
L-テアニン	433
L-トリプトファン	433
L-バリン	433
L-フェニルアラニン化合物	375
—を含む旨	140
L-リシン塩酸塩	444
n-3系脂肪酸	531
n-6系脂肪酸	531
OPP	45, 409
OPP-Na	409
PETボトル（マーク）	652
pH調整剤	335
—のADI	422
—の種類	420
—の表示	421
pH調整用	464
PL法	18, 590
TBZ	408
V.B12	442
WHO	329

和文索引

【あ】

アイスクリーム	191
アイスクリーム製造	362
アイスクリーム類	190, 263
—の表示	188
アイスミルク	191
合挽肉	35
亜塩素酸ナトリウム	404
青色1号	382
赤色2号	381
赤色40号	466
アカニシ	103
アクチニジン	279
アグロバクテリウム法	488
アジピン酸	423
亜硝酸塩	462
亜硝酸ナトリウム	399, 400
アスパルテーム	375
—を含む食品	140
アセスルファムカリウム	375
アセチル化アジピン酸架橋デンプン	257, 392
アセチル化酸化デンプン	257, 392
アセチル化リン酸架橋デンプン	257, 392
アセトン	456
アゾキシストロビン	409
アトピー性皮膚炎	206
アトランティック・サーフクラム	104
アナトー色素	379, 467
アナフィラキシー	231
アナフィラキシーショック	208
アニサキス	224
アミノ酸	432
アメリカイタヤガイ	103
アメリカウバガイ	103
アメリカナマズ	103
アラビアガム	391
亜硫酸	464
亜硫酸塩類（アレルギー）	222
亜硫酸ナトリウム	403
アルカリ剤	457
アルギン酸ナトリウム	390
アルコール	463

【あ】

- アルミ缶（マーク） ……… 651
- アルミなし紙パック（マーク）
  ……………………………… 653
- アレルギー ……………… 204
  - ―の症状 ……………… 216
- アレルギー表示 ……… 139, 233
  - ―の国際比較 ………… 229
- アレルギー様食中毒 …… 223
- アレルゲン ……………… 206
  - ―の種類 ……………… 216
- アレルゲン表示（おかず） 610
- あわび ……………………… 269
- アワビモドキ …………… 103
- あんず ……………………… 45
- 安息香酸 ………………… 385
- 安息香酸ナトリウム …… 385
- 安定剤 …………………… 387

【い】

- イースト菌 ……………… 467
- イーストフード ……… 335, 454
- イースト理論 …………… 214
- いか ……………………… 269
- イカスミ色素 …………… 270
- いくら …………………… 270
- 異種混合 ………………… 34
- 異性化液糖の表示 ……… 129
- イソアミラーゼ ………… 419
- イソアルファー苦味酸 … 414
- 板わかめ ………………… 169
- Ⅰ型アレルギー ………… 208
- 1日当たりの摂取目安量 … 558
- 1日摂取許容量 ………… 326
- 一括表示 ………………… 122
  - ―のルール …………… 240
- 一括表示（アレルギー）… 237
- 一括表示様式 …………… 11
  - ―の事項名 …………… 13
- 一括名 ………………… 334, 465
- 一般飲食物添加物 …… 326, 373
- 一般懸賞 ………………… 624
- 遺伝子組換え …………… 465
- 遺伝子組換え技術 ……… 487
- 遺伝子組換え食品 …… 141, 486
- 遺伝子組換えである …… 489
- 遺伝子組換えでない … 489, 499
- 遺伝子組換え農産物の栽培状況
  ……………………………… 486
- 遺伝子組換えのものを分別 489
- 遺伝子組換え表示制度改正案…
  ……………………………… 499
- 遺伝子組換え表示の対象となる
  農産物と加工食品 …… 497
- 遺伝子組換え不分別 … 489, 500
- 遺伝子銃法 ……………… 487
- 意図せざる混入 ………… 489
- イノシット ……………… 442
- イノシトール …………… 442
- イマザリル …………… 45, 408
- イモアレルギー ………… 218
- 医薬品医療機器等法 …… 19
- インベルターゼ ………… 419
- 飲用乳 …………………… 188
  - ―の公正マーク ……… 650

【う】

- ウイスキー ……………… 201
- ウインナーソーセージ 160, 163
- ウコン …………………… 416
- 牛の個体識別のための情報の管
  理及び伝達に関する特別措置
  法 ……………………… 17
- うすくちしょうゆ ……… 172
- うす塩味 ………………… 542
- ウスターソース類 ……… 173
- うなぎ加工品（原料原産地表
  示） …………………… 520
- うにあえもの …………… 168
- うに加工品 ……………… 168
- ウバガイ ……………… 103, 104
- うるち米 ………………… 48

【え】

- 営業許可 ………………… 654
- 営業許可制度の見直し … 660
- 営業届出制度 …………… 660
- 栄養機能食品 …………… 554
- 栄養強化剤 …………… 339, 367
  - ―の種類 ……………… 440
  - ―の使用基準 ………… 441
  - ―の表示 ……………… 441
- 栄養強調表示の基準値 ………
  ……………………… 537, 540
- 栄養成分表示 ………… 139, 530
  - ―の順番 ……………… 531
- 液卵 ……………………… 166

【エ】

- エタノール …………… 464, 467
- エッセンス ……………… 438
- エネルギー ……………… 533
- エマルション …………… 438
- エリソルビン酸 ………… 398
- エレクトロポレーション法 487
- 塩化アンモニウム …… 446, 454
- 塩化カリウム …………… 436
- 塩化カルシウム ………… 452
- 塩化マグネシウム ……… 451
- 塩酸 ……………………… 457
- 塩水湖水低塩化ナトリウム液…
  ……………………………… 436
- 塩蔵わかめ ……………… 169
- 塩分ひかえめ …………… 542

【お】

- オイル …………………… 438
- 横断的義務表示（加工食品）…
  ……………………………… 116
- 横断的義務表示（生鮮食品） 27
- おうとう ………………… 45
- オーガニック ………… 573, 580
- 大括り表示 ……………… 512
- オオクチ ………………… 103
- 大麦黒酢 ………………… 175
- 大ヨークシャー種 ……… 79
- おかずの表示 ………… 129, 608
- オキヒラス ……………… 103
- オキブリ ………………… 103
- オクテニルコハク酸デンプンナ
  トリウム …………… 257, 392
- おとり価格表示 ………… 627
- 主な飼養地 ……………… 67
- オルトフェニルフェノール……
  ……………………… 45, 409
- オルトフェニルフェノールナト
  リウム ………………… 409
- オレイン酸ナトリウム … 461
- オレンジ ………………… 270
- オレンジ果汁 …………… 271

【か】

- 加圧加熱ソーセージ …… 160
- 海藻カロテン …………… 441
- 解凍 …………………… 31, 93
- 回遊性魚種 ……………… 92
- カオリン ………………… 456

化学物質過敏症……………… 227	カテキン………………………… 397	【き】
かき………………………………… 170	加糖粉乳………………………… 264	
核酸……………………………… 435	カナダホッキガイ…………… 104	黄色4号………………………… 381
拡大表記……………………… 251	加熱食肉製品………………… 158	キウイフルーツ……………… 278
加工………………… 34, 113, 593	カビ（アレルギー）………… 220	期限設定試験………………… 472
加工者………………………… 136	カフェイン……………………… 415	期限表示…………………13, 470
加工者（食肉）………………… 70	花粉症…………………………… 230	─の省略…………………… 475
加工食品か生鮮食品か……… 33	かまぼこ製造………………… 355	─の設定…………………… 471
加工食品と判断するもの（魚介類）…………………………… 97	紙製容器包装（マーク）… 652	─の表示方法…………… 476
加工食品の具体例……………… 36	ガムベース…………………… 335	期限表示（生鮮食品）……… 29
加工食品の定義……………… 111	─のADI…………………… 411	キサンタンガム……………… 391
加工食品の表示……………… 110	─の種類…………………… 411	キサンタンガム……………… 458
加工食品の表示例…………… 116	─の使用基準…………… 411	希釈過酸化ベンゾイル…… 458
加工助剤………………………	─の表示…………………… 411	キシリトール………………… 376
……… 235, 338, 462, 463, 464	カラギーナン………………… 466	季節名（魚介類）…………… 101
加工デンプン………………… 392	カラギナン……………………… 392	既存添加物……………326, 373
加工乳………………… 189, 262	辛子めんたいこ食品の公正マーク…………………………… 650	キチン……………………256, 390
「加工」の具体例……………… 113	殻付きの鶏卵…………………… 31	キトサン…………………256, 390
加工日（食肉）………………… 70	クラフトシシャモ…………… 103	機能性表示食品……141, 562
加工油脂の表示……………… 128	カラメル………………………… 465	キハダ抽出物………………… 415
過酸化水素…………………… 405	カラメル色素………………… 381	義務表示………………115, 122
過酸化ベンゾイル…………… 458	果粒入り果実ジュース…… 176	義務表示（栄養成分表示）… 532
果実飲料………………………… 176	過硫酸アンモニウム……… 458	キャリーオーバー……………
果実酒…………………………… 196	カルテル………………………… 639	……… 235, 339, 462, 463, 464
果実ジュース………………… 176	カルナウバロウ……………… 413	キャロットカロテン………… 442
果実酒製造…………………… 360	カルボキシペプチダーゼ… 258	吸着剤…………………………… 459
果実酢………………………… 175	カルボキシメチルセルロースナトリウム…………… 391, 458	牛トレーサビリティ法………… 18
果実ミックスジュース…… 176	カルボヒドラーゼ…………… 276	牛肉（アレルギー表示）… 272
果実・野菜ミックスジュース…	カロテン………………………… 465	牛肉アレルギー……………… 217
………………………………… 176	カロブビーンガム…………… 391	牛乳……………………… 189, 262
菓子パン……………………… 157	カワフグ………………………… 103	─の表示…………………… 188
果汁入り飲料………………… 176	かんきつ類………………………… 45	牛乳類の成分規格…………… 367
カシューナッツ……………… 280	かんすい………………… 335, 453	強化された旨の表示……… 537
加水分解コムギ……………… 230	乾燥スープ…………………… 179	凝固剤……………………335, 465
仮性アレルゲン……………… 222	カンゾウ抽出物……………… 375	業者間取引…………………… 145
カゼイン………………………… 266	乾燥わかめ…………………… 169	強調表示（栄養成分表示）… 536
カゼイン繊維によるアレルギー…………………………… 219	缶詰……………………………… 187	強調表示（米）………………… 56
カゼインナトリウム………… 266	官能試験……………………… 472	共同懸賞……………………… 624
過大包装……………………… 625	甘味料…………………………… 371	業務用加工食品……………… 145
カタラーゼ…………………… 273	─のADI…………………… 374	業務用食品（原料原産地表示）…………………………… 523
課徴金制度…………………… 632	─の甘味度比較………… 372	業務用生鮮食品……………… 146
課徴金納付命令……………… 641	─の種類…………………… 372	魚介エキス…………………… 250
かつお削りぶし（原料原産地表示）………………………… 520	─の使用基準…………… 373	魚介類の標準和名……………… 88
カット野菜……………………… 35	─の表示…………………… 373	魚介類の品目…………………… 88
褐毛和種………………………… 78	乾めん類……………………… 154	魚介類の名称……………… 87, 99
		─のガイドライン………… 99
		魚醤……………………………… 250

魚肉ソーセージ	166	
魚肉ハム	166	
切り身	171	
──の表示	94	
キングクリップ	103	
吟醸酒	195	
ギンヒラス	103	
ギンムツ	103	
ギンワレフー	103	

【く】

グァーガム	389, 458
クエルセチン	259
クエン酸	422
クエン酸カルシウム	443
クエン酸三ナトリウム	434
果物アレルギー	218
クチナシ赤色素	381
クチナシ黄色素	381
クックドソーセージ	160
国別重量順表示	508
組換え DNA 技術	487
苦味料	335
──の種類	414
──の表示	415
クリーム	263
クリームパウダー	264
グリシン	450, 466
グリセリン脂肪酸エステル	272, 275, 429, 467
グルコアミラーゼ	419
グルコサミン	256
グルコノデルタラクトン	447, 452
グルコマンナン	392
グルコン酸	425
グルコン酸第一鉄	458
グルタミナーゼ	419
グルタミン酸ソーダ	432
グルテン	258
くるみ	280
グレーズ剤	458
クロカンパチ	103
黒毛和種	78
黒豚	69
──の定義	80
──の表示	81

【け】

警告表示	598
ケイソウ土	456
軽度の撒塩	34
鯨肉製品	170
景品表示法	16, 623
景品類	623
鶏卵	31
計量法	17, 614
血液	281
結着剤	457
ゲノム編集	501
ゲル化剤	387, 466
健康増進法	17
原材料表示	125
原材料名	13
検査米	49
原産国の定義	626
原産国表示	526
原産国名	43, 68, 138
原産地（生鮮食品）	28
原産地（農産物）	42
原産地の表示（生鮮魚介類）	89
原産地表示	507
──の表示例（生鮮食品）	41
玄米	48
玄米および精米	47
原料原産地表示	504
原料玄米	48

【こ】

5'-イノシン酸二ナトリウム	435
5'-グアニル酸二ナトリウム	435
5'-リボヌクレオチド二ナトリウム	435
こいくちしょうゆ	172
高オレイン酸遺伝子組換え大豆	494
甲殻類アレルギー	217
口腔アレルギー症候群	230
抗原	206
抗原強弱表	212
広告の表示（食肉）	64
交雑種（魚介類）	102
香辛料抽出物	416

香辛料の表示	129
公正競争規約	114, 630
合成香料	335
合成酢	175
公正取引委員会	630
公正取引協議会	630
公正マーク	650
酵素	335, 417
香草の表示	129
酵素処理イソクエルシトリン	259
酵素処理ナリンジン	416
酵素処理ヘスペリジン	271
酵素処理ルチン	259
酵素処理レシチン	260, 275
酵素分解物	389
酵素分解リンゴ抽出物	278
酵素分解レシチン	260, 275
光沢剤	335
──の ADI	411
──の種類	411
──の使用基準	411
──の表示	411
高度さらし粉	449
公表	7
酵母（アレルギー）	220
こうや豆腐	157
高リシンとうもろこし	495
香料	335
──の種類	437
──の使用基準	438
──の表示	438
コーデックス規格	331
凍り豆腐	157
コール酸	273
コーンドミート	163
国際食品規格委員会	329
国際連合食糧農業機関	329
穀物酢	175
固結防止剤	459
個体識別番号（牛）	72
コチニール色素	380, 466
コチニール色素（アレルギー）	221
コハク酸	434
コハク酸一ナトリウム	423
個別的義務表示	117
個別的義務表示（生鮮食品）	27

個別表示（アレルギー）… 237	サッカリンナトリウム…… 376	私的独占の禁止及び公正取引の
個別表示のルール………… 238	殺菌料………………………… 449	確保に関する法律……… 638
ごま…………………………… 279	雑穀…………………………… 54	地鶏……………………… 82, 83
ゴマ油不けん化物………… 279	砂糖混合異性化液糖の表示… 129	地鶏肉の表示（特定JAS規
ゴマ柄灰抽出物…………… 279	砂糖製造…………………… 350	格）……………………… 85
ゴム………………………… 413	砂糖不使用………………… 541	ジフェニル…………… 45, 408
小麦粉処理剤……………… 458	さば………………………… 280	シミズダイ………………… 103
コムギ抽出物……………… 258	サポニン…………………… 276	しみ豆腐…………………… 157
米黒酢……………………… 175	サラダクリーミードレッシング	四面体面積………………… 11
米酢………………………… 175	………………………… 174	ジャム類…………………… 153
米トレーサビリティ法… 18, 57	サラダ油製造……………… 349	シュウ酸…………………… 457
─の対象………………… 58	サラミソーセージ………… 160	重曹………………………… 446
米の表示…………………… 47	酸化デンプン………… 257, 392	臭素酸カリウム…………… 458
米の品種と産地…………… 60	酸化防止剤のADI………… 394	酒精………………………… 467
米みそ……………………… 171	酸化防止剤の種類………… 393	酒税法……………………… 19
コラーゲン…………… 273, 281	酸化防止剤の使用基準…… 394	出世魚……………………… 100
糊料…………………… 387, 461	酸化防止剤の表示………… 394	酒類業組合法……………… 19
コレカルシフェロール…… 443	酸化マグネシウム………… 459	酒類の表示………………… 193
コレステロール…………… 531	酸剤………………………… 457	種類別名称………………… 123
混合うに…………………… 168	酸性白土…………………… 456	準特定原材料………… 211, 234
混合ソーセージ…………… 161	産地………………………… 50	純米酒……………………… 195
混合プレスハム…………… 159	産地情報（米）…………… 59	条件付き特定保健用食品（マー
混合米……………………… 51	産地証明米………………… 52	ク）……………………… 650
コンタミネーション……… 245	産地表示（生鮮魚介類）… 89	硝酸カリウム……………… 400
─の表示………………… 317	産地別使用実績…………… 511	硝酸ナトリウム…………… 400
コンドロイチン硫酸ナトリウム	産地未検査………………… 52	焼成カルシウム…………… 443
………………………… 459	産地未検査米……………… 52	消石灰……………………… 465
こんにゃく用凝固剤……… 465	産地ミックス米…………… 51	醸造酢……………………… 175
コンビーフ………………… 163	産年………………………… 50	飼養地……………………… 67
	サンプル品の表示………… 12	消費期限……………… 133, 471
【さ】	酸味料……………………… 335	─（食肉）……………… 70
さいしこみしょうゆ……… 172	─のADI………………… 422	消泡剤……………………… 452
在来種（鶏）…………… 82, 84	─の種類………………… 420	使用方法（生鮮食品）…… 29
在来種由来血液百分率…… 84	─の表示………………… 421	賞味期限……………… 133, 471
魚アレルギー……………… 216		証明米……………………… 49
さきいか製造……………… 357	**【し】**	しょうゆ…………………… 172
酢酸…………………… 425, 451	シアノコバラミン………… 442	しょうゆ製造……………… 358
酢酸デンプン………… 257, 392	シアン化合物を含有する豆類の	使用割合…………………… 50
酢酸ナトリウム……… 425, 464	表示……………………… 44	食塩相当量………………… 530
酢酸ビニル樹脂…………… 413	しいたけの表示…………… 43	食塩の保存方法…………… 482
さけ………………………… 274	塩うに……………………… 168	食塩無添加………………… 542
酒粕………………………… 463	色調安定剤………………… 458	食酢………………………… 175
サザエ……………………… 103	指示………………………… 7	食肉………………………… 164
差止請求権………………… 8	脂質………………………… 530	─の原産地表示………… 67
刺身の表示………………… 94	シシャモ…………………… 103	─の公正競争規約……… 62
刺身の盛り合わせ………… 35	シックハウス関連病……… 227	─の種類………………… 65
刺身盛り合わせ（原料原産地表	シックハウス症候群……… 227	─の表示………………… 62
示）………………… 98, 525	指定添加物…………… 325, 373	─の部位………………… 66

―の用途……………………… 66
食肉製品……………………… 164
食パン………………………… 157
食パン製造…………………… 363
食品安全基本法………………… 14
食品営業許可………………… 654
食品衛生監視員……………… 331
食品衛生管理者……………… 331
食品衛生法……………………… 16
食品関連事業者……………… 137
食品関連事業者等……………… 24
食品添加物……………… 13, 322
　―の使用基準……………… 326
　―の使用例………………… 342
食品添加物製剤（アレルギー表示）…………………………… 283
食品添加物不使用…………… 462
食品のマーク………………… 646
食品表示基準…………………… 6
食品表示法……………………… 2
植物性ステロール………… 275, 430
植物油脂の表示……………… 128
植物レシチン……………… 276, 428
食物アレルギー……………… 204
食物依存性運動誘発性アレルギー………………………… 231
食物抗原強弱表……………… 212
食物繊維……………………… 531
食用塩の公正マーク………… 651
食用植物油脂………………… 180
食用油脂の表示……………… 128
食用油製造…………………… 349
ショ糖脂肪酸エステル……… 429
ショルダーハム……………… 158
ショルダーベーコン………… 162
しらこたん白抽出物……… 274, 384
シリカゲル…………………… 456
シリコーン樹脂…………… 452, 464
シルバー……………………… 103
シルバーワレフー…………… 103
しろしょうゆ………………… 172
シロスズキ…………………… 103
シロヒラス…………………… 103
新米…………………………… 56

【す】

水域名…………………… 89, 105
　―の表示ルール…………… 93

水酸化カルシウム……… 457, 465
水産加工品（原料原産地表示）…………………………… 524
水酸化ナトリウム…………… 457
水産物の表示………………… 86
推奨表示……………………… 121
推奨表示（栄養成分表示）… 532
水素イオン濃度調整剤……… 335
スギ…………………………… 103
スクラロース………………… 376
すじこ………………………… 270
スズキ………………………… 103
スチール缶（マーク）……… 651
ステアリドン酸産生遺伝子組換え大豆……………………… 495
ステアロイル乳酸カルシウム
　……………………………… 430
ステビア抽出物……………… 374
ステロール…………………… 275
スパイス抽出物……………… 416
スパゲッティ………………… 156
スフィンゴ脂質……………… 257

【せ】

生産工場番号………………… 477
生産情報公表 JAS 規格 …… 74
清酒…………………………… 194
生食用食肉の表示………… 16, 70
生鮮魚介類の表示…………… 87
生鮮魚介類の名称…………… 87
生鮮食品か加工食品か……… 33
生鮮食品と判断するもの（魚介類）………………………… 97
生鮮食品の具体例…………… 36
生鮮食品の種類……………… 23
生鮮食品の定義……………… 22
生鮮食品の表示……………… 22
生鮮食品の見分け方………… 35
製造……………………… 34, 113, 593
製造業者等の表示…………… 13
製造行為とならない主な具体例
　……………………………… 516
製造者………………………… 136
製造所固有記号………… 138, 661
製造所固有記号制度………… 18
製造地表示…………………… 515
製造物責任…………………… 591
製造物責任法……………… 18, 590

製造物の欠陥………………… 591
製造用剤……………………… 448
成長名（魚介類）…………… 100
生乳…………………………… 31
精麦…………………………… 54
成分調整牛乳…………… 189, 262
精米…………………………… 48
精米改良剤…………………… 464
精米年月日…………………… 55
生めん羊乳…………………… 31
生山羊乳……………………… 31
世界保健機関………………… 329
節足動物アレルギー………… 217
セミドライソーセージ……… 163
セモリナ……………………… 156
ゼラチン……………………… 280
全粉乳………………………… 264
選別…………………………… 34

【そ】

惣菜の表示…………………… 604
そうざい半製品……………… 366
総付景品……………………… 624
増粘安定剤の ADI ………… 389
増粘安定剤の種類…………… 388
増粘安定剤の使用基準……… 389
増粘安定剤の表示…………… 389
増粘剤…………………… 387, 465
増粘多糖類…………………… 465
ソーセージ…………………… 160
ソーマチン…………………… 376
即席めん……………………… 155
粗製海水塩化カリウム……… 436
粗製海水塩化マグネシウム含有物…………………………… 452
措置命令……………………… 631
そば全草抽出物……………… 259
ソフトサラミソーセージ…… 160
ソルビット…………………… 461
ソルビン酸…………………… 385
ソルビン酸カリウム………… 385

【た】

ターメリック………………… 416
大豆…………………………… 275
ダイズサポニン……………… 276
大豆多糖類…………………… 275
代替表記……………………… 251

タウマチン……………… 376
タウリン………………… 270
タウリン抽出物………… 434
高い旨の表示…………… 537
たくあん製造…………… 354
立入検査………………… 8
脱脂濃縮乳……………… 263
脱脂粉乳………………… 264
多糖類…………………… 387
たまりしょうゆ………… 172
タルク…………………… 456
炭酸飲料………………… 176
炭酸カリウム（無水）… 453
炭酸カルシウム… 454, 462
炭酸水素ナトリウム… 446, 464
炭酸ナトリウム… 454, 457
胆汁末……………… 273, 430
炭水化物………………… 530
たんぱく加水分解物…… 466
たんぱく質……………… 530
たんぱく質濃縮ホエイパウダー
………………………… 264
タンブリング処理……… 164
段ボール（マーク）…… 653

【ち】

チアベンダゾール…… 46, 408
チアミン塩酸塩………… 443
地域特産品認証マーク… 648
チーズ…………………… 263
置換ガス類……………… 463
畜産物缶詰……………… 162
畜産物の表示…………… 62
畜産物瓶詰……………… 162
畜肉加工品（原料原産地表示）
………………………… 524
チクル…………………… 413
乳（アレルギー表示）… 262
窒素ガス………………… 463
地方名（魚介類）……… 101
着色料…………………… 466, 467
着色料（アレルギー）… 249
着色料のADI…………… 378
着色料の種類…………… 377
着色料の使用基準……… 378
着色料の表示…………… 378
チャネルキャットフィッシュ…
………………………… 103

注意表示………………… 598
チューインガム製造…… 351
中間加工原料…………… 126
抽出カロテン…………… 441
抽出ビタミンE…… 276, 279
抽出用剤………………… 455
中濃ソース……………… 173
調合みそ………………… 171
調整……………………… 34
調整液状乳……………… 264
調製豆乳………………… 178
調整粉乳………………… 264
チョウセンボラ………… 103
腸内細菌………………… 213
腸内フローラ…………… 213
調味料……………… 335, 466
　―の種類……………… 430
　―の表示……………… 432
調理食品缶詰…………… 184
調理食品瓶詰…………… 184
調理冷凍食品…………… 181
　―（原料原産地表示）… 522
直罰規定………………… 9
チリアワビ……………… 103
地理的表示……………… 648
チルド…………………… 184
チルドぎょうざ類……… 183
チルドしゅうまい……… 183
チルドばおず…………… 183
チルド春巻……………… 183
チルドハンバーグステーキ… 165
チルドミートボール…… 165

【つ】

通販商品の表示………… 12
付け合わせの表示……… 609
ツブ……………………… 103
粒うに…………………… 168
詰め合わせ食品の期限表示… 477

【て】

ディーゼル排出微粒子… 228
ディープ・シー・スキャロップ
………………………… 103
低温保管米……………… 57
低減された旨の表示…… 539
低酸性食品……………… 187
低脂肪牛乳………… 189, 262

デスオキシコール酸…… 273
鉄たん白………………… 272
デュナリエラカロテン… 441
デュラム小麦…………… 156
デュロック種…………… 79
電圧パルス……………… 487
添加物製剤（アレルギー表示）
………………………… 283
添加物製剤の期限表示… 477
添加物の表示…………… 132
転換期間中………… 573, 581
天然……………………… 465
天然酵母………………… 467
天然香料………………… 326
でん粉含有率……… 161, 162
デンプングリコール酸ナトリウム
…………………… 257, 392

【と】

糖果の表示……………… 129
トウガラシ色素………… 467
東京医大式食物抗原強弱表… 212
凍結前加熱……………… 185
糖質……………………… 531
同種混合………………… 34
豆乳飲料………………… 178
豆乳類…………………… 178
糖の種類………………… 387
豆腐製造………………… 344
動物の血液……………… 281
動物油脂の表示………… 128
豆腐用凝固剤…… 335, 345, 451
糖類……………………… 531
糖類無添加……………… 541
糖類を添加していない旨の強調
　表示………………… 541
特種魚肉ソーセージ…… 167
特種フィッシュソーセージ… 167
特殊包装かまぼこ……… 167
特色JASマーク………… 647
特色ある食肉の表示…… 69
特色のある原材料… 131, 507
毒性試験………………… 329
独占禁止法……………… 638
特定遺伝子組換え農産物… 489
特定加熱食肉製品……… 158
特定原材料…… 139, 210, 234
　―に準ずるものの拡大表記…

―に準ずるものの代替表記 ……………… 253
　　―の拡大表記 ……………… 252
　　―の代替表記 ……………… 252
　　―の範囲 ……………… 255
特定原材料等の省略 ……………… 238
特定原材料等の範囲に含まれないもの ……………… 281
特定原材料等の表示方法 ……………… 238
特定原材料等を使用していない旨の表示 ……………… 347
特定JAS規格の地鶏肉の表示 ……………… 85
特定商品 ……………… 615, 618
特定物象量 ……………… 614
特定保健用食品 ……………… 141, 546
特定保健用食品（マーク） ……………… 649
特別牛乳 ……………… 189, 262
特別栽培農産物 ……………… 582
特別用途食品 ……………… 544
特別用途食品（マーク） ……………… 650
トコフェロール ……………… 276, 279
トコフェロール類 ……………… 464
とこぶし ……………… 269
トマト加工品 ……………… 152
トマトジュースの定義 ……………… 123
トランスグルタミナーゼ ……………… 420
トランス脂肪酸 ……………… 534
トランスフェラーゼ ……………… 420
鶏肉（アレルギー表示） ……………… 272
鶏肉アレルギー ……………… 217
鶏の液卵 ……………… 166
トリプシン ……………… 419
ドレッシング ……………… 174
ドレッシングタイプ調味料 ……………… 174
トロカンパチ ……………… 103
トロポミオシン ……………… 217

【な】

ナイアシン ……………… 444
ナイシン ……………… 386
内容量 ……………… 13, 134
内容量（米） ……………… 55
内容量（生鮮食品） ……………… 30
ナイルアカメ ……………… 103
ナイルパーチ ……………… 103
ナガウバガイ ……………… 104

納豆菌 ……………… 467
ナトリウム ……………… 530
ナトリウム塩を添加していない旨の強調表示 ……………… 542
生かき ……………… 170
生かきの表示 ……………… 94
ナリンジナーゼ ……………… 419
ナリンジン ……………… 416, 463
軟化剤 ……………… 335, 461
なんきんまめ ……………… 267
軟体動物アレルギー ……………… 217

【に・ぬ】

ニコチン酸アミド ……………… 444
二酸化塩素 ……………… 458
二酸化ケイ素 ……………… 456
二酸化炭素 ……………… 463
二重価格表示 ……………… 627
二重表示の例 ……………… 635
二糖類 ……………… 387
煮干魚類 ……………… 166
日本短角種 ……………… 78
乳飲料 ……………… 189, 264
乳飲料製造 ……………… 368
乳化液状ドレッシング ……………… 174
乳化剤 ……………… 335, 467
　―のADI ……………… 427
　―の種類 ……………… 426
　―の使用基準 ……………… 427
　―の表示 ……………… 427
乳酸 ……………… 423
乳酸菌 ……………… 467
乳酸菌飲料 ……………… 264
乳児用規格適用食品 ……………… 141
乳糖 ……………… 266
乳、乳製品の分類 ……………… 188
任意表示 ……………… 121
任意表示（栄養成分表示） ……………… 532
ニンジンカロテン ……………… 442
にんじんジュース ……………… 178
にんじんミックスジュース ……………… 178
ヌードル ……………… 156

【ね】

ネーブルオレンジ ……………… 270
ネオテーム ……………… 376
熱量 ……………… 530
練りうに ……………… 168

粘着防止剤 ……………… 460

【の】

濃厚ソース ……………… 173
農産加工品（原料原産地表示） ……………… 523
農産物缶詰 ……………… 150
農産物漬け物（原料原産地表示） ……………… 519
農産物の表示 ……………… 40
農産物瓶詰 ……………… 150
濃縮乳 ……………… 263
濃縮ホエイ ……………… 263
農林物資の規格化等に関する法律 ……………… 15
のり（原料原産地表示） ……………… 518

【は】

パーオキシダーゼ ……………… 276
バークシャー種 ……………… 79
パーティクルガン法 ……………… 487
パープリッシュ・スキャロップ ……………… 103
バーミセリー ……………… 156
パーム油カロテン ……………… 442
バーライト ……………… 456
バイ ……………… 103
バイオテクノロジー ……………… 487
ハイオレイック ……………… 181
胚芽精米 ……………… 48
排除措置命令 ……………… 641
ばい煎ダイズ抽出物 ……………… 276
ハイブリッド名（魚介類） ……………… 102
灰ぼしわかめ ……………… 169
ハイリノール ……………… 181
パウダー ……………… 438
白色コーニッシュ ……………… 82
白色ロック ……………… 82
白陶土 ……………… 456
はしか ……………… 207
バター ……………… 263
バターオイル ……………… 263
バターミルクパウダー ……………… 264
はちみつの会員証紙 ……………… 650
発芽玄米 ……………… 54
発酵乳 ……………… 264
発色剤 ……………… 462
　―のADI ……………… 399

683

——の種類……………… 398	ピペロニルブトキシド…… 460	豚肉（アレルギー表示）… 272
——の使用基準……………… 399	被膜剤……………………… 461	豚肉アレルギー…………… 217
——の表示……………… 399	日持ち向上剤…… 449, 466, 467	豚の品種…………………… 79
罰則……………………………… 9	氷温米……………………… 57	物質名表示………………… 337
放し飼い………………………… 84	氷酢酸………………… 425, 451	不当景品類及び不当表示防止法
バナナ………………………… 280	表示可能面積…… 11, 120, 242	……………………… 16, 623
パパイン……………………… 419	表示責任者………………… 137	ぶどう酢…………………… 175
パプリカ色素………………… 466	表示に用いる文字…………… 11	ぶどう糖…………………… 374
ハマグリ……………………… 104	表示の省略………………… 142	ぶどう糖の表示…………… 128
ハム類……………………… 158	標準和名……………………… 87	不当表示…………… 625, 626
ばら売りの表示（米）……… 55	漂白剤のADI……………… 403	不当廉売…………………… 641
パラオキシ安息香酸ブチル… 386	漂白剤の種類……………… 402	フマル酸…………………… 424
パルブアルブミン…………… 216	漂白剤の使用基準………… 402	フマル酸一ナトリウム…… 448
バレンシアオレンジ………… 270	漂白剤の表示……………… 403	不溶性鉱物性物質………… 456
パンクレアチン………… 273, 419	平飼い……………………… 84	プライスラベル…………… 12
半固体状ドレッシング…… 174	ピリメタニル……………… 409	プラスチック製容器包装（マーク）…………………… 653
販売業者の表示（米）……… 55	微量混入…………………… 245	フラボノイド………… 259, 382
販売者……………………… 137	ピロリン酸第二鉄………… 444	フランクフルトソーセージ……………………… 160, 163
ハンプシャー種……………… 79	ピロリン酸ナトリウム…… 457	
パン類……………………… 157	ピロリン酸二水素ニナトリウム……………………… 447	ブランチング……………… 34
	品質保持剤………………… 451	ブランチングをした野菜… 42
【ひ】	品種………………………… 50	ブランド食肉……………… 75
ヒアルロン酸……………… 274	品種ミックス米…………… 51	ブランド名（魚介類）…… 101
ピーナッツアレルギー…………………… 216, 267	品名………………………… 123	ブルーワレフー…………… 103
ピーナッツオイル………… 267		フルジオキソニル…… 46, 409
ピーナッツバター………… 267	【ふ】	プルラナーゼ……………… 419
ビール……………………… 201	ファットスプレッド……… 181	フレーバリング…………… 176
非加熱食肉製品…………… 158	ファリナ…………………… 156	プレスハム………………… 158
低い旨の表示……………… 539	フィチン酸………………… 424	ブレンド米………………… 51
ビスケット製造…………… 347	フィッシュソーセージ…… 167	ブロイラー………………… 82
ヒスタミン………………… 223	フィッシュハム…………… 167	プロセスチーズ製造……… 346
ヒスチジン………………… 223	風味調味料………………… 175	プロタミン………………… 274
微生物試験………………… 472	フェリチン………………… 272	プロピコナゾール………… 409
ビタミン…………………… 531	フェロシアン化カリウム… 459	プロピタンA……………… 441
ビタミンE………… 276, 279, 397	フェロシアン化カルシウム… 459	プロピレングリコール… 451, 464
ビタミン強化米……………… 54	フェロシアン化ナトリウム… 459	分別生産流通管理…… 489, 499
ビタミンP………………… 271	フェロシアン化物………… 459	分別レシチン…… 261, 276, 428
ビタミンB₁………………… 443	ふぐ加工品………………… 171	粉末パプリカ……………… 466
ビタミンB₁₂………………… 442	複合原材料………………… 126	分離液状ドレッシング…… 174
ビタミンB₁ラウリル硫酸塩……………………… 450	——の表示（おかず）…… 610	
ビタミンB₂………………… 444	複数原料米………………… 51	【へ】
ビタミン類…………… 466, 532	含まない旨の表示………… 539	米穀等の取引等に係る情報の記録及び産地情報の伝達に関する法律………………… 18
ヒドロキシプロピル化リン酸架橋デンプン………… 257, 392	含む旨の表示……………… 537	
	ふくらし粉………………… 335	ベイ・スキャロップ……… 103
ヒドロキシプロピルデンプン……………… 257, 393	不公正な取引方法の禁止… 639	ベーキングパウダー……… 335
	不正競争防止法………… 19, 645	ベーコン類………………… 162

ヘキサン……………………455	保存料の種類……………383	麦みそ………………………171
ペクチナーゼ………………419	保存料の使用基準………384	無菌充填豆腐………………157
ペクチン……271, 278, 392, 466	保存料の表示……………384	ムコ多糖……………………274
ペクチン分解物………271, 278	ホタテガイ…………………103	無脂肪牛乳……………189, 262
ヘスペリジナーゼ…………419	ホッキガイ…………………104	無洗米…………………………57
ヘスペリジン……………271, 443	ポテトチップ製造………353	ムツ…………………………103
ベタイン……………………434	骨付きハム…………………158	無添加………………………462
ベタ付け景品………………624	ポリリン酸ナトリウム……457	無糖脱脂れん乳……………264
紅こうじ色素………………382	ボロニアソーセージ……160, 163	無糖れん乳…………………264
ベニバナ色素………………382	ホワイトワレフー…………103	無毒性量……………………327
ペプシン……………………419	本醸造酒……………………195	ムラサキイタヤガイ………103
ヘム鉄…………………273, 442	ホンビノスガイ……………104	
ベリーハム…………………158	ボンレスハム………………158	【め】
弁当の表示……………129, 604		銘柄牛…………………………78
ベントナイト………………456	【ま】	銘柄食肉…………………68, 75
返品商品の期限表示………478	マーガリン…………………181	銘柄鶏…………………………82
	マーガリン製造……………348	銘柄豚…………………………80
【ほ】	マイクロクリスタリンワックス	名称………………………12, 123
防かび剤の種類…………45, 406	………………………………413	―（米）………………………48
防かび剤の表示……………409	マカロニ類…………………156	―（生鮮食品）……………27
放射線を照射した食品………30	マジェランアイナメ………103	―（農産物）…………………42
防虫剤………………………460	マゼランツキヒガイ………103	メタリン酸カリウム………457
膨脹剤………………………335	又は表示……………………510	メタリン酸ナトリウム……457
膨張剤………………………335	まつたけ……………………280	メチルヘスペリジン………270
―のADI……………………446	豆みそ………………………171	メロ…………………………103
―の種類……………………445	マヨネーズ…………………174	免疫…………………………207
―の使用基準………………446		免疫グロブリン……………207
―の表示……………………446	【み】	
法定計量単位………………614	未焼成カルシウム……261, 443	【も】
防ばい剤の種類…………45, 406	水揚げ港……………………105	申出制度………………………9
飽和脂肪酸…………………531	みそ…………………………171	文字の大きさ………………122
ホエイソルト………………436	ミックストコフェロール……	もち米…………………………48
ホエイパウダー……………264	…………………………276, 397	もち精米………………………48
ポーションカット…………164	ミックス米……………………51	素びな…………………………84
保健機能食品………………544	密封の定義…………………614	モナスカス…………………382
乾しいたけ…………………153	ミネラル……………………531	もみ貯蔵米……………………57
乾わかめ……………………169	ミネラルウォーター………179	もみわかめ…………………169
保水剤………………………458	ミネラルオイルホワイト…455	もも…………………………280
ホスホリパーゼ………273, 276	ミネラル類…………………532	モルホリン脂肪酸塩………461
保存温度の目安……………483	ミョウバン…………………462	
保存温度変更者……………478		【や】
保存条件の変更……………478	【む】	野菜冷凍食品（原料原産地表
保存方法…………13, 136, 481	無塩漬コンビーフ…………163	示）…………………………518
―（食肉）……………………70	無塩漬ソーセージ…………160	野菜をカットした食品の分類
―（生鮮食品）………………29	無角和種………………………78	………………………………42
―の基準……………………482	無過失損害賠償責任………641	やまのいも…………………277
―の省略……………………481	無機塩………………………436	
保存料のADI………………384	むき身………………………171	

【ゆ】

- 有機 ……………………………… 580
- 有機JASマーク ………… 569, 648
- 有機加工食品 …………………… 578
- 有機栽培農産物 ………………… 573
- 有機食品 ………………………… 568
- 有機畜産物 ……………………… 576
- 有機畜産物加工食品 …………… 579
- 有機農産物 ………………… 570, 573
- 有機農産物加工食品 …………… 579
- 有機農畜産物加工食品 ………… 579
- 有機無農薬 ……………………… 573
- 有利誤認表示 …………………… 627
- 優良誤認表示 …………………… 625
- ゆでがに ………………………… 170
- 湯通し塩蔵わかめ ……………… 169
- 輸入かんきつ類（防かび剤）……
  ………………………………… 356
- 輸入者 …………………………… 137
- 輸入食肉 ………………………… 68
- 輸入食品の期限表示 …………… 479
- 輸入品 …………………………… 138

【よ】

- 容器包装詰加圧加熱殺菌食品…
  ………………………………… 185
- 容器包装詰低酸性食品 ……… 187
- 容器包装に入れられた加工食品
  ………………………………… 12
- 容器包装の表示可能面積 …… 119
- 養殖 ……………………………… 31
- 養殖（生鮮魚介類） …………… 90
- 養殖の定義 ……………………… 93
- 溶性ビタミンP ………………… 271
- 用途名併記 ……………………… 334

【ら】

- ライギョダマシ ………………… 103
- ラクトアイス …………………… 191
- ラクトパーオキシダーゼ ……… 266
- ラクトフェリン濃縮物 ………… 266
- 落花生 …………………………… 267
- 落花生アレルギー ……………… 267
- ラック色素 ……………………… 382
- ラックスハム …………………… 158
- ラテックスアレルギー ………… 219
- 卵黄 ……………………………… 252

- 卵黄レシチン ………… 261, 428, 429
- ランチョンミート ………… 163, 164
- ランドレース種 ………………… 79
- 卵白 ……………………………… 252
- 卵白リゾチーム ………………… 261

【り・る】

- リオナソーセージ ………… 160, 163
- 理化学試験 ……………………… 472
- 離型剤 …………………………… 455
- リスク管理 ……………………… 15
- リスクコミュニケーション …… 15
- リスク評価 ……………………… 15
- リスク分析 ……………………… 15
- リゾチーム ………………… 261, 419
- リターナブルガラス瓶（マーク） …………………………… 653
- リパーゼ ………………………… 419
- リポキシゲナーゼ ……………… 277
- リボフラビン …………………… 444
- 硫酸 ……………………………… 457
- 硫酸アルミニウムカリウム……
  ……………………………… 447, 462
- 硫酸アルミニウムカリウム……
- 硫酸カルシウム ………………… 452
- 硫酸第一鉄 ……………………… 400
- 硫酸マグネシウム ……………… 452
- 流動パラフィン ………………… 455
- 両罰規定 ………………………… 9
- 量目 ……………………………… 69
- 量目公差 ………………………… 614
- りんご …………………………… 278
- りんご酢 ………………………… 175
- リン酸 …………………………… 457
- リン酸一ナトリウム …………… 457
- リン酸架橋デンプン ……… 257, 393
- リン酸化デンプン ………… 257, 393
- リン酸三ナトリウム …………… 457
- リン酸水素二ナトリウム ……… 454
- リン酸二カリウム ……………… 457
- リン酸二水素カルシウム………
  ……………………………… 448, 455
- リン酸モノエステル化リン酸架橋デンプン ……………… 257, 393
- ルチン …………………………… 259

【れ】

- 冷凍果実飲料 …………………… 179

- 冷凍シュウマイ製造 …………… 365
- 冷凍食品 …………………… 185, 366
- ―の認定証マーク …………… 651
- 冷凍の表示（食肉） …………… 69
- レシチン ………… 261, 275, 427, 467
- レトルトパウチ食品 ……… 185, 185
- レバーソーセージ ……………… 160
- レバーペースト ………………… 160
- レンネット ……………………… 419

【ろ】

- ローカストビーンガム ………… 391
- ロースハム ……………………… 158
- ロースベーコン ………………… 162
- ロードアイランドレッド ……… 82
- ろ過助剤 ………………………… 456
- ロコガイ ………………………… 103
- ロット番号 ……………………… 477

【わ】

- ワイン …………………………… 197
- 和牛 ……………………………… 69
- ―と表示できる品種 ………… 77
- ―の定義 ……………………… 76
- ―の品種と特徴 ……………… 78
- ワレフー ………………………… 103

【著者紹介】

武末高裕 (たけすえ　たかひろ)

技術ジャーナリスト
有限会社メディアリソース代表
福岡県生まれ。

出版社の編集者を経て1980年から技術ジャーナリストとして、雑誌・書籍の執筆、講演活動を行う。環境技術、環境と食、並びに情報通信、新素材などの先端技術が主なフィールドである。
　簡明技術推進機構より科学技術の啓蒙活動が認められ、PORT賞を受賞。

＜主な著書＞
「あなたの会社の環境技術はこう使え」、「新・環境技術で生き残る1000企業」(以上、ウェッジ)、「日本発ナノカーボン革命」、「環境リサイクル技術のしくみ」(以上、日本実業出版)、「ビジネスを変える環境政策徹底ガイド」、「なぜノキアは携帯電話で世界一になり得たか」(以上、ダイヤモンド社)、「ヒトと地球のクスリになる本」(NTT出版) など多数。

【著者紹介】

山口廣治 (やまぐち　ひろはる)

食品開発エンジニア(有限会社　応用栄養学食品研究所代表研究員)
北海道生まれ。

　食品等事業者を対象とした食品表示関連法規、食品衛生技術、HACCPシステムのコンサルタント業務。食品事故の防止対策として、食品表示とHACCPを取り入れた危機管理技術のレベルアップに日々精力的に取り組む。
＜現在までの主な経歴＞
一般社団法人全国スーパーマーケット協会客員研究員、NSAJ (食品表示管理士検定委員・食品表示管理士検定試験講師・食品表示調査委員会委員長)、農林水産省消費・安全局リスク管理検討会委員(代理)、JAS規格の確認・改正および廃止にかかる原案作成委員、全国食肉公正取引協議会認定食肉販売調査委員会委員、東京都食肉公正取引協議会理事、水産庁HACCP検討委員、HACCP審査委員、府省共通研究開発管理システム登録研究機関研究員、独立行政法人食品総合研究所農林水産研究高度化事業受託研究所　農業・食品産業技術総合研究機構近畿中国四国農業研究センター低アミロース米および多収飼料用米協定研究員、JA営農アドバイザー、その他、多数歴任。

＜近年の主な著書＞
「基礎　食品表示と近年の動向」、「食品表示法解説2015」、「食品表示法解説2016'」、「食品衛生・表示手帳」、機関誌「月刊セルフサービス―食の安心・安全情報」平成16年7月号～現在執筆中、以上：発行(一社)全国スーパーマーケット協会
その他、「チェーンストアエイジ―緊急企画」平成15年12月／P40、平成16年2月／P16、10月／P68～71、平成17年9月／P28～29　発行：(株)ダイアモンド・フリードマン、「本当に必要な日本の改革」P83～108／平成17年10月11日発行：ソフトバンククリエイティブ株式会社、養殖技術専門誌月刊「アクアネット―連載・環境保全型養殖への挑戦」平成11年10月～平成12年10月号　発行：湊文社、等々

新版第2版 いのちを守る食品表示 食品表示管理士検定公式テキスト

2017年5月15日　新　版　発　行
2019年5月15日　新版第2版発行

監　　修…………… 一般社団法人全国スーパーマーケット協会
著　　者…………… 武末髙裕、山口廣治
発　行　者…………… 荘村明彦
発　行　所…………… 中央法規出版株式会社
　　　　　　　〒110-0016 東京都台東区台東 3-29-1　中央法規ビル
　　　　　　　営　　業　TEL 03-3834-5817　　FAX 03-3837-8037
　　　　　　　書店窓口　TEL 03-3834-5815　　FAX 03-3837-8035
　　　　　　　編　　集　TEL 03-3834-5812　　FAX 03-3837-8032
　　　　　　　U　R　L　https://www.chuohoki.co.jp/

印刷・製本…………… 株式会社アルキャスト
本文デザイン………… 齋藤視倭子、伊東裕美
本文イラスト………… 山口みづほ（mizuho.デザイン・オフィス代表）
カバーデザイン……… 齋藤視倭子

定価はカバーに表示してあります。
ISBN978-4-8058-5895-0

●本書のコピー、スキャン、デジタル化等の無断複製は、著作権法上での例外を除き禁じられています。また、本書を代行業者等の第三者に依頼してコピー、スキャン、デジタル化することは、たとえ個人や家庭内での利用であっても著作権法違反です。
●乱丁本・落丁本はお取り替えいたします。